JN201631

第11版

Q&A 生命保険 損害保険の活用と税務

税理士
三輪厚二 著

清文社

第11版の発刊にあたって

平成8年に本書初版を上梓してから27年、版も数えること11版になりました。

四半世紀を超えて読者の皆様に親しまれていること、とてもうれしく感慨深く思います。289問でスタートした本書も、ついに600問になりました。これからも一層、内容を充実させて皆さんのお手元に置いておきたい1冊にしていきたいと思っています。

さて、今回の改訂です。

3年前に法人向けの節税保険に網がかけられたことは記憶に新しいところですが、今回は、いわゆる低解約返戻金型保険を使った名義変更プランに歯止めがかけられました。低解約返戻金型保険など解約返戻金が著しく低い保険契約等は、これまで原則としてきた支給時解約返戻金の額で評価するのは適当でないということでの改正です。

そこで、この名義変更プランに係る問答を11問新設しました。

- 改正になった名義変更の取扱い
- 改正の契機になった取引の概要
- 改正の内容
- 支給時解約返戻金の額と支給時資産計上額
- 改正の効果
- 施行日とその前後の取扱い
- 定期付養老保険等を名義変更する場合の取扱い
- 復旧することができる払済保険を名義変更する場合の取扱い
- 法人から法人へ名義変更する場合の取扱い
- 個人事業者から別の個人等へ名義変更する場合の取扱い
- 名義変更した場合の支払調書

そして、前回改正された通達に関連する問答を整理して、新たに5問を追加しました。これで、税務上の定期保険等の取扱いが体系的にまとめられたのではないかと思います。

・最高解約返戻率が50％超の定期保険等の取扱い
・短期払いでない定期保険等の取扱い
・解約返戻金のない定期保険等の取扱い
・年換算保険料相当額が30万円以下の定期保険等の取扱い
・保険料の全額を資産計上している場合の取扱い

その他、国税庁から明らかにされた取扱いなど、以下のような問答を18問追加するとともに、改正等で内容がそぐわなくなったものを6問削除しました。

・ハーフタックスの保険料を全額資産計上している場合の修正
・令和元年会社法改正後の役員賠償責任保険の保険料の取扱い
・かんぽ生命の特約還付金の取扱い

さらには、令和4年改正の確定拠出年金関連の問答を企業型と個人型に区別してわかりやすくしました。

ついに本書も600問、結構な事例が網羅された保険税務実務問答集になったのではないかと思います。

なお、本文中には、筆者の個人的な見解による部分が多々含まれており、認識不足あるいは見解の相違があるやもしれないことをお断りしておきます。

最後に、大変お世話になりました藤本さんを始めとする編集部の皆さん、そして発刊の機会をいただいた小泉社長に心よりお礼申し上げます。

令和4年4月

税理士　三 輪 厚 二

まえがき（初版）

平成大不況の長いトンネルの出口も見えそうで見えない、そんな厳しい経営環境のなか、企業は事業内容の見直しや組織の再編成などを積極的に行っています。

一方、金融界においては、不良債権の整理、回収などに大忙しです。

このような情勢において保険業界では、平成7年6月初めに新保険業法が56年ぶりに改正され、平成8年4月から施行されます。

その内容を見ますと、①料率の弾力化、②ブローカー制度の導入、③生保、損保の相互参入等これまでになかったものが盛り込まれています。

とりわけ生保、損保の相互参入は、生保会社と損保会社が子会社を設立し、生損保事業に相互に参入するという新しい事業環境を作りだすことになります。

その結果、生損保を併せた総合的な保険サービスが提供できるようになり、新たなビジネスチャンスも生まれてこようというものです。

保険は現在、法人及び個人に広く利用され、本来の保障のみならず、相続税の節税対策、納税資金の準備、遺産分割の手段、企業の決算対策、社員の福利厚生や退職金等の準備、貯蓄など幅広く使われています。

しかし、保険種類も多様化し、契約形態、過大な保険料、過大な保障額、差別的加入、早期解約、加入目的が不明確等の理由で税務上否認されるケースも増えてきており、単純な経理処理ミスも少なくありません。否認理由が保険商品の提案の仕方によるものであるならば、最悪の場合、損害賠償問題にも発展しかねないことになります。

そこで、今後は、保険を扱う方々は、生命保険・損害保険、両方の経理及び税務知識が必要になってきます。

本書は、このような情勢の変化を踏まえ、生命保険並びに損害保険の経理処理及び税務上の取扱いをひとまとめにし、Q＆A方式でわかりやすく説明しました。

保険商品を売る側、買う側ともに参考図書になればと願っています。

最後に、本書の出版に際して、清文社の編集部の皆様に大変お世話になりましたことを心からお礼申し上げます。

平成８年１月

税理士　三 輪 厚 二

生命保険・第三分野保険 編

第 14 節　給付金　296

第 15 節　法人契約の個人年金　299

第 16 節　適格退職年金　313

第3章 個人をめぐる生命保険 389

第1節 生命保険料控除 389

第４節　死亡保険金と税金　*441*

第５節　給付金と税金 *480*

第６節　年金と税金　485

第９節　年金保険の相続税評価　558

第10節　外貨建ての生命保険、個人年金保険　584

第11節　個人事業主が契約した生命保険に係る課税関係 *594*

第12節　こども保険 *607*

第13節 個人型確定拠出年金（iDeCo） 614

第14節 個人の生命保険活用方法 624

損害保険編

第4章 法人をめぐる損害保険

第２節　医療費控除と保険金　709

第３節　返戻金と税金　714

第４節　損害保険金と税金　717

本書の内容は、令和４（2022）年４月末日現在の法令通達によっています。

生命保険・第三分野保険編

第1章 保険の基本としくみ

1-1 保険の基本

Q 保険の商品は非常に複雑でわかりにくいのですが、その基本型になるものはないのですか。

A 生命保険の商品は複雑に見えますが、基本型は次の３パターンとなっています。

保険の基本型	内　容	特　徴	具体的な保険
① 死亡保険	被保険者が死亡または高度障害になったときに保険金が支払われる	保障重視型	定期保険 終身保険 定期付終身保険
② 生存保険	被保険者が一定期間生存したときに保険金が支払われる	貯蓄重視型	個人年金保険 貯蓄保険
③ 生死混合保険	死亡保険と生存保険とを組み合わせた保険で、被保険者が保険期間の途中で死亡または高度障害になったときも、保険期間満了まで生存したときも、ともに保険金が支払われる	ミックス型	養老保険 定期付養老保険

1-2 主な保険の種類

Q 生命保険には、どのようなものがあるのですか。

A 保険会社によって多少の違いはありますが、生命保険には、次のようなものがあります。

---

1 定額保険

保険の種類	目 的	特 徴	し く み
定期保険	死亡保険	・掛捨てで満期保険金なし ・保険期間中に被保険者が死亡したときだけに保険金が支払われる	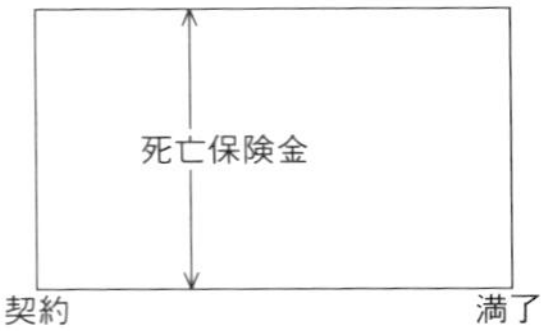 死亡保険金 契約 満了
終身保険	死亡保障（貯蓄性あり）	・一生涯の死亡を保障 ・保険料を一定期間支払う「有期払い」と一生涯支払う「終身払い」がある ・保険料は定期保険より高いが養老保険よりは安い	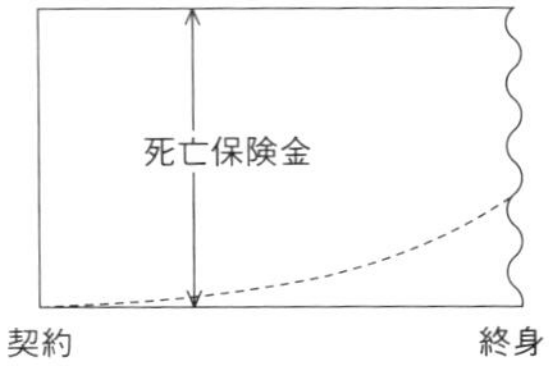 死亡保険金 契約 終身
逓増定期保険	死亡保障	・掛捨てで満期保険金なし ・保険金が年々上昇する ・保険期間の中途で解約した場合には解約返戻金が戻る	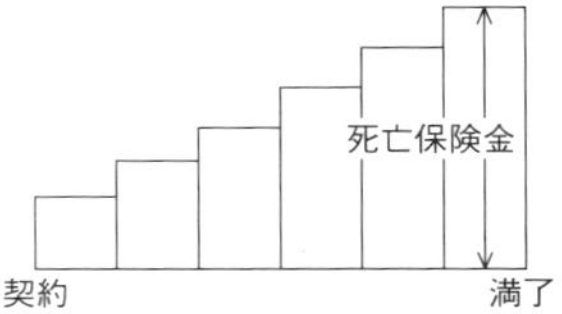 死亡保険金 契約 満了
逓減定期保険	死亡保障	・掛捨てで満期保険金なし ・保険金が年々減少する ・保険期間中に被保険者が死亡したときにだけ保険金が支払われる	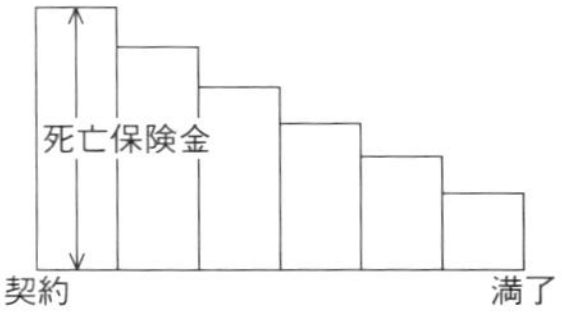 死亡保険金 契約 満了
養老保険	貯蓄、死亡保障	・満期保険金がある ・死亡保険金と満期保険金が同額 ・保険料は定期保険や終身保険に比べて高い	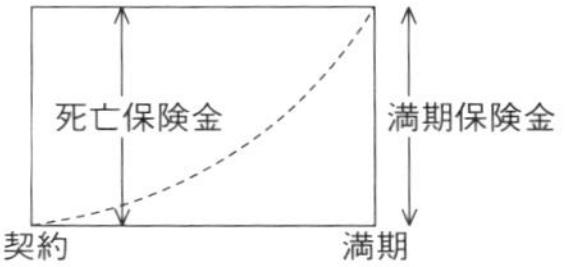 死亡保険金 満期保険金 契約 満期

保険の種類	目　的	特　徴	し　く　み
定期付終身保険	責任の重い時期の大きな保障	・終身保険に定期保険を上乗せした保険 ・一定時期の保障が大きい ・定期保険満了後の保障が小さい	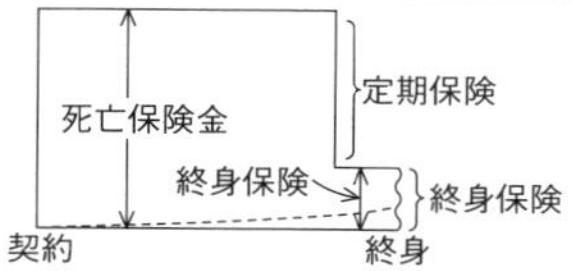 死亡保険金 定期保険 終身保険 終身保険 契約 終身
定期付養老保険	死亡保障、貯蓄	・養老保険に定期保険を上乗せした保険 ・満期保険金がある	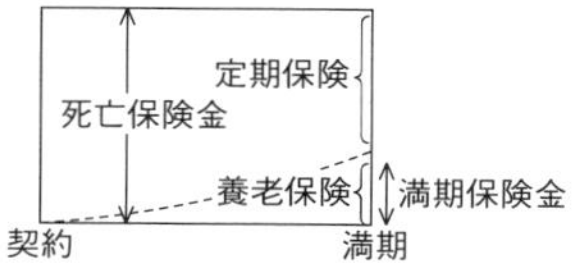 定期保険 死亡保険金 養老保険 満期保険金 契約 満期
生存給付金付定期保険	死亡保障、貯蓄	・保険期間中の一定時期に生存給付金が支払われる ・満期保険金がある	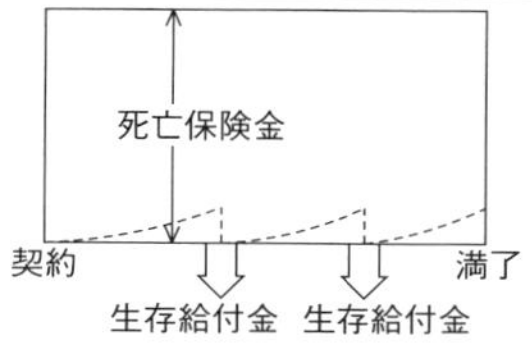 死亡保険金 契約 満了 生存給付金　生存給付金
貯蓄保険	比較的短期の貯蓄	・災害や法定、指定伝染病で死亡したときは、災害死亡保険金が支払われる ・病気死亡のときは、払込保険料に応じた給付金が支払われる	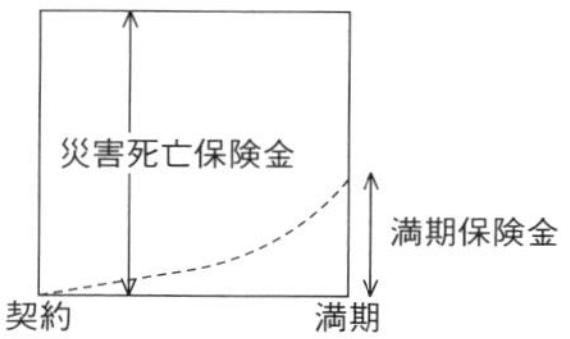 災害死亡保険金 満期保険金 契約 満期
こども保険	子供の教育、結婚資金作り	・親が契約者、子が被保険者 ・保険期間中に親が死亡したときは、それ以降保険料が免除される ・学齢期に応じて祝金が支払われる	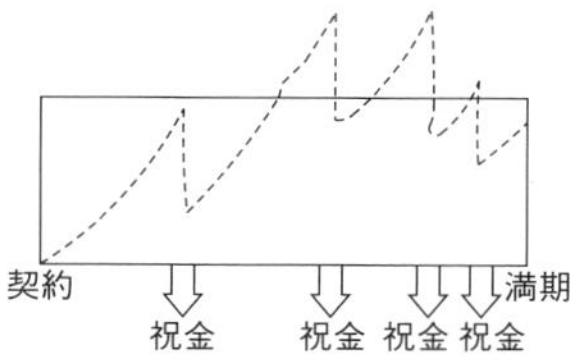 契約 満期 祝金　祝金　祝金　祝金
個人年金保険	老後資金の準備	・あらかじめ決められた年齢から年金が支払われる ・年金の支払方法は次の五つ ① 終身年金 生存している限り支払われる ② 保証期間付終身年金 保証期間中は生死に関係なく年金が支払われ、その後生きている限り年金が支払われる ③ 確定年金 生死に関係なく定めた期間だけ年金が支払われる ④ 有期年金 定めた期間内で、かつ、生きている場合に限り	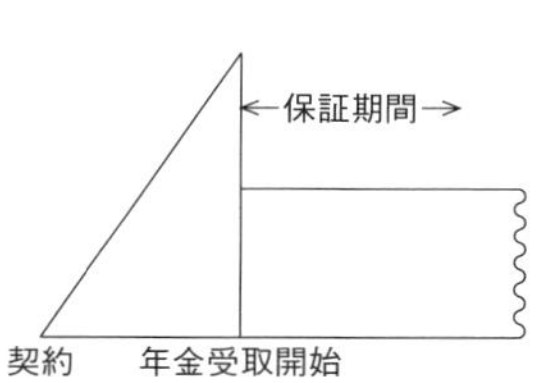 ←保証期間→ 契約　年金受取開始

保険の種類	目　的	特　徴	し　く　み
		年金が支払われる ⑤ 保証期間付有期年金 保証期間中は生死に関係なく年金が支払われ、以後生きている限り、あらかじめ定めた期間年金が支払われる ・保険料払込期間中に死亡した場合には所定の給付金が支払われる	
特定疾病保障保険	がん、脳卒中等になった場合の闘病資金	・がん、急性心筋梗塞、脳卒中になった場合、保険金が生前に支払われる ・がん等以外の原因で死亡した場合も、死亡保険金が支払われる	特定疾病保険金 契約　満了又は終身

2 変額保険

保険の種類	目　的	特　徴	し　く　み
変額保険終身型	死亡保障	・保障額が資産の運用実績に応じて毎月変動する ・運用実績が悪くても死亡時の基本保険金額は保証される ・解約返戻金の最低保証はない	基本保険金額　死亡保険金額 契約　終身
変額保険有期型	死亡保障	・保障額が資産の運用実績に応じて毎月変動する ・運用実績が悪くても、死亡時の基本保険金額は保証される ・満期保険金、解約返戻金の最低保証はない	基本保険金額 死亡保険金額 満期保険金額 契約　満期

1-3 生命保険会社の収入保障保険とは

Q 生命保険会社の収入保障保険とは、どういうものですか。

A 収入保障保険とは、一般に、病気や事故で死亡した場合や高度障害になった場合に、保険金が満期まで年金形式で受け取ることができる保険をいいます（一括で受け取ることもできます）。

ただし、一部の保険会社においては、「一定の条件を満たせば高度障害の状態に至らなくても保険金を受け取れる」という商品も販売されています。

一部の保険会社が販売している収入保障保険における「一定条件」とは、保険会社によって違いますが、死亡の他、概ね次のように厳しい条件がつけられていますので、注意してください。

① 5疾病（悪性新生物（がん）・急性心筋梗塞・脳卒中・肝硬変・慢性腎不全）が直接の原因として所定の就業不能状態が60日を超えて継続したと医師の診断を受けた場合

② 病気やケガにより約款所定の要介護状態が180日を超えて継続したと医師に診断確定された場合

③ 国民年金における障害基礎年金の障害等級1級に相当する状態になり、その状態が永続的に回復しない状態となった場合

また、①の所定の就業不能状態という部分にも注意が必要です。ずっと入院しているのであれば問題ないのですが、医師から自宅療養の指示が出たような場合は、すべての業務に従事できない状態でなければ保険金が受け取れません。

少し容態が回復したからといって、会社に少しでも出て仕事をしたら保険金は受け取れなくなってしまいますので、注意が必要です。

1-4 収入保障保険と所得補償保険の違い

Q 収入保障保険と所得補償保険の違いはどのようになっていますか。

A 収入保障保険と所得補償保険の違いをまとめますと、次のとおりです。

【収入保障保険と所得補償保険の違い】

保険種類	収入保障保険（生命保険会社）	所得補償保険（損害保険会社）
保険金の支払事由	被保険者が死亡したとき、または高度障害状態になったとき、一部の保険会社では所定の条件で働けなくなったときも対象	被保険者が病気やケガで働けなくなったとき（免責期間あり）
保険金額の設定方法	年収に関係なく設定できる	年収から平均月間所得金額を計算して算出
保険金受取方式	加入時に満期を決めて毎月一定額を受け取る（一括受取も可能）	365 日または 730 日等の受取期間を加入時に選択し、毎月一定額を受け取る
保険期間	最長 80 歳までの期間で長期設定できる	1 年ごとの更新タイプが多い GLTD※は 60 歳や 65 歳等長期設定できる
保険料の値上がり	契約時から保険料は変わらない	基本的に 1 年契約であり、更改すると年齢により保険料が高くなる
その他	保険を使わなかった場合は終了	保険を使わなかった場合、満期時に保険料の一部が戻ってくる場合が多い

※GLTD（Group Long Term Disability の略）…団体長期所得補償保険のこと

1-5 特約の種類と特徴

Q 特約には、どんなものがありますか。

A 保険には、幅広いニーズに応えるため各種の特約が用意されています。保険会社によって多少異なりますが、主な特約には次のようなものがあります。

	特約の種類	目　的	特　徴
一定の死亡保障を厚くする特約	定期保険特約	死亡・高度障害の保障	死亡・高度障害の状態になったときに保険金が支払われる
	家族定期保険特約	被保険者の家族の死亡 高度障害の保障	被保険者の家族が死亡・高度障害の状態になったときに保険金が支払われる
	収入保障特約（生活保障特約）	死亡・高度障害保険金を年金で受け取れる	年金の回数が決まっているものと契約時に定めた満期まで支払われるものがある
	特定疾病（三大疾病）保障特約	がん、急性心筋梗塞、脳卒中になったときの保障	がん、急性心筋梗塞、脳卒中になったとき、または死亡・高度障害状態になったときに保険金が支払われる
不慮の事故に備える特約	災害割増特約	災害により死亡・高度障害になったときの割増保障	災害や感染症で死亡・高度障害状態になったときに保険金に加えて割増保険金が支払われる
	傷害特約	不慮の事故、感染症により死亡・後遺障害になったときの上乗保障	不慮の事故、感染症によって死亡または所定の障害状態になったときに保険金、給付金が支払われる
入院・手術・通院等に備える特約	疾病入院特約	病気での入院に備える	病気での入院や不慮の事故で所定の手術をしたときに給付金が支払われる
	災害入院特約	不慮の事故による入院に備える	不慮の事故により入院したときに給付金が支払われる
	長期入院特約	病気や事故での長期入院に備える	病気や不慮の事故で長期入院をしたときに給付金が支払われる 長期入院の定義は各社で違う
	通院特約	入院給付金の対象になる入院をした後の通院に備える	入院中だけでなく退院後の通院にも給付金が支払われる
特定の疾病や損傷の治療に備える特約	成人病（生活習慣病）入院特約	がん、脳血管疾患、心疾患、高血圧性疾患、糖尿病による入院に備える	がん、脳血管疾患、心疾患、高血圧性疾患、糖尿病（生活習慣病）により入院したときに給付金が支払われる
	女性疾病入院特約	女性特有の病気での入院に備える	女性特有の病気や発生率の高い病気により入院したときに給付金が支払われる
	特定疾病（三大疾病）保障特約	がん、急性心筋梗塞、脳卒中に備える	がん、急性心筋梗塞、脳卒中により所定の状態になったとき、死亡高度障害状態になったときに保険金が支払われる
	がん入院特約	がんによる入院に備える	がんで入院したときに給付金が支払われる 手術給付金や診断給付金や死亡保険金が支払われるものもある

	特定損傷特約	骨折や腱の断裂に備える	不慮の事故により骨折や腱の断裂の治療をしたときに給付金が支払われる
その他の特約	介護特約	要介護状態に備える	寝たきりや認知症等の要介護状態に一定期間以上なったときに一時金や年金が支払われる
	リビングニーズ特約	余命６か月となったときの保障	余命６か月と判断された場合に生前保険金が支払われる 保険料は必要なし

1-6 特別条件

Q 生命保険では、健康状態がよくないと特別条件がつくそうですが、特別条件とはどういうものですか。

A 特別条件とは、次の三つをいいます。

特別条件の種類	特別条件の内容
① 特別（割増）保険料	通常の保険料に更に特別な保険料を割増して引き受けるもの 通常の保険料の２倍以上になることもある
② 保険金額の削減	希望した保険金額の２分の１や３分の１等、保険金額を全期間または一定の期間削減して引き受けること
③ 特定部位不担保	体の特定の部位や特定の病気を不担保にして引き受けるもの （例）目の病気を持っている場合は、目の病気にまつわる治療や死亡等の場合は保険金を支払わない

1-7 保険料払込免除特約とは

Q 生命保険に保険料払込免除制度があると聞きましたが、どのようなものですか。

A 生命保険の保険料払込免除制度の対象になるのは高度障害状態に近い状態になった場合に限定されていますが、不慮の事故が原因で(病気は対象外)、事故日からその日を含めて180日以内に次の障害状態になった場合に、以後の保険料の払込みが全額免除となるというものです。

医療保険の保険料払込免除（1-8参照）は有料のオプションですが、死亡保険の保険料払込免除は無料ではじめからついています。

保険料払込免除制度の対象となる身体的障害とは、具体的には以下のとおりです。

① 片眼の視力を全く永久に失ったもの
② 両耳の聴力を全く永久に失ったもの
③ 脊柱に著しい奇形または著しい運動障害を永久に残すもの
④ １上肢を手関節以上で失ったかまたは１上肢の用もしくは１上肢の３大関節中の２関節の用を全く永久に失ったもの
⑤ １下肢を足関節以上で失ったかまたは１下肢の用もしくは１下肢の３大関節中の２関節の用を全く永久に失ったもの
⑥ １手の５手指を失ったかまたは第１指（拇指）及び第２指（示指）を含んで４手指を失ったもの
⑦ 10手指の用を全く永久に失ったもの
⑧ 10足指を失ったもの

ただし、①～⑧いずれの場合も事故の原因が、本人の故意や重過失、犯罪行為、精神障害に起因、泥酔状態、無免許や酒気帯び運転、地震・噴火・津波の天災に起因、戦争に起因した場合は、対象になりません。

1-8 医療保険の保険料払込免除特約とは

Q 医療保険の保険料払込免除特約とは、どういうものですか。

A 医療保険の有料の保険料払込免除特約は、死亡保険の保険料払込免除特約（1-7 参照）と内容は同じですが、支払条件が全く異なるものです。

医療保険の保険料払込免除特約が適用される条件は、次のとおりです。ちなみにこの①～③の病気を保険業界では３大疾病と呼んでいます。

① 初めて悪性新生物（がん）と診断された

② 心疾患で入院した、または所定の手術を受けた

③ 脳血管疾患で入院した、または所定の手術を受けた

保険会社によって条件が異なりますが、大体このような状態になった場合に保険料払込みが免除になります。さらに、高度障害になった場合や事故により所定の身体障害状態になった場合にも保険料払込みが免除になるケースが多いです。

条件は、保険会社によって異なりますので、加入されている保険会社に確認をしてください。

なお、保険料払込免除特約は以下の点に注意が必要です。

① がんと診断されたとしても、がんの種類によっては対象にならない場合があります。例えば、上皮内がん等の初期がんの場合は対象にならないことが多いです。

② 脳血管疾患や心疾患でも対象にならない場合があります。例えば、心臓の近くで大動脈解離になったとしても対象にならない場合が多いです。

③ 脳血管疾患や心疾患の場合は、保険会社によっては「60 日間就業不能でなければならない」等の条件がさらについている場合があります。

1-9 配当の種類

Q 契約者配当にも、いろいろな種類があるのでしょうか。

A 契約者配当の形態には、次のように①現金払配当、②相殺配当、③増加・買増保険、④据置配当といった種類があります。

現金払配当	支払保険料と切り離して現金で契約者配当を受け取るもの
相殺配当	支払保険料と契約者配当を相殺するもの
増加・買増保険	契約者配当金で保険金を増額または買増しするもの
据置配当	契約者配当を保険会社においてそのまま積み立てておくもの

1-10 変額保険のしくみ

Q 変額保険とは、どういうものですか。

A 変額保険とは、有価証券を中心に運用が行われ、その運用実績に応じて保険金が支払われる生命保険です。

---

1 しくみ

変額保険は、金融の自由化や顧客ニーズの多様化に応えるべく、1986年に発売されました。

有価証券の評価差益や売買差益まで含めた総合的な利回りを追求する商品なので、経済や金融情勢によっては、高い収益が期待できる反面、株価の下落や為替が変動した場合には、額面割れするリスクも持ち合わせています。

このようなことから、変額保険は安全性を重視する定額保険の別勘定（一般勘定）とは異なる勘定（特別勘定）で運用がなされています。

2 変額保険の種類

1. 終身型の終身保険

終身型の終身保険とは、保険料を一生涯支払う保険で一生涯保障がある保険をいいます。

2. 有期型の養老保険

有期型の養老保険とは、保険料が有期払いの養老保険をいいます。

3 保険料

保険金額は毎月変動しますが、保険料は定額です。

保険料の計算方法は、定額保険と同じく「予定死亡率」、「予定利率」、「予定事業費率」が基礎になっています。

4 変額保険と定額保険の相違点

相　違　点	変額保険	定額保険
① 死亡保険金	・基本保険金額は保障される ・運用実績により毎月変動	・契約時の保険金額が保障される ・定額
② 満期保険金	・満期時の積立金額 ・保証されない	・契約時に定められた金額 ・保証される
③ 解約返戻金	・運用実績により毎日変動 ・保証されない	・払込みに応じて計算される ・保証される
④ 配当金	・剰余金の利源は「死差益」、「費差益」 ・特別配当なし	・剰余金の利源は「死差益」、「利差益」、「費差益」
⑤ リスク負担	・契約者	・保険会社

1-11 失効・復活・復旧

Q 保険料の支払を忘れていた場合は、どうなりますか。

A 保険料は、契約ごとに決められた払込期月内に払い込まなければなりませんが、保険料の支払を忘れたからといって、すぐに契約が無効になってしまうのでは実情に合いません。

そこで、そのようなケースに備えて「払込猶予期間」が設けられています。

---

1 払込猶予期間

① 月払いの場合は払込期月の翌月初日から末日まで

② 年払い・月払いの場合は、払込期月の翌月初日から翌々月の月単位の契約応当日（契約応当日がない場合はその月の末日）まで

ただし、契約応当日が２月・６月・11月の各末日の場合には、それぞれ４月・８月・１月の各末日までとなります。

❷ 失効

払込猶予期間を経過してもなお保険料が払い込まれない場合は、契約は効力を失います。これを「失効」といいます。

失効になると保険金は支払われません。

❸ 復活

失効した契約でも、元に戻すことができます。これを「復活」といいます。

復活の手続は、失効してから３年以内でないとできません。

この場合、告知書を保険会社に提出し、承諾を得るとともに未払いの保険料を支払わなければなりません。

❹ 復旧

生命保険は、一定期間内であれば、減額、延長（定期）保険、払済保険に変更した後に変更前の契約に戻せる場合があります。これを復旧といいます。復旧する場合は、積立金の不足額を払い込み、審査または告知が必要になります。

また、保険会社によっては所定の利息も必要になることがあります。

1-12 転換と変換、更新

Q 転換や変換、更新という制度があるそうですが、どのような制度ですか。

A いずれも現契約を別の契約に切り替える制度です。

---

1 転換制度

転換制度とは、現在加入している契約の転換価格（責任準備金や積立金配当金）を頭金にして新しい保険に切り替える制度で、転換時には、診査または告知が必要になります。

転換制度では転換価格を頭金に充当するので、解約返戻金は生じません。

2 変換制度

変換制度とは、ある一定の期間に保険金額の全部または一部を終身保険、養老保険または変額保険のいずれかに変更する制度です。

変換制度の場合、新たに特約を付加するときには診査が必要になりますが、基本的には診査は必要ありません。

また、旧契約を解約して新契約を申し込むという取扱いになるため、解約返戻金が生じます。

なお、転換制度と変換制度は保険会社によってその取扱いが若干異なるので注意してください。

3 更新制度

更新制度とは、保険期間の終了後においても健康状態に関係なく、これまでと同じ保障内容、保障額、保障期間で契約が継続される制度です。

更新の際は、更新時の年齢、保険料率によって保険料が再計算されますので、一般的に保険料は更新前よりも高くなります。

更新は、保険会社や商品によって取扱いが違いますので、注意してください。

1-13 保険料の支払が困難な場合の対処方法

Q 保険料の支払ができなくなった場合には、解約するしか方法はないのですか。

A 保険料の支払が困難になったときには、解約以外に次の方法があります。

---

1 契約者自動振替貸付け

契約者自動振替貸付けとは、保険会社が保険料を自動的に立て替えて、契約を継続させる制度です。

立替えのできる金額は、解約返戻金の範囲内となっているので、契約後で経過期間が短く解約返戻金が少ない場合や、定期保険等のように解約返戻金の少ないものは十分に活用することができません。

自動振替貸付けの利率は年２回、毎年１月と７月の最初の営業日に見直しがなされます。

なお、この制度を利用した場合において、解約、満期、死亡事由により保険金等が支払われることとなったときは、立て替えられた金額と利息が差し引かれて支払われます。

2 契約者貸付

契約者貸付とは、契約している生命保険の解約返戻金の範囲内でお金を貸してくれる制度です。貸付金には、所定の利息がかかります。貸付金を償還しないまま保険が満期になった場合や被保険者が死亡した場合は、保険金から貸付金の元本と利息が差し引かれて精算されます。なお、解約返戻金がない生命保険は、この制度が利用できないことがあります。

3 払済保険

払済保険とは、保険料の支払をストップして、元の契約の保険期間を変えずに、保障額の少ない保険に変更する制度です。

変更できる金額は、解約返戻金の範囲内なので、解約返戻金のない定期保険については、この制度の適用がありません。

なお、払済保険にした場合には、各種特約の保障はなくなってしまいます。

4 延長保険

延長保険とは、保険料の支払をストップして、そのときの解約返戻金を基に、元の契約の保険金はそのままで保険期間を定め、一時払定期保険に変更する制度です。

保険期間が、元の契約の期間を超える場合には、元の保険期間とし、満期のときに生存保険が支払われます。

5 保険金の減額

保険金の減額とは、保険金そのものを小さくする方法です。

減額された部分は、解約されたものとして取り扱われ、解約返戻金があるときは払戻しされます。

1-14 保険を見直す方法

Q 保険の見直しをしたいのですが、どんな方法がありますか。

A 現在加入している保険契約が生活環境や家庭環境等の変化により、ニーズに対応しなくなった場合には、保険の見直しが必要です。

見直しには、「契約転換制度」、「中途増額制度」、「中途減額制度」、「組替え制度」等の制度を利用する方法があります。

---

1 契約転換制度

契約転換制度とは、現在加入している契約の転換価格（責任準備金や積立金配当金）を頭金にして新しい保険に切り替える制度で、下取制度とも呼ばれています。保険の種類を変えたいときに利用するとよいでしょう。

メリット	デメリット
・今までの保険の通常配当や特別配当の権利を引き継ぐことができる ・解約に比べて、新しい保険の掛金が安い	・転換時の年齢で掛金が計算されるため、実質掛金が高くなる ・転換価格を定期保険等の掛捨て部分に投入すると、今までの貯蓄分がなくなってしまう ・転換のときに、改めて告知や医師の診査が必要となる

2 中途増額制度

中途増額制度とは、保険金を増額したいときに利用する制度です。

増額の保険金の掛金は、増額時の年齢で計算されます。増額のときには、改めて告知や医師の診査が必要となります。

3 中途減額制度

中途減額制度とは、保険金を減額する制度です。

減額した保険金の掛金は支払う必要はありません。減額のときには、告知も医師の診査も必要ありません。

4 組替え制度

組替え制度とは、「無選択変更制度」のことをいい、今の保険金額の範囲内で保険の種類を変更する制度です。

つまり、保障額は一定で、保険料の負担を変えることができる制度です。

組替えには、告知も医師の診査も必要ありません。

5 移行

移行とは、終身保険や個人年金保険などに適用できる制度で、保険料払込満了時や年金の受取開始前など所定の時期に、保障の内容を所定の範囲内で変更できる制度のことをいいます。保険会社によって取扱いは違いますが、たとえば終身保険の場合は、老後の年金や介護保障などに、また、年金保険の場合は、年金の種類を変更することができます。

第2章 法人をめぐる生命保険・第三分野保険

第1節　定期保険及び第三分野保険

第1款　税務上の定期保険、第三分野保険

2-1　税務上の定期保険とは

Q　定期保険とは、どういう保険ですか。税務上はどのような取扱いになっていますか。

A　定期保険とは、満期保険金はないけれど一定期間中に死亡した場合に死亡保険金が受け取れるという保険ですが、税務では、定期保険を次のように区分して取り扱うこととなっています。なお、この取扱いは、定期保険が主契約でも特約でも同じです。

定期保険の区分	取扱い
次の定期保険（一般の定期保険といいます） ・保険料に相当多額の前払保険料が含まれている保険期間が 3 年未満の定期保険 ・解約返戻金のない短期払いの定期保険等で、その事業年度に支払った保険料の額が 30 万円以下のもの ・最高解約返戻率が 50% 以下の定期保険 ・最高解約返戻率が 70% 以下で、かつ、1 人当たりの年換算保険料相当額（保険料総額÷保険期間）が 30 万円以下の定期保険 ・以下に該当しない定期保険等	第 2 款、第 3 款参照
最高解約返戻率が 50% 超 70% 以下の定期保険	第 4 款参照
最高解約返戻率が 70% 超 85% 以下の定期保険	第 5 款参照
最高解約返戻率が 85% 超の定期保険	第 6 款参照
長期平準定期保険（令和元（2019）年 7 月 7 日までの契約分）※	第 7 款参照
逓増定期保険（令和元（2019）年 7 月 7 日までの契約分）※	第 8 款参照

※令和元（2019）年 7 月 8 日以後の契約は、最高解約返戻率によって区分します。ただし、定期保険等のうち解約返戻金がなく（ごく少額の払戻金がある契約を含みます）、保険料払込期間が保険期間より短いものについては、2019 年 10 月 8 日以後の契約分からの適用になります。

※最高解約返戻率とは、その保険の保険期間を通じて解約返戻率が最も高い割合となる期間におけるその割合をいい、解約返戻率とは、保険契約時において契約者に示された解約返戻金相当額について、それを受けることとなるまでの間に支払うこととなる保険料の額の合計額で除した割合をいいます。

※保険期間とは、保険契約に定められている契約日から満了日までの期間をいい、保険期間の開始の日（契約日）以後 1 年ごとに区分した各期間で構成されているものとしています。

2-2　税務上の第三分野保険とは

Q　第三分野保険とは、どういう保険ですか。税務上はどのような取扱いになっていますか。

A　第三分野の保険とは、生命保険会社（第一分野）と損害保険会社（第二分野）のどちらの保険会社でも取り扱うことができる分野の保険をいい、新成人病保険や介護費用保険、がん保険、医療保険などがこれに該当します。税務では、第三分野保険を次のように区分して取り扱うこととなっています。なお、この取扱いは、第三分野保険が主契約でも特約でも同じです。

第三分野保険の区分	取扱い
次の第三分野保険（一般の第三分野保険といいます） ・保険料に相当多額の前払保険料が含まれている保険期間が 3 年未満の第三分野保険 ・解約返戻金のない短期払いの第三分野保険で、その事業年度に支払った保険料の額が 30 万円以下のもの ・最高解約返戻率が 50% 以下の第三分野保険 ・最高解約返戻率が 70% 以下で、かつ、1 人当たりの年換算保険料相当額（保険料総額÷保険期間）が 30 万円以下の第三分野保険 ・以下に該当しない第三分野保険	第 2 款、第 3 款参照
最高解約返戻率が 50% 超 70% 以下の第三分野保険	第 4 款参照
最高解約返戻率が 70% 超 85% 以下の第三分野保険	第 5 款参照
最高解約返戻率が 85% 超の第三分野保険	第 6 款参照
がん保険（令和元（2019）年 7 月 7 日までの契約分）※	第 9 款参照
医療保険等（令和元（2019）年 7 月 7 日までの契約分）※	第 10 款参照
介護費用保険（令和元（2019）年 7 月 7 日までの契約分）※	第 11 款参照
長期傷害保険（令和元（2019）年 7 月 7 日までの契約分）※	第 12 款参照

※令和元（2019）年 7 月 8 日以後の契約は、最高解約返戻率によって区分します。ただし、定期保険等のうち解約返戻金がなく（ごく少額の払戻金がある契約を含みます）、保険料払込期間が保険期間より短いものについては、2019 年 10 月 8 日以後の契約分からの適用になります。

※最高解約返戻率とは、その保険の保険期間を通じて解約返戻率が最も高い割合となる期間におけるその割合をいい、解約返戻率とは、保険契約時において契約者に示された解約返戻金相当額について、それを受けることとなるまでの間に支払うこととなる保険料の額の合計額で除した割合をいいます。

2-3 定期保険等の区分

Q 税務上の定期保険等の区分は、どのようになっていますか。

A 令和元（2019）年 7 月 8 日以後の契約分からは、最高解約返戻率が 50% 超の定期保険等とそれ以外の保険に区分して取り扱われます。

定期保険及び第三分野保険（定期保険等）の保険料（保険金または給付金の受取人が法人の場合）は、原則として、期間の経過に応じて損金の額に

算入されますが、「最高解約返戻率（2-5参照）が50%超の保険（2-4参照）」については、一定期間、一定割合を資産に計上しなければなりません。

ただし、保険期間が3年未満の定期保険等及び最高解約返戻率が70%以下で、かつ、1人当たりの年換算保険料相当額（保険料総額÷保険期間）が30万円（被保険者1人につき複数の契約に加入している場合はそれらの合計額）以下の定期保険等の保険料については、この取扱いから除かれ、原則どおりの取扱いとなります。

なお、この取扱いは、令和元（2019）年7月8日以後の定期保険等の保険料について適用され、同日前の契約に係る定期保険等の保険料については、すでに廃止された個別通達の取扱いによります。ただし、定期保険等のうち、解約返戻金がなく（ごく少額の払戻金がある契約を含みます）、保険料払込期間が保険期間より短いものについては、令和元（2019）年10月8日以後の契約分から適用されています。

これらをまとめると、次のようになります。

【定期保険等の区分と取扱通達】

定期保険等の区分	取扱通達
次の定期保険等 ・保険料に相当多額の前払保険料が含まれている保険期間が3年未満の定期保険等 ・解約返戻金のない短期払いの定期保険等で、その事業年度に支払った保険料の額が30万円以下のもの ・最高解約返戻率が50%以下の定期保険等 ・最高解約返戻率が70%以下で、かつ、被保険者1人当たりの年換算保険料相当額（保険料総額÷保険期間）が30万円以下の定期保険等 ・以下に該当しない定期保険等	原則的取扱い 9-3-5
最高解約返戻率が50%超の定期保険等	定期保険等の保険料に相当多額の前払部分の保険料が含まれている場合の取扱い 9-3-5の2
長期平準定期保険（令和元（2019）年7月7日までの契約分）※	昭和62年6月16日付直法2-2
逓増定期保険（令和元（2019）年7月7日までの契約分）※	
がん保険（令和元（2019）年7月7日までの契約分）※	平成24年4月27日付課法2-5 課審5-6
医療保険等（令和元（2019）年7月7日までの契約分）※	平成13年8月10日付課審4-100
新成人病保険（令和元（2019）年7月7日までの契約分）※	昭和54年6月8日付直審4-18
介護費用保険（令和元（2019）年7月7日までの契約分）※	平成元年12月16日付直審4-52 直審3-77

※令和元（2019）年7月8日以後の契約は、定期保険等の保険料に相当多額の前払部分の保険料が含まれている場合の取扱いが適用されます。ただし、定期保険等のうち解約返戻金がなく（ごく少額の払戻金がある契約を含みます）、保険料払込期間が保険期間より短いものについては、2019年10月8日以後の契約分からの適用になります。

2-4 最高解約返戻率が50%超の定期保険等の取扱い

Q 最高解約返戻率が50%超の定期保険等は、一定期間、一定割合を資産に計上しなければならないとのことですが、どのような取扱いになるのですか。

A 最高解約返戻率の率によって、3つに区分され、それぞれ取扱いが定められています。

最高解約返戻率が50％超の定期保険等にかかる保険料の取扱いは、最高解約返戻率によって、①50％超70％以下、②70％超85％以下、③85％超に区分され、それぞれ損金算入時期、損金算入割合等が定められています。

具体的な取扱いは、最高解約返戻率が50％超70％以下の定期保険等は第4款を、最高解約返戻率が70％超85％以下の定期保険等は第5款を、最高解約返戻率が85％超の定期保険等は第6款を参照ください。

2-5　（最高）解約返戻率とは

Q　（最高）解約返戻率とは、どのような割合をいうのですか。また、特約保険料がある場合はどのように計算するのですか。

A　最高解約返戻率とは、その保険の保険期間を通じて解約返戻率が最も高い割合となる期間におけるその割合をいい、解約返戻率とは、保険契約時において契約者に示された解約返戻金相当額について、それを受けることとなるまでの間に支払うこととなる保険料の額の合計額で除した割合をいいます。

解約返戻率に端数が生じた場合は、原則として、端数の切捨て等を行わずに最高解約返戻率を計算することになりますが、経理事務の簡便性などを考慮して、小数点2位以下の端数を切り捨てて計算した解約返戻率が保険設計書等に記載されている場合は、その解約返戻率を用いて最高解約返戻率の区分を判定してもよいこととされています。

なお、特約に係る保険料や特別保険料を支払った場合は、次のように計算することになります。

---

❶ 保険給付のある特約に係る保険料

保険給付のある特約に係る保険料は、主契約に係る保険料とは区分して計算することになります。

❷ 保険給付のない特約に係る保険料等

保険給付のない特約に係る保険料（保険料払込免除特約等）や特別保険料は、主契約に係る保険料に含め、また、その特約保険料や特別保険料を含めたところで計算される解約返戻金相当額により（最高）解約返戻率を計算することになります。

2-6 短期払いの場合の（最高）解約返戻率の求め方

Q 保険料を短期払いした場合や、いわゆる前納制度を利用して前納金を支払った場合の（最高）解約返戻率は、どのように計算するのですか。

A 保険料を短期払いした場合や、前納金を支払った場合の（最高）解約返戻率は、保険会社から示されるものと思われますが、次のように計算することとなっています。また、最高解約返戻率が85％超の区分となる場合の資産計上期間の判定における解約返戻金相当額についても同様に計算します。

---

❶ 保険料を短期払いした場合

保険料を短期払いした場合の（最高）解約返戻率は、次の算式で求めま

す。

$$\frac{\text{（A）に係る解約返戻金相当額}}{\text{各期間までに支払うこととなる保険料の額の合計額（A）}}$$

❷ 前納金を支払った場合

$$\frac{\text{（B）に係る解約返戻金相当額}}{\text{各期間の保険料として充当される金額の合計額（B）}}$$

2-7　解約返戻金相当額とは

Q　解約返戻金相当額とは、どの金額をいうのですか。また、契約者配当の額や生存給付金、無事故給付金がある場合は、どのようになるのですか。

A　保険期間中の各期間における解約返戻金相当額は、契約時に保険会社から各期間の解約返戻金相当額として保険契約者に示された金額によることとなります。なお、この金額は、各保険商品の標準例としてパンフレット等に記載された金額ではなく、保険設計書等に記載された個々の契約内容に応じて設計された金額となります。

なお、契約者配当の額や、いわゆる生存給付金、無事故給付金については、次のように取り扱われることとなっています。

契約者配当の額

契約者配当の額は、一般に、利差益、死差益及び費差益からなっているもので、将来の払戻しを約束しているものではありませんので、解約返戻金相当額には含まれません。したがって、保険設計書等に参考指標として予想配当額が示されている場合でも、解約返戻金相当額に含める必要はないのですが、契約時に契約者配当が確実に見込まれているような場合は、この限りではありません。

② 生存給付金や無事故給付金

生存給付金や無事故給付金は、契約者に将来の払戻しを約束しているものですから、解約返戻金相当額に含まれます。したがって、契約時に保険会社から示された設計書等に生存給付金や無事故給付金が解約返戻金と区分して表示されている場合は、これらを合計した金額が解約返戻金相当額となります。

2-8 変額保険や外貨建て保険等の解約返戻金相当額の取扱い

Q 変額保険や外貨建て保険等のように将来の解約返戻金相当額が確定していない場合の解約返戻金相当額は、どのように計算するのですか。

変額保険や積立利率変動型保険、外貨建て保険、健康増進型保険などのように将来の解約返戻金相当額が確定していない場合の解約返戻金相当額は、次のように取り扱われます。

---

① 変額保険や積立利率変動型保険

変額保険や積立利率変動型保険は、契約時に示された予定利率を用いて計算した解約返戻金相当額によることができます。

❷ 外貨建て保険

外貨建て保険は、契約時の為替レートを用いて計算した解約返戻金相当額によることができます。

❸ 健康増進型保険

健康増進型保険は、商品ごとにその内容が違うので、個々に判断することになりますが、将来の達成が不確実な事由（毎日1万歩歩くなど）によって、キャッシュバックが生じたり支払保険料等が変動するような商品については、そのキャッシュバックが生じない、あるいは支払保険料等の変動がないものとして、契約時に示される解約返戻金相当額とこれに係る保険料によって（最高）解約返戻率を計算することが認められます。

なお、これらの事由が契約後に確定した場合においても、契約内容の変更には該当しないこととされています。

2-9 解約返戻金のない短期払いの定期保険等の取扱い（令和元（2019）年10月8日以後の契約分）

Q 解約返戻金のない短期払いの定期保険等は、どのように取り扱われますか。

A 被保険者1人当たりの払込保険料が30万円以下のものは、損金に算入することが認められます。

---

❶ 被保険者1人当たりの払込保険料が30万円以下の定期保険等

法人が、保険期間を通じて解約返戻金がない定期保険等（ごく少額の払戻金のある契約を含み、保険料の払込期間が保険期間より短いものに限ります）に加入した場合において、被保険者１人につきその事業年度に支払った保険料の額が30万円（被保険者１人につき複数の定期保険等に加入している場合は、それぞれの合計額）以下のものについては、その保険料は、その支払った事業年度の損金の額に算入することが認められます。

ただし、役員または部課長その他特定の従業員（これらの親族を含みます）のみを被保険者としている場合で、その保険料の額がその役員または従業員に対する給与となるものについては、この取扱いは適用されません。

なお、この取扱いの対象になる保険は、保険期間を通じて解約返戻金がない定期保険等ですから、たとえば、保険料払込期間中は解約返戻金相当額がないけれど払込期間終了後にはあるという保険は、対象になりません。

また、この場合のごく少額の払戻金のある契約とは、払込期間終了以後に、ごく少額の解約返戻金や死亡保険金が支払われるものや保険期間中に少額の健康祝金や出産祝金などが支払われるもののようにごく少額の払戻金しかないものをいいますが、ごく少額かどうかは、支払保険料の額や保障に係る給付金の額に対する割合などを勘案して個別に判断されることになります。

❷ 30万円以下かどうかの判定

その事業年度に支払った保険料の額が30万円以下かどうかは、次のように判定します。なお、この場合の30万円以下の保険料とは、その事業年度中に支払った保険料をいい、2–13でいう年換算保険料相当額ではありませんので、注意してください。

1. ❶の被保険者が解約返戻金のない短期払いの定期保険等に複数加入している場合

❶の被保険者が解約返戻金のない短期払いの定期保険等に複数加入している場合は、保険会社や保険加入時期にかかわらず、そのすべての保険

の保険料の額を合計して判定することになります。合計額が30万円を超える場合には、たとえ❶の契約に係る保険料が30万円以下であっても、そのすべての契約について、支払った保険料をそれぞれの保険期間の経過に応じて損金の額に算入することになります。

2. 事業年度の途中で解約返戻金のない短期払いの定期保険等追加加入または解約した場合

最初に加入した定期保険等の年払保険料の額が30万円以下で、事業年度の途中に定期保険等を追加加入して30万円超となった場合は、その事業年度に支払ったいずれの保険料もその全額を損金の額に算入することはできず、それぞれの保険期間の経過に応じて損金の額に算入することになります。

反対に、二つの定期保険等に加入している場合で、事業年度の途中に❶の保険を解約等したことによって、その事業年度に支払った保険料の額が30万円以下になるときは、その支払った保険料の全額をその事業年度の損金の額に算入することができます。

3. 令和元（2019）年10月7日以前に契約した定期保険等

この30万円以下かどうかの判定には、令和元（2019）年10月7日以前に契約した解約返戻金のない短期払いの定期保険等の保険料の額は、含める必要はありません。

被保険者1人当たりの払込保険料が30万円超の定期保険等

被保険者1人当たりの払込保険料が30万円超の定期保険等の保険料は、次の算式で計算した金額を払込期間満了時まで資産計上し、残額を損金の額に算入することになります。

保険料－保険料×保険料払込期間／保険期間

なお、加入した保険が、保険期間が終身で払込期間が有期である第三分野保険であるときは、次の算式で計算した金額を払込期間満了時まで資産計上し、残額を損金の額に算入することになります。

保険料－保険料×保険料払込期間／（116歳－契約時年齢）（2−12参照）

2-10 短期払いでない定期保険等の取扱い

Q 解約返戻金のない短期払いの定期保険等は、被保険者１人当たりの払込保険料が30万円以下であれば損金に算入できるとのことですが、短期払いでない定期保険等はこの判定に含まれますか。

A 短期払いの定期保険等とは、保険料の払込期間が保険期間より短いものをいい、解約返戻金相当額のない（ごく少額の払戻金があるものを含む）定期保険等については、その事業年度に支払った保険料の額が30万円以下でなければ、その支払った事業年度の損金に算入することが認められません。この適用があるのは、短期払いの定期保険等ですので、払込期間と保険期間が同じである定期保険等は、この30万円以下の判定に含める必要はありません。

2-11 解約返戻金のない定期保険等の取扱い

Q 解約返戻金のない短期払いの定期保険等は、被保険者１人当たりの払込保険料が30万円以下でなければ損金に算入できないとのことですが、短期払いでない解約返戻金のない定期保険等はどのような取扱いになるのですか。

A ご指摘のとおり、解約返戻金のない短期払いの定期保険等は、被保険者1人当たりの払込保険料が30万円以下でなければ損金に算入できませんが、短期払いでない定期保険等で解約返戻金のないものについては、原則どおりの取扱いになります（第2款、第3款参照）。

2-12 保険期間が終身で払込期間が有期の場合の保険期間

Q 保険期間が終身で払込期間が有期の場合、保険期間はどのように取り扱われますか。

A 保険期間の開始の日から被保険者の年齢が116歳に達する日までを保険期間として、取り扱われます。

法人が、保険期間が終身で払込期間が有期である定期保険等に加入した場合の保険期間は、その保険期間の開始の日から被保険者の年齢が116歳に達する日までの期間を計算上の保険期間として取り扱われます。

2-13 年換算保険料相当額が30万円以下の定期保険等の取扱い

Q 年換算保険料相当額が30万円以下の定期保険等の保険料は、その保険の最高解約返戻率によって取扱いが違うそうですが、どのようになっていますか。

A 最高解約返戻率が70%以下か超かで、取扱いが異なります。

---

❶ 年換算保険料相当額とは

年換算保険料相当額とは、その保険の保険料の総額を保険期間の年数で除した金額をいいます。

❷ 最高解約返戻率が70%以下で、かつ、1人当たりの年換算保険料相当額が30万円以下の定期保険等の取扱い

最高解約返戻率が70%以下で、かつ、1人当たりの年換算保険料相当額が30万円以下の定期保険等の保険料は、原則的取扱いになりますので、第2款又は第3款を参照ください。

なお、ここでいう「年換算保険料相当額が30万円以下」は、2-9解約返戻金のない短期払いの定期保険等の取扱いでいう「その事業年度に支払った保険料の額が30万円以下」とは違いますので、注意してください。

❸ 最高解約返戻率が70%超の定期保険等の取扱い

最高解約返戻率が70%超の定期保険等の保険料は、その保険料が30万円以下であっても、❷のような取扱いをせず、定期保険等の保険料に相当多額の前払部分の保険料が含まれる場合の取扱いとなります。この場合は、その保険の最高解約返戻率に応じ、第5款又は第6款を参照ください。

2-14 年換算保険料相当額が30万円以下の判定

Q 年換算保険料相当額が30万円以下かどうかの判定は、どのようにするのですか。

A 年換算保険料相当額は、次の算式で求めます。

年換算保険料相当額＝保険料総額÷保険期間

年換算保険料相当額が30万円以下かどうかは、保険会社やそれぞれの保険契約への加入時期の違いにかかわらず、法人が一の者を被保険者として加入しているすべての定期保険等に係る年換算保険料相当額の合計額で判定することになりますが、判定に際しては、次の点に注意してください。

①	対象になる定期保険等は、保険期間が3年以上の定期保険で最高解約返戻率が50%超70%以下のものに係る年換算保険料相当額です。この場合、役員または部課長その他特定の使用人（これらの者の親族を含みます）のみを被保険者としている場合で、その保険料の額が役員または使用人に対する給与となるものは判定に含める必要はありません。
②	定期保険等に係る年換算保険料相当額が30万円以下の場合に、追加で加入して30万円超となるときは、追加加入以後の期間について「定期保険等の保険料に相当多額の前払部分の保険料が含まれる場合」に該当するものとして処理をすることとなります。ただし、経理事務が煩雑になるため、追加加入した事業年度の保険料の全額を「定期保険等の保険料に相当多額の前払部分の保険料が含まれる場合」に該当するものとして処理することも認められています。
③	事業年度の途中に定期保険等を解約等したことで、年換算保険料相当額が30万円以下となる場合は、その解約等以後の期間については「定期保険等の保険料に相当多額の前払部分の保険料が含まれる場合」に該当しないものとして処理をすることになります。ただし、経理事務が煩雑になるため、解約等をした事業年度の保険料の全額を「定期保険等の保険料に相当多額の前払部分の保険料が含まれる場合」に該当しないものとして処理することも認められています。なお、この場合、これまで資産に計上してきた累積額は、保険期間の100分の75相当期間経過後から保険期間の終了の日までの取崩し期間の経過に応じて取り崩すこととなります。
④	令和元（2019）年7月7日までに契約した定期保険等に係る年換算保険料相当額は、判定に含める必要はありません。

2-15 契約内容の変更があった場合の処理

Q 定期保険等に加入した後に契約内容を変更した場合は、どのような処理をするのですか。

A 定期保険等に加入した後に契約内容を変更した場合は、その変更があった時以後の期間においては、変更後の契約内容に基づいて処理をすることになります。

具体的には、次のような処理をします。

---

❶ 変更時の責任準備金と資産計上額の精算

保険料や保険金額の異動（これに伴い解約変動率も変動します）を伴う契約内容の変更があるときは、①その変更時に精算（追加払いまたは払戻し）される責任準備金相当額を損金の額または益金の額に算入するとともに、②契約当初から変更後の契約内容であったとした場合の資産計上累計額を計算して、これと変更前の契約で資産計上した累積額との差額を変更時の益金の額または損金の額に算入することとなります。なお、この処理は、契約変更時に行うものなので、過去の事業年度に遡って修正申告する必要はありません。

【変更時の処理】

借　方		貸　方
②資産計上不足額 雑損失（①－②） ②>①の場合は雑収入	××× ×××	①現金及び預金（責任準備金の追加払）

❷ 保険料の取扱い

変更後の保険料は、新たな最高解約返戻率の区分に応じて取り扱い、上記の調整後の資産計上累積額についても、この新たな区分に応じた取崩し期間に従って取り崩していきます。

なお、最高解約返戻率が85%以下の場合で、最高解約返戻率の区分に変更がないものについては、資産計上期間や資産計上割合が変わらないことから、責任準備金相当額の精算のみを行うことも認められます。たとえば、①責任準備金相当額の追加払いがあった場合に、変更後の保険料に含めて処理する方法や、②責任準備金相当額の払い戻しがあった場合に、既往の資産計上累積額のうち払い戻された責任準備金相当額に応じた金額を取り崩すといった方法も認められます。

❸ 最高解約返戻率が低くなる場合

解約返戻率の変動を伴う契約内容の変更は、原則として、上記の処理を行う必要がありますが、契約内容の変更により最高解約返戻率が低くなることが見込まれる場合で、経理処理が煩雑となるため、あえて上記の処理を行わないこととしているときは、それが認められます。

❹ 契約内容の変更とは

契約内容の変更とは、原則として、解約返戻率の変動を伴う契約内容の変更や保険期間の変更をいい、次のようなものが該当します。

① 払込期間の変更（全期払い（年払い・月払い）を短期払いに変更する場合等）
② 特別保険料の変更
③ 保険料払込免除特約の付加・解約
④ 保険金額の増額、減額または契約の一部解約に伴う高額割引率の変更により解約返戻率が変動する場合
⑤ 保険期間の延長・短縮
⑥ 契約書に記載した年齢の誤りの訂正等により保険料が変動する場合

これに対して、次のような変更は、原則として、契約内容の変更に該当しません。また、契約の転換、払済保険への変更、契約の更新も契約内容の変更として取り扱われません。

① 払込方法の変更（月払いを年払いに変更する場合等）
② 払込経路の変更（口座振替扱いを団体扱いに変更する場合等）
③ 前納金の追加納付

④ 契約者貸付

⑤ 保険金額の減額（部分解約）

なお、保険給付のある特約に追加加入した場合、その特約に係る保険料は、主契約の保険料とは区分して取り扱われるので、特約の付加に伴う高額割引率の変更により主契約の保険料が変動しない限り、主契約の契約内容の変更としては取り扱われません。

2-16 令和元（2019）年7月7日以前に契約した定期保険等の契約内容を変更した場合

Q 令和元（2019）年7月7日以前に契約した定期保険等の契約内容を変更した場合は、どのように取り扱われますか。

A 令和元（2019）年7月7日以前に契約した定期保険等の契約内容を変更した場合、保険料の取扱いは、その契約時の取扱い又は廃止された個別通達の取扱いが適用されることになります。

2-17 令和元（2019）年7月7日以前に契約した定期保険等を転換又は払済保険にした場合

Q 令和元（2019）年7月7日以前に契約した定期保険等を転換、払済保険に変更、契約の更新、保険給付のある特約を付加した場合は、どのように取り扱われますか。

A 令和元（2019）年7月7日以前に契約した定期保険等を、転換、払済保険に変更、契約の更新、保険給付のある特約を付加した場合は、次のように取り扱われます。

1 転換、払済保険への変更

契約の転換は、既契約の保険契約を新たな契約に切り替えるものですから、令和元（2019）年7月7日以前に契約した定期保険等を転換した場合は、現行の取扱いが適用されることとなります。このことは、払済保険に変更した場合も同様です。なお、この場合において、資産計上していない解約返戻率50％超の定期保険を払済保険等に変更したときは、一旦、洗い替え処理をした上で、保険料を一時払いしたものとして処理することになると思われます。

2 契約の更新

契約の更新も転換等と同じく、既契約の保険契約を新たな契約に切り替えるものですから、令和元（2019）年7月7日以前に契約した定期保険等を更新した場合は、現行の取扱いによることが相当と考えられますが、契約の更新は、自動更新される場合が多く、契約者にとっては新たな保険に加入したとの認識もないことから、保障内容に変更のない自動更新については、従前の取扱いによることが認められています。

3 保険給付のある特約の付加

令和元（2019）年7月7日以前に契約した定期保険等に新たに保険給付のある特約を付加した場合は、現行の取扱いを適用することになります。

2-18 養老保険を定期保険等に転換した場合の取扱い

Q 現在加入している養老保険を定期保険等に転換した場合、転換後契約はどのように取り扱われますか。

いわゆる転換制度により、現在加入している養老保険を定期保険等に転換した場合は、次のように取り扱われます。

---

1 資産計上額の取扱い

養老保険の保険料について資産計上した金額のうち、転換後の定期保険等の責任準備金に充当される部分の金額（充当額）を超える部分の金額は、その転換日の属する事業年度の損金の額に算入します。そして、充当額に相当する金額については、転換後の定期保険等に係る保険料を一時払いしたものとして、定期保険等の内容に応じた処理をすることになります。

なお、この充当額（移転価格）については、前納金として扱い、転換後契約の応当日に各期間の保険料に充当していく方式（保険料充当方式）と、転換後契約の保険料の一部の一時払いとする方式（一部一時払方式）があるようですが、いずれの方法であっても、転換後の契約が定期保険等である場合は、その充当額の全額を資産に計上し、資産計上した金額のうち転換後の各事業年度に対応する部分の金額を当期の支払保険料として、処理をします。

2 平準保険料の取扱い

転換後の契約では、上記の充当額（移転価格）の他に平準保険料を一般

に支払いますが、この場合には、この平準保険料を合わせた額を当期の支払保険料の額とします。

❸（最高）解約返戻率

転換後契約に係る（最高）解約返戻率は、転換時に保険会社から示される転換後契約に係る解約返戻金相当額について、それを受けることとなるまでの間に支払うこととなる保険料の額の合計額で除した割合によることとなります。

❹ 資産計上期間

保険契約を転換した場合は、転換のあった日を保険期間の開始の日として資産計上期間や取崩し期間を判定することになりますが、この場合には、転換後の定期保険等の最高解約返戻率が85％超の区分であったとしても、資産計上期間を最低でも５年とする取扱いの適用はありません。

2-19 定期保険等を払済保険に変更した場合の取扱い

Q 現在加入している定期保険等を払済保険に変更した場合は、どのような取扱いになりますか。

A いわゆる払済制度により、現在加入している定期保険等を払済保険に変更した場合は、次のように取り扱われます。なお、払済制度は保険会社によって、それぞれ取扱いが異なりますので、確認してみてください。

---

1 資産計上額の取扱い

変更時における解約返戻金相当額とその保険契約により資産計上している金額との差額を、その変更した事業年度の益金の額又は損金の額に算入します。

ただし、養老保険や終身保険、定期保険、第三分野保険、年金保険（特約が付されていないものに限る）等から同種類の払済保険に変更した場合に、上記の取扱いを適用せず、既往の資産計上額を保険事故の発生または解約等により契約が終了するまで計上しているときは、これが認められます。この場合は、あくまでも同種類の保険に変更した場合に認められる処理ですので、例えば、一定期間災害保障重視型定期保険や逓増定期保険で全損タイプのものや低解約返戻金型の定期保険等を平準定期保険や養老保険、終身保険に変更した場合は、原則どおり、洗い替え処理をしなければなりませんので注意してください。

なお、生命保険料の全額(特約に係る保険料を除く)が役員または従業員に対する給与となるものについては、特に経理処理をする必要はありません。

2 保険料の取扱い

払済保険に変更した場合は、その変更時における解約返戻金相当額の保険料を一時払いしたものとして取り扱われます。

したがって、保険料は、変更時におけるその変更後の保険契約の内容に応じた処理をすることになります。処理については、払済保険の種類に応じて、本章の該当箇所を参照ください。

3 払済保険を復旧した場合

払済保険を復旧した場合は、払済保険に変更した時点において益金の額

または損金の額に算入した金額を復旧した日の属する事業年度の損金の額または益金の額に、また、払済保険に変更した後に損金の額に算入した金額をその復旧した日の属する事業年度の益金の額に算入します。

第２款　契約者・受取人＝法人、被保険者＝従業員の定期保険、第三分野保険

2-20　保険料の取扱い

Q　契約者・保険金受取人を当社、被保険者を従業員とする定期保険・第三分野保険に加入した場合、税務上どのように取り扱われますか。

A　法人が、自己を契約者及び保険金受取人とし、役員または従業員(これらの人の親族を含みます)を被保険者とする定期保険または第三分野保険に加入してその保険料を支払った場合には、その支払った保険料の額は、保険期間の経過に応じて損金の額に算入することができます。

1　法人の税務処理

被保険者が特定の役員または従業員であっても、全従業員が対象であっても税務処理は同じです。

借方		貸方	
保険料 （損金算入）	×××	現金及び預金	×××

2　役員、従業員の税務

法人が負担した保険料は、被保険者である役員または従業員の給与にはなりません。

2-21　保険料を一時払いした場合の取扱い

Q　前問の契約形態で、保険料を一時払いした場合は、その保険料は税務上どのように取り扱われますか。

A　法人が、自己を契約者及び保険金受取人とし、役員または従業員(これらの人の親族を含みます)を被保険者とする定期保険または第三分野保険に加入してその保険料を支払った場合には、その支払った保険料の額は、保険期間の経過に応じて損金の額に算入することができるとされています。

したがって、定期保険・第三分野保険の保険料を一時払いした場合には、保険料の支出の日の属する事業年度の保険期間に対応する保険料を損金に算入し、残額については前払保険料として資産に計上します。

資産計上した前払保険料は、翌事業年度以降のそれぞれの保険期間に対応する金額を取り崩して損金の額に算入します。

---

❶ 保険料支払時の経理処理

借	方	貸	方
保険料 (損金算入)	×××	現金及び預金	×××
前払保険料 (資産計上)	×××		

② 翌事業年度以降の経理処理

借　　方		貸　　方	
保　険　料 （損金算入）	×××	前払保険料	×××

2-22 死亡保険金を受け取った場合の取扱い

Q 死亡保険金を受け取った場合、税務上どのように取り扱われますか。

A 法人が死亡保険金を受け取った場合、以下のようになります。

---

① 法人の税務処理

定期保険において、法人が、自己を契約者及び保険金受取人とし、役員または従業員（これらの人の親族を含みます）を被保険者とする定期保険・第三分野保険に加入している場合で、被保険者である役員または従業員の死亡により、死亡保険金を受け取ったときの税務処理は次のとおりです。

借　　方		貸　　方	
現金及び預金	×××	雑　収　入	×××

(注)死亡保険金とともに配当金を受け取った場合には、その金額も雑収入に含めます。

② 死亡保険金の益金算入時期

死亡保険金の益金算入時期は保険会社から支払通知を受けた日にその支

払が確定することになるので、その支払通知を受け取った日の属する事業年度において収益計上することとなります。

3 受け取った保険金を死亡退職金及び弔慰金として被保険者の遺族に支払った場合

借　　方		貸　　方	
退　職　金	×××	現金及び預金	×××
弔　慰　金	×××		

(注)役員に支払った死亡退職金のうち、不相当に高額な金額は損金の額に算入されません。

4 死亡退職金等を受け取った人の税務

1. 死亡退職金

被相続人の死亡により相続人その他の人が死亡退職金で被相続人の死亡後3年以内に支給が確定したものの支給を受けた場合においては、その死亡退職金を受け取った人は、その死亡退職金を相続または遺贈により取得したものとみなされ、相続税の対象となります。ただし、相続人が受け取った死亡保険金のうち、500万円に法定相続人の数を乗じた金額は非課税となり、相続税の対象から除外されます。

2. 弔慰金

弔慰金は、相続税法上原則として非課税とされますが、その弔慰金の額が次の金額を超える場合は、その超える部分の金額は退職金として扱われます。

業務上の死亡である場合	被相続人の死亡時の賞与以外の給与の3年分に相当する金額
業務上以外の死亡である場合	被相続人の死亡時の賞与以外の給与の半年分に相当する金額

2-23 配当を受け取った場合の取扱い

Q 当社は、役員を被保険者、受取人を当社とする定期保険・第三分野保険に加入しています。この保険契約に係る配当金を受け取った場合は、税務上どのように取り扱われますか。

A 法人が、役員または従業員を被保険者とし、法人を受取人とする定期保険または第三分野保険に加入してその保険料を支払った場合には、その保険料は期間の経過に応じて損金の額に算入されます。そして、法人がこのような保険契約に基づく配当金を受け取った場合には、その受け取ることとなった配当金の額は、その支払通知を受けた日の属する事業年度の益金の額に算入します。

---

1 現金配当

借方		貸方	
現金及び預金	×××	雑収入	×××

2 相殺配当

借方		貸方	
保険料	×××	雑収入	×××
		現金及び預金	×××

3 増加保険

借方		貸方	
保険料	×××	雑収入	×××
		現金及び預金	×××

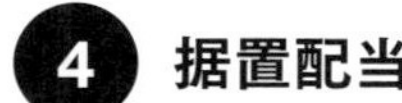

4 据置配当

借方		貸方	
配当金積立金	×××	雑収入	×××

2-24 特約店等の従業員を被保険者とする場合の保険料の取扱い

Q 当社は、特約店等の従業員を被保険者とする次のような定期保険・第三分野保険の契約をしました。この場合の保険料は、税務上どのように取り扱われますか。

【契約形態】

契約者	当社
被保険者	特約店等の従業員
保険金受取人	当社

A 法人が、特約店等の従業員等を被保険者とする定期保険または第三分野保険の保険料を負担した場合には、その支払った保険料の額は、販売奨励金等として期間の経過に応じて損金の額に算入されます。これは、保険金の受取人が法人であるため、特約店等の従業員に対して経済的利益の供与をしているとは考えられないからです。

借方		貸方	
販売奨励金 （損金算入）	×××	現金及び預金	×××

第3款　契約者＝法人、被保険者・受取人＝従業員の定期保険、第三分野保険

2-25 保険料の取扱い

Q 契約者を当社、被保険者を従業員、保険金受取人を従業員の遺族とする定期保険・第三分野保険に加入した場合の保険料は、税務上どのように取り扱われますか。

【契約形態】

契約者	法　人
被保険者	役員、従業員
保険金受取人	被保険者の遺族

A 法人が自己を契約者とし、役員または従業員（これらの人の親族を含みます）を被保険者、受取人を被保険者の遺族とする定期保険または第三分野保険に加入して保険料を支払った場合は、以下のようになります。

---

1 法人の税務処理

法人が自己を契約者とし、役員または従業員（これらの人の親族を含みます）を被保険者、受取人を被保険者の遺族とする定期保険・第三分野保険に加入して保険料を支払った場合は、その支払った保険料の額は、期間の経過に応じて損金の額に算入します。ただし、役員または特定の従業員だけを被保険者としている場合は、その役員または従業員に対する給与（給与の取扱いについては、第6章参照）になります。

借　　　方		貸　　　方	
保　険　料 （損金算入）	×××	現金及び預金	×××

2 役員、従業員の税務

法人が負担した保険料は、原則として被保険者である役員、従業員の給与にはなりません。

ただし、役員または特定の従業員のみを被保険者としている場合（これを差別的加入といいます）は給与（給与の取扱いについては、第6章参照）になります。

2-26 保険料を年払いまたは一時払いした場合の取扱い

Q 前問の契約形態で、保険料を年払いまたは一時払いした場合、税務上どのように取り扱われますか。

A 普遍的加入において保険料を年払い或いは一時払いした場合は、以下のようになります。

---

1 普遍的加入の場合

普遍的加入において支払った保険料の額は、期間の経過に応じて損金の額に算入するとされています。

したがって、定期保険または第三分野保険の保険料を年払いまたは一時払いした場合には、保険料の支出の日の属する事業年度の保険期間に対応する保険料を損金に算入し、残額については前払費用として資産に計上します。

資産計上した前払費用は、翌事業年度以後のそれぞれの保険期間に対応する金額を取り崩して損金の額に算入します。

1. 保険料支払時の経理処理

借方		貸方	
保険料 （損金算入）	×××	現金及び預金	×××
前払保険料 （資産計上）	×××		

2. 翌事業年度以降の経理処理

借方		貸方	
保険料 （損金算入）	×××	前払保険料	×××

❷ 差別的加入の場合

差別的加入において保険料を支払った場合は、その支払った保険料の額は給与（給与の取扱いについては、第6章参照）として取り扱われます。

2-27 死亡保険金を受け取った場合の取扱い

Q 従業員またはその遺族が死亡保険金を受け取った場合、税務上どのように取り扱われますか。

A 法人が、役員または従業員（これらの人の親族を含みます）を被保険者とする生命保険・第三分野保険契約に加入して、その保険料を負

担している場合において、保険事故の発生により役員または従業員その他の人が保険金を取得したときは、次のように取り扱われます。

---

❶ 従業員の死亡により相続人その他の人が保険金を受け取った場合

相続または遺贈により生命保険金を取得したものとみなされ、相続税の対象になります。ただし、法人が死亡保険金を従業員の退職手当金として支給することとしているときには、退職手当金を取得したものとみなされ相続税の対象になります。

❷ 従業員の親族の死亡により従業員が保険金を受け取った場合

従業員が受け取った生命保険金は、一時所得として所得税の対象になります。この場合、法人が負担した保険料は、従業員が負担していたものとして取り扱われます。

❸ 従業員の親族の死亡により従業員以外の人が保険金を受け取った場合

法人が負担した保険料は、従業員が負担していたものとして取り扱われます。したがって、従業員以外の人が受け取った生命保険金は、従業員からの贈与として贈与税の対象となります。

2-28 配当を受け取った場合の取扱い

Q 配当金を受け取った場合は、税務上どのように取り扱われますか。

A 法人が、自己を契約者、役員または従業員（これらの人の親族を含みます）を被保険者、これらの遺族を保険金受取人とする定期保険または第三分野保険の配当金を受け取った場合、その配当金の額は、その支払通知を受けた日の属する事業年度の益金の額に算入します。

配当は契約者に対して支払われるので、死亡保険金の受取人が役員または従業員の遺族であっても契約者である法人に支払われ、配当を受け取った場合には、次の処理をします。

---

1 現金配当

借	方	貸	方
現金及び預金	×××	雑収入	×××

2 相殺配当

借	方	貸	方
給与	×××	雑収入	×××
		現金及び預金	×××

3 増加保険

借	方	貸	方
給与	×××	雑収入	×××
		現金及び預金	×××

4 据置配当

借　　　　方		貸　　　　方	
配当金積立金	×××	雑　収　入	×××

2-29 特約店等の従業員を被保険者とする場合の保険料の取扱い

Q 当社は、特約店の従業員を被保険者とする次のような定期保険・第三分野保険に加入しました。この場合の保険料は、税務上どのように取り扱われますか。

【契約形態】

契約者	法　人
被保険者	特約店の従業員
保険金受取人	被保険者の遺族

A 法人が特約店の従業員を被保険者、保険金受取人を自社とする「定期保険（いわゆる掛捨て保険）・第三分野保険」に加入して、その保険料を負担した場合、その負担した保険料の額は、販売奨励金等として取り扱われることになっています。

保険料相当額を売上割戻し等として特約店に支払い、特約店がそれを原資に自己の従業員を被保険者とする掛捨ての保険の保険料を支払ったとします。すると、特約店においては、仕入割戻しと同額の福利厚生費が計上されるとともに、特約店の従業員についても保険料相当額の経済的利益を受けたことにはならないこと等から課税関係が生じません。したがって、特例的に交際費等に該当しないこととされているのです。

しかし、死亡保険金の受取人を特約店の従業員の遺族とする定期保険・第三分野保険の場合には、特約店の従業員について、保険料相当額の経済的利益を受けることになるので、販売奨励金等ではなく交際費として取り扱われます。

交際費になると、交際費の損金算入限度額を超える金額は、損金の額に算入されません。

●一般の定期保険・第三分野保険契約に係る法人課税関係一覧表

<table>
<tr><th colspan="4">契約内容</th><th colspan="7">法人課税関係</th></tr>
<tr><th rowspan="3">契約者（保険料負担者）</th><th rowspan="3">被保険者（従業員）</th><th colspan="2">保険金等受取人</th><th colspan="2">保険料の取扱い</th><th colspan="5">各種受取金の取扱い</th></tr>
<tr><th rowspan="2">死亡保険金</th><th rowspan="2">特約給付金</th><th rowspan="2">主契約分</th><th rowspan="2">特約分</th><th rowspan="2">死亡保険金</th><th rowspan="2">解約返戻金</th><th rowspan="2">特約給付金</th><th colspan="2">契約者配当金</th></tr>
<tr><th>買増し・相殺</th><th>現金・積立て</th></tr>
<tr><td rowspan="8">法人</td><td rowspan="4">普遍的加入</td><td colspan="2">法人</td><td colspan="2" rowspan="4">損金算入</td><td colspan="2" rowspan="2">益金算入</td><td>益金算入</td><td rowspan="4">益金算入のうえ充当した保険料は「保険料の取扱い」による</td><td rowspan="4">益金算入</td></tr>
<tr><td>法人</td><td>従業員</td><td>処理なし</td></tr>
<tr><td rowspan="2">従業員の遺族</td><td>法人</td><td rowspan="2">処理なし（個人課税）</td><td rowspan="2">益金算入</td><td>益金算入</td></tr>
<tr><td>従業員</td><td>処理なし</td></tr>
<tr><td rowspan="4">差別的加入</td><td colspan="2">法人</td><td colspan="2">損金算入</td><td colspan="2" rowspan="2">益金算入</td><td>益金算入</td><td rowspan="4">益金算入のうえ充当した保険料は「保険料の取扱い」による</td><td rowspan="4">益金算入</td></tr>
<tr><td>法人</td><td>特定の従業員</td><td>損金算入</td><td>給与</td><td>処理なし</td></tr>
<tr><td rowspan="2">特定の従業員の遺族</td><td>法人</td><td rowspan="2">給与</td><td>損金算入</td><td rowspan="2">処理なし（個人課税）</td><td rowspan="2">益金算入</td><td>益金算入</td></tr>
<tr><td>特定の従業員</td><td>給与</td><td>処理なし</td></tr>
</table>

（注１）「従業員」とは、役員または従業員（これらの人の親族を含みます）を意味します。
（注２）「特定の従業員」とは、役員または部課長その他特定の従業員（これらの人の親族を含みます）を意味します。
（注３）給与の取扱いについては、第６章を参照してください。

第4款　最高解約返戻率が50%超70%以下の定期保険、第三分野保険

2-30　保険料の損金算入時期

Q 保険期間が3年以上の定期保険または第三分野保険で最高解約返戻率が50%超70%以下のものの保険料は、損金算入に制限が加えられているそうですが、どのようになっているのですか。

A 保険期間が3年以上の定期保険または第三分野保険で最高解約返戻率が50%超70%以下のものの保険料は、次のように取り扱われます。

---

❶ 保険期間の開始の日から、その保険期間の4割相当期間を経過する日まで

当期分の支払保険料の額の40%相当額を前払金として資産計上します。残額の60%相当額は、期間の経過に応じて損金の額に算入します。

❷ 保険期間の4割相当期間後から保険期間の75%相当期間まで

当期分の支払保険料の額を期間の経過に応じて損金の額に算入します。

❸ 保険期間の75%相当期間後から保険期間の終了の日まで

当期分の支払保険料の額を期間の経過に応じて損金の額に算入します。そして、❶により資産計上した前払金の累計額を、その期間の経過に応じて取り崩し、損金の額に算入します。

ただし、保険期間の全部またはその数年分の保険料をまとめて支払った

場合には、いったんその保険料の全額を前払金として資産計上し、その支払の対象となった期間の経過に応じる経過期間分の保険料について、❶から❸の処理を行います。

(注)役員または特定の従業員及びこれらの親族のみを被保険者とし、死亡保険金の受取人を被相続人の遺族とする契約で、その保険料がその役員等に対する給与となる場合は除きます。

2-31 保険料の取扱い

Q 保険期間が3年以上の定期保険または第三分野保険で最高解約返戻率が50％超70％以下のものに加入して保険料を支払った場合は、どのように取り扱われますか。

A 法人が、保険期間が3年以上の定期保険または第三分野保険で最高解約返戻率が50％超70％以下のものに加入して保険料を支払った場合は、次のような処理をします。

【設例】

1. 契約形態

契約者	法　人
被保険者	役　員
死亡保険金受取人	法　人

2. 契約内容

保険加入年齢	60歳
保険満了年齢	80歳
年払保険料	600,000円
最高解約返戻率	70%

3. 経理処理

① 保険料を支払ったとき

(イ)当初8年（保険期間の前半4割相当期間：保険期間20年×40%）の処理

法人が支払った保険料のうち、損金算入できる金額は、年払保険料の60%になります（65ページの表参照）。

借	方	貸	方
保険料	360,000円	現金及び預金	600,000円
前払保険料	240,000円		

（注）年払保険料600,000円×60%＝360,000円…損金算入
600,000円×40%＝240,000円…資産計上（前払保険料）

(ロ)9年目から15年目まで（(イ)の期間経過後から保険期間の7.5割相当期間まで：保険期間20年×75%）

9年目から15年目までは、年払保険料の全額を損金に算入します。

借	方	貸	方
保険料	600,000円	現金及び預金	600,000円

(ハ)16年目から20年目（保険期間終了日）まで

年払保険料の全額を損金算入するとともに、資産計上している前払保険料を残りの期間で均等に取り崩して損金算入します。

借 方		貸 方	
保険料	600,000円	現金及び預金	600,000円
保険料*	384,000円	前払保険料	384,000円

(注1)16年目から20年目までは、年払保険料の全額を損金に算入するとともに、前払保険料として資産計上した累計額1,920,000円(=240,000円×8年)を16年目から20年目までの5年間で均等に取り崩した金額(1,920,000円÷5=384,000円*)を損金に算入します。

(注2)保険期間満了の80歳時には、前払保険料はゼロとなり保険料のすべてが損金に算入されることになります。

② 保険期間の中途で死亡または解約をしたとき

保険期間の中途で死亡または解約をした場合は、資産計上している前払保険料を取り崩すとともに受取保険金または解約返戻金との差額を雑収入(または雑損失)として計上します(例示は雑収入の場合)。

借 方		貸 方	
現金及び預金	×××	前払保険料	×××
		雑収入	×××

2-32 保険料を一時払いした場合の取扱い

Q 最高解約返戻率が50%超70%以下の定期保険等の保険料を一時払いした場合、どのように取り扱われますか。

A 法人が、保険期間が3年以上の定期保険または第三分野保険で最高解約返戻率が50%超70%以下のものに加入して保険料を一時払いした場合は、次のような処理をします。

【設例】

1. 契約形態

契約者	法　人
被保険者	役　員
死亡保険金受取人	法　人

2. 契約内容

保険加入年齢	60歳
保険満了年齢	80歳
一時払保険料（期首に契約）	10,000,000円
最高解約返戻率	70%

3. 経理処理

① 保険料を支払ったとき

一時払い保険料の全額を、いったん前払金として資産計上します。

借方		貸方	
前払金	10,000,000円	現金及び預金	10,000,000円

② 当初8年間（保険期間の前半4割相当期間：保険期間20年×40%）の各期末時の処理

法人が一時払いした保険料のうち、当期分支払保険料の額について、40%相当額を資産計上し、60%相当額を損金に算入します（65ページの表参照）。

借方		貸方	
保険料	300,000円	前払金	500,000円
前払保険料	200,000円		

（注）当期分支払保険料の額：（一時払保険料）10,000,000円÷（保険期間）20年＝500,000円
500,000円×60%＝300,000円…損金算入
500,000円×40%＝200,000円…資産計上（前払保険料）

③　9年目から15年目まで（①の期間経過後から保険期間の7.5割相当期間まで：保険期間20年×75%）

9年目から15年目までは、当期分支払保険料の額を損金に算入します。

借	方	貸	方
保険料	500,000円	前払金	500,000円

④ 16年目から20年目（保険期間終了日）まで

当期分支払保険料の額を損金算入するとともに、資産計上している前払保険料を残りの期間で均等に取り崩して損金算入します。

借	方	貸	方
保険料	500,000円	前払金	500,000円
保険料*	320,000円	前払保険料	320,000円

(注1)16年目から20年目までは、年払保険料の全額を損金に算入するとともに、前払保険料として資産計上した累計額1,600,000円（=200,000円×8年）を16年目から20年目までの5年間で均等に取り崩した金額（1,600,000円÷5=320,000円*）を損金に算入します。

(注2)保険期間満了の80歳時には、前払保険料はゼロとなり保険料のすべてが損金に算入されることになります。

⑤ 保険期間の中途で死亡または解約をしたとき

保険期間の中途で死亡または解約をした場合は、資産計上している前払保険料を取り崩すとともに受取保険金または解約返戻金との差額を雑収入（または雑損失）として計上します（例示は雑収入の場合）。

借	方	貸	方
現金及び預金	×××	前払保険料	×××
		雑収入	×××

●最高解約返戻率が 50％ 超 70％ 以下の定期保険、第三分野保険契約に係る法人課税関係一覧表

<table>
<tr><th colspan="3">契約内容</th><th colspan="5">法人課税関係</th></tr>
<tr><th rowspan="2">契約者
（保険料負担者）</th><th rowspan="2">被保険者</th><th rowspan="2">保険金等受取人</th><th colspan="3">保険料の取扱い</th><th colspan="2">保険金の取扱い</th></tr>
<tr><th>①
保険期間の前半４割相当期間</th><th>②
①の期間経過後から保険期間の7.5割相当期間まで</th><th>②の期間経過後から保険期間終了日まで</th><th>死亡保険金</th><th>解約返戻金</th></tr>
<tr><td rowspan="4">法　人</td><td rowspan="2">普遍的加　入</td><td>法　人</td><td rowspan="2">保険料の40％を資産計上、60％を損金算入</td><td rowspan="2">保険料の全額を損金算入</td><td rowspan="2">保険料の全額
＋
①の期間の資産計上累計額の均等取崩し分
＝損金算入</td><td colspan="2">（保険金−資産計上額）を益金算入</td></tr>
<tr><td>従業員の遺族</td><td>処理なし
（個人課税）</td><td>同　上</td></tr>
<tr><td rowspan="2">差別的加　入</td><td>法　人</td><td>同　上</td><td>同　上</td><td>同　上</td><td colspan="2">（保険金−資産計上額）を益金算入</td></tr>
<tr><td>特定の従業員の遺族</td><td colspan="3">給　与</td><td>処理なし
（個人課税）</td><td>益金算入</td></tr>
</table>

（注１）保険期間が終身である第三分野保険については、保険期間の開始の日から被保険者の年齢が116歳に達するまでを計算上の期間とします。

（注２）事業年度の中途で資産計上期間が終了する場合は、当期分支払保険料をその事業年度の月数で除してその事業年度に含まれる資産計上期間（１月未満端数は切捨て）を乗じて計算した金額を資産計上します。

（注３）資産計上累計額は取崩し期間（１月未満端数は切上げ）の経過に応じて均等に取り崩した金額を損金の額に算入します。

（注４）保険契約の変更があった場合は、変更後の契約内容に基づいてこの取扱いを適用します。

（注５）一定期間分の保険料を前払いした場合は、その全額をいったん資産計上し、その金額のうちその事業年度に対応する部分の金額について上記の取扱いを適用します。

2-33 保険料の損金算入時期

Q 保険期間が3年以上の定期保険または第三分野保険で最高解約返戻率が70%超85%以下のものの保険料は、損金算入に制限が加えられているそうですが、どのようになっているのですか。

A 保険期間が3年以上の定期保険または第三分野保険で最高解約返戻率が70%超85%以下のものの保険料は、次のように取り扱われます。

---

❶ 保険期間の開始の日から、その保険期間の4割相当期間を経過する日まで

当期分の支払保険料の額の60%相当額を前払金として資産計上します。残額の40%相当額は、期間の経過に応じて損金の額に算入します。

❷ 保険期間の4割相当期間後から保険期間の75%相当期間まで

当期分の支払保険料の額を期間の経過に応じて損金の額に算入します。

❸ 保険期間の75%相当期間後から保険期間の終了の日まで

当期分の支払保険料の額を期間の経過に応じて損金の額に算入します。そして、❶により資産計上した前払金の累計額を、その期間の経過に応じて取り崩し、損金の額に算入します。

ただし、保険期間の全部またはその数年分の保険料をまとめて支払った

場合には、いったんその保険料の全額を前払金として資産計上し、その支払の対象となった期間の経過に応じる経過期間分の保険料について、❶から❸の処理を行います。

(注)役員または特定の従業員及びこれらの親族のみを被保険者とし、死亡保険金の受取人を被相続人の遺族とする契約で、その保険料がその役員等に対する給与となる場合は除きます。

2-34 保険料の取扱い

Q 保険期間が3年以上の定期保険または第三分野保険で最高解約返戻率が70%超85%以下のものに加入して保険料を支払った場合は、どのように取り扱われますか。

A 法人が、保険期間が3年以上の定期保険または第三分野保険で最高解約返戻率が70%超85%以下のものに加入して保険料を支払った場合は、次のような処理をします。

【設例】

1. 契約形態

契約者	法　人
被保険者	役　員
死亡保険金受取人	法　人

2. 契約内容

保険加入年齢	60 歳
保険満了年齢	80 歳
年払保険料	600,000 円
最高解約返戻率	85%

3. 経理処理

① 保険料を支払ったとき

(イ)当初 8 年（保険期間の前半 4 割相当期間：保険期間 20 年×40%）の処理

法人が支払った保険料のうち、損金算入できる金額は、年払保険料の 40% になります（72 ページの表参照）。

借	方	貸	方
保険料	240,000 円	現金及び預金	600,000 円
前払保険料	360,000 円		

(注) 年払保険料 600,000 円×40%＝240,000 円…損金算入
600,000 円×60%＝360,000 円…資産計上（前払保険料）

(ロ) 9 年目から 15 年目まで（(イ)の期間経過後から保険期間の 7.5 割相当期間まで：保険期間 20 年×75%）

9 年目から 15 年目までは、年払保険料の全額を損金に算入します。

借	方	貸	方
保険料	600,000 円	現金及び預金	600,000 円

(ハ)16 年目から 20 年目（保険期間終了日）まで

年払保険料の全額を損金算入するとともに、資産計上している前払保険料を残りの期間で均等に取り崩して損金算入します。

借 方		貸 方	
保険料	600,000円	現金及び預金	600,000円
保険料*	576,000円	前払保険料	576,000円

（注１）16年目から20年目までは、年払保険料の全額を損金に算入するとともに、前払保険料として資産計上した累計額2,880,000円（＝360,000円×８年）を16年目から20年目までの５年間で均等に取り崩した金額（2,880,000円÷５＝576,000円*）を損金に算入します。

（注２）保険期間満了の80歳時には、前払保険料はゼロとなり保険料のすべてが損金に算入されることになります。

② 保険期間の中途で死亡または解約をしたとき

保険期間の中途で死亡または解約をした場合は、資産計上している前払保険料を取り崩すとともに受取保険金または解約返戻金との差額を雑収入（または雑損失）として計上します（例示は雑収入の場合）。

借 方		貸 方	
現金及び預金	×××	前払保険料	×××
		雑収入	×××

2-35　保険料を一時払いした場合の取扱い

Q　最高解約返戻率が70％超85％以下の定期保険等の保険料を一時払いした場合、どのように取り扱われますか。

A　法人が、保険期間が３年以上の定期保険または第三分野保険で最高解約返戻率が70％超85％以下のものに加入して保険料を一時払いした場合は、次のような処理をします。

【設例】

1. 契約形態

契約者	法　人
被保険者	役　員
死亡保険金受取人	法　人

2. 契約内容

保険加入年齢	60 歳
保険満了年齢	80 歳
一時払保険料（期首に契約）	10,000,000 円
最高解約返戻率	85%

3. 経理処理

① 保険料を支払ったとき

一時払い保険料の全額を、いったん前払金として資産計上します。

借　方		貸　方	
前払金	10,000,000 円	現金及び預金	10,000,000 円

② 当初 8 年間（保険期間の前半 4 割相当期間：保険期間 20 年×40%）の各期末時の処理

法人が一時払いした保険料のうち、当期分支払保険料の額について、60% 相当額を資産計上し、40% 相当額を損金に算入します（72 ページの表参照）。

借　方		貸　方	
保険料	200,000 円	前払金	500,000 円
前払保険料	300,000 円		

（注）当期分支払保険料の額：（一時払保険料）10,000,000 円÷（保険期間）20 年＝500,000 円
500,000 円×40%＝200,000 円…損金算入
500,000 円×60%＝300,000 円…資産計上（前払保険料）

③ 9年目から15年目まで（①の期間経過後から保険期間の7.5割相当期間まで：保険期間20年×75%）

9年目から15年目までは、当期分支払保険料の額を損金に算入します。

借　方		貸　方	
保険料	500,000円	前払金	500,000円

④ 16年目から20年目（保険期間終了日）まで

当期分支払保険料の額を損金算入するとともに、資産計上している前払保険料を残りの期間で均等に取り崩して損金算入します。

借　方		貸　方	
保険料	500,000円	前払金	500,000円
保険料※	480,000円	前払保険料	480,000円

（注1）16年目から20年目までは、年払保険料の全額を損金に算入するとともに、前払保険料として資産計上した累計額2,400,000円（＝300,000円×8年）を16年目から20年目までの5年間で均等に取り崩した金額（2,400,000円÷5＝480,000円※）を損金に算入します。

（注2）保険期間満了の80歳時には、前払保険料はゼロとなり保険料のすべてが損金に算入されることになります。

⑤ 保険期間の中途で死亡または解約をしたとき

保険期間の中途で死亡または解約をした場合は、資産計上している前払保険料を取り崩すとともに受取保険金または解約返戻金との差額を雑収入（または雑損失）として計上します（例示は雑収入の場合）。

借　方		貸　方	
現金及び預金	×××	前払保険料	×××
		雑収入	×××

●最高解約返戻率が 70% 超 85% 以下の定期保険、第三分野保険契約に係る法人課税関係一覧表

<table>
<tr><th colspan="3">契約内容</th><th colspan="5">法人課税関係</th></tr>
<tr><th rowspan="2">契約者
(保険料負担者)</th><th rowspan="2">被保険者</th><th rowspan="2">保険金等受取人</th><th colspan="3">保険料の取扱い</th><th colspan="2">保険金の取扱い</th></tr>
<tr><th>①
保険期間の前半４割相当期間</th><th>②
①の期間経過後から保険期間の7.5割相当期間まで</th><th>②の期間経過後から保険期間終了日まで</th><th>死亡保険金</th><th>解約返戻金</th></tr>
<tr><td rowspan="4">法　人</td><td rowspan="2">普遍的加　入</td><td>法　人</td><td rowspan="2">保険料の60%を資産計上、40%を損金算入</td><td rowspan="2">保険料の全額を損金算入</td><td rowspan="2">保険料の全額
＋
①の期間の資産計上累計額の均等取崩し分
＝損金算入</td><td colspan="2">(保険金－資産計上額)を益金算入</td></tr>
<tr><td>従業員の遺族</td><td>処理なし
(個人課税)</td><td>同　上</td></tr>
<tr><td rowspan="2">差別的加　入</td><td>法　人</td><td>同　上</td><td>同　上</td><td>同　上</td><td colspan="2">(保険金－資産計上額)を益金算入</td></tr>
<tr><td>特定の従業員の遺族</td><td colspan="3">給　与</td><td>処理なし
(個人課税)</td><td>益金算入</td></tr>
</table>

(注１)保険期間が終身である第三分野保険については、保険期間の開始の日から被保険者の年齢が116歳に達するまでを計算上の期間とします。

(注２)事業年度の中途で資産計上期間が終了する場合は、当期分支払保険料をその事業年度の月数で除してその事業年度に含まれる資産計上期間（１月未満端数は切捨て）を乗じて計算した金額を資産計上します。

(注３)資産計上累計額は取崩し期間（１月未満端数は切上げ）の経過に応じて均等に取り崩した金額を損金の額に算入します。

(注４)保険契約の変更があった場合は、変更後の契約内容に基づいてこの取扱いを適用します。

(注５)一定期間分の保険料を前払いした場合は、その全額をいったん資産計上し、その金額のうちその事業年度に対応する部分の金額について上記の取扱いを適用します。

第6款　最高解約返戻率が85%超の定期保険、第三分野保険

2-36　保険料の損金算入時期

Q 保険期間が3年以上の定期保険または第三分野保険で最高解約返戻率が85%超のものの保険料は、損金算入に制限が加えられているそうですが、どのようになっているのですか。

A 保険期間が3年以上の定期保険または第三分野保険で最高解約返戻率が85%超のものの保険料は、次のように取り扱われます。

---

1 保険期間の開始の日から、最高解約返戻率になるまでの期間が5年未満の場合

① 保険開始の日から5年間

当期分の支払保険料の額に最高解約返戻率の90%相当額を乗じて計算した金額を前払金として資産計上します。残額の10%相当額は、期間の経過に応じて損金の額に算入します。

② 6年目から保険期間終了の日まで

当期分の支払保険料の額を期間の経過に応じて損金の額に算入します。そして、①により資産計上した前払金の累計額を、その期間の経過に応じて取り崩し、損金の額に算入します。

2 1の場合で保険期間が10年未満の場合

① 保険期間の前半5割相当期間

当期分の支払保険料の額に最高解約返戻率の90%相当額を乗じて計算した金額を前払金として資産計上します。残額の10%相当額は、期間の

経過に応じて損金の額に算入します。

② 5割相当期間経過後から保険期間終了の日まで

当期分の支払保険料の額を期間の経過に応じて損金の額に算入します。そして、①により資産計上した前払金の累計額を、その期間の経過に応じて取り崩し、損金の額に算入します。

❸ 保険期間の開始の日から、最高解約返戻率になるまでの期間が10年以上の場合

① 当初10年間

当期分の支払保険料の額に最高解約返戻率の90％相当額を乗じて計算した金額を前払金として資産計上します。残額の10％相当額は、期間の経過に応じて損金の額に算入します。

② 11年目以後最高解約返戻率になるまで

当期分の支払保険料の額に最高解約返戻率の70％相当額を乗じて計算した金額を前払金として資産計上します。残額の30％相当額は、期間の経過に応じて損金の額に算入します。

③ 最高解約返戻率になった後においても相当多額の前払部分の保険料が含まれている期間がある場合

11年目以後、最高解約返戻率になった期間後において、相当多額の前払部分の保険料が含まれている期間（A）がある場合は、その期間に該当する期間の最も遅い期間まで、当期分の支払保険料の額に最高解約返戻率の70％相当額を乗じて計算した金額を前払金として資産計上します。そして、残額の30％相当額は、期間の経過に応じて損金の額に算入します。

最高解約返戻率になった期間後に相当多額の前払部分の保険料が含まれている場合とは、次の算式で計算した割合が70％を超える場合をいいます。

$$70\% < \frac{\text{当年の解約返戻金} - \text{前年の解約返戻金}}{\text{年換算保険料相当額}^{※}}$$

※年換算保険料相当額＝$\frac{\text{保険料の総額}}{\text{保険期間の年数}}$

④ 最高解約返戻率または（A）に該当する期間の最も遅い期間のいずれか遅い期間経過後から保険期間終了の日まで

当期分の支払保険料の額を期間の経過に応じて損金の額に算入します。そして、①、②、③により資産計上した前払金の累計額を、その期間の経過に応じて取り崩し、損金の額に算入します。

なお、保険期間の全部またはその数年分の保険料をまとめて支払った場合には、いったんその保険料の全額を前払金として資産計上し、その支払の対象となった期間の経過に応じる経過期間分の保険料について、上記の処理を行います。

(注)役員または特定の従業員及びこれらの親族のみを被保険者とし、死亡保険金の受取人を被相続人の遺族とする契約で、その保険料がその役員等に対する給与となる場合は除きます。

2-37　保険料の取扱い（最高解約返戻率になるまでの期間が5年未満の場合）

Q　保険期間が3年以上の定期保険または第三分野保険で最高解約返戻率が85％超のものに加入して保険料を支払った場合は、どのように取り扱われますか。最高解約返戻率になるまでの期間は3年です。

A　法人が、保険期間が3年以上の定期保険または第三分野保険で最高解約返戻率が85％超のものに加入して保険料を支払った場合は、次のような処理をします。

【設例】

1. 契約形態

契約者	法　人
被保険者	役　員
死亡保険金受取人	法　人

2. 契約内容

保険加入年齢	60歳
保険満了年齢	80歳
年払保険料	600,000円
最高解約返戻率	90%（3年目）

3. 経理処理

① 保険料を支払ったとき

(イ)当初5年の処理

保険開始期間から最高解約返戻率になるまでの期間が5年未満の場合は、保険開始から5年間、法人が支払った保険料のうち、損金に算入できる金額は、次の金額になります（86ページの表参照）。

借　方		貸　方	
保険料	114,000円	現金及び預金	600,000円
前払保険料	486,000円		

(注)年払保険料600,000円×90%×90%＝486,000円…資産計上（前払保険料）
600,000円－486,000円＝114,000円…損金算入

(ロ)6年目から20年目（保険期間終了日）まで

年払保険料の全額を損金算入するとともに、資産計上している前払保険料を残りの期間で均等に取り崩して損金算入します。

借	方	貸	方
保険料	600,000円	現金及び預金	600,000円
保険料※	162,000円	前払保険料	162,000円

（注1）6年目から20年目までは、年払保険料の全額を損金に算入するとともに、前払保険料として資産計上した累計額2,430,000円（=486,000円×5年）を6年目から20年目までの15年間で均等に取り崩した金額（2,430,000円÷15=162,000円※）を損金に算入します。

（注2）保険期間満了の80歳時には、前払保険料はゼロとなり保険料のすべてが損金に算入されることになります。

②　保険期間の中途で死亡または解約をしたとき

保険期間の中途で死亡または解約をした場合は、資産計上している前払保険料を取り崩すとともに、受取保険金または解約返戻金との差額を雑収入（または雑損失）として計上します（例示は雑収入の場合）。

借	方	貸	方
現金及び預金	×××	前払保険料	×××
		雑収入	×××

2-38　保険料の取扱い（最高解約返戻率になるまでの期間が5年未満で保険期間が10年未満の場合）

Q 保険期間が3年以上の定期保険または第三分野保険で最高解約返戻率が85%超のものに加入して保険料を支払った場合は、どのように取り扱われますか。最高解約返戻率になるまでの期間は3年、保険期間は8年です。

A 法人が、保険期間が3年以上の定期保険または第三分野保険で最高解約返戻率が85%超のものに加入して保険料を支払った場合は、次のような処理をします。

【設例】

1. 契約形態

契約者	法　人
被保険者	役　員
死亡保険金受取人	法　人

2. 契約内容

保険加入年齢	60 歳
保険満了年齢	68 歳
年払保険料	600,000 円
最高解約返戻率	90%（3 年目）

3. 経理処理

① 保険料を支払ったとき

(イ)保険期間の前半 5 割相当期間（当初 4 年）の処理

保険開始期間から最高解約返戻率になるまでの期間が 5 年未満の場合で保険期間が 10 年未満の場合は、保険期間の前半 5 割相当期間（設例の場合は当初 4 年)、法人が支払った保険料のうち、損金に算入できる金額は、次の金額になります（86 ページの表参照)。

借	方	貸	方
保　険　料 前払保険料	114,000 円 486,000 円	現金及び預金	600,000 円

（注）年払保険料 600,000 円 × 90% × 90% = 486,000 円…資産計上（前払保険料）
600,000 円 − 486,000 円 = 114,000 円…損金算入

(ロ)5 年目から 8 年目（保険期間終了日）まで

年払保険料の全額を損金算入するとともに、資産計上している前払保険料を残りの期間で均等に取り崩して損金算入します。

借	方	貸	方
保険料	600,000 円	現金及び預金	600,000 円
保険料※	486,000 円	前払保険料	486,000 円

（注 1）5 年目から 8 年目までは、年払保険料の全額を損金に算入するとともに、前払保険料として資産計上した累計額 1,944,000 円（＝486,000 円× 4 年）を 5 年目から 8 年目までの 4 年間で均等に取り崩した金額（1,944,000 円÷ 4 ＝486,000 円※）を損金に算入します。

（注 2）保険期間満了の 68 歳時には、前払保険料はゼロとなり保険料のすべてが損金に算入されることになります。

② 保険期間の中途で死亡または解約をしたとき

保険期間の中途で死亡または解約をした場合は、資産計上している前払保険料を取り崩すとともに、受取保険金または解約返戻金との差額を雑収入（または雑損失）として計上します（例示は雑収入の場合）。

借	方	貸	方
現金及び預金	×××	前払保険料	×××
		雑収入	×××

2-39　保険料の取扱い（最高解約返戻率になるまでの期間が 10 年以上の場合）

Q 保険期間が 3 年以上の定期保険または第三分野保険で最高解約返戻率が 85％ 超のものに加入して保険料を支払った場合は、どのように取り扱われますか。最高解約返戻率になるまでの期間は、12 年です。

A 法人が、保険期間が 3 年以上の定期保険または第三分野保険で最高解約返戻率が 85％ 超のものに加入して保険料を支払った場合は、次のような処理をします。

【設例】

1. 契約形態

契約者	法　人
被保険者	役　員
死亡保険金受取人	法　人

2. 契約内容

保険加入年齢	60 歳
保険満了年齢	80 歳
年払保険料	600, 000 円
最高解約返戻率	90%（12 年目）

3. 経理処理

① 保険料を支払ったとき

(イ)当初 10 年の処理

保険期間の開始の日から 10 年間は、法人が支払った保険料のうち、損金算入できる金額は、次の金額になります（86 ページの表参照）。

借方		貸方	
保険料	114, 000 円	現金及び預金	600, 000 円
前払保険料	486, 000 円		

(注) 年払保険料 600, 000 円×90%×90%＝486, 000 円…資産計上（前払保険料）
600, 000 円－486, 000 円＝114, 000 円…損金算入

(ロ)11 年目から 12 年目（最高解約返戻率になる期間）まで

11 年目から 12 年目までは、次の金額が損金に算入されます。

借方		貸方	
保険料	222, 000 円	現金及び預金	600, 000 円
前払保険料	378, 000 円		

(注) 年払保険料 600, 000 円×90%×70%＝378, 000 円…資産計上（前払保険料）
600, 000 円－378, 000 円＝222, 000 円…損金算入

(ハ)13年目から20年目（保険期間終了日）まで

年払保険料の全額を損金算入するとともに、資産計上している前払保険料を残りの期間で均等に取り崩して損金算入します。

借　方		貸　方	
保険料	600,000円	現金及び預金	600,000円
保険料*	702,000円	前払保険料	702,000円

(注1)13年目から20年目までは、年払保険料の全額を損金に算入するとともに、前払保険料として資産計上した累計額5,616,000円（＝486,000円×10年＋378,000円×2年）を13年目から20年目までの8年間で均等に取り崩した金額（5,616,000円÷8＝702,000円*）を損金に算入します。

(注2)保険期間満了の80歳時には、前払保険料はゼロとなり保険料のすべてが損金に算入されることになります。

【参考】 最高解約返戻率になった期間後において、その保険料の中に相当多額の前払部分の保険料が含まれている場合（解約返戻金相当額の対前年増加額を年換算保険料相当額で除した割合が70％を超える場合）は、その7割を超える期間の終了の日まで資産計上期間が延長されることになります。この場合の年換算保険料相当額とは、保険料の総額を保険期間の年数で除した額をいいます。

② 保険期間の中途で死亡または解約をしたとき

保険期間の中途で死亡または解約をした場合は、資産計上している前払保険料を取り崩すとともに、受取保険金または解約返戻金との差額を雑収入（または雑損失）として計上します（例示は雑収入の場合）。

借　方		貸　方	
現金及び預金	×××	前払保険料	×××
		雑収入	×××

2-40 保険料の取扱い（最高解約返戻率になった後においても相当多額の前払部分の保険料が含まれている期間がある場合）

Q 保険期間が３年以上の定期保険または第三分野保険で最高解約返戻率が85％超のものに加入して保険料を支払った場合は、どのように取り扱われますか。最高解約返戻率になるまでの期間は12年、解約返戻金相当額が最高になるのは15年です。

A 法人が、保険期間が３年以上の定期保険または第三分野保険で最高解約返戻率が85％超のものに加入して保険料を支払った場合は、次のような処理をします。

【設例】

1. 契約形態

契約者	法　人
被保険者	役　員
死亡保険金受取人	法　人

2. 契約内容

保険加入年齢	60歳
保険満了年齢	80歳
年払保険料	600,000円
最高解約返戻率	90％（12年目）
解約返戻金相当額が最高になる期間	15年目

3. 経理処理

① 保険料を支払ったとき

(イ)当初10年の処理

保険期間の開始の日から10年間は、法人が支払った保険料のうち、損金算入できる金額は、次の金額になります（86ページの表参照）。

借　方		貸　方	
保険料	114,000円	現金及び預金	600,000円
前払保険料	486,000円		

（注）年払保険料600,000円×90%×90%＝486,000円…資産計上（前払保険料）
600,000円－486,000円＝114,000円…損金算入

(ロ)11年目から12年目（最高解約返戻率になる期間）まで

11年目から12年目までは、次の金額が損金に算入されます。

借　方		貸　方	
保険料	222,000円	現金及び預金	600,000円
前払保険料	378,000円		

（注）年払保険料600,000円×90%×70%＝378,000円…資産計上（前払保険料）
600,000円－378,000円＝222,000円…損金算入

(ハ)13年目から15年目（解約返戻金相当額が最高になる期間）まで

13年目から15年目までも、同様の金額が損金に算入されます。

解約返戻金が最高になる期間とは、解約返戻金相当額の対前年増加額を年換算保険料相当額で除した割合が70%を超える期間の最も遅い期間をいいます。

借　方		貸　方	
保険料	222,000円	現金及び預金	600,000円
前払保険料	378,000円		

（注）年払保険料600,000円×90%×70%＝378,000円…資産計上（前払保険料）
600,000円－378,000円＝222,000円…損金算入

(ニ)16年目から20年目（保険期間終了日）まで

年払保険料の全額を損金算入するとともに、資産計上している前払保険料を残りの期間で均等に取り崩して損金算入します。

借　方		貸　方	
保険料	600,000円	現金及び預金	600,000円
保険料*	1,350,000円	前払保険料	1,350,000円

（注1）16年目から20年目までは、年払保険料の全額を損金に算入するとともに、前払保険料として資産計上した累計額6,750,000円（＝486,000円×10年＋378,000円×2年＋378,000円×3年）を16年目から20年目までの5年間で均等に取り崩した金額（6,750,000円÷5＝1,350,000円*）を損金に算入します。

（注2）保険期間満了の80歳時には、前払保険料はゼロとなり保険料のすべてが損金に算入されることになります。

② 保険期間の中途で死亡または解約をしたとき

保険期間の中途で死亡または解約をした場合は、資産計上している前払保険料を取り崩すとともに、受取保険金または解約返戻金との差額を雑収入（または雑損失）として計上します（例示は雑収入の場合）。

借　方		貸　方	
現金及び預金	×××	前払保険料	×××
		雑収入	×××

2-41 保険料を一時払いした場合の取扱い

Q 最高解約返戻率が85%超の定期保険等の保険料を一時払いした場合、どのように取り扱われますか。

A 法人が、保険期間が3年以上の定期保険または第三分野保険で最高解約返戻率が85%超のものに加入して保険料を一時払いした場合は、次のような処理をします。

---

1. 契約形態

契約者	法　人
被保険者	役　員
死亡保険金受取人	法　人

2. 経理処理

① 保険料を支払ったとき

一時払い保険料の全額を、いったん前払金として資産計上します。

借　方		貸　方	
前　払　金	10,000,000円	現金及び預金	10,000,000円

② その後の処理

定期保険等の契約内容（最高解約返戻率になるまでの期間が5年未満か、最高解約返戻率になるまでの期間が5年未満で保険期間が10年未満か、最高解約返戻率になるまでの期間が10年以上か、最高解約返戻率になった後においても相当多額の前払部分の保険料が含まれている期間があるか）に応じて、2-37から2-40の処理を行います。

●最高解約返戻率が 85% 超の定期保険、第三分野保険契約に係る法人課税関係一覧表

<table>
<tr><th colspan="3">契約内容</th><th colspan="6">法人課税関係</th></tr>
<tr><th rowspan="3">契約者
(保険料負担者)</th><th rowspan="3">被保険者</th><th rowspan="3">保険金等受取人</th><th colspan="4">保険料の取扱い</th><th colspan="2" rowspan="2">保険金の取扱い</th></tr>
<tr><th colspan="4">保険期間開始から最高解約返戻率になるまでの期間①</th></tr>
<tr><th>原則的取扱い</th><th>①の期間後A(※)に該当する期間がある場合</th><th>①の期間が5年未満の場合②</th><th>②の場合で保険期間が10年未満の場合</th><th>死亡保険金</th><th>解約返戻金</th></tr>
<tr><td rowspan="10">法　人</td><td rowspan="8">普遍的加　入</td><td rowspan="7">法　人</td><td colspan="2">当初 10 年間</td><td>保険開始から５年間</td><td>保険期間の前半5割相当期間</td><td colspan="2" rowspan="7">(保険金－資産計上額)を益金算入</td></tr>
<tr><td colspan="2">保険料×最高解約返戻率×90%を資産計上、残りを損金算入</td><td rowspan="5">保険料×最高解約返戻率×90%を資産計上、残りを損金算入</td><td rowspan="5">保険料×最高解約返戻率×90%を資産計上、残りを損金算入</td></tr>
<tr><td colspan="2">11 年目以後解約返戻率がピークになるまで</td></tr>
<tr><td colspan="2">保険料×最高解約返戻率×70%を資産計上、残りを損金算入</td></tr>
<tr><td rowspan="2"></td><td>Aに該当する期間の最も遅い期間まで</td></tr>
<tr><td>保険料×最高解約返戻率×70%を資産計上、残りを損金算入</td></tr>
<tr><td colspan="2">【最高解約返戻率】または【Aに該当する期間の最も遅い期間】のいずれか遅い期間経過後から保険期間終了の日まで</td><td>6年目から保険期間終了の日まで</td><td>5割相当期間経過後から保険期間終了の日まで</td></tr>
<tr><td>従業員の遺族</td><td colspan="2">保険料の全額
＋
上記期間の資産計上累計額の均等取崩し分
＝損金算入</td><td>保険料の全額
＋
上記期間の資産計上累計額の均等取崩し分
＝損金算入</td><td>保険料の全額
＋
上記期間の資産計上累計額の均等取崩し分
＝損金算入</td><td>処理なし
(個人課税)</td><td>同　上</td></tr>
<tr><td rowspan="2">差別的加　入</td><td>法　人</td><td>同　上</td><td>同　上</td><td>同　上</td><td>同　上</td><td colspan="2">(保険金－資産計上額) を益金算入</td></tr>
<tr><td>特定の従業員の遺族</td><td colspan="4">給　与</td><td>処理なし
(個人課税)</td><td>益金算入</td></tr>
</table>

(※) $A:70\% < \frac{\text{当年の解約返戻金} - \text{前年の解約返戻金}}{\text{年換算保険料相当額}}$

(注１)保険期間が終身である第三分野保険については、保険期間の開始の日から被保険者の年齢が 116 歳に達するまでを計算上の期間とします。

(注２)事業年度の中途で資産計上期間が終了する場合は、当期分支払保険料をその事業年度の月数で除してその事業年度に含まれる資産計上期間（１月未満端数は切捨て）を乗じて計算した金額を資産計上します。また、事業年度の中途で保険期間の開始の日から 10 年を経過する日が到来する場合の資産計上額も同様とします。

(注３)資産計上累計額は取崩し期間（１月未満端数は切上げ）の経過に応じて均等に取り崩した金額を損金の額に

算入します。
(注4)保険契約の変更があった場合は、変更後の契約内容に基づいてこの取扱いを適用します。
(注5)一定期間分の保険料を前払いした場合は、その全額をいったん資産計上し、その金額のうちその事業年度に対応する部分の金額について上記の取扱いを適用します。
(注6)期間とは、保険期間の開始の日（契約日）以後1年ごとに区分した特定の期間のことをいい、法人の事業年度とは異なるものです。

2-42 保険料の全額を資産計上している場合の取扱い

Q 保険料に相当多額の前払部分の保険料が含まれているときは、一定の額を一定期間資産計上しなければならないとのことですが、事務手続きが煩雑なので、資産計上期間は保険料の全額を資産計上しようと思います。何か問題はありますか。

A この取扱いを規定している通達では、この取扱いを「取り扱うものとする。」としています。したがって、この取扱いによっていないときは、問題になるのかもしれません。しかしながら、前払部分の保険料は資産計上することが原則となっていること、加えて、資産計上額が計算の簡便性の観点から算定されていることなどからすると、保険料の全額を資産計上期間中、継続して資産計上し、その資産に計上した金額を取崩期間にわたって取り崩しているときは、特に課税上の弊害が生じないものと思われます。したがって、継続適用し、利益調整を目的としていないということであれば、特に問題にはならないのではないかと思われます。

2-43 長期平準定期保険とは

Q 長期平準定期保険とは、どのような保険ですか。また、普通の定期保険とどのように違うのですか。

A 長期平準定期保険とは、法人が自己を契約者とし、役員または従業員（これらの人の親族を含みます）を被保険者として加入した定期保険のうち、その保険期間満了のときにおける被保険者の年齢が70歳を超え、かつ、その保険に加入したときにおける被保険者の年齢に保険期間の２倍に相当する数を加えた数が105を超えるものをいいます。

80歳満期の定期保険を例にとると、次のようになります。

---

❶ 契約年齢が50歳の場合

50（契約年齢）＋（80－50）×２（保険期間の２倍）＝110＞105………長期平準定期保険

❷ 契約年齢が56歳の場合

56（契約年齢）＋（80－56）×２（保険期間の２倍）＝104＜105………定期保険

このように定期保険のうち、上記の要件に該当するものは、長期平準定期保険として税務上、別扱いすることとされています。これは、一般の定期保険と違い、保険期間が極めて長期にわたる定期保険は各年の保険料が平準化されているため、保険期間の前半において支払う保険料の中には相当多額の前払保険料が含まれているからです。

2-44 保険料の損金算入時期

Q 長期平準定期保険の保険料は、損金算入に制限が加えられているそうですが、どのようになっているのですか。

A 長期平準定期保険の保険料は、税務上次のように扱われます。

❶ 保険期間開始のときからその保険期間の6割相当期間（1年未満の端数切捨て）を経過するまでの期間

各年の支払保険料の2分の1相当額を前払金として資産計上します。残額の2分の1相当額は、期間の経過に応じて損金の額に算入します。

❷ 保険期間のうちその6割相当期間を経過した後の期間

各年の支払保険料の額を期間の経過に応じて損金の額に算入します。そして、❶により資産計上した前払金の累積額を、その期間の経過に応じて取り崩し、損金の額に算入します。

ただし、保険期間の全部またはその数年分の保険料をまとめて支払った場合には、いったんその保険料の全部を前払金として資産計上し、その支払の対象となった期間の経過に応じる経過期間分の保険料について❶または❷の処理を行います。

（注１）役員または特定の従業員及びこれらの親族のみを被保険者とし、死亡保険金の受取人を被相続人

の遺族とする契約で、その保険料がその役員等に対する給与となる場合は除きます。

(注2)定期保険の保険料と区分されている傷害特約等の保険料は、期間に応じて全額損金の額に算入できます。

(注3)養老保険等の保険料と区分されている長期平準定期保険特約の保険料は上記❶❷と同様の処理をします。

2-45 保険料の取扱い

Q 長期平準定期保険の保険料は、税務上どのように取り扱われますか。また、傷害特約等の特約をつけている場合はどうなりますか。

A 法人が、長期平準定期保険の保険料を支払った場合には、次のような処理をします。

【設例】

1. 契約形態

契約者	法　人
被保険者	役　員
死亡保険金受取人	法　人

2. 契約内容

保険加入年齢	50歳
保険満了年齢	80歳
年払保険料	350,000円
傷害特約保険料	50,000円

(注)逓増定期保険には該当しないものとします。

3. 経理処理

① 保険料を支払ったとき

(イ)当初18年間（保険期間の60%相当期間：保険期間30年×60%）の処理

法人が支払う保険料のうち、損金算入できる金額は年払保険料の2分の1になります。

なお、長期平準定期保険料と区分されている傷害特約保険料については、原則として、期間の経過に応じて全額損金算入できます。ただし、特定の役員や従業員だけを対象にその特約に係る給付金の受取人とするときには、その特約保険料はこれらの役員や従業員に対する給与（給与の取扱いについては、第6章参照）として扱われます。

借	方	貸	方
保　険　料	175,000円	現金及び預金	400,000円
保　険　料	50,000円		
前　払　金	175,000円		

（注）年払保険料350,000円×$\frac{1}{2}$＝175,000円 ｝損金算入
特約保険料　50,000円 ｝損金算入
年払保険料350,000円×$\frac{1}{2}$＝175,000円…資産計上（前払金）

(ロ)19年目からの残り12年間（残りの40%相当期間）の処理

年払保険料の全額を損金算入するとともに、資産計上している前払金を取り崩して残りの40%相当期間で均等に損金算入します。

借	方	貸	方
保　険　料	350,000円	現金及び預金	400,000円
保　険　料	50,000円		
保　険　料※	262,500円	前　払　金	262,500円

（注1）19年目以降、年払保険料の350,000円は全額損金算入できます。
（注2）※印の定期保険料262,500円は前払金として18年間資産計上した累計額3,150,000円（＝175,000円×18年）の当期損金算入額（3,150,000円×$\frac{1}{12}$＝262,500円）です。
（注3）保険期間満了の80歳時には、前払金はゼロとなり保険料のすべてが損金に算入されることになります。

② 保険期間の中途で死亡または解約をしたとき

保険期間の中途で死亡または解約した場合は、資産計上している前払金を取り崩すとともに受取保険金との差額を雑収入（または雑損失）として計上します。

借	方	貸	方
現金及び預金	×××	前払金	×××
		雑収入	×××

2-46 保険料を一時払いした場合の取扱い

Q 長期平準定期保険の保険料を一時払いした場合、税務上どのように取り扱われますか。

A 法人が長期平準定期保険の保険料を一時払いした場合は、次のような処理をします。

【設例】

1．契約形態

契約者	法人
被保険者	役員
死亡保険金受取人	法人

2. 契約内容

保険加入年齢	60歳
保険満了年齢	85歳
一時払保険料	8,750,000円

(注)逓増定期保険には該当しないものとします。

3. 経理処理

① 保険料を支払ったとき

一時払保険料の全額を、いったん前払金として資産計上します。

借　　方		貸　　方	
前　払　金	8,750,000円	現金及び預金	8,750,000円

② 当初15年間(保険期間の60%相当期間：保険期間25年×60%)の各期末時

契約内容より、長期平準定期保険の保険料に該当するため、当初15年間の各期末に損金算入できる金額は、年度ごとに経過期間分の保険料の2分の1となり、その金額だけ前払金を取り崩して損金算入します。

借　　方		貸　　方	
保　険　料	175,000円	前　払　金	175,000円

(注)損金算入される保険料175,000円は、次により算出されます。

$\{(一時払保険料)8,750,000円 \div (保険期間)25年\} \times 損金算入割合\frac{1}{2}$

$=175,000円$

③ 16年目からの残り10年間（残りの40%相当期間）の各期末時

16年目以降は、その年度の経過期間分の保険料は全額損金算入されます。その金額を前払金を取り崩して損金算入するとともに、「保険期間の60%相当期間」において損金算入されずに資産計上されたままの前払金についても「残りの40%相当期間」で均等に取り崩して損金算入します。

借　　　　方		貸　　　　方	
保　険　料※1 保　険　料※2	350,000円 262,500円	前　払　金	612,500円

※1　この定期保険料は、一時払保険料を保険期間で割った1年分の期間対応保険料で全額損金算入されるものです。

8,750,000円÷25年＝350,000円

※2　この定期保険料は、15年間、前払金として資産計上したままの金額2,625,000円（＝350,000円×15年×$\frac{1}{2}$）の当期損金算入額（2,625,000円×$\frac{1}{10}$＝262,500円）です。

2-47　長期平準定期保険特約付養老保険の保険料の取扱い

Q　長期平準定期保険特約付養老保険の保険料は、税務上どのように取り扱われますか。

A　法人が自己を契約者及び保険金受取人とし、役員や従業員（これらの人の親族を含みます）を被保険者とする長期平準定期保険特約付養老保険に加入し、その保険料を支払う場合、その払込保険料の取扱いについては以下のとおりです。

保険料が生命保険証券等（例えば保険料払込案内書）において養老保険部分と特約たる長期平準定期保険部分に区分されているかどうかによって、税務上、その処理が異なることとなっています。

---

1 保険料が区分されているとき

契約者	被保険者	保険金受取人	払込保険料の取扱い		
			養老保険部分	長期平準定期保険部分	
				保険期間の 60%相当期間	残りの 40%相当期間
法　人	役員、使用人	法　人	全　額 資産計上	2分の1 資産計上 ・ 2分の1 損金算入	保険料全額 ＋ 左の資産計上累計額の均等取崩し分 ↓ 損金算入

【設例】

1. 契約形態

契約者	法　人
被保険者	役員、従業員
保険金受取人	法　人

2. 契約内容

保険加入年齢	55　歳
保険満了年齢	85　歳
年払保険料	養老保険部分 500,000円 特約部分 200,000円 （長期平準定期保険）

(注)逓増定期保険には該当しないものとします。

3. 経理処理

① 当初18年間（保険期間の60%相当期間：保険期間30年×60%）の保険料支払時の処理

契約内容により、特約部分の保険料は長期平準定期保険の保険料に該当することとなるため、当初18年間は、２分の１損金算入・２分の１資産計上となります。

なお、養老保険部分の保険料は全額資産計上となります。

借	方	貸	方
保険積立金	500,000円	現金及び預金	700,000円
保　険　料	100,000円		
前　払　金	100,000円		

(注)保険積立金（養老保険部分）　500,000円 ｝資産計上
前　払　金（特約部分）200,000円×$\frac{1}{2}$＝100,000円 ｝資産計上
定期保険料（　〃　）200,000円×$\frac{1}{2}$＝100,000円…損金算入

② 19年目からの残り12年間(残りの40%相当期間)の保険料支払時の処理

上記にあるとおり、19年目以降残りの12年間については、長期平準定期保険部分の年払保険料は全額損金算入するとともに、当初18年間に資産計上した前払金を残りの12年間で均等に取り崩して損金算入します。

なお、養老保険部分の保険料は引き続き全額資産計上となります。

借	方	貸	方
保険積立金	500,000円	現金及び預金	700,000円
保　険　料	200,000円		
保　険　料※	150,000円	前　払　金	150,000円

※定期保険料150,000円は前払金として18年間資産計上した累計額1,800,000円（＝100,000円×18年）の当期損金算入額（1,800,000円×$\frac{1}{12}$＝150,000円）です。

2 保険料が区分されていないとき

契約者	被保険者	保険金受取人	払込保険料の取扱い
			養老保険・長期平準定期保険の区分なし
法　人	役員、従業員	法　人	全額資産計上

【設例】

1. 契約形態

契約者	法　人
被保険者	役員、従業員
保険金受取人	法　人

2. 契約内容

保険加入年齢	55歳
保険満了年齢	85歳
年払保険料	700,000円

3. 経理処理

払込保険料が養老保険部分と特約部分（長期平準定期保険部分）に区分されていない場合は、年払保険料の全額を養老保険の保険料として資産に計上します。

借　方		貸　方	
保険積立金	700,000円	現金及び預金	700,000円

●長期平準定期保険契約に係る法人課税関係一覧表

<table>
<tr><th colspan="4">契約内容</th><th colspan="8">法人課税関係</th></tr>
<tr><th rowspan="3">契約者（保険料負担者）</th><th rowspan="3">被保険者（従業員）</th><th colspan="2">保険金等受取人</th><th colspan="3">保険料の取扱い</th><th colspan="5">各種受取金の取扱い</th></tr>
<tr><th rowspan="2">死亡保険金</th><th rowspan="2">傷害特約給付金</th><th colspan="2">長期平準定期保険契約分</th><th rowspan="2">傷害特約分</th><th rowspan="2">死亡保険金</th><th rowspan="2">解約返戻金</th><th rowspan="2">傷害特約給付金</th><th colspan="2">契約者配当金</th></tr>
<tr><th>保険期間の60%相当期間</th><th>保険期間の残り40%相当期間</th><th>買増し・相殺</th><th>現金・積立て</th></tr>
<tr><td rowspan="8">法人</td><td rowspan="4">普遍的加入</td><td colspan="2">法人</td><td rowspan="4">1/2資産計上
1/2損金算入</td><td rowspan="4">保険料の全額
＋
左の資産計上累計額の均等取崩し分
↓
損金算入</td><td rowspan="4">損金算入</td><td colspan="2" rowspan="2">〔受取金－資産計上額〕の益金算入</td><td>益金算入</td><td rowspan="4">益金算入のうえ充当した保険料は「保険料の取扱い」による</td><td rowspan="4">益金算入</td></tr>
<tr><td>法人</td><td>従業員</td><td>処理なし</td></tr>
<tr><td rowspan="2">従業員の遺族</td><td>法人</td><td rowspan="2">処理なし（個人課税）</td><td rowspan="2">益金算入（同上）</td><td>益金算入</td></tr>
<tr><td>従業員</td><td>処理なし</td></tr>
<tr><td rowspan="4">差別的加入</td><td colspan="2">法人</td><td rowspan="2">同上</td><td rowspan="2">同上</td><td>損金算入</td><td colspan="2" rowspan="2">〔受取金－資産計上額〕の益金算入</td><td>益金算入</td><td rowspan="4">益金算入のうえ充当した保険料は「保険料の取扱い」による</td><td rowspan="4">益金算入</td></tr>
<tr><td>法人</td><td>特定の従業員</td><td>給与</td><td>処理なし</td></tr>
<tr><td rowspan="2">特定の従業員の遺族</td><td>法人</td><td colspan="2" rowspan="2">給与</td><td>損金算入</td><td rowspan="2">処理なし（個人課税）</td><td rowspan="2">益金算入</td><td>益金算入</td></tr>
<tr><td>特定の従業員</td><td>給与</td><td>処理なし</td></tr>
</table>

（注１）「従業員」とは、役員または従業員（これらの人の親族を含みます）を意味します。
（注２）「特定の従業員」とは、役員または部課長その他特定の従業員（これらの人の親族を含みます）を意味します。
（注３）給与の取扱いについては、第６章を参照してください。

●長期平準定期保険年齢別損金算入早見表

保険加入年齢	全額損金算入	1/2 損金算入
	保険満了年齢	
30 歳	~70 歳	71 歳~
31	~70	71 ~
32	~70	71 ~
33	~70	71 ~
34	~70	71 ~
35	~70	71 ~
36	~70	71 ~
37	~71	72 ~
38	~71	72 ~
39	~72	73 ~
40	~72	73 ~
41	~73	74 ~
42	~73	74 ~
43	~74	75 ~
44	~74	75 ~
45	~75	76 ~
46	~75	76 ~
47	~76	77 ~
48	~76	77 ~
49	~77	78 ~
50	~77	78 ~
51	~78	79 ~
52	~78	79 ~
53	~79	80 ~

保険加入年齢	全額損金算入	1/2 損金算入
	保険満了年齢	
54 歳	~79 歳	80 歳~
55	~80	81 ~
56	~80	81 ~
57	~81	82 ~
58	~81	82 ~
59	~82	83 ~
60	~82	83 ~
61	~83	84 ~
62	~83	84 ~
63	~84	85 ~
64	~84	85 ~
65	~85	86 ~
66	~85	86 ~
67	~86	87 ~
68	~86	87 ~
69	~87	88 ~
70	~87	88 ~
71	~88	89 ~
72	~88	89 ~
73	~89	90 ~
74	~89	90 ~
75	~90	
76	~90	

(注)保険加入年齢とは保険契約証書に記載されている契約年齢をいい、保険満了年齢とは契約年齢に保険期間の年数を加えた年齢をいいます。

また、損金算入割合は保険期間の60% 相当期間を経過するまでの間の割合です。

2-48 解約返戻金のない長期平準定期保険の保険料の取扱い

Q 長期平準定期保険の要件に該当する定期保険のうち、解約返戻金のない定期保険に係る保険料は、税務上どのように取り扱われますか。

A 長期平準定期保険の取扱いは、保険料が損金算入される税効果を利用して簿外資産を留保するといった課税上の問題を規制するための規定です。支払保険料が掛捨てで、解約、契約失効、契約解除、保険金の減額及び保険期間の変更等をしても一切解約返戻金等の支払がないという定期保険については適用されず、定期保険の一般的な取扱いに従って処理をすることが認められています。

したがって、その定期保険が、契約者・受取人＝法人、被保険者＝従業員であれば前述の第２款の取扱いを、また、契約者＝法人、被保険者・受取人＝従業員の定期保険であれば第３款の取扱いをすることになります。

第 8 款　逓増定期保険（令和元（2019）年 7 月 7 日までの契約分）

2-49　逓増定期保険とは

Q　逓増定期保険とはどういう内容の保険ですか。

A　逓増定期保険とは、保障金額が保険期間の経過に伴って大きくなっていく定期保険のことです。

1　逓増定期保険とは

逓増定期保険は、税務では一定の要件に該当するものを逓増定期保険と定め、一般の定期保険とは取扱いを区別しています。これは、逓増定期保険が将来の増加保障額部分に係る保険料を前払いして平準化しているため、保険期間の前半において支払う保険料の中に相当多額の前払保険料が含まれており、一般の定期保険と同様に取り扱うと課税上弊害が生じるからです。

2　税務上の逓増定期保険

税務上の逓増定期保険とは、法人を契約者とし、役員や従業員（これらの人の親族を含みます）を被保険者として加入した定期保険（一定期間内における被保険者の死亡を保険事故とする生命保険をいい、傷害特約等の特約の付されているものを含みます）で、保険期間の経過により保険金額が 5 倍まで増加するもののうち、その保険期間満了のときにおける被保険者の年齢が 45 歳を超えるものをいいます。

この場合の保険に加入したときにおける被保険者の年齢とは、保険契約証書に記載されている契約年齢をいい、保険期間満了のときにおける被保険者の年齢とは、契約年齢に保険期間の年数を加えた数に相当する年齢をいいます。

なお、逓増定期保険の取扱いは、2008年2月28日付で改正されていますが、同日前の契約については2-50❷を参照してください。

2-50 保険料の損金算入時期

Q 逓増定期保険の保険料は支払時に全額損金計上できないそうですが、どのような形で損金計上できるのですか。

A 法人が契約者となって、役員や従業員(これらの人の親族を含みます)を被保険者とする逓増定期保険に加入してその保険料を支払った場合、その保険料は次のように取り扱われます。

---

❶ 保険料の損金算入時期

保険期間の開始のときから、その保険期間の60%に相当する期間を経過するまでの間は、各年度の支払保険料のうち保険期間満了年齢や保険加入年齢、保険期間に応じた次の表に定める金額が損金に算入されます。

保険期間の60%に相当する期間を経過した後は、次の表にあるとおり、各年度の支払保険料は期間の経過に応じて損金算入するとともに、前払金等として資産に計上した累計額を残りの期間で取り崩して損金に算入します。

なお、役員や部課長その他特定の従業員（これらの人の親族を含みます）のみを被保険者とし、死亡保険金の受取人を被保険者の遺族としているため、その保険料の額がその役員や従業員に対する給与（給与の取扱いについては、第6章参照）となる場合は、この取扱いは適用されません。

	区　分	経理処理
①	保険期間満了年齢>45歳であるもの ※②、③に該当するものを除く	保険期間の60%相当期間まで： 保険料の2分の1損金算入・2分の1資産計上 残りの40%相当期間： 保険料の全額を損金算入し、先の資産計上分を期間の経過に応じて取り崩して損金算入
②	保険期間満了年齢>70歳で、 かつ、 （保険加入年齢+保険期間×2）>95 であるもの ※③に該当するものを除く	保険期間の60%相当期間まで： 保険料の3分の1損金算入・3分の2資産計上 残りの40%相当期間： 保険料の全額を損金算入し、先の資産計上分を期間の経過に応じて取り崩して損金算入
③	保険期間満了年齢>80歳で、 かつ、 （保険加入年齢+保険期間×2）>120 であるもの	保険期間の60%相当期間まで： 保険料の4分の1損金算入・4分の3資産計上 残りの40%相当期間： 保険料の全額を損金算入し、先の資産計上分を期間の経過に応じて取り崩して損金算入
④	①～③以外のとき	期間の経過に応じて損金算入

（注1）保険期間の60%相当期間に1年未満の端数がある場合には、その端数を切り捨てます。
（注2）保険加入年齢とは保険契約証書に記載されている契約年齢をいい、保険期間満了年齢とは契約年齢に保険期間の年数を加えた数に相当する年齢をいいます。

上記の表からもわかるように、逓増定期保険の保険料については、保険期間満了年齢や保険加入年齢、保険期間により、支払時に損金算入できる金額が異なることとなります。具体的には、「逓増定期保険年齢別損金算入早見表」（114ページ）を参照してください。

2　2008年2月28日前に契約した逓増定期保険

2008年2月28日より前の契約に係る逓増定期保険については、下記のように取り扱われます。

	区　分	経理処理
①	保険期間満了年齢>60歳で、かつ、 （保険加入年齢+保険期間×2）>90 であるもの ※②、③に該当するものを除く	保険期間の60%相当期間まで： 保険料の2分の1損金算入・2分の1資産計上 残りの40%相当期間： 保険料の全額を損金算入し、先の資産計上分を期間の経過に応じて取り崩して損金算入

②	保険期間満了年齢>70 歳で、かつ、（保険加入年齢+保険期間×2）>105 であるもの ※③に該当するものを除く	保険期間の 60% 相当期間まで： 保険料の 3 分の 1 損金算入・3 分の 2 資産計上 残りの 40% 相当期間： 保険料の全額を損金算入し、先の資産計上分を期間の経過に応じて取り崩して損金算入
③	保険期間満了年齢>80 歳で、かつ、（保険加入年齢+保険期間×2）>120 であるもの	保険期間の 60% 相当期間まで： 保険料の 4 分の 1 損金算入・4 分の 3 資産計上 残りの 40% 相当期間： 保険料の全額を損金算入し、先の資産計上分を期間の経過に応じて取り崩して損金算入
④	①～③以外のもの	期間の経過に応じて損金算入

（注 1）保険期間の 60% 相当期間に 1 年未満の端数がある場合には、その端数を切り捨てます。

（注 2）保険加入年齢とは保険契約証書に記載されている契約年齢をいい、保険期間満了年齢とは契約年齢に保険期間の年数を加えた数に相当する年齢をいいます。

2-51 保険料の取扱い

Q 逓増定期保険の保険料は、税務上どのように取り扱われますか。また、傷害特約等の特約をつけている場合はどうなりますか。

A 法人が逓増定期保険の保険料を支払った場合には、次のような処理をします。

【設例】

1．契約形態

契約者	法　人
被保険者	役　員
死亡保険金受取人	法　人

2. 契約内容

保険加入年齢	55 歳
保険満了年齢	85 歳
年払保険料	600, 000 円
傷害特約保険料	5, 000 円

3. 経理処理

① 保険料を支払ったとき

(イ)当初 18 年間（保険期間の 60% 相当期間：保険期間 30 年×60%）の処理

法人が支払った保険料のうち、損金算入できる金額は年払保険料の 3 分の 1 になります（2–50 参照）。

なお、逓増定期保険料と区分されている傷害特約保険料については、原則として、期間の経過に応じて全額損金算入できます。ただし、特定の役員や従業員だけを対象にその特約に係る給付金の受取人とするときには、その特約保険料はこれらの役員や従業員に対する給与（給与の取扱いについては、第 6 章参照）として扱われます。

借	方	貸	方
保　険　料	200, 000 円	現金及び預金	605, 000 円
保　険　料	5, 000 円		
前　払　金	400, 000 円		

(注) 年払保険料 600, 000 円 × $\frac{1}{3}$ = 200, 000 円 ｝損金算入
特約保険料 5, 000 円 ｝損金算入
年払保険料 600, 000 円 × $\frac{2}{3}$ = 400, 000 円…資産計上（前払金）

(ロ)19 年目からの残り 12 年間（残りの 40% 相当期間）の処理

年払保険料の全額を損金算入するとともに、資産計上している前払金を取り崩して残りの 40% 相当期間で均等に損金算入します。

借	方	貸	方
保　険　料	600,000円	現金及び預金	605,000円
保　険　料	5,000円	前　払　金	600,000円
保　険　料※	600,000円		

（注１）19年目以降、年払保険料の600,000円は全額損金算入できます。

（注２）※印の定期保険料600,000円は前払金として18年間資産計上した累計額7,200,000円（＝400,000円×18年）の当期損金算入額（7,200,000円×$\frac{1}{12}$＝600,000円）です。

（注３）保険期間満了の85歳時には、前払金はゼロとなり保険料のすべてが損金に算入されることになります。

② 保険期間の中途で死亡または解約をしたとき

保険期間の中途で死亡または解約した場合は、資産計上している前払金を取り崩すとともに受取保険金または解約返戻金との差額を雑収入（または雑損失）として計上します。

借	方	貸	方
現金及び預金	×××	前　払　金	×××
		雑　収　入	×××

2-52 保険料を一時払いした場合の取扱い

Q 逓増定期保険の保険料を一時払いした場合は、税務上どのように取り扱われますか。

A 逓増定期保険の保険料の全部またはその数年分の保険料をまとめて支払った場合には、いったんその保険料の全部を前払金として資産に計上します。そのうえで、その支払の対象となった期間の経過に応ずる経過期間分の保険料について、保険期間満了年齢、保険加入年齢、保険期間に応じた処理を行います。

なお、全保険期間分の保険料の合計額をその全保険期間より短い期間に分割して支払う場合は、全保険期間を上記の「支払の対象となった期間」

として、その期間の経過に応ずる経過期間分の保険料について経理処理を行うことになります（2-50 参照）。

【設例】

1. 契約形態

契約者	法　人
被保険者	役　員
死亡保険金受取人	法　人

2. 契約内容

保険加入年齢	55 歳
保険満了年齢	90 歳
一時払保険料	17,500,000 円

3. 経理処理

① 保険料を支払ったとき

一時払保険料の全部をいったん前払金として資産計上します。

借　方	貸　方
前　払　金　17,500,000 円	現金及び預金　17,500,00 円

② 当初 21 年間（保険期間の 60％ 相当期間：保険期間 35 年×60％）の各期末時

契約内容より、この逓増定期保険の保険料について、当初 21 年間の各期末に損金算入できる金額は、年度ごとに経過期間分の保険料の 4 分の 1 となり、その金額だけ前払金を取り崩して損金算入します。

借　　　　方		貸　　　　方	
保　険　料	125,000円	前　払　金	125,000円

(注)損金算入される保険料125,000円は、次により算出されます。

[(一時払保険料)17,500,000円÷(保険期間)35年]×(損金算入割合)$\frac{1}{4}$=125,000円

③ 22年目からの残り14年間（残りの40%相当期間）の各期末時

22年目以降は、その年度の経過期間分の保険料は全額損金算入されるので、その金額の前払金を取り崩して損金算入するとともに、「保険期間の60%相当期間」において損金算入されずに資産計上されたままの前払金についても「残りの40%相当期間」で均等に取り崩して損金算入します。

借　　　　方		貸　　　　方	
保　険　料※1	500,000円	前　払　金	1,062,500円
保　険　料※2	562,500円		

※1　この定期保険料は、一時払保険料を保険期間で割った1年分の期間対応保険料で全額損金算入されるものです。

17,500,000円÷35年=500,000円

※2　この定期保険料は、21年間、前払金として資産計上した累計額7,875,000円(=500,000円×21年×$\frac{3}{4}$)の当期損金算入額(7,875,000円×$\frac{1}{14}$=562,500円）です。

2-53 逓増定期保険特約付養老保険の保険料の取扱い

Q 逓増定期保険特約付養老保険の保険料は、税務上どのように取り扱われますか。

A 法人が自己を契約者及び保険金受取人とし、役員や従業員（これらの人の親族を含みます）を被保険者として逓増定期保険特約付養老保険に加入し、その保険料を支払う場合、その払込保険料の取扱いについては、保険料が生命保険証券等（例えば保険料払込案内書）において養老保険部分と逓増定期保険部分に区分されているかどうかによって、税務上、取扱いが異なることとなっています。

すなわち、保険料が区分されている場合は、養老保険部分の保険料は全額資産に計上し、逓増定期保険部分の保険料は保険加入年齢と保険期間に応じた処理をすることになります。

一方、養老保険部分の保険料と逓増定期保険部分の保険料が区分されていないときは、その払込保険料のすべてを養老保険の保険料として扱って処理することになります。これらをまとめると、以下のとおりです。

1 保険料が区分されているとき

契約者	被保険者	保険金受取人	払込保険料の取扱い		
			養老保険部分	逓増定期保険部分	
				保険期間の60％相当期間	残りの40％相当期間
法　人	役員・従業員	法　人	全　額 資産計上	(イ) 2分の1資産計上 2分の1損金算入 (ロ) 3分の2資産計上 3分の1損金算入 (ハ) 4分の3資産計上 4分の1損金算入	保険料全額 ＋ 左の資産計上累計額の均等取崩し分 ↓ 損金算入

(注)上表の逓増定期保険部分の「保険期間の60％相当期間」欄にある(イ)～(ハ)の区分は次によります。
(イ)被保険者の保険期間満了年齢が45歳を超えるもの
(ロ)被保険者の保険期間満了年齢が70歳を超え、かつ、「保険加入年齢＋保険期間×2」が95を超えるもの
(ハ)被保険者の保険期間満了年齢が80歳を超え、かつ、「保険加入年齢＋保険期間×2」が120を超えるもの

【設例】

1. 契約形態

契約者	法　人
被保険者	役員、従業員
死亡保険金受取人	法　人

2. 契約内容

保険加入年齢	55 歳
保険満了年齢	75 歳
年払保険料	500,000 円（養老保険部分） 300,000 円（逓増定期保険部分）

3. 経理処理

① 当初12年間（保険期間の60%相当期間：保険期間20年×60%）の保険料支払時の処理

契約内容により、逓増定期保険部分の保険料は、当初12年間、2分の1損金算入・2分の1資産計上となります。

なお、養老保険部分の保険料は全額資産計上となります。

借	方	貸	方
保険積立金	500,000 円	現金及び預金	800,000 円
保　険　料	150,000 円		
前　払　金	150,000 円		

② 13年目からの残り8年間(残りの40%相当期間)の保険料支払時の処理

上表にあるとおり、13年目以降残りの8年間については、逓増定期保険部分の年払保険料は全額損金算入するとともに、当初12年間に資産計上した前払金を残りの8年間で均等に取り崩して損金算入します。

なお、養老保険部分の保険料は引き続き全額資産計上します。

借	方	貸	方
保険積立金	500,000 円	現金及び預金	800,000 円
保　険　料	300,000 円	前　払　金	225,000 円
保　険　料※	225,000 円		

※定期保険料225,000円は前払金として12年間資産計上した累計額1,800,000円（＝150,000円×12年）の当期損金算入額（1,800,000円×$\frac{1}{8}$＝225,000円）です。

❷ 保険料が区分されていないとき

契約者	被保険者	保険金受取人	払込保険料の取扱い
			養老保険・逓増定期保険の区分なし
法　人	役員・従業員	法　　人	全額資産計上

【設例】

1. 契約形態

契約者	法　人
被保険者	役員、従業員
保険金受取人	法　人

2. 契約内容

保険加入年齢	55歳
保険満了年齢	75歳
年払保険料	800,000円

3. 経理処理

払込保険料が養老保険部分と逓増定期保険部分に区分されていないので、年払保険料の全部を養老保険の保険料として資産計上します。

借	方	貸	方
保険積立金	800,000円	現金及び預金	800,000円

2-54 逓増定期保険特約付終身保険を終身保険に変更した場合の取扱い

Q 当社は、役員を被保険者、保険金受取人を当社とする逓増定期保険特約付終身保険に加入していますが、この保険を終身保険に変更した場合、税務上どのように取り扱われますか。

A 逓増定期保険特約付終身保険を終身保険に変更する場合の税務処理は、私見ではありますが、次のようになると考えられます。

---

❶ 逓増定期保険特約付終身保険の保険料が終身保険部分と逓増定期保険部分とに区分されている場合

逓増定期保険特約付終身保険の支払保険料の額のうち終身保険部分の保険料については、特に処理の必要はありません。ただし、逓増定期保険部分の保険料については、資産計上している保険料の額のうち、責任準備金に充当される部分の金額を超える部分の金額は、その契約変更した事業年度の損金の額に算入され、責任準備金に充当される部分の金額は資産計上となります。

❷ 逓増定期保険特約付終身保険の保険料が終身保険部分と逓増定期保険部分とに区分されていない場合

支払保険料の額が、終身保険部分と逓増定期保険部分とに区分されていない場合は、これまでその支払保険料の全額が保険積立金として資産計上されているので、終身保険に変更しても特に税務処理は必要ありません。

なお、上記の契約形態で逓増定期保険特約付養老保険を養老保険に変更した場合の税務処理についても同様に取り扱われるものと考えられます。

●逓増定期保険契約に係る法人課税関係一覧表

<table>
<tr><th colspan="4">契約内容</th><th colspan="8">法人課税関係</th></tr>
<tr><th rowspan="3">契約者
(保険料負担者)</th><th rowspan="3">被保険者
(従業員)</th><th colspan="2">保険金等受取人</th><th colspan="3">保険料の取扱い</th><th colspan="5">各種受取金の取扱い</th></tr>
<tr><th rowspan="2">死亡
保険金</th><th rowspan="2">傷害特約
給付金</th><th colspan="2">逓増定期保険契約分</th><th rowspan="2">傷害
特約分</th><th rowspan="2">死亡
保険金</th><th rowspan="2">解約
返戻金</th><th rowspan="2">傷害特約
給付金</th><th colspan="2">契約者配当金</th></tr>
<tr><th>保険期間の60%相当期間</th><th>保険期間の残り40%相当期間</th><th>買増し・相殺</th><th>現金・積立て</th></tr>
<tr><td rowspan="8">法人</td><td rowspan="4">普遍的加入</td><td colspan="2">法人</td><td rowspan="4">(イ) 2分の1資産計上
2分の1損金算入
(ロ) 3分の2資産計上
3分の1損金算入
(ハ) 4分の3資産計上
4分の1損金算入</td><td rowspan="4">保険料の全額
＋
左の資産計上累計額の均等取崩し分
↓
損金算入</td><td rowspan="4">損金算入</td><td colspan="2" rowspan="2">〔受取金－資産計上額〕の益金算入</td><td>益金算入</td><td rowspan="4">益金算入のうえ充当した保険料は「保険料の取扱い」による</td><td rowspan="4">益金算入</td></tr>
<tr><td>法人</td><td>従業員</td><td>処理なし</td></tr>
<tr><td rowspan="2">従業員の遺族</td><td>法人</td><td rowspan="2">処理なし
(個人課税)</td><td rowspan="2">益金算入
(同上)</td><td>益金算入</td></tr>
<tr><td>従業員</td><td>処理なし</td></tr>
<tr><td rowspan="4">差別的加入</td><td colspan="2">法人</td><td rowspan="2">同上</td><td rowspan="2">同上</td><td>損金算入</td><td colspan="2" rowspan="2">〔受取金－資産計上額〕の益金算入</td><td>益金算入</td><td rowspan="4">益金算入のうえ充当した保険料は「保険料の取扱い」による</td><td rowspan="4">益金算入</td></tr>
<tr><td>法人</td><td>特定の従業員</td><td>給与</td><td>処理なし</td></tr>
<tr><td rowspan="2">特定の従業員の遺族</td><td>法人</td><td colspan="2" rowspan="2">給与</td><td>損金算入</td><td rowspan="2">処理なし
(個人課税)</td><td rowspan="2">益金算入</td><td>益金算入</td></tr>
<tr><td>特定の従業員</td><td>給与</td><td>処理なし</td></tr>
</table>

(注１)「従業員」とは、役員または従業員（これらの人の親族を含みます）を意味します。

(注２)「特定の従業員」とは、役員または部課長その他特定の従業員（これらの人の親族を含みます）を意味します。

(注３)上表の逓増定期保険契約分の「保険期間の60％相当期間」欄にある(イ)～(ハ)の区分は次によります。

(イ)被保険者の保険期間満了年齢が45歳を超えるもの

(ロ)被保険者の保険期間満了年齢が70歳を超え、かつ、（保険加入年齢＋保険期間×2）が95を超えるもの

(ハ)被保険者の保険期間満了年齢が80歳を超え、かつ、（保険加入年齢＋保険期間×2）が120を超えるもの

(注４)給与の取扱いについては、第６章を参照してください。

●逓増定期保険年齢別損金算入早見表

保険加入年齢	全額損金算入	1/2 損金算入	1/3 損金算入	1/4 損金算入
	保険満了年齢			
30 歳	～45 歳	46～70歳	71～80 歳	81 歳～
31	～45	46～70	71～80	81～
32	～45	46～70	71～80	81～
33	～45	46～70	71～80	81～
34	～45	46～70	71～80	81～
35	～45	46～70	71～80	81～
36	～45	46～70	71～80	81～
37	～45	46～70	71～80	81～
38	～45	46～70	71～80	81～
39	～45	46～70	71～80	81～
40	～45	46～70	71～80	81～
41	～45	46～70	71～80	81～
42	～45	46～70	71～81	82～
43	～45	46～70	71～81	82～
44	～45	46～70	71～82	83～
45	－	～70	71～82	83～
46	－	～70	71～83	84～
47	－	～71	72～83	84～
48	－	～71	72～84	85～
49	－	～72	73～84	85～
50	－	～72	73～85	86～
51	－	～73	74～85	86～
52	－	～73	74～86	87～
53	－	～74	75～86	87～
54	－	～74	75～87	88～
55	－	～75	76～87	88～
56 歳	－	～75 歳	76～88 歳	89 歳～
57	－	～76	77～88	89～
58	－	～76	77～89	90～
59	－	～77	78～89	90～
60	－	～77	78～90	91～
61	－	～78	79～90	91～
62	－	～78	79～91	92～
63	－	～79	80～91	92～
64	－	～79	80～92	93～
65	－	～80	81～92	93～
66	－	～80	81～93	94～
67	－	～81	82～93	94～
68	－	～81	82～94	95～
69	－	～82	83～94	95～
70	－	～82	83～95	96～
71	－	～83	84～95	96～
72	－	～83	84～96	97～
73	－	～84	85～96	97～
74	－	～84	85～97	98～
75	－	～85	86～97	98～
76	－	～85	86～98	99～
77	－	～86	87～98	99～
78	－	～86	87～99	－
79	－	～87	88～99	－
80	－	～87	88～	－

（注）保険年齢とは保険契約証書に記載されている契約年齢をいい、保険満了年齢とは契約年齢に保険期間の年数を加えた年数をいいます。

●2008 年 2 月 28 日以後の取扱い

	区　　分	経 理 処 理
①	保険期間満了年齢>45 歳であるもの ※②、③に該当するものを除く	保険期間の 60% 相当期間まで： 保険料の 2 分の 1 損金算入・2 分の 1 資産計上 残りの 40% 相当期間： 保険料の全額を損金算入し、先の資産計上分を期間の経過に応じて取り崩して損金算入
②	保険期間満了年齢>70 歳で、かつ、(保険加入年齢＋保険期間×２)>95 であるもの ※③に該当するものを除く	保険期間の 60% 相当期間まで： 保険料の 3 分の 1 損金算入・3 分の 2 資産計上 残りの 40% 相当期間： 保険料の全額を損金算入し、先の資産計上分を期間の経過に応じて取り崩して損金算入
③	保険期間満了年齢>80 歳で、かつ、(保険加入年齢＋保険期間×２)>120 であるもの	保険期間の 60% 相当期間まで： 保険料の 4 分の 1 損金算入・4 分の 3 資産計上 残りの 40% 相当期間： 保険料の全額を損金算入し、先の資産計上分を期間の経過に応じて取り崩して損金算入
④	①～③以外のとき	期間の経過に応じて損金算入

●2008 年 2 月 27 日までの取扱い

	区　　分	経 理 処 理
①	保険期間満了年齢>60 歳で、かつ、(保険加入年齢＋保険期間×2)>90 であるもの ※②、③に該当するものを除く	保険期間の 60% 相当期間まで： 保険料の 2 分の 1 損金算入・2 分の 1 資産計上 残りの 40% 相当期間： 保険料の全額を損金算入し、先の資産計上分を期間の経過に応じて取り崩して損金算入
②	保険期間満了年齢>70 歳で、かつ、(保険加入年齢＋保険期間×２)>105 であるもの ※③に該当するものを除く	保険期間の 60% 相当期間まで： 保険料の 3 分の 1 損金算入・3 分の 2 資産計上 残りの 40% 相当期間： 保険料の全額を損金算入し、先の資産計上分を期間の経過に応じて取り崩して損金算入
③	保険期間満了年齢>80 歳で、かつ、(保険加入年齢＋保険期間×２)>120 であるもの	保険期間の 60% 相当期間まで： 保険料の 4 分の 1 損金算入・4 分の 3 資産計上 残りの 40% 相当期間： 保険料の全額を損金算入し、先の資産計上分を期間の経過に応じて取り崩して損金算入
④	①～③以外のとき	期間の経過に応じて損金算入

(注 1)保険期間の 60% 相当期間に 1 年未満の端数がある場合には、その端数を切り捨てます。

(注 2)保険加入年齢とは保険契約書に記載されている契約年齢をいい、保険期間満了年齢とは契約年齢に保険期間の年数を加えた数に相当する年齢をいいます。

2-55 がん保険の取扱い

Q 法人が契約するがん保険は、税務上どのように取り扱われますか。

【契約形態】

契約者	法　人
被保険者	役員、従業員
保険金受取人	法　人
保険期間	終　身
保険料払込方法	年　払

A がん保険は保険期間が終身であり、途中解約等の時期によっては、かなり高率の払戻金が生じることがあるため、原則的には、損金算入に制限が加えられています（次問以後参照）が、保険契約を解約等した場合に払戻金のないもの（保険料払込期間が有期払込みで、解約等をした場合に小額の払戻金のある契約を含みます）については、その払込みの都度、保険料を損金の額に算入することが認められています。

借　方		貸　方	
保　険　料 （損金算入）	×××	現金及び預金	×××

なお、がん保険の中には、無事故で保険期間を満了した場合には無事故給付金が契約者に支払われるものもありますが、これはこの保険には該当せず、その保険料は損金の額に算入することはできません。この場合の保険料は養老保険の保険料（第２章第２節参照）に準じて取り扱われることになります。

2-56 終身保障タイプのがん保険とは

Q 終身タイプのがん保険とはどのような保険ですか。

A 終身タイプのがん保険とは、保険料が掛捨てで、いわゆる満期保険金はないけれど、保険契約の失効、告知義務違反による解除及び解約等をした場合には、保険料の払込期間に応じて所定の払戻金が保険契約者に払い戻されるという保険をいいます。

---

1 主たる保険事故及び保険金

保険事故	保険金
初めてがんと診断	がん診断給付金
がんによる入院	がん入院給付金
がんによる手術	がん手術給付金
がんによる死亡	がん死亡保険金

（注1）がん以外の原因により死亡した場合にごく少額の普通死亡保険金を支払うものを含みます。
（注2）毎年の付保利益が一定である契約に限ります（がん以外の原因により死亡した場合にごく小額の普通死亡保険金を支払う契約のうち、保険料払込期間が有期払込みであるもので、保険料払込期間においてその普通死亡保険金の支払がなく、保険料払込期間が終了した後の期間においてごく小額の普通死亡保険金を支払うものを含みます）。

2 保険の概要

保険期間	終身
保険料払込方法	一時払い、年払い、半年払い、月払い
保険料払込期間	終身払込み、有期払込み
保険金受取人	法人、役員または従業員（これらの親族を含む）

2-57 終身保障タイプのがん保険で保険金受取人が法人の場合の保険料の取扱い（2012年4月26日までの契約分）

Q 保険金受取人を法人とするがん保険の保険料は、税務上、どのように取り扱われますか。

A 保険金受取人を法人とするがん保険の保険料の取扱いは、以下のように取り扱われます。

---

1 法人の税務処理

法人が、自己を契約者及び保険金受取人とし、役員や従業員（これらの人の親族を含みます）を被保険者とするがん保険（終身保障タイプ）に加入して、その保険料を支払った場合には、その保険料の払込方法及び払込期間により次のように取り扱われます。

1. 終身払込みの場合（月払い、半年払い、年払い）

保険料が終身払込みである場合は、保険期間の終了（保険事故の発生による終了を除きます）に際して支払う保険金がないこと及び保険契約者にとって毎年の付保利益は一定であることから、保険料は保険期間の経過に応じて損金に算入されます。

借方		貸方	
保険料	×××	現金及び預金	×××

2. 有期払込みの場合

有期払込みの場合は、保険料払込期間と保険期間の経過とが対応しておらず、支払う保険料の中に前払保険料が含まれていますが、その金額が明らかでないことから、税務では、105歳を計算上の満期到達時年齢とみなし、払込保険料のうち、その事業年度に対応する部分の金額については損金の額に算入し、残額は積立保険料として資産に計上することとなっています。

損金算入額＝払込保険料×保険料払込期間÷(105－保険加入時年齢)

資産計上額＝払込保険料－損金算入額

【設例】

保険料払込期間	5年
払込保険料（年払）	1,000,000円
保険加入時年齢	55歳

① 損金算入額

損金算入額＝払込保険料×保険料払込期間÷(105－保険加入時年齢)

＝1,000,000円×5年÷(105－55歳)

＝100,000円

② 資産計上額

資産計上額＝払込保険料－損金算入額

＝1,000,000円－100,000円

＝900,000円

③ 経理処理

借	方	貸	方
保険料	100,000円	現金及び預金	1,000,000円
積立保険料	900,000円		

なお、積立保険料として資産計上した額は、保険料払込期間経過後（設例では6年目以後）被保険者が105歳に達するまでの期間において毎期取り崩す処理をしますが、この取扱いについては、2-60を参照してください。

❷ 役員、従業員の税務

保険金受取人が法人である契約の場合には、法人の負担した保険料が、被保険者である役員や従業員の給与として課税されることはありません。

2-58 退職者を被保険者とする終身がん保険の保険料の取扱い

Q 2–57 の場合、退職した従業員を被保険者とする終身がん保険の保険料は、税務上どのように取り扱われますか。

A 会社の業務遂行上必要と認められる場合は、損金の額に算入することができるとした裁決事例があります。

この終身がん保険は、会社を契約者及び保険金受取人、従業員を被保険者とするもので、掛捨てで満期返戻金はなく、解約した場合には契約者に払い戻されるという内容のものです。

原処分庁は、退職者は請求人の業務を行うことはなく、退職者に関する費用は、事業活動と直接の関連性を有する業務遂行上必要な費用であるとはいえず、業務との関連性が認められないとして、保険料は損金に算入できないとしましたが、国税不服審判所は、本件がん保険契約は、請求人の従業員の福利厚生を目的として治療費補助等制度に基づく見舞金等または弔慰金の原資とするために締結したもので、従業員との間でがん規程並びに「入社された方へ」及び「退職された方へ」と題する各書面により、従業員が請求人を退職した後も５年間は、退職者ががんに罹患またはがんにより死亡した場合に、受取保険金を原資として退職者に見舞金または弔慰金を支払うことを約したものであるとして、退職者支払保険料は、請求人の業務との関連性を有し、業務の遂行上必要と認められることから、本件各事業年度の損金の額に算入することができるとしました。そしてまた、請求人が保険金受取人及び保険料負担者となっていることから、保険金の支払事由が発生した場合に請求人が受け取る保険金及び保険契約の失効や解約により請求人が受け取る解約返戻金等は、法人税法第22条第2項に規定する「その他の取引で資本等取引以外のものに係る当該事業年度の収益の額」に該当し請求人の所得の計算上、益金の額に算入すべきものであり、また、当該受取保険金及び受取解約返戻金等に係る支払保険料は、当該収益獲得のために費消された財貨と認められることから、この点からも本件退職者支払保険料は損金の額に算入できるとするのが相当であるとしました。さらにまた、退職者を被保険者とした福利厚生目的の保険契約に係る支払保険料を一定の条件の下に法人の所得の金額の計算上、損金の額に算入して差し支えない旨の取扱いが個別通達（昭和49年4月20日直審3-59他「団体定期保険の被保険者に退職金を含める場合の保険料の税務上の取扱いについて」及び昭和60年2月28日直審3-30他「定年退職者医療保険制度に基づき負担する保険料の課税上の取扱いについて」）で明らかにされていることからしても、従業員が退職したことのみをもって、退職者を被保険者とする保険契約に係る支払保険料が業務との関連性が認められない費用であるとするのは相当ではないとして原処分庁の主張を退けました（2017年12月12日、東裁（法）平29第63号）。

この裁決では、退職者を被保険者とする終身がん保険の保険料は、法人の損金に算入することができるとしていますが、このケースは、①福利厚生を目的として、従業員に対して在職中から退職後5年までの間、がんに関する給付金を支払う旨を社内規程により定めていた、②その原資とするために終身がん保険に加入していた、という事実などを詳細に検討したうえでの判断なので、安直に退職者に掛けるがん保険の保険料は損金算入できると考えないようにしましょう。

2-59 終身保障タイプのがん保険で保険金受取人が従業員の場合の保険料の取扱い（2012年4月26日までの契約分）

Q 保険金受取人を役員や従業員の遺族とするがん保険の保険料は、税務上どのように取り扱われますか。

A 保険金受取人を役員や従業員の遺族とするがん保険の保険料は、以下のように取り扱われます。

1 法人の税務処理

法人が、自己を契約者とし、役員や従業員(これらの人の親族を含みます)を被保険者、その遺族を保険金受取人とするがん保険（終身保障タイプ）に加入して、その保険料を支払った場合には、その保険料の払込方法及び払込期間、加入対象者により次のように取り扱われます。

1. 普遍的加入の場合

加入が普遍的な加入（2-108参照）である場合は、福利厚生的な性格を有することから、支払った保険料は原則として損金の額に算入されますが、その損金算入時期は保険料の払込方法により次のように取り扱われます。

① 終身払込みの場合（月払い、半年払い、年払い）

保険料が終身払込みである場合は、保険料は保険期間の経過に応じて損金に算入されます。

借方		貸方	
福利厚生費	×××	現金及び預金	×××

② 有期払込みの場合

有期払込みの場合は、保険料払込期間と保険期間の経過とが対応しておらず、支払う保険料の中に前払保険料が含まれています。したがって、2-57 同様、税務上は、105 歳を計算上の満期到達時年齢とみなし、払込保険料のうち、その事業年度に対応する部分の金額については損金の額に算入し、残額は積立保険料として資産に計上します。

借	方	貸	方
福利厚生費 積立保険料	××× ×××	現金及び預金	×××

（注 1）福利厚生費として損金に算入できる金額は、次の算式で求めた金額です。
損金算入額＝払込保険料×保険料払込期間÷（105－保険加入時年齢）
（注 2）残額は積立保険料として資産計上します。
資産計上額＝払込保険料－損金算入額

なお、積立保険料として資産計上した額は、保険料払込期間経過後、被保険者が 105 歳に達するまでの期間において毎期取り崩す処理をしますが、この取扱いについては、2-60 を参照してください。

2. 役員または特定の従業員だけが加入する場合

普遍的加入をせず、役員や特定の従業員だけを被保険者としている場合には、その支払った保険料はその役員や従業員に対する給与（給与の取扱いは、第 6 章参照）として取り扱われます。

借	方	貸	方
役員報酬または給与	×××	現金及び預金	×××

2 役員、従業員の税務

1. 普遍的加入の場合

役員や従業員が普遍的に加入する場合、法人の負担する保険料は、これら役員や従業員の給与所得にはなりません。

2. 特定の従業員だけが加入する場合

役員や特定の従業員だけを被保険者として加入する場合には、これらの役員や従業員に対する給与となるので、これらの役員や従業員の側でも、給与所得としての源泉徴収と課税を受けることになります。

2-60 終身保障タイプのがん保険の保険料払込期間経過後の取扱い（2012年4月26日までの契約分）

Q 保険料払込時に損金算入できず資産計上した金額は、払込期間経過後どのような処理をするのですか。

A 法人が役員や従業員（これらの親族を含みます）を被保険者とするがん保険に加入をして保険料を支払う場合には、その保険料の支払が終身払込みの場合は全額支払時の損金に算入できます。しかし、有期払込みの場合は、その支払保険料の額のうち、105歳を満期到達年齢とみなして計算した金額のうち、当該事業年度に対応する部分の金額しか損金算入できず、残額は資産計上しなければなりません（保険料が給与となる場合を除きます）。

ただし、資産計上した額は、いわば保険料に含まれる前払保険料部分なので、保険料払込み満了後においては、その事業年度に対応する部分の金額を資産計上額より取り崩して損金の額に算入することが認められています。損金に算入する金額は、次の算式で求めた額です。

損金算入金額＝ 保険料払込み満了時の資産計上額÷（105歳－払込み満了時年齢）

【設例】

保険料払込期間	5年
払込保険料（年払い）	1,000,000円
保険加入時年齢	55歳
払込み満了時年齢	60歳

1.　保険料払込期間中の経理処理

① 損金算入額

1,000,000円×5年÷(105－55歳)＝100,000円

② 資産計上額

1,000,000円－100,000円＝900,000円

借　方		貸　方	
保険料	100,000円	現金及び預金	1,000,000円
積立保険料	900,000円		

2.　保険料払込期間満了時の資産計上額

保険料払込み満了時の資産計上額

900,000円×5年＝4,500,000円

3.　保険料払込み満了後の経理処理

保険料払込み満了後は、2.の資産計上額を被保険者が105歳に達するまでの期間で取り崩し、損金に算入します。

損金算入額＝保険料払込み満了時の資産計上額÷(105歳－払込み満了時年齢)

＝4,500,000円÷(105歳－60歳)

＝100,000円

借　方		貸　方	
保険料	×××	積立保険料	×××

(注1)払込み満了時が事業年度の中途である場合は月数按分します。
(注2)円未満の端数は切り捨てて、最終事業年度で調整をします。

2-61 終身保障タイプのがん保険を中途解約した場合の取扱い（2012年4月26日までの契約分）

Q がん保険を中途解約して、解約返戻金を受け取った場合は、どのような処理をするのですか。

A 法人が自己を契約者とする終身保障タイプのがん保険を中途解約した場合、法人に解約返戻金が支払われる場合がありますが、この場合は、契約形態及び保険料の払込方法によって次のような処理をします。

---

❶ 保険金受取人が法人の場合または従業員（またはその遺族）の場合で普遍的加入のとき

1. 終身払込みの場合

法人が、保険料を終身払込みとするがん保険の契約を解約した場合において、解約返戻金を受け取ったときは、その返戻金相当額を益金の額に算入します。

借方		貸方	
現金及び預金	×××	雑収入	×××

2. 有期払込みの場合

法人が、保険料を有期払込みとするがん保険の契約を解約し、解約返戻金を受け取った場合には、その返戻金の受入れ処理をするとともに、資産計上されていた積立保険料を取り崩し、差額は雑収入または雑損失として処理します。

借	方	貸	方
現金及び預金	×××	積立保険料 雑収入	××× ×××

❷ 保険金受取人が従業員(またはその遺族)の場合で差別的加入のとき

法人が、被保険者及び保険金受取人を役員または特定の従業員（またはその遺族）とするがん保険に加入をした場合には、その保険料相当額はその役員または特定の従業員に対する給与として取り扱われます。しかし、解約返戻金は従業員に支払われるのではないことに注意が必要です。解約請求権を有しているのは契約者である法人なので、解約に伴う返戻金は法人が受け取ることになります。

法人が受け取った場合には、次の処理をします。

借	方	貸	方
現金及び預金	×××	雑収入	×××

2-62 終身保障タイプのがん保険を払済みにした場合の取扱い（2012年4月26日までの契約分）

Q がん保険を払済みにした場合は、どのような処理をするのですか。

A 会社契約のがん保険を払済みにした場合は、その払済み時における解約返戻金相当額とその保険に係る資産計上額との差額を、その払済みにした事業年度の益金または損金の額に算入します。

つまり、払済み時に保険契約を解約し、その解約返戻金相当額を一時払いして保険に入り直したものとした処理をします。

借　　　　　　方		貸　　　　　　方	
積　立　保　険　料※1、※3	×××	（雑収入）	×××
（雑損失）	×××	積　立　保　険　料※2	×××

※1　払済み時における解約返戻金相当額です。
※2　その保険に係る資産計上額です。
※3　保険料を一時払いしたものとして保険料の処理をします。

2-63 終身保障タイプのがん保険で保険金受取人が法人の場合の取扱い（2012年4月27日以後契約分）―終身払いの場合

Q 保険金受取人を法人とするがん保険の保険料を終身払いする場合は、税務上どのように取り扱われますか。

A 保険金受取人を法人とするがん保険の保険料の取扱いは、以下のようになります。ただし、2012年4月26日までに契約した分については、2-57を、また有期払いの場合は、次問を参照してください。

---

1 法人の税務処理

法人が、自己を契約者及び保険金受取人とし、役員や従業員（これらの人の親族を含みます）を被保険者とするがん保険（終身保障タイプ）に加入して、その保険料を支払った場合には、次のように取り扱われます。なお、月払い、半年払い、年払いは終身払いとなり、一時払いは有期払いとなります。

1. 前払期間の間

次の算式で計算した「前払期間」を経過するまでは、払込保険料のうち２分の１に相当する金額を前払金等として資産に計上し、残額は損金の額に算入します。

前払期間＝（105歳－加入時年齢）÷2の期間

（注）1年未満の端数は切り捨てます。

【設例】

保険料払込期間	終身
払込保険料（年額）	1,000,000円
保険加入時年齢	55歳

① 前払期間

加入時年齢
（105歳－55歳）÷2＝25年

② 経理処理

借方		貸方	
保険料	500,000円	現金及び預金	1,000,000円
前払金	500,000円		

（注）前払期間の間、55歳から80歳（25年間）は、この経理処理をします。

2. 前払期間経過後

保険期間のうち前払期間を経過した後の期間は、各年の支払保険料を損金の額に算入するとともに、次の算式により計算した金額を、上記で資産計上した前払金等の累計額（すでにこの処理によって取り崩した金額を除きます）から取り崩して損金の額に算入します。この場合の保険期間とは、加入時の年齢から105歳までの期間をいいます。

損金算入額（年額）＝資産計上額の累計額÷（105－前払期間経過年齢）

（注）前払期間経過年齢とは、被保険者の加入時年齢に前払期間の年数を加算した年齢をいいます。

上記設例では、次のようになります。

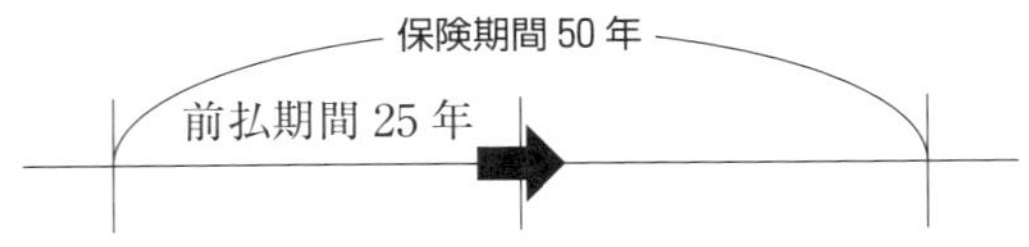

① 資産計上額の累計額

500,000円×25年＝12,500,000円

② 損金算入額（年額）

前払期間経過年齢
12,500,000円÷{105－(55歳＋25年)}＝500,000円

③ 経理処理

借	方	貸	方
保険料	1,000,000円	現金及び預金	1,000,000円
保険料	500,000円	前払金	500,000円

2 役員、従業員の税務

保険金受取人が法人である契約の場合には、法人の負担した保険料が、被保険者である役員や従業員の給与として課税されることはありません。

2-64 終身保障タイプのがん保険で保険金受取人が法人の場合の取扱い（2012年4月27日以後契約分）―有期払いの場合

保険金受取人を法人とするがん保険の保険料を有期払いする場合は、税務上どのように取り扱われますか。

A 保険金受取人を法人とするがん保険の保険料の取扱いは、以下のようになります。ただし、2012年4月26日までに契約した分については2–57を、また終身払いの場合は前問を参照してください。

---

❶ 法人の税務処理

法人が、自己を契約者及び保険金受取人とし、役員や従業員（これらの人の親族を含みます）を被保険者とするがん保険（終身保障タイプ）に加入して、その保険料を支払った場合には、次のように取り扱われます。なお、一時払いは有期払いとなり、月払い、半年払い、年払いは終身払いとなります。

1．前払期間の間

保険期間のうち前払期間を経過するまでの期間については、次の区分に応じて、それぞれ次の処理を行います。

① 保険料払込期間が終了するまでの期間

次の算式で当期分保険料を求め、各年の支払保険料の額のうち当期分保険料の２分の１相当額と当期分保険料を超える金額を前払金等として資産計上し、残額を損金の額に算入します。

当期分保険料(年額)＝支払保険料(年額)×保険料払込期間÷保険期間

（注１）保険期間とは、加入時の年齢から105歳までの期間をいいます。
（注２）一時払いの場合は、その一時払いの支払保険料を「支払保険料（年額）」とし、「保険料払込期間」を１として計算します。

【設例】

保険料払込期間	10年
払込保険料（年額）	1,000,000円
保険加入時年齢	55歳

・前払期間

(105歳－55歳)÷2＝25年

・当期分保険料（年額）

支払保険料　保険料払込期間　保険期間
1,000,000円×　10年　÷（105歳－55歳）＝200,000円

・損金算入額

200,000円×1／2＝100,000円

・資産計上額

1,000,000円－100,000円＝900,000円

・経理処理

借	方	貸	方
保険料	100,000円	現金及び預金	1,000,000円
前払金	900,000円		

（注）保険加入時から前払期間の間（25年間）は、上記の処理をします。

② 保険料払込期間が終了後の期間

当期分保険料の2分の1に相当する金額を上記により資産計上した前払金等の累計額（すでにこの処理によって取り崩した金額を除きます）から取り崩して損金の額に算入します。

上記設例では次のようになります。

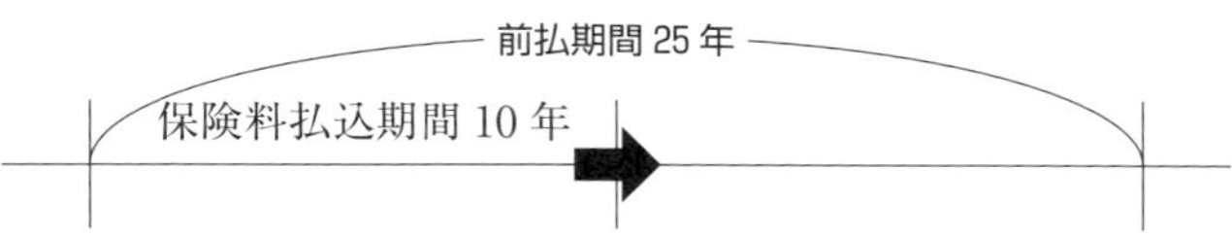

・損金算入額

200,000円×1／2＝100,000円

・経理処理

借	方	貸	方
保険料	100,000円	前払金	100,000円

2. 前払期間経過後

保険期間のうち前払期間を経過した後の期間は、次の処理を行います。

① 保険料払込期間が終了するまでの期間

各年の支払保険料のうち当期分保険料を超える金額を前払金等として資産計上し、残額については損金の額に算入します。

また、次の算式により計算した金額（取崩し損金算入額）を**1.**①により資産計上した前払金の累計額（すでにこの処理によって取り崩した金額を除きます）から取り崩して損金の額に算入します。

取崩し損金算入額＝（当期分保険料÷2×前払期間）÷（105－前払期間経過年齢）

設例では、前払期間が経過するまでに保険料払込期間が終了していますので、この間の処理はありません。

② 保険料払込期間が終了した後の期間

当期分保険料の金額と取崩し損金算入額を**1.**及び**2.**①により資産計上した前払金等の累計額（既に**1.**②及びこの処理によって取り崩した金額を除きます）から取り崩して損金の額に算入します。

設例では次のようになります。

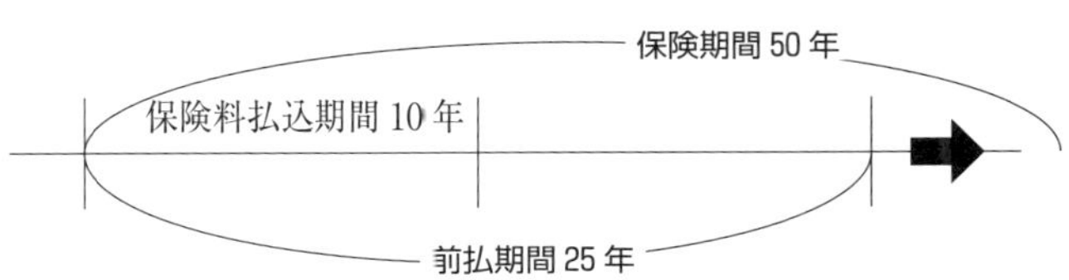

・損金算入額

当期分保険料　取崩し損金算入額
200,000 円＋　100,000 円　＝300,000 円

・経理処理

借	方	貸	方
保　険　料	300,000 円	前　払　金	300,000 円

❷ 役員、従業員の税務

保険金受取人が法人である契約の場合には、法人の負担した保険料が、被保険者である役員や従業員の給与として課税されることはありません。

2-65 終身保障タイプのがん保険で保険金受取人が従業員の場合の取扱い（2012 年 4 月 27 日以後契約分）

Q 保険金受取人を役員や従業員の遺族とするがん保険の保険料は、税務上どのように取り扱われますか。

A 保険金受取人を役員や従業員の遺族とするがん保険の保険料の取扱いは、以下のようになります。

---

❶ 法人の税務処理

法人が自己を契約者とし、役員または従業員（これらの人の親族を含みます）を被保険者、その遺族を保険金受取人とするがん保険（終身タイプ）に加入して、その保険料を支払った場合には、その保険料の払込方法及び加入期間、加入対象者により次のように取り扱われます。

1. 普遍的加入の場合

加入が普遍的な加入（2–108 参照）である場合は、福利厚生的な性格を有することから、支払った保険料は損金の額に算入されますが、終身保障タイプの場合は保険料の中に前払保険料が含まれていることから、一定の金額は損金算入に制限が加えられています。制限の内容は、保険料が終身払いか有期払いかによって取扱いが違いますので、2–63、2–64 を参照してください。

① 終身払いの場合

基本的に取扱いは、2-63と同じですが、勘定科目が福利厚生費になりますので、設例に基づいた経理処理のみをここでは記載しておきます。

・前払期間の間

借	方	貸	方
福利厚生費	500,000円	現金及び預金	1,000,000円
前払金	500,000円		

・前払期間経過後

借	方	貸	方
福利厚生費	1,000,000円	現金及び預金	1,000,000円
福利厚生費	500,000円	前払金	500,000円

② 有期払いの場合

・前払期間の間

保険料払込期間が終了するまでの期間

借	方	貸	方
福利厚生費	100,000円	現金及び預金	1,000,000円
前払金	900,000円		

保険料払込期間が終了後の期間

借	方	貸	方
福利厚生費	100 000円	前払金	100,000円

・前払期間経過後

保険料払込期間が終了した後の期間

借	方	貸	方
福利厚生費	300,000円	前払金	300,000円

2. 役員または特定の従業員だけが加入する場合

普遍的加入をせず、役員や特定の従業員だけを被保険者としている場合には、その支払った保険料はその役員や従業員に対する給与（給与の取扱いは第6章を参照）として取り扱われます。

借	方	貸	方
役員報酬または給与	×××円	現金及び預金	×××円

❷ 役員、従業員の税務

2‒59と同様ですので、そちらを参照してください。

2-66 終身保障タイプのがん保険を中途解約した場合の取扱い（2012年4月27日以後契約分）

Q がん保険を中途解約して、解約返戻金を受け取った場合は、どのような処理をするのですか。

A 法人が自己を契約者とする終身保障タイプのがん保険を中途解約した場合、法人に解約返戻金が支払われる場合がありますが、この場合は、契約形態及び保険料の払込方法によって次のような処理をします。

---

❶ 保険金受取人が法人の場合または従業員（またはその従業員）の場合で普遍的加入の場合

法人が解約返戻金を受け取った場合は、その返戻金の受入れ処理をするとともに、資産計上されていた前払金等を取り崩し、差額は雑収入または雑損失として処理します。

借	方	貸	方
現金及び預金	×××円	前払金	×××円
（雑損失）	×××円	（雑収入）	×××円

❷ 保険金受取人が従業員(またはその従業員)の場合で差別的加入の場合

保険料は従業員等の給与となりますが、解約返戻金は契約者である法人が受け取ることになります。法人が受け取った場合は、次の処理をします。

借　方		貸　方	
現金及び預金	×××円	雑　収　入	×××円

2-67 終身保障タイプのがん保険を払済みにした場合の取扱い(2012 年 4 月 27 日以後契約分)

Q がん保険を払済みにした場合は、どのような処理をするのですか。

A 基本的に取扱いは、2-62 と同じですが、仕訳が次のようになります。

借　方		貸　方	
前　払　金	×××円	(雑収入)	×××円
(雑損失)	×××円	前　払　金	×××円

2-68 終身保障タイプの医療保険とは

Q 終身タイプの医療保険とはどのような保険ですか。

A 終身タイプの医療保険とは、保険料が掛捨てで、いわゆる満期保険金はないけれど、保険契約の失効、告知義務違反による解除及び解約等をした場合には、保険料の払込期間に応じて所定の払戻金が保険契約者に払い戻されるという保険をいいます。

1 主たる保険事故及び保険金

保険事故	保険金
災害による入院	災害入院給付金
病気による入院	病気入院給付金
災害または病気による手術	手術給付金

(注)保険期間の終了（保険事故の発生による終了を除きます）に際して支払う保険金はありません。なお、上記に加え、ごく少額の普通死亡保険金を支払うものもあります。

2 保険の概要

保険期間	終身
保険料払込方法	一時払い、年払い、半年払い、月払い
保険料払込期間	終身払込み、有期払込み
保険金受取人	法人、役員または従業員(これらの親族を含む)

2-69 保険金受取人が法人の場合の保険料の取扱い

Q 保険金受取人を法人とする医療保険等の保険料は、税務上どのように取り扱われますか。

A 保険金受取人を法人とする医療保険等の保険料の取扱いは、以下のようになります。

1 法人の税務処理

法人が、自己を契約者及び保険金受取人とし、役員や従業員（これらの人の親族を含みます）を被保険者とする医療保険（終身保障タイプ）に加入して、その保険料を支払った場合には、その保険料の払込方法及び払込期間により次のように取り扱われます。

1. 終身払込みの場合（月払い、半年払い、年払い）

保険料が終身払込みである場合は、保険期間の終了（保険事故の発生による終了を除きます）に際して支払う保険金がないこと及び保険契約者にとって毎年の付保利益は一定であることから、保険料は保険期間の経過に応じて損金に算入されます。

借　　方		貸　　方	
保　険　料	×××	現金及び預金	×××

2. 有期払込みの場合

有期払込みの場合は、保険料払込期間と保険期間の経過とが対応しておらず、支払う保険料の中に前払保険料が含まれていますが、その金額が明らかでないことから、税務では、105歳を計算上の満期到達時年齢とみなし、払込保険料のうち、その事業年度に対応する部分の金額については損金の額に算入し、残額は積立保険料として資産に計上することとなっています。

損金算入額＝払込保険料×保険料払込期間÷（105－保険加入時年齢）

資産計上額＝払込保険料－損金算入額

【設例】

保険料払込期間	5年
払込保険料（年払）	1,000,000円
保険加入時年齢	55歳

① 損金算入額

損金算入額＝払込保険料×保険料払込期間÷（105－保険加入時年齢）

＝1,000,000円×5年÷（105－55歳）

＝100,000円

② 資産計上額

資産計上額＝払込保険料－損金算入額

＝1,000,000円－100,000円

＝900,000円

③ 経理処理

借	方	貸	方
保険料	100,000円	現金及び預金	1,000,000円
積立保険料	900,000円		

なお、積立保険料として資産計上した額は、保険料払込期間経過後（設例では6年目以後）被保険者が105歳に達するまでの期間において毎期取り崩す処理をしますが、この取扱いについては、2-60を参照してください。

❷ 役員、従業員の税務

保険金受取人が法人である契約の場合には、法人の負担した保険料が、被保険者である役員や従業員の給与として課税されることはありません。

2-70 保険金受取人が従業員の場合の保険料の取扱い

Q 保険金受取人を役員や従業員の遺族とする医療保険の保険料は、税務上どのように取り扱われますか。

A 保険金受取人を役員や従業員の遺族とする医療保険の保険料の取扱いは、以下のようになります。

---

❶ 法人の税務処理

法人が、自己を契約者とし、役員や従業員(これらの人の親族を含みます)を被保険者、その遺族を保険金受取人とする医療保険（終身保障タイプ）に加入して、その保険料を支払った場合には、その保険料の払込方法及び払込期間、加入対象者により次のように取り扱われます。

1. 普遍的加入の場合

加入が普遍的な加入（2−108参照）である場合は、福利厚生的な性格を有することから、支払った保険料は原則として損金の額に算入されますが、その損金算入時期は保険料の払込方法により次のように取り扱われます。

① 終身払込みの場合（月払い、半年払い、年払い）

保険料が終身払込みである場合は、保険料は保険期間の経過に応じて損金に算入されます。

借　　　　方		貸　　　　方	
福利厚生費	×××	現金及び預金	×××

② 有期払込みの場合

有期払込みの場合は、保険料払込期間と保険期間の経過とが対応しておらず、支払う保険料の中に前払保険料が含まれています。したがって、税務上は、105歳を計算上の満期到達時年齢とみなし、払込保険料のうち、その事業年度に対応する部分の金額については損金の額に算入し、残額は積立保険料として資産に計上します。

借　　　　方		貸　　　　方	
福利厚生費	×××	現金及び預金	×××
積立保険料	×××		

(注1)福利厚生費として損金に算入できる金額は、次の算式で求めた金額です。
　　損金算入額＝払込保険料×保険料払込期間÷(105－保険加入時年齢)
(注2)残額は積立保険料として資産計上します。
　　資産計上額＝払込保険料－損金算入額

なお、積立保険料として資産計上した額は、保険料払込期間経過後、被保険者が105歳に達するまでの期間において毎期取り崩す処理をしますが、この取扱いについては、2-60を参照してください。

2. 役員または特定の従業員だけが加入する場合

普遍的加入をせず、役員や特定の従業員だけを被保険者としている場合には、その支払った保険料はその役員や従業員に対する給与（給与の取扱いについては、第6章参照）として取り扱われます。

借　　　　方		貸　　　　方	
役員報酬または給与	×××	現金及び預金	×××

❷ 役員、従業員の税務

1. 普遍的加入の場合

役員や従業員が普遍的に加入する場合、法人の負担する保険料は、これら役員や従業員の給与所得にはなりません。

2. 特定の従業員だけが加入する場合

役員や特定の従業員だけを被保険者として加入する場合には、これらの役員や従業員に対する給与となるので、これらの役員や従業員の側でも、給与所得としての源泉徴収と課税を受けることになります。

2-71 保険料払込期間経過後の経理処理

Q 保険料払込み時に損金算入できず資産計上した金額は、払込期間経過後どのような処理をするのですか。

A 法人が役員や従業員（これらの親族を含みます）を被保険者とする医療保険に加入をして保険料を支払う場合には、その保険料の支払が終身払込みの場合は全額支払時の損金に算入できます。しかし、有期払込みの場合は、その支払保険料の額のうち、105歳を満期到達年齢とみなして計算した金額のうち、当該事業年度に対応する部分の金額しか損金算入できず、残額は資産計上しなければならないとされています（保険料が給与となる場合を除きます）。

ただし、資産計上した額は、いわば保険料に含まれる前払保険料部分なので、保険料払込み満了後においては、その事業年度に対応する部分の金額を資産計上額より取り崩して損金の額に算入することが認められています。損金に算入する金額は、次の算式で求めた額です。

損金算入金額＝
保険料払込み満了時の資産計上額÷(105歳－払込み満了時年齢)

【設例】

保険料払込期間	5年
払込保険料（年払い）	1,000,000円
保険加入時年齢	55歳
払込み満了時年齢	60歳

1. 保険料払込期間中の経理処理

① 損金算入額

1,000,000円×5年÷(105－55歳)＝100,000円

② 資産計上額

1,000,000円－100,000円＝900,000円

借	方	貸	方
保険料	100,000円	現金及び預金	1,000,000円
積立保険料	900,000円		

2. 保険料払込期間満了時の資産計上額

保険料払込み満了時の資産計上額

900,000円×5年＝4,500,000円

3. 保険料払込み満了後の経理処理

保険料払込み満了後は、**2.**の資産計上額を被保険者が105歳に達するまでの期間で取り崩し、損金に算入します。

損金算入額＝保険料払込み満了時の資産計上額÷(105歳－払込み満了時年齢)

＝4,500,000円÷(105歳－60歳)

＝100,000円

借　　方		貸　　方	
保　険　料	×××	積立保険料	×××

(注1)払込み満了時が事業年度の中途である場合は月数按分します。
(注2)円未満の端数は切り捨てて、最終事業年度で調整をします。

2-72　契約を中途解約した場合の取扱い

Q　医療保険を中途解約して、解約返戻金を受け取った場合はどのような処理をするのですか。

A　法人が自己を契約者とする終身保障タイプの医療保険を中途解約した場合、法人に解約返戻金が支払われる場合がありますが、この場合は、契約形態及び保険料の払込方法によって次のような処理をします。

保険金受取人が法人の場合または従業員(またはその遺族)の場合で普遍的加入のとき

1. 終身払込みの場合

法人が、保険料を終身払込みとする医療保険の契約を解約した場合において、解約返戻金を受け取ったときは、その返戻金相当額を益金の額に算入します。

借　　方		貸　　方	
現金及び預金	×××	雑　収　入	×××

2. 有期払込みの場合

法人が、保険料を有期払込みとする医療保険の契約を解約し、解約返戻金を受け取った場合には、その返戻金の受入れ処理をするとともに、資産計上されていた積立保険料を取り崩し、差額は雑収入または雑損失として処理します。

借　　方		貸　　方	
現金及び預金	×××	積立保険料	×××
		雑収入	×××

② 保険金受取人が従業員（またはその遺族）の場合で差別的加入のとき

法人が、被保険者及び保険金受取人を役員または特定の従業員（またはその遺族）とする医療保険に加入をした場合には、その保険料相当額はその役員または特定の従業員に対する給与として取り扱われます。しかし、解約返戻金は従業員に払われるのではないことに注意が必要です。解約請求権を有しているのは契約者である法人なので、解約に伴う返戻金は法人が受け取ることになります。

法人が受け取った場合には、次の処理をします。

借　　方		貸　　方	
現金及び預金	×××	雑収入	×××

2-73 契約を払済みにした場合の取扱い

Q 医療保険を払済みにした場合は、どのような処理をするのですか。

A 会社契約の医療保険を払済みにした場合は、その払済み時における解約返戻金相当額とその保険に係る資産計上額との差額を、その払済みにした事業年度の益金または損金の額に算入します。

つまり、払済み時に保険契約を解約し、その解約返戻金相当額を一時払いして保険に入り直したものとした処理をします。

借方		貸方	
積立保険料※1、※3	×××	(雑収入)	×××
(雑損失)	×××	積立保険料※2	×××

※1 払済み時における解約返戻金相当額です。
※2 その保険に係る資産計上額です。
※3 保険料を一時払いしたものとして保険料の処理をします。

2-74 新成人病保険

Q 新成人病保険の保険料の処理について教えてください。

A 新成人病保険とは、成人病により死亡した場合に死亡保険金が支払われ、入院したときには入院給付金が、また、介護状態になったときには介護給付金が支給される保険をいいます。

❶ 新成人病保険の概要

1. 保険事故及び保険金・給付金

成人病で死亡	死亡保険金及び成人病割増保険金
成人病以外で死亡	死亡保険金
成人病で入院	成人病入院給付金
成人病で介護状態	成人病介護給付金

2. 法人契約の場合の受取人に関する特則

法人が契約者及び保険金受取人の場合には、この保険による諸給付金及び特約による保険金・給付金の受取人も契約者である法人となります。

3. 保険期間と契約年齢

保険期間	契約年齢
60 歳満期全期払い	30～55 歳
65 歳満期全期払い	35～60 歳
70 歳満期全期払い	40～65 歳

4. 保険料払込方法

月払い、半年払い、年払いのいずれかとなります。

5. 払戻金

保険料は掛捨てで満期保険金はありませんが、契約年齢により保険期間が長期にわたる場合には、中途で解約したとき保険料の払込期間に応じた所定の解約払戻金が保険契約者に払い戻されます。

2 経理処理

法人が契約者・保険金受取人、役員・従業員を被保険者として契約した場合の保険料は、その払込みの都度損金経理した場合には損金の額に算入されます。

借　　方		貸　　方	
保　険　料 （損金算入）	×××	現金及び預金	×××

ただし、保険期間満了時に給付金がない保険契約に係る保険料に限ります。

なお、保険期間の満了時に給付金があるものについては、養老保険の保険料に準じて取り扱われることになると考えられます。

第11款 介護費用保険（令和元（2019）年7月7日までの契約分）

2-75 保険料の取扱い

Q 当社は介護費用保険に加入して保険料を年払で支払うことにしました。この保険料は、税務上どのように取り扱われますか。

A 法人が介護費用保険に加入して、その保険料を年払いまたは月払いで支払う場合は、次のように取り扱われます。

---

1 全員加入の場合

保険料を年払いまたは月払いする場合には、支払の対象となる期間の経過に応じて損金の額に算入するものとします。ただし、保険料払込期間のうち被保険者が60歳に達するまでの支払分については、その50％相当額を前払費用として資産に計上し、被保険者が60歳に達した場合には、その資産に計上した前払費用の累計額が60歳以後の15年で期間の経過に応じて損金の額に算入されます。

【設例】

加入年齢	45歳
支払保険料	年額200,000円
払込期間	70歳まで

1. 60歳に達するまでの各年

借方		貸方	
福利厚生費	100,000円	現金及び預金	200,000円
前払費用	100,000円		

2. 60歳に達した場合とその後の各年

借方		貸方	
福利厚生費	300,000円	現金及び預金	200,000円
		前払費用※	100,000円

※　前払費用の取崩し額

$$100,000円 \times 15年(45歳\sim60歳) \times \frac{12か月}{15年 \times 12か月} = 100,000円$$

被保険者が60歳に達したとき以後に法人が支払う保険料は、継続適用を条件に年払の保険料を支払ったときの損金の額に算入することができます。

２ 特定の従業員のみが加入の場合

法人が特定の従業員（これらの人の親族を含みます）だけを被保険者として、その保険金の受取人をその特定の従業員としているときは、法人が支払った保険料はその特定の従業員に対する給与（給与の取扱いについては、第６章参照）となります。

借方		貸方	
給与	×××	現金及び預金	×××

2-76 保険料を一時払いした場合の取扱い

Q 当社は、全従業員を被保険者とする介護費用保険に加入し、保険料を一時払いで支払いました。この場合の保険料は、税務上どのように取り扱われますか。

A 保険料を一時払いする場合には、保険料払込期間を加入時から75歳までと仮定し、その期間の経過に応じて損金の額に算入するもの

とします。被保険者が60歳に達するまでの期間については、その50%相当額を前払費用として資産に計上し、被保険者が60歳に達した場合には、その資産に計上した前払費用の累積額を60歳以後の15年で期間の経過に応じて損金の額に算入します。

具体的には、次のような処理をします。

---

❶ 加入時

借方		貸方	
前払保険料（資産計上）	×××	現金及び預金	×××

❷ 被保険者が60歳に達するまでの各期末

借方		貸方	
福利厚生費※	×××	前払保険料	×××
前払費用	×××		

※損金算入額＝一時払保険料×$\frac{\text{当期に対応する月数}}{\text{75歳に達するまでの月数}}$×50%

❸ 被保険者が60歳に達してからの各期末

借方		貸方	
福利厚生費	×××	前払保険料	×××
		前払費用	×××

なお、被保険者が75歳になる前に死亡した場合には、その死亡した日の事業年度に前払保険料及び前払費用の額を全額取り崩して損金の額に算入します。

4 被保険者が75歳までに死亡したとき

借	方	貸	方
雑損失	×××	前払保険料 前払費用	××× ×××

なお、上記の取扱いは、従業員の全員を被保険者とした場合の取扱いですが、特定の従業員だけを被保険者として保険料を支払った場合には、その一時払保険料の全額がその従業員に対する給与（給与の取扱いについては、第6章参照）として扱われます。

2-77 保険料の一部を前納した場合の取扱い

Q 保険料を数年分まとめて支払った場合の保険料は、税務上どのように取り扱われますか。

A 数年分の保険料をまとめて支払った場合には、いったんその保険料の全額を前払保険料として資産に計上し、その支払の対象となった期間の経過に応ずる経過期間分の保険料については損金の額に算入します。

ただし、保険料払込期間のうち、被保険者が60歳に達するまでの支払分についてはその50％相当額を前払費用として資産に計上し、被保険者が60歳に達した場合には、その資産に計上した前払費用の累積額を60歳以後の15年で期間の経過に応じて損金の額に算入することになります。

---

1 保険料支払時

借	方	貸	方
前払保険料	×××	現金及び預金	×××

❷ 被保険者が60歳に達するまでの各期末

借方		貸方	
福利厚生費	×××	前払保険料	×××
前払費用	×××		

❸ 被保険者が60歳に達してからの各期末

借方		貸方	
福利厚生費	×××	前払保険料	×××
		前払費用	×××

なお、上記の取扱いは、従業員の全員を被保険者とした場合の保険料の取扱いですが、特定の従業員だけを被保険者として保険料を支払った場合には、その前納保険料の全額がその従業員に対する給与（給与の取扱いについては、第6章参照）として扱われます。

2-78 短期払済みまたは60歳未満払済みの場合の取扱い

Q 被保険者の年齢が60歳に達する前に保険料を払済みとする保険契約を締結した場合の保険料は、税務上どのように取り扱われますか。

A 被保険者の年齢が60歳に達する前に保険料を払済みとする保険契約、払込期間が15年以下の短期払済みの年払または月払の保険契約については、支払保険料の総額を一時払いしたものとして扱われます。

したがって、このような保険契約については、保険料の払込期間を加入時から75歳までと仮定し、その期間の経過に応じて損金の額に算入します。ただし、被保険者が60歳に達するまでの期間についてはその50%

相当額を前払費用として資産に計上し、被保険者が60歳に達した場合には、その資産に計上した前払費用の累計額を60歳以後75歳までの15年間の期間の経過に応じて損金の額に算入することになります。

処理方法については、一時払いの保険料（2-76参照）を参考にしてください。

2-79　保険事故発生時の取扱い

Q 被保険者がいわゆる「寝たきり状態」または認知症等になった場合の会社の資産に計上している保険料は、税務上どのように取り扱われますか。

A 介護費用保険は、被保険者がいわゆる「寝たきり状態」または認知症になるという保険事故が発生した場合には、それ以後にその保険契約を解約しても解約返戻金は支払われないことになっています。

したがって、支払保険料のうち資産計上している保険料については、契約者の法人がその保険事故があった日の属する事業年度において損金の額に算入した場合にはこれが認められます。

この取扱いは、一時払いの保険料にも適用されるので、一時払いの未経過分についても全額その時の損金の額に算入できます。

ただし、前納保険料のうち未経過保険料については返還されるため、損金の額に算入することはできません。

なお、保険事故が発生しても保険契約そのものは有効であり、一時払いの保険料の未経過分を全額その期の損金の額に算入せずに、今までどおり期間の経過に応じて損金の額に算入する方法も認められます。

2-80 保険事故発生後要介護状態でなくなった場合の取扱い

Q 被保険者がいわゆる「寝たきり状態」または認知症等になった後、健康が回復して要介護状態でなくなったときの保険料は、税務上どのように取り扱われますか。

A 保険料を年払いまたは月払いする場合において、被保険者がいわゆる「寝たきり状態」または認知症等になったときには、以後の保険料の支払は免除されます。しかし、保険料が免除された後に健康が回復し、要介護状態でなくなったときは、再度保険料を支払わなければなりません。

介護費用保険は、保険事故が発生した場合には、その後に解約しても解約返戻金はありません。

したがって、再度支払うこととなる保険料はその一部を前払費用として資産に計上する必要はないので、支払の対象となる期間の経過により損金の額に算入できることになります。

なお、保険料を前納する場合には、前納期間の経過に応じて損金の額に算入することになります。

2-81 解約返戻金を受け取った場合の取扱い

Q 当社は、自己を契約者、従業員の全員を被保険者とする介護費用保険に加入して、年払いで保険料を支払っています。この度、被保険者が死亡したことに伴い解約返戻金 50 万円を受け取りました。資産に計上されている前払費用は40万円です。この場合、税務上どのように取り扱われますか。

A 介護費用保険は、被保険者について保険事故が発生していない場合または75歳に達していない場合において、被保険者が死亡したことによって失効したときまたは保険契約を解約したときは、保険契約者である法人に解約返戻金が支払われます。

解約返戻金を受け取った法人は、その受け取った解約返戻金の額を収益として計上するとともに、保険料のうち前払費用として計上している金額を損金の額に計上します。差額は雑収入または雑損失として処理します。

この場合は、次のようになります。

借方		貸方	
現金及び預金	500,000円	前払費用	400,000円
		雑収入	100,000円

2-82 退職に伴い保険契約者の地位を変更した場合の取扱い

Q 被保険者である役員または従業員の退職に伴い、保険契約者の地位をその退職した役員または従業員に変更しようと思います。この場合、税務上どのように取り扱われますか。

A 退職に伴い保険契約者の地位を変更した場合は、以下のように取り扱われます。

---

❶ 原則的取扱い

保険契約者である法人が、被保険者である役員または従業員が退職したことに伴い、介護費用保険の保険契約者の地位を退職給与の全部または一部としてその役員または従業員に変更した場合には、その変更時においてその契約を解除したとした場合に支払われることになる解約返戻金の額（解約返戻金の他に支払われることになる前納保険料の金額、剰余金の分配額等がある場合には、これらの金額との合計額）相当額が退職給与として支給されたものとして取り扱われます。

❷ 退職時以外に変更した場合

保険契約者である法人が、被保険者である役員または従業員に退職時以外にその地位を被保険者に変更した場合は❶の解約返戻金に相当する額が、役員または従業員に給与（給与の取扱いについては、第６章参照）として支給されたものとして取り扱われます。

❸ 特定の従業員のみを被保険者としている場合

役員または特定の従業員だけを被保険者とし、保険金の受取りをその被保険者としている場合で、保険契約の当初からその役員または特定の従業員に対する給与として処理をしてきたものについては、その役員または特定の従業員の退職に際して保険契約者の地位を変更しても、所得税の課税関係は生じません。

❹ 退職後も法人が保険料を負担する場合

保険契約者である法人が、保険契約者の地位を変更せず、定年退職者のために引き続き保険料を負担している場合には、定年退職者の全員を対象に保険料を負担しているときに限り、その被保険者には所得税は課税されません。

ただし、役員または特定の従業員だけを被保険者として、保険金の受取りをその被保険者としている場合で、当初からその役員または特定の従業員に対する給与とされてきたものについては、その役員または特定の従業員が退職したとしても雑所得として所得税の課税対象になるので、上記の非課税の適用はありません。

2-83　解約を前提とした介護費用保険の取扱い

Q 当社では、節税と含み資産を作るため介護費用保険に加入し、短期間で解約する予定でいます。従業員の給与について源泉徴収すれば、支払時の給与として損金に算入してもよいですか。

A 事業主が支払った保険料が、従業員に対する給与になるということは、その従業員が享受する経済的利益に対して課税を行おうとするものです。この趣旨からすると、節税のために保険加入後短期間でその保険を解約するようなものについては、給与を支給したということになるのかどうか問題のあるところです。

また、保険事故の多くが従業員が高齢になってから起きることを鑑みるに、短期間での解約を前提としている場合には、保険のためというよりむしろ、一種の投資と認められます。

したがって、このような場合には、給与として損金の額に算入することは認められないでしょう。

2-84 健康祝金支払特約の保険料の取扱い

Q 介護特約付健康長期保険に、健康祝金支払特約をつけました。この健康祝金支払特約の保険料はどのように取り扱われますか。

A 健康祝金支払特約とは、契約時に定めた一定の年齢まで介護基本保険金または介護一時金の支払がない場合に健康祝金が支給されるというものです。

健康祝金支払特約の保険料を支払った場合は、保険料は前払保険料として資産に計上し、健康祝金支払特約に係る保険事故が発生した場合には、その資産計上している前払保険料を取り崩して損金の額に算入します。

---

1 保険料支払時の経理処理

借　　方		貸　　方	
前払保険料 （資産計上）	×××	現金及び預金	×××

2 保険事故発生時

借　　方		貸　　方	
現金及び預金	×××	前払保険料	×××

（注）健康祝金と前払保険料との差額は、雑収入または雑損失として処理をします。

●介護費用保険契約に係る法人課税関係一覧表

契約者（保険料負担者）	被保険者	保険金受取人	保険料		保険金
			契約者の課税関係	被保険者の課税関係	
法人（法人）	役員、従業員	役員、従業員	期間の経過に応じて損金算入（2-75～78参照）	非課税	・非課税 ・被保険者の配偶者や同居親族が受け取った場合も非課税
法人（法人）	特定の役員または従業員	特定の役員または従業員	給与	・給与所得として所得税の対象 ・損害保険料控除の対象	同上

（注）給与の取扱いについては、第6章を参照してください。

2-85 長期傷害保険（終身保障タイプ）とは

Q 長期傷害保険（終身保障タイプ）とは、どのような保険ですか。

A 長期傷害保険（終身保障タイプ）とは、保険料は掛捨てで、いわゆる満期保険金はありませんが、病気による死亡、保険契約の失効、告知義務違反による解除及び解約等の場合には、保険料の払込期間に応じた所定の払戻金が保険契約者に払い戻される保険です。具体的には、次のような内容になっています。

1 主たる保険事故及び保険金

保険事故	保険金
災害による死亡	災害死亡保険金（保険期間を通じて定額）
災害による障害	障害給付金
病気による死亡	保険金はないが、保険料の払込期間に応じた所定の払戻金が保険契約者に払い戻される

2 保険期間

原則として被保険者の死亡までの期間

3 保険料払込方法

一時払い、年払い、半年払い、月払い

❹ 保険料払込期間

終身払込み、有期払込み

❺ 保険金受取人

法人、役員または従業員（これらの者の親族を含む）

2-86 保険金受取人が法人の場合の保険料の取扱い

Q 保険金受取人を法人とする長期傷害保険（終身保障タイプ）の保険料は、税務上どのように取り扱われますか。

A 保険金受取人を法人とする長期傷害保険（終身保障タイプ）の保険料は、以下のように取り扱われます。

---

❶ 法人の税務処理

法人が、自己を契約者及び保険金受取人とし、役員や従業員（これらの人の親族を含みます）を被保険者とする長期傷害保険（終身保障タイプ）に加入して、その保険料を支払った場合には、その保険料の払込方法及び払込期間により次のように取り扱われます。

1．終身払込みの場合

長期傷害保険の保険料の中には、前払保険料が含まれていることから、税務上は、105歳を計算上の保険期間満期時の年齢とみなし、保険期間の開始のときからその保険期間の70％に相当する期間（前払期間）を経過するまでの期間にあっては、各年の払込保険料のうち、4分の3に相当する金額を前払金等として資産に計上し、残額については損金の額に算入します。

資産計上額＝支払保険料×4分の3

損金算入額＝支払保険料－資産計上額

【設例】

払込保険料（年払い）	1,000,000円
保険加入時年齢	35歳

前払期間…（105－35）×70％＝49年間

（注）前払期間に1年未満の端数がある場合は、端数を切り捨てます。

【資産計上額】

資産計上額＝支払保険料×4分の3
＝1,000,000円×4分の3
＝750,000円

【損金算入額】

損金算入額＝支払保険料－資産計上額
＝1,000,000円－750,000円
＝250,000円

【経理処理】

借　方		貸　方	
保険料	250,000円	現金及び預金	1,000,000円
前払金等	750,000円		

2. 有期払込みの場合

保険料の払込方法が有期払込み（一時払いを含みます）の場合は、次の算式により計算した金額を当期分の保険料として**1.**の処理をして、支払保険料からその当期分の保険料を差し引いた金額は、前払金等として資産に計上します。

【当期分の保険料】

$$\text{支払保険料} \times \frac{\text{保険料払込期間}}{(105-\text{加入時年齢})} = \text{当期分の保険料（年額）}$$

【資産計上額】

資産計上額＝当期の保険料×4分の3

【損金算入額】

損金算入額＝当期分の保険料－資産計上額

3. 資産計上した金額の処理

前払金等として資産計上した額の取扱いについては、2-88を参照してください。

2 役員、従業員の税務

保険金受取人が法人である契約の場合には、法人の負担した保険料が、被保険者である役員や従業員の給与として課税されることはありません。

2-87 保険金受取人が従業員の場合の保険料の取扱い

Q 保険金受取人を役員や従業員の遺族とする長期傷害保険（終身保障タイプ）の保険料は、税務上どのように取り扱われますか。

A 保険金受取人を役員や従業員の遺族とする長期傷害保険（終身保障タイプ）の保険料は、以下のように取り扱われます。

---

1 法人の税務処理

法人が、自己を契約者とし、役員や従業員(これらの人の親族を含みます)を被保険者、その遺族を保険金受取人とする長期傷害保険（終身保障タイプ）に加入して、その保険料を支払った場合には、その保険料の払込方法及び払込期間、加入対象者により次のように取り扱われます。

1. 普遍的加入の場合

保険加入が普遍的な加入（2–108 参照）である場合は、2–86 に準じて資産計上額及び損金算入額を計算します。ただし、この場合の支払保険料は、福利厚生的な性格を有しているので、損金に算入される金額は、福利厚生費等として処理します。

借方		貸方	
前払金等	×××	現金及び預金	×××
福利厚生費	×××		

なお、前払金等として資産計上した額の取扱いについては、2–88 を参照してください。

2. 役員または特定の従業員だけが加入する場合

普遍的加入をせず、役員や特定の従業員だけを被保険者としている場合には、その支払った保険料はその役員や従業員に対する給与（給与の取扱いについては、第6章参照）として取り扱われます。

借方		貸方	
給与	×××	現金及び預金	×××

2 役員、従業員の税務

1. 普遍的加入の場合

役員や従業員が普遍的に加入する場合、法人の負担する保険料は、これら役員や従業員の給与所得にはなりません。

2. 特定の従業員だけが加入する場合

役員や特定の従業員だけを被保険者として加入する場合、これらの役員や従業員に対する給与（給与の取扱いについては、第6章参照）となります。

2-88 前払いまたは払込期間経過後の経理処理

Q 前払期間や払込期間が経過した後は、どのような処理をするのですか。

A 前払いまたは払込期間経過後の処理は、以下のようにします。

❶ 終身払込みの場合

前払期間（2-86 参照）を経過した後の期間では、各年の支払保険料を損金の額に算入するとともに、資産計上した前払金等の累計額から次の算式で計算した金額を取り崩して損金の額に算入します。

$$\text{取り崩す金額（年額）} = \text{前払金等の資産計上累計額} \times \frac{1}{(105 - \text{前払期間経過年齢})}$$

(注)前払期間経過年齢とは、前払期間が経過したときにおける被保険者の年齢をいいます。

❷ 有期払込みの場合

前払期間は、以下の計算式で求めます。

$$\text{前払期間} = (105 - \text{保険加入時年齢}) \times 70\%$$

払込期間が終了した後は、資産計上した前払金等の累計額から次の算式で計算した金額を毎年取り崩し、その金額を終身払込みしたものとみなして処理をします。

$$\text{毎年取り崩す金額（年額）} = \text{支払保険料} \times \frac{\text{保険料払込期間}}{(105 - \text{加入時年齢})}$$

したがって、次の前払期間の間は、その毎年取り崩した金額のうち、4分の3に相当する金額は前払金等として資産に計上し、残額については損金の額に算入し、前払期間が経過した後は上記❶の処理をすることになります。

2-89 長期傷害保険特約の取扱い

Q 長期傷害保険特約（終身保障タイプ）の取扱いはどうなりますか。

A 終身保険等に終身保障タイプの長期傷害保険特約が付加されている場合には、次のように取り扱われます。

---

1 終身保険と長期傷害保険の保険料が区分されている場合

終身保険の保険料（第2章第4節参照）と長期傷害保険特約の保険料は区別して取り扱うことができます。

2 終身保険の保険料と長期傷害保険の保険料が区分されていない場合

すべての保険料について、終身保険の保険料の取扱いをします。

2-90 払済保険に変更した場合

Q 長期傷害保険（終身保障タイプ）を払済保険に変更した場合は、どのように取り扱われますか。

A 長期傷害保険（終身保障タイプ）または長期傷害保険特約（終身保障タイプ）が付加された養老保険や終身保険、年金保険を同種の払済保険に変更した場合には、その変更時における解約返戻金相当額とその保

険契約につき資産計上している金額との差額を、その変更した日の属する事業年度の益金の額または損金の額に算入します。

第13款　特約保険料（令和元（2019）年7月7日までの契約分）

2-91　傷害特約等の保険料の取扱い

Q　生命保険契約に傷害特約等の特約を付加した場合には、その特約に係る保険料は、税務上どのように取り扱われますか。

A　法人が、自己を契約者とし、役員または従業員（これらの人の親族を含みます）を被保険者とする傷害特約等の特約を付加した生命保険に加入し、その特約に係る保険料を支払った場合には、次のような処理をします。

1　給付金受取人が法人の場合

傷害特約等に係る給付金の受取人が法人の場合には、その支払った特約保険料の額は期間の経過に応じて損金の額に算入することができます。

2　給付金受取人が役員または従業員の場合

1．普遍的加入の場合

傷害特約等に係る給付金の受取人が役員または従業員である場合において、その役員または従業員が普遍的に加入しているときは、その支払った特約保険料の額は期間の経過に応じて損金の額に算入されます。

2．役員または特定の従業員のみ加入の場合

傷害特約等に係る給付金を役員または特定の従業員が受け取ることとな

っている場合は、その支払った特約保険料の額は役員または特定の従業員に対する給与（給与の取扱いについては、第６章参照）となります。

第 2 節　養老保険

第 1 款　契約者・死亡保険金受取人、満期保険金受取人＝法人、被保険者＝従業員の養老保険

2-92　養老保険とは

Q　養老保険とは、どのような内容の保険ですか。

A　養老保険とは、積立て型の保険で、保険期間の満了時には満期保険金を受け取ることができるという生命保険です。

もちろん生命保険なので、保険期間中に被保険者が死亡した場合には、死亡保険金が支払われます。

また、積立て型であるため、保険期間の中途で解約した場合には、解約返戻金が発生します。

養老保険の保険料は、満期保険金がある分、定期保険や終身保険の保険料に比べて高くなっています。

法人で契約する場合には、契約形態、被保険者の対象者（普遍的加入なのか特定の従業員だけなのか）によって税務上の取扱いが異なるので注意が必要です。

2-93 保険料の取扱い

Q 契約者・保険金受取人を当社、被保険者を従業員とする養老保険に加入した場合の保険料は、税務上どのように取り扱われますか。

A 法人が、自己を契約者・死亡保険金及び満期保険金の受取人とし、役員または従業員（これらの人の親族を含みます）を被保険者とする養老保険に加入してその保険料を支払った場合、以下のようになります。

---

1 法人の税務処理

法人が、自己を契約者・死亡保険金及び満期保険金の受取人とし、役員または従業員（これらの人の親族を含みます）を被保険者とする養老保険に加入してその保険料を支払った場合、その支払った保険料の額は、保険事故の発生または保険契約の解除もしくは失効によりその保険契約が終了するまで資産に計上します。

【設例】

1. 契約形態

契約者	法　人
被保険者	役員、従業員
死亡保険金受取人	法　人
満期保険金受取人	法　人

この場合、被保険者が特定の役員または従業員であっても、全従業員が対象であっても税務処理は同じです。

2. 経理処理

借　　方		貸　　方	
保険積立金（資産計上）	×××	現金及び預金	×××

❷ 役員、従業員の税務処理

法人が負担した保険料は、被保険者である役員または従業員の給与にはなりません。

2-94 保険料を一時払いした場合の取扱い

Q 前問の契約形態で、保険料を一時払いした場合は、税務上どのように取り扱われますか。

A 法人が、自己を契約者・死亡保険金及び満期保険金の受取人とし、役員または従業員（これらの人の親族を含みます）を被保険者とする養老保険に加入してその保険料を支払った場合には、その支払った保険料の額は、資産に計上します。

保険料を一時払いした場合は、支払保険料のうち、支出の日の属する事業年度の保険期間に対応する保険料を保険積立金として資産計上します。そして、未経過保険料については前払保険料として資産計上をして翌事業年度以後のそれぞれの事業年度の保険期間に対応する前払保険料を保険積立金に振り替えるのが原則です。ただし、その保険料払込み時に全額を保険積立金として処理することもできます。

---

1 原則法による経理処理

借　　　　　方		貸　　　　　方	
保険積立金 （資産計上）	×××	現金及び預金	×××
前払保険料 （資産計上）	×××		

（翌期以後の処理）

借　　　　　方		貸　　　　　方	
保険積立金	×××	前払保険料	×××

2 簡便法による経理処理

借　　　　　方		貸　　　　　方	
保険積立金 （資産計上）	×××	現金及び預金	×××

2-95 一時払養老保険料を借入金で支払った場合の取扱い

Q 一時払養老保険の保険料を借入金で支払った場合、支払利息の計上方法はどうすればよいですか。

A 一時払養老保険に係る収益は、保険期間の満了時まで計上されることはないため（解約時を除きます）、養老保険の保険料を借入金で支払ったような場合には、費用収益対応の原則から支払利息の計上も保険期間満了時まで繰り延べなければならないのではと考えられがちです。しかし、支払利息については、借入期間の経過という役務提供を受けているため、保険期間の満了時まで繰り延べる必要はなく、期間費用として損金の

額に算入することができます。

なお、借入金と一時払養老保険とが明らかに「ひもつき」の関係にある場合には、短期の前払費用の適用を受けることができず、借入金の利子と運用資産から生ずる利子等の収益とを対応させなければなりません。したがって、1年以内の短期の前払利息であっても、支払時の損金に算入することはできず、原則どおり期間対応することになります。

2-96 死亡保険金を受け取った場合の取扱い

Q 死亡保険金を受け取った場合の税務処理はどうすればよいですか。

A 養老保険において、法人が、自己を契約者・死亡保険金及び満期保険金の受取人とし、役員または従業員(これらの人の親族を含みます)を被保険者とする養老保険に加入している場合で、被保険者である役員または従業員の死亡により死亡保険金を受け取ったときの税務処理は次のとおりです。

1 法人の税務処理

1. 保険差益がある場合

借	方	貸	方
現金及び預金	×××	保険積立金 雑収入	××× ×××

(注)保険積立金の金額は、死亡保険金を受け取った保険について資産計上していた金額です。

2. 保険差損がある場合

借	方	貸	方
現金及び預金	×××	保険積立金	×××
雑損失	×××		

❷ 死亡保険金の益金算入時期

死亡保険金の益金算入時期は保険会社から支払通知を受けた日にその支払が確定することになるので、その支払通知を受けた日の属する事業年度において収益計上することが相当と認められます。

❸ 受け取った保険金を死亡退職金及び弔慰金として被保険者の遺族に支払った場合

借	方	貸	方
退職金	×××	現金及び預金	×××
弔慰金	×××		

(注)役員に支払った死亡退職金のうち、不相当に高額な金額は損金の額に算入されません。

❹ 死亡退職金等を受け取った人の税務

1. 死亡退職金

被相続人の死亡により、相続人その他の人が死亡退職金で被相続人の死亡後３年以内に支給が確定したものの支給を受けた場合においては、その死亡退職金を受け取った人は、その死亡退職金を相続または遺贈により取得したものとみなされ、相続税の対象となります。ただし、相続人が受け取った死亡退職金のうち、500万円に法定相続人の数を乗じた金額は非課税となり、相続税の対象から除外されます。

2. 弔慰金

弔慰金は、相続税法上原則として非課税とされますが、その弔慰金の額が次の金額を超える場合は、その超える部分の金額は退職金として扱われます。

業務上の死亡である場合	被相続人の死亡時の賞与以外の給与の 3 年分に相当する金額
業務上以外の死亡である場合	被相続人の死亡時の賞与以外の給与の半年分に相当する金額

2-97 満期保険金を受け取った場合の取扱い

Q 満期保険金を受け取った場合はどうすればよいですか。

A 法人が、自己を契約者・死亡保険金及び満期保険金の受取人とし、役員または従業員（これらの人の親族を含みます）を被保険者とする養老保険に加入している場合において、保険期間の満了に伴う満期保険金を受け取ったときは次のように処理をします。

---

1 保険差益がある場合

借　方		貸　方	
現金及び預金	×××	保険積立金	×××
		雑収入	×××

(注)保険積立金の金額は満期になった保険について資産計上していた金額です。

❷ 保険差損がある場合

借　　　方		貸　　　方	
現金及び預金	×××	保険積立金	×××
雑　損　失	×××		

なお、満期保険金を退職金として支給した場合には、上記の処理をしたうえで次の処理をします。

借　　　方		貸　　　方	
退　職　金	×××	現金及び預金	×××

2-98 配当を受け取った場合の取扱い

Q 配当を受け取った場合はどうすればよいですか。

A 法人が、自己を契約者・死亡保険金及び満期保険金の受取人とし、役員または従業員（これらの人の親族を含みます）を被保険者とする養老保険に加入している場合において、配当を受け取ったときは、次のように処理をします。

---

❶ 現金配当

法人が生命保険契約に基づいて支払を受ける契約者配当金は、その配当を受けた日の属する事業年度の益金の額に算入します。しかし、法人を契約者・死亡保険金受取人及び満期保険金受取人とする養老保険のようにその契約に係る保険料を全額資産計上しているものについては、その契約者配当の額を資産に計上している保険積立金の額から控除することができます。

借 方		貸 方	
現金及び預金	×××	保険積立金	×××

❷ 相殺配当

相殺配当の場合には、配当金を差引きした実際に支払う保険料の額を資産計上すればよいことになっています。

借 方		貸 方	
保険積立金	×××	現金及び預金	×××

❸ 増加保険

契約者配当の額をもっていわゆる増加保険の保険料の額に充当することになっている契約については、いったん契約者配当金を受け取ったうえで、直ちにこの配当金に相当する額を増加保険の保険料に充当したものとして処理します。この場合、特に仕訳は必要ありません。

❹ 据置配当

据置配当があった場合には、次の処理をします。

借 方		貸 方	
配当金積立金	×××	保険積立金	×××

また、配当金に利息がついている場合には、次の処理をします。

借 方		貸 方	
配当金積立金	×××	雑収入 （配当金利息部分）	×××

第２款　契約者＝法人、被保険者・満期保険金受取人＝従業員、死亡保険金受取人＝従業員の遺族の養老保険

2-99　保険料の取扱い

Q　契約者を当社、被保険者及び満期保険金受取人を従業員、死亡保険金受取人を従業員の遺族とする養老保険に加入した場合の保険料は、税務上どのように取り扱われますか。

【契約形態】

契約者	法　人
被保険者	役員、従業員
死亡保険金受取人	被保険者の遺族
満期保険金受取人	被保険者

A　法人が自己を契約者とし、役員または従業員（これらの人の親族を含みます）を被保険者、死亡保険金及び満期保険金の受取人を被保険者またはその遺族とする養老保険に加入してその保険料を支払った場合には、以下のようになります。

1　法人の税務処理

法人が自己を契約者とし、役員または従業員（これらの人の親族を含みます）を被保険者、死亡保険金及び満期保険金の受取人を被保険者またはその遺族とする養老保険に加入してその保険料を支払った場合には、その支払った保険料の額は、その役員または従業員に対する給与（給与の取扱いについては、第６章参照）となります。

借　　方		貸　　方	
給　　与	×××	現金及び預金	×××

2 役員、従業員の税務処理

法人が支払う保険料は、役員または従業員の給与（給与の取扱いについては、第6章参照）となります。

したがって、法人は、その給与とされる保険料相当額を通常の給与と合算した金額に対する所得税を源泉徴収しなければなりません。

2-100 保険料を年払いまたは一時払いした場合の取扱い

Q 前問の契約形態で、保険料を年払いまたは一時払いした場合は、その保険料はどのように取り扱われますか。

A 法人が自己を契約者とし、役員または従業員（これらの人の親族を含みます）を被保険者、死亡保険金及び満期保険金の受取人を被保険者またはその遺族とする養老保険に加入してその保険料を支払った場合には、その支払った保険料の額は、その役員または従業員に対する給与（給与の取扱いについては、第6章参照）となります。

2-101 死亡保険金を受け取った場合の取扱い

Q 従業員またはその遺族が死亡保険金を受け取った場合は、税務上どのように取り扱われますか。

A 養老保険において、法人が、役員または従業員（これらの人の親族を含みます)を被保険者とする生命保険契約に加入して、その保険料を負担している場合で、保険事故の発生により役員または従業員その他の人が保険金を取得したときは、次のように取り扱われます。

---

❶ 従業員の死亡により相続人その他の人が保険金を受け取った場合

相続または遺贈により生命保険金を取得したものとみなされ、相続税の対象になります。ただし、会社が死亡保険金を従業員の退職手当金として支給することとしているときは、退職手当金として取得したものとみなして相続税がかかります。

❷ 従業員の親族の死亡により従業員が保険金を受け取った場合

従業員が受け取った生命保険金は、一時所得として所得税の対象になります。この場合、法人が負担した保険料は、従業員が負担していたものとして取り扱われます。

❸ 従業員の親族の死亡により従業員以外の人が保険金を受け取った場合

法人が負担した保険料は従業員が負担していたものとして取り扱われるので、従業員以外の人が受け取った生命保険金は、従業員からの贈与として贈与税の対象となります。

2-102 満期保険金を受け取った場合の取扱い

Q 満期保険金を従業員または従業員の親族が受け取った場合の税務処理は、どのようになっていますか。

A 満期保険金を受け取った人によって、税務処理は以下のようになっています。

被保険者及び満期保険金受取人が従業員の場合	従業員が受け取った満期保険金は、一時所得として所得税の対象になる
被保険者が従業員、満期保険金受取人が従業員の親族の場合	従業員の親族が受け取った満期保険金は、従業員からの贈与として贈与税の対象になる
被保険者が従業員の親族、満期保険金受取人が従業員の場合	従業員が受け取った満期保険金は、一時所得として所得税の対象になる
被保険者及び満期保険金受取人が従業員の親族の場合	従業員の親族が受け取った満期保険金は、従業員からの贈与として贈与税の対象になる
被保険者が従業員の親族、満期保険金受取人が従業員及び被保険者以外の場合	従業員及び被保険者以外の人が受け取った満期保険金は、従業員からの贈与として贈与税の対象になる

2-103 配当を受け取った場合の取扱い

Q 配当を受け取った場合は、税務上どのように取り扱われますか。

A 法人が、自己を契約者とし、役員または従業員（これらの人の親族を含みます）を被保険者、死亡保険金及び満期保険金受取人を被保険者またはその遺族とする養老保険に加入してその保険料を支払った場合には、その支払った保険料の額は、その役員または従業員に対する給与とな

りますが、配当は契約者である法人が受け取ることになります。

配当を受け取った場合の税務処理は、次のとおりです。

---

1 現金配当

法人が生命保険契約に基づいて支払を受ける契約者配当の額については、その通知を受けた日の属する事業年度の益金の額に算入します。

借	方	貸	方
現金及び預金	×××	雑収入	×××

2 相殺配当

借	方	貸	方
給与	×××	雑収入	×××
		現金及び預金	×××

3 増加保険

契約者配当の額をもって、いわゆる増加保険の保険料の額に充当することとなっている契約については、いったん契約者配当金を受け取ったうえで、ただちにこの配当金に相当する額を増加保険の保険料に充当したものとして処理します。したがって、増加した保険の種類が、養老保険の場合は次のように処理します。

借	方	貸	方
給与	×××	雑収入	×××
		現金及び預金	×××

4 据置配当

借　　　　方		貸　　　　方	
配当金積立金	×××	雑　収　入	×××

2-104 給与課税の養老保険を解約した場合の取扱い

Q 当社は、被保険者及び保険金受取人を役員とする養老保険に加入しています。この度、資金繰りの関係でこの契約を解除しようと思います。この場合、税務上どのように取り扱われますか。

A この場合、法人が支払う保険料については、役員に対する給与として役員個人に対して所得税の課税が行われますが、その保険契約を解約する場合には、その解約返戻金は、約款上、契約者に支払われることになっています（役員に請求権はありません）。

したがって、法人が受け取った解約返戻金は、その受け取ることとなった日の属する事業年度の益金の額に算入します。

借　　　　方		貸　　　　方	
現金及び預金	×××	雑　収　入	×××

ここで、法人が受け取った解約返戻金を給与課税されている役員に分配した場合には、改めて給与（給与の取扱いについては、第6章参照）として課税されるので、注意が必要です。

なお、給与課税を避けて解約返戻金を役員に分配したいという場合は、解約する前に契約者を役員に変更する必要があります。

2-105 特約店の従業員を被保険者とする場合の保険料の取扱い

Q 当社は、特約店の従業員を被保険者として次のような養老保険に加入しました。この場合の保険料は税務上どのように取り扱われますか。

【契約形態】

契約者	法　人
被保険者	特約店の従業員
死亡保険金受取人	被保険者の遺族
満期保険金受取人	特約店の従業員

A 特約店の従業員を被保険者として養老保険の保険料を負担した場合には、その保険料は交際費等に該当することとなっています。したがって、交際費の損金算入限度額を超える部分の金額については損金の額に算入されないので注意が必要です。

第3款　契約者・満期保険金受取人＝法人、被保険者＝従業員、死亡保険金受取人＝従業員の遺族の養老保険（2分の1が損金となる養老保険）＝タックスハーフプラン

2-106　2分の1が損金となる養老保険のしくみ

Q　法人が支払う生命保険料のうち2分の1が損金となる養老保険のしくみは、どのようになっていますか。

A　法人が自己を契約者とし、役員、従業員を被保険者、死亡保険金の受取人を被保険者の遺族、生存保険金の受取人をその法人とする養老保険に加入してその保険料を支払った場合には、その支払った保険料の額のうち2分の1に相当する金額は資産に計上し、残りの2分の1は期間の経過に応じて損金の額に算入することができます。

ただし、役員または特定の従業員（これらの人の親族を含みます）のみを被保険者としている場合には、その残りの2分の1は、この役員または従業員に対する給与（給与の取扱いについては、第6章参照）となります。

1　契約形態

契約者	法　人
被保険者	役員、従業員
死亡保険金受取人	被保険者の遺族
生存保険金受取人	法　人

❷ 加入要件

原則として全員加入とします。ただし、職種、年齢、勤続年数等に基づいた合理的基準が設けられているという、いわゆる普遍性が認められた場合には、この限りではありません。

なお、従業員の全員または大半が同族関係者である場合には、給与（給与の取扱いについては、第6章参照）として扱われます。

2-107 2分の1が損金とされる理由

Q 養老保険契約の保険料のうち2分の1が損金になるのはどのような理由からですか。

A 養老保険契約に加入して支払った保険料のうち2分の1が損金とされる理由は、1993年8月24日国税不服審判所裁決にて次のように明示されています。

養老保険は、被保険者に死亡の保険事故が生じた場合に死亡保険金が支払われる他、保険期間の満了時に被保険者が生存している場合にも生存保険金が支払われる生命保険であって、その保険料は死亡保険金を支払う財源となる危険保険料、生存保険金を支払う財源となる積立保険料及び主として事業費を賄う付加保険料から成っている。当該生命保険契約における保険金受取人は、保険契約者が別段の意思表示をしない限り、契約者が指定したときに保険金請求権を自己固有の権利として原始的に取得するものと解すべきところ、本件保険契約は、被保険者である請求人の従業員に保険事故が生じた場合、被保険者の遺族が死亡保険金を取得することとされているので、法人が負担した保険料のうち危険保険料部分については、被

保険者である従業員が受けた経済的利益の金額となる。

しかし、法人が支払った保険料のうち、死亡保険金に係る部分については、受取人が被保険者の遺族等となっていることからみて、資産計上することを強制することは適当でなく、また、被保険者が死亡した場合に初めてその遺族等が保険金を受け取るものであることからすれば、保険料の掛け込み段階で直ちに被保険者に対する給与として課税するのも実情に即さないことから、これを一種の福利厚生費と同視することとしたものである。

以上のことから、福利厚生費が従業員全体の福利のために使用されることを要するのと同様、原則的には従業員の全部を対象として保険に加入する場合を想定しているものと解するのが相当であり、このことは、特定の者のみが対象とされる場合には、その者が受ける経済的利益に対し給与として課税するということからも明らかである。ただ、全従業員を保険に加入させない場合であっても、保険料を一種の福利厚生費と同視する以上、少なくとも全従業員がその恩恵に浴する機会が与えられていることを要することから、それが「合理的な基準により普遍的に設けられた格差」であると認められるときは、福利厚生費として損金算入は認められるが、逆に全従業員を保険に加入させた場合であっても、その全従業員が同族関係者であるような法人には、福利厚生費として損金算入することを認めず、給与として課税することとしたものと認められる（1993年８月24日、裁決事例集 No. 46、177ページを参考に要約）。

なお、支払保険料の額のうち２分の１が損金とされるのは、養老保険の保険料を積立保険料部分と危険保険料部分に配分することが困難であるということから便宜的に２分の１にしているにすぎません。

2-108 普遍的格差の意味

Q 2分の1が損金となる養老保険は、原則、全従業員加入が要件とされていますが、全従業員を対象としなくても合理的な基準により普遍的に設けられた格差の中で加入させているときは、それも認められるとのことです。「普遍的な格差」とは、どういうものですか。

A 法人が支払う養老保険の保険料のうち2分の1を福利厚生費として損金算入するためには、原則として全従業員を保険に加入させる必要があります。しかし、全従業員を保険に加入させない場合であっても、それが合理的な基準により普遍的に設けられた格差であって全従業員にその恩恵に浴する機会が与えられているのであれば、それも認められることとされています。

すなわち、全従業員に対して「保険に加入する機会」が与えられていればよいわけです。

普遍的に設けられた格差を例示すると、次のようなものが考えられます。

① 入社後3年以上の者は全員加入する。

② 満30歳以上の者は全員加入する。

③ 社用車を運転する者は全員加入する。

④ 工事現場で作業する者は全員加入する。

なお、一定の役職以上または男女別に格差を設けるような場合は、普遍的格差には該当せず、給与として課税されることになります。

また、普遍的加入をする場合は、契約締結時だけでなく、契約締結後の新入社員の加入手続及び退職社員の解約手続等も確実にしておく必要があるので、その点に注意が必要です。

2-109 2分の1が損金となる養老保険の保険料の取扱い

Q 法人が支払う生命保険料のうち2分の1が損金となる養老保険の保険料は、税務上どのように取り扱われますか。

A 法人の経理処理はその保険料の支払方法により、次のように処理します。

1 月払い、半年払い、年払いの場合

その支払った保険料の額のうち、2分の1は資産に計上し、残りの2分の1は期間の経過に応じて損金の額に算入します。

借　方		貸　方	
保険積立金（資産計上）	×××	現金及び預金	×××
福利厚生費（損金算入）	×××		

2 一時払いの場合

その支払った保険料の額のうち、2分の1は資産に計上し、残りの2分の1はその支払った日の属する事業年度対応分のみを損金の額に算入し、残りは長期前払費用（資産計上）として処理します。翌事業年度以降は、その事業年度に対応する分を長期前払費用から福利厚生費に振り替えて損金に算入します。

【設例】

1. 契約形態

決算期	3月
保険加入	10月1日
保険料	一時払、5,000,000円

2. 当期の経理

借	方	貸	方
保険積立金	2,500,000円	現金及び預金	5,000,000円
長期前払費用	2,250,000円		
福利厚生費※	250,000円		

※$5,000,000円\times\frac{1}{2}\times\frac{6月}{5年\times12月}=250,000円$

3. 翌期以降の経理

借	方	貸	方
福利厚生費※	500,000円	長期前払費用	500,000円

※$5,000,000円\times\frac{1}{2}\times\frac{12月}{5年\times12月}=500,000円$

2-110 2分の1が損金となる養老保険の配当を受けた場合の取扱い

Q 法人が支払う生命保険料のうち2分の1が損金となる養老保険について、配当を受けた場合は、税務上どのように取り扱われますか。

A 法人が支払う生命保険料のうち2分の1が損金となる養老保険について配当を受けた場合、以下のようになります。

1 現金配当

法人が生命保険契約に基づいて受け取った配当金は、その通知を受けた日の属する事業年度の益金の額に算入します。

借	方	貸	方
現金及び預金	×××	雑収入	×××

2 相殺配当

相殺配当があった場合は、次のように経理処理します。

借	方	貸	方
保険積立金	×××	雑収入	×××
福利厚生費	×××	現金及び預金	×××

3 増加保険

契約者配当の額をもって、いわゆる増加保険の保険料の額に充当することとなっている契約については、いったん契約者配当金を受け取ったうえで、ただちにこの配当金に相当する額を増加保険の保険料に充当したものとして処理します。

借	方	貸	方
保険積立金	×××	雑収入	×××
長期前払費用	×××	現金及び預金	×××
福利厚生費	×××		

❹ 据置配当

借	方	貸	方
配当金積立金	×××	雑　収　入※	×××

※配当に対する利息がある場合、その額を雑収入に含めます。

2-111 2分の1が損金となる養老保険の保険金を受け取った場合の取扱い

Q 法人が支払う生命保険料のうち2分の1が損金となる養老保険の、保険金を受け取った場合、税務上どのように取り扱われますか。

A 法人が支払う生命保険料のうち2分の1が損金となる養老保険の、保険金を受け取った場合、以下のようになります。

---

❶ 満期保険金を受け取った場合

借	方	貸	方
現金及び預金	×××	保険積立金	×××
		配当金積立金	×××
		雑　収　入	×××

（注）保険積立金、配当金積立金は、満期になった保険について資産計上されていた金額です。

❷ 死亡保険金を受け取った場合

死亡保険金は、被保険者の遺族に支払われるので、法人は資産計上された保険積立金、配当金積立金を取り崩す経理処理をします。

借	方	貸	方
雑損失	×××	保険積立金 配当金積立金	××× ×××

2-112 2分の1が損金となる養老保険を解約した場合の取扱い

Q 法人が支払う生命保険料のうち2分の1が損金となる養老保険で、一時払いのものを5年以内に解約した場合、税務上どのように取り扱われますか。

A 一時払いの養老保険のうち、保険期間が5年以下のもの及び保険期間が5年を超えるもので保険期間の初日から5年以内に解約されたものに基づく差益については、金融類似商品として一率20.315%（国税15.315%、地方税5%）が生命保険会社によって源泉徴収されます。

【設例】

一時払養老保険を従業員の退職に伴い、保険契約を3年で解約しました。解約返戻金は源泉徴収税額40,630円を差し引かれ2,959,370円を受け取りました。

保険積立金	400,000円
配当金積立金	100,000円
長期前払費用	2,300,000円

この場合、以下のようになります。

借	方	貸	方
現金及び預金	2,959,370円	保険積立金	400,000円
租税公課	40,630円	配当金積立金	100,000円
		長期前払費用	2,300,000円
		雑収入	200,000円

2-113 短期払保険料

Q 保険料の払込期間が３年、保険期間が10年という養老保険に加入しました。この場合、年払保険料の２分の１を損金の額に算入してもよいですか。

【契約形態】

契約者	法　人
被保険者	役員、従業員
死亡保険金受取人	被保険者の遺族
満期保険金受取人	法　人

A 短期払いの保険料については、通達等での規定はありませんが、一時払いの保険料に準じて取り扱われます。

したがって、年払保険料の２分の１は支払った事業年度には全額損金の額に算入することができず、前払費用として保険期間の経過に応じて損金の額に算入することになります。

【設例】

年払保険料	1,000,000円
払込期間	３年
保険期間	10年

損金に算入できる額 $= 1,000,000$ 円 $\times 3$ 年 $\times \dfrac{12\text{月}}{10\text{年} \times 12\text{月}} \times \dfrac{1}{2} = 150,000$ 円

借	方	貸	方
保険積立金	150,000円	現金及び預金	1,000,000円
福利厚生費	150,000円		
前払費用	700,000円		

2-114 一部一時払保険料

Q 養老保険の保険料の一部を一時払いした場合、税務上どのように取り扱われますか。

【契約形態】

契約者	法　人
被保険者	役員、従業員
死亡保険金受取人	被保険者の遺族
満期保険金受取人	法　人

A 養老保険の保険料の一部を一時払いした場合の経理は、以下のようになります。

1 全員加入の場合

通常の年払契約の場合であれば、この契約形態での保険料は2分の1が資産計上、2分の1が損金の額に算入されます。しかし、一部一時払いの場合の保険料は、その支払った事業年度に保険料の2分の1を損金の額に算入することができず、いったん前払費用に計上しておいて、その後保険期間の経過に応じて前払費用を取り崩して損金の額に算入します。

1. 保険料を支払ったとき

借　方		貸　方	
保険積立金 （資産計上）	×××	現金及び預金	×××
前払費用 （資産計上）	×××		

（注）支払保険料の2分の1を保険積立金、残りの2分の1を前払費用に計上します。

2. 決算のとき

借 方		貸 方	
福利厚生費※ （損金算入）	×××	前払費用	×××

※福利厚生費の額＝前払費用×$\frac{\text{その事業年度の月数}}{\text{一時払保険期間の月数}}$

② 特定の従業員のみ加入の場合

支払保険料の２分の１は保険積立金として資産に計上し、残りの２分の１は給与（給与の取扱いについては、第６章参照）として処理します。この場合の給与の額は保険期間の経過に応じて配分することはせず、保険料を支払った日の属する事業年度に全額計上することになるので注意が必要です。

借 方		貸 方	
保険積立金 （資産計上）	×××	現金及び預金	×××
給与	×××		

2-115 保険料の２分の１が損金とならない養老保険

Q どのような契約形態だと保険料の２分の１を損金処理することができないのでしょうか。また、その場合の養老保険の保険料はどのように取り扱われますか。

A ２分の１が損金とならない養老保険の保険料については、以下のようになります。

 保険料が資産計上される場合

法人が、自己を契約者かつ死亡保険金及び生存保険金の受取人として、役員や従業員（これらの人の親族を含みます）を被保険者とする養老保険に加入したときには、その支払った保険料の額は、保険事故の発生または保険契約の解約や失効によりその保険契約が終了するまでの間、資産に計上しなければならないこととされています。

【設例】

1. 契約形態

契約者	法　人
被保険者	役員、従業員
死亡保険金受取人	法　人
満期保険金受取人	法　人

2. 保険料支払時の経理処理

支払形態にかかわらず保険料の全額を資産に計上します。

借　方		貸　方	
保険積立金	×××	現金及び預金	×××

3. 被保険者の死亡、満期、解約のときの経理処理

受取保険金（または解約返戻金）と資産計上している保険積立金との差額を雑収入として益金計上します。

借　方		貸　方	
現金及び預金	×××	保険積立金	×××
		雑収入	×××

2 保険料が給与とされる場合

法人が、自己を契約者とし、役員や従業員(これらの人の親族を含みます)を被保険者、死亡保険金及び生存保険金の受取人を被保険者またはその遺族とする養老保険に加入したときには、その支払った保険料の額は、その役員や従業員に対する給与（給与の取扱いについては、第6章参照）となります。

【設例】

1. 契約形態

契約者	法　人
被保険者	役員、従業員
死亡保険金受取人	被保険者の遺族
満期保険金受取人	被保険者

2. 保険料支払時の経理処理

借　　方		貸　　方	
給　　与	×××	現金及び預金	×××

(注)給与としての所得税の源泉徴収が必要です。

3. 被保険者の死亡、満期、解約のときの経理処理

被保険者の死亡時または満期のときには、法人の側での経理処理は必要ありません。満期のときには被保険者に一時所得の所得税課税が、死亡のときには被保険者の遺族に相続税の課税がそれぞれ行われます。ただし、保険契約を解約して解約返戻金を法人が受け取ったときは、雑収入として益金計上が必要です。

2-116 保険料の2分の1が損金となる養老保険の保険金額を減額した場合の取扱い

Q 当社は、福利厚生の一環として保険料の2分の1が損金となる養老保険に加入しています。この度、資金繰りの関係から保険金額を減額しようと思います。この場合、税務上どのように取り扱われますか。

A 保険金を減額した場合には、その減額した保険金の掛金は支払う必要がなくなります。

2分の1が損金となる養老保険は、従業員全員が普遍的に恩恵にあずかれる等、福利厚生的な意味合いが強いことから、その保険料の半分を福利厚生費として処理することが認められています。したがって、私見になりますが、2分の1が損金となる養老保険の保険金額を減額した場合の税務上の取扱いは、次のように扱われるものと考えられます。

保険金額の減額が従業員全員一律であり、減額した後に入社した従業員にも同じ内容の保険に加入しているという場合については、特に税務処理の必要はないでしょう。

ただし、減額した後に入社した従業員に対しては同様の保険契約の加入を中止したり、減額前の保険金額が不当に高額で福利厚生目的とはいえないような契約であったり、合理的な理由なく契約を解約するというような場合には、事実認定になるでしょう。

2-117 死亡保険金受取人を被保険者の遺族に変更した場合の取扱い

Q 当社は、全従業員を被保険者とし、死亡保険金及び満期保険金の受取人を当社とする養老保険に加入しています。この度、死亡保険金の受取人だけを従業員の遺族に変更しようと思っています。この場合、税務上どのように取り扱われますか。

A 法人が、自己を契約者で死亡保険金及び満期保険金の受取人とし、役員または従業員を被保険者とする養老保険に加入してその保険料を支払う場合、その支払った保険料の額は、保険事故の発生または保険契約の解除もしくは失効によりその保険契約が終了するまで資産に計上することを要します。

一方、この質問のように、法人が、自己を契約者とし、役員または従業員を被保険者、死亡保険金の受取人を被保険者の遺族、満期保険金の受取人をその法人とする養老保険に加入してその保険料を支払った場合には、その支払った保険料の額のうち2分の1に相当する金額は資産に計上し、残りの2分の1は期間の経過に応じて損金の額に算入することができます。

ただし、この場合でも、役員または特定の従業員のみを被保険者としているときには、その残りの2分の1はその役員または特定の従業員に対する給与となります。

この場合の支払保険料が、全額資産計上されていて、死亡保険金の受取人を変更したとしても契約は終了とならないので、資産に計上したままとなります。なお、変更後の支払保険料については、全従業員を対象とした養老保険ということになるので、2分の1は資産に計上し、残りの2分の1は福利厚生費として損金の額に算入します。

2-118 死亡保険金受取人を法人に変更した場合の取扱い

Q 会社で役員、従業員を被保険者、死亡保険金の受取人を被保険者の遺族、生存保険金の受取人を会社とする養老保険に加入していますが、死亡保険金の受取人を従業員の遺族から法人に変更した場合は、どのように取り扱われますか。

A 法人税では、法人が自己を契約者とし、役員又は使用人を被保険者、死亡保険金の受取人を被保険者の遺族、生存保険金の受取人を法人とする養老保険に加入した場合は、保険料の２分の１を資産に計上し、残りの２分の１を期間の経過に応じて損金の額に算入するものとするとしています。また、法人を契約者、役員又は使用人を被保険者、死亡保険金及び生存保険金の受取人を法人としている場合は、その保険料の額を保険契約が終了するまで資産に計上するものとするとしています。

お尋ねは、これまで損金に算入してきた保険料の２分の１相当額について、何か修正が必要かということだと思うのですが、これまでの処理が正しければ、変更前の期間については、従業員の遺族が死亡保険金を受領する権利を有していたわけですから、特に修正する必要はなく、変更後の期間について、保険料の全額を資産に計上すれば問題ないものと思われます。

ちなみに、変更前の期間については、従業員に経済的利益は生じておらず、所得税が課税されることはありません。

●養老保険契約に係る法人課税関係一覧表

<table>
<tr><th colspan="4">契約内容</th><th colspan="6">法人課税関係</th></tr>
<tr><th rowspan="3">契約者
（保険料負担者）</th><th rowspan="3">被保険者
（従業員）</th><th colspan="2">保険金等受取人</th><th rowspan="3">保険料の取扱い</th><th colspan="5">各種受取金の取扱い</th></tr>
<tr><th rowspan="2">満期
保険金</th><th rowspan="2">死亡
保険金</th><th rowspan="2">満期
保険金</th><th rowspan="2">死亡
保険金</th><th rowspan="2">解約
返戻金</th><th colspan="2">契約者配当金</th></tr>
<tr><th>買増し・相殺</th><th>現金・積立て</th></tr>
<tr><td rowspan="6">法人</td><td rowspan="3">普遍的
加入</td><td colspan="2">法人</td><td>資産計上</td><td colspan="3">〔受取金－資産計上額〕の益金算入</td><td rowspan="3">益金算入のうえ充当した保険料は「保険料の取扱い」による</td><td>資産計上額からの控除も可</td></tr>
<tr><td>法人</td><td>従業員の遺族</td><td>2分の1資産計上
2分の1損金算入</td><td></td><td>資産計上額の損金算入(個人課税あり)</td><td></td><td rowspan="2">益金算入</td></tr>
<tr><td>従業員</td><td>従業員の遺族</td><td>給与</td><td colspan="2">処理なし
（個人課税）</td><td>益金算入</td></tr>
<tr><td rowspan="3">差別的
加入</td><td colspan="2">法人</td><td>資産計上</td><td colspan="3">〔受取金－資産計上額〕の益金算入</td><td rowspan="3">益金算入のうえ充当した保険料は「保険料の取扱い」による</td><td>資産計上額からの控除も可</td></tr>
<tr><td>法人</td><td>特定の従業員の遺族</td><td>2分の1資産計上
2分の1給与</td><td></td><td>資産計上額の損金算入(個人課税あり)</td><td></td><td rowspan="2">益金算入</td></tr>
<tr><td>特定の従業員</td><td>特定の従業員の遺族</td><td>給与</td><td colspan="2">処理なし
（個人課税）</td><td>益金算入</td></tr>
</table>

（注１）「従業員」とは、役員または従業員（これらの人の親族を含みます）を意味します。
（注２）「特定の従業員」とは、役員または部課長その他特定の使用人（これらの人の親族を含みます）を意味します。
（注３）給与の取扱いについては、第６章を参照してください。
（注４）特約保険料の取扱いについては、第５節を参照してください。

第4款　契約者・死亡保険金受取人＝法人、被保険者・満期保険金受取人＝従業員の養老保険（逆タックスハーフプラン）

2-119 保険料の取扱い

Q 契約者・死亡保険金受取人を当社、被保険者・満期保険金受取人を従業員とする養老保険に加入した場合、税務上どのように取り扱われますか。

A 税法上等、この契約形態の取扱いは明らかにされていませんが、別の生命保険の規定から以下のように取り扱われるものと思います(あくまでも私見なので、実際の処理については所轄税務署等にご確認ください)。

---

❶ 法人の税務処理

法人が、自己を契約者及び死亡保険金受取人とし、役員または従業員(これらの親族を含みます）を被保険者及び満期保険金受取人とする養老保険に加入してその保険料を支払った場合、支払った保険料の額のうち２分の１に相当する額はその役員または従業員に対する給与、残りの２分の１は期間の経過に応じて損金の額に算入できるものと思われます（給与の取扱いについては、第６章参照)。

これは、養老保険の保険料が生存保険金に係る保険料と死亡保険金に係る保険料により構成されていることから、生存保険金に係る保険料は、法人税基本通達（以下、法基通）９-３-４「養老保険に係る保険料」(2)を、また終身保険金に係る保険料は法基通９-３-５「定期保険に係る保険料」(1)の取扱いを準用できるのではないかとする考え方に基づいています。

ところで、この契約形態は、２分の１が損金となる養老保険（第３款参照。タックスハーフといいます）の逆パターンといわれているものです。

タックスハーフは、万一の場合の保障と貯蓄との二面性があることから、死亡保険金の受取人が被保険者の遺族で、満期保険金の受取人が保険契約者である法人の場合は、支払保険料のうち、満期保険金に係る積立保険料部分は資産に計上し、死亡保険金に係る危険保険料部分は一種の福利厚生費として期間の経過に応じて損金に算入（普遍的加入でない場合は給与課税）することとされています。

資産計上額と損金算入額がそれぞれ２分の１とされているのは、通常、この養老保険の契約書等では、満期保険金に係る積立保険料部分の保険料と死亡保険金に係る危険保険料部分の保険料との区分が記載されていないということから、簡便的に２分の１とされているためです。

したがって、例えばこの逆パターンの保険料のほとんどが満期保険金に係る積立保険料というような場合であれば、このタックスハーフと同様に、２分の１の割合で処理することが認められるかどうかは疑問が残るところです。

【契約形態】

契約者	法　人
被保険者	役員、従業員
死亡保険金受取人	法　人
満期保険金受取人	役員、従業員

借　方		貸　方	
給与（２分の１相当額）	×××	現金及び預金	×××
保険料（２分の１相当額）	×××		

２ 役員、従業員の税務処理

役員または従業員に対する給与とされる保険料相当額は、通常の給与と合算して所得税の源泉徴収をしなければなりません。

2-120 保険料を一時払いした場合の取扱い

Q 前問の契約形態で、保険料を一時払いした場合は、その保険料はどのように取り扱われますか。

A 前問同様の契約形態で保険料を一時払いした場合は、その保険料のうち２分の１に相当する金額は、その役員または従業員に対する給与（給与の取扱いについては、第６章参照）となります。残りの２分の１に相当する金額は、その保険料を支払った日の属する事業年度の保険期間に対応する保険料を損金に算入し、残額については前払費用として資産計上します。そして、資産計上した前払費用は、翌事業年度以後のそれぞれの保険期間に対応する金額を取り崩して損金の額に算入します。

---

❶ 保険料支払時の経理処理

借　方		貸　方	
給与（２分の１相当額）	×××	現金及び預金	×××
保険料（保険期間対応分）	×××		
前払費用（残額）	×××		

❷ 翌事業年度以降の経理処理

借　方		貸　方	
保険料（保険期間対応分）	×××	現金及び預金	×××

2-121 死亡保険金を法人が受け取った場合の取扱い

Q 2-119 の契約に係る死亡保険金を法人が受け取った場合、税務上どのように取り扱われますか。

A 法人が死亡保険金を受け取った場合の税務処理は、以下のようになります。

---

1 法人の税務処理

養老保険において法人が、自己を契約者及び死亡保険金受取人とし、役員または従業員（これらの親族を含みます）を被保険者及び満期保険金受取人とする養老保険に加入している場合、被保険者である役員または従業員の死亡により死亡保険金を受け取った際の税務処理は次のとおりです。

借　　方		貸　　方	
現金及び預金	×××	雑　収　入	×××

(注)死亡保険金とともに配当金を受け取った場合には、その金額も雑収入に含めます。

2 死亡保険金の益金算入時期

死亡保険金の益金算入時期は、保険会社から通知を受けた日にその支払が確定することになります。したがって、その支払通知書を受け取った日の属する事業年度において収益計上することとなります。

3 受け取った保険金を死亡退職金及び弔慰金として被保険者の遺族に支払った場合

借　　　　方		貸　　　　方	
退　職　金	×××	現金及び預金	×××
弔　慰　金	×××		

(注)役員に支払った退職金のうち、不相当に高額な金額は損金の額に算入されません。

4 死亡退職金等を受け取った人の税務

1. 死亡退職金

被相続人の死亡により、相続人その他の人が死亡退職金でその被相続人の死亡後３年以内に支給が確定したものの支給を受けた場合においては、その死亡退職金を受け取った人は、その死亡退職金を相続または遺贈により取得したものとみなされ、相続税の対象となります。ただし、相続人が受け取った死亡退職金のうち、500万円に法定相続人の数を乗じた金額は非課税となり、相続税の対象から除外されます。

2. 弔慰金

弔慰金は、相続税法上、原則として非課税とされますが、その弔慰金の額が次の金額を超える場合は、その超える金額は退職金として扱われます。

業務上の死亡である場合	被相続人の死亡時の賞与以外の給与の３年分に相当する金額
業務上以外の死亡である場合	被相続人の死亡時の賞与以外の給与の半年分に相当する金額

2-122 満期保険金を従業員が受け取った場合の取扱い

Q 2-119の契約に係る満期保険金を従業員が受け取った場合、税務上どのように取り扱われますか。

A 役員または従業員が受け取った満期保険金は、その役員または従業員の一時所得となり、所得税の対象となります。

所得税の対象となる一時所得の金額は、次の算式で計算をします。

この場合の「その収入を得るために支出した金額」は、役員または従業員において給与課税が行われたものに限られます。

一時所得の金額＝{(総収入金額)－(その収入を得るために支出した金額)－50 万円} $\times\frac{1}{2}$

2-123 配当を受け取った場合の取扱い

Q 配当を受け取った場合、税務上どのように取り扱われますか。

A 法人が、自己を契約者及び死亡保険金受取人とし、役員または従業員（これらの親族を含みます）を被保険者及び満期保険金受取人とする養老保険の配当を受け取った場合には、次の処理をします。

① 現金配当

② 相殺配当

③ 増加保険

④ 据置配当

①から④までは、2-103 の現金配当から据置配当までと同じなので、参照してください。

第3節　定期付養老保険等

第1款　契約者・受取人＝法人、被保険者＝従業員の定期付養老保険等

2-124　定期付養老保険等とは

Q 定期付養老保険等とは、どのような内容の保険ですか。

A 定期付養老保険等とは、主契約を養老保険、特約を定期保険または第三分野保険とする保険をいいます。

定期付養老保険等は、定期保険または第三分野保険と養老保険の組合せなので、税務上も定期保険部分または第三分野保険部分と養老保険部分とに区分して取り扱います。区分がわからない場合は、全体を養老保険とみなして取り扱います。

法人で契約する場合には、契約形態、被保険者の対象者（普遍的加入なのか特定の従業員だけなのか）によって税務上の取扱いが異なるので、ご注意ください。

また、定期付養老保険と類似した保険に定期付終身保険という保険があります。これは、主契約を終身保険、特約を定期保険または第三分野保険とする保険ですが、税務上は定期付養老保険等に準じて取り扱われます。

2-125 保険料の取扱い

Q 契約者・保険金受取人を当社、被保険者を従業員とする定期付養老保険等に加入した場合、税務上どのように取り扱われますか。

【契約形態】

契約者	法　人
被保険者	役員、従業員
死亡保険金受取人	法　人
満期保険金受取人	法　人

A 定期付養老保険等の保険料は、税務上次のように扱われます。

---

❶ 法人の税務処理

法人が、自己を契約者・死亡保険金及び満期保険金の受取人として、役員または従業員（これらの人の親族を含みます）を被保険者とする定期付養老保険等に加入してその保険料を支払った場合には、その払込保険料が生命保険証券等において養老保険部分と定期保険部分または第三分野保険部分とに区分されているときは、養老保険部分の保険料は資産計上し、定期保険部分または第三分野保険部分の保険料は最高解約返戻率に応じた処理をすることになります。処理については、第２章第１節を参照してください。

なお、生命保険証券等において養老保険部分の保険料と定期保険部分または第三分野保険部分の保険料とが区分されていないときは、定期付養老保険の保険料の全額を資産計上します。

❷ 役員、従業員の税務処理

法人が負担した保険料は、被保険者である役員または従業員の給与にはなりません。

2-126 保険料を一時払いした場合の取扱い

Q 前問の契約形態で、保険料を一時払いした場合には、その保険料は税務上どのように取り扱われますか。

A 法人が、自己を契約者・死亡保険金及び満期保険金の受取人として、役員または従業員(これらの人の親族を含みます)を被保険者とする定期付養老保険等に加入して、その保険料を一時払いした場合は次のように扱われます。

---

❶ 定期保険の保険料または第三分野保険の保険料と養老保険の保険料が区分されている場合

1. 定期保険の保険料または第三分野保険の保険料

保険料の取扱いは、その保険契約の最高解約返戻率によって処理が異なります。詳しくは、第2章第1節を参照してください。

2. 養老保険の保険料

養老保険の保険料部分については、支払保険料のうち、支出の日の属する事業年度の保険期間に対応する保険料を保険積立金として資産計上します。未経過保険料については、前払保険料として資産計上をして翌事業年度以後のそれぞれの事業年度の保険期間に対応する前払保険料を保険積立金に振り替えるのが原則ですが、その保険料払込み時に全額を保険積立金として処理することもできます。

① 原則法

借	方	貸	方
保険積立金 （資産計上）	×××	現金及び預金	×××
前払保険料 （資産計上）	×××		

（翌期以後の処理）

借	方	貸	方
保険積立金	×××	前払保険料	×××

② 簡便法

借	方	貸	方
保険積立金 （資産計上）	×××	現金及び預金	×××

2 定期保険の保険料または第三分野保険の保険料と養老保険の保険料の区分がされていない場合

払込保険料の区分がされていない場合は、その保険料の全額を養老保険の保険料として処理します。

2-127 死亡保険金を受け取った場合の取扱い

Q 死亡保険金を受け取った場合は、税務上どのように取り扱われますか。

A 法人が死亡保険金を受け取った場合、以下のようになります。

---

1 法人の税務処理

法人が、自己を契約者・死亡保険金及び満期保険金の受取人とし、役員または従業員（これらの人の親族を含みます）を被保険者とする定期付養老保険等に加入している場合において、被保険者である役員または従業員の死亡により死亡保険金を受け取ったときは、次のように処理をします。

1. 保険差益がある場合

借	方	貸	方
現金及び預金	×××	保険積立金	×××
		雑収入	×××

（注）保険積立金の金額は、死亡保険金を受け取った保険について資産計上していた金額です。

2. 保険差損がある場合

借	方	貸	方
現金及び預金	×××	保険積立金	×××
雑損失	×××		

2 死亡保険金の益金算入時期

死亡保険金の益金算入時期は保険会社から支払通知を受けた日にその支払が確定することになるので、その支払通知を受けた日の属する事業年度において収益計上することが相当と認められます。

3 受け取った保険金を死亡退職金及び弔慰金として被保険者の遺族に支払った場合

借　方		貸　方	
退職金	×××	現金及び預金	×××
弔慰金	×××		

(注)役員に支払った死亡退職金のうち、不相当に高額な金額は損金の額に算入されません。

4 死亡退職金等を受け取った人の税務

1. 死亡退職金

被相続人の死亡により相続人その他の人が死亡退職金で被相続人の死亡後3年以内に支給が確定したものの支給を受けた場合においては、その死亡退職金を受け取った人は、その死亡退職金を相続または遺贈により取得したものとみなされ、相続税の対象となります。ただし、相続人が受け取った死亡退職金のうち、500万円に法定相続人の数を乗じた金額は非課税となり、相続税の対象から除外されます。

2. 弔慰金

弔慰金は、相続税法上原則として非課税とされますが、その弔慰金の額が次の金額を超える場合は、その超える部分の金額は退職金として扱われます。

業務上の死亡である場合	被相続人の死亡時の賞与以外の給与の3年分に相当する金額
業務上以外の死亡である場合	被相続人の死亡時の賞与以外の給与の半年分に相当する金額

2-128 満期保険金を受け取った場合の取扱い

Q 満期保険金を受け取った場合、税務上どのように取り扱われますか。

A 法人が、自己を契約者・死亡保険金及び満期保険金の受取人とし、役員または従業員(これらの人の親族を含みます)を被保険者とする定期付養老保険等に加入している場合において、保険期間の満了に伴う満期保険金を受け取ったときは次のように処理をします。

---

1 保険差益がある場合

借	方	貸	方
現金及び預金	×××	保険積立金 雑収入	××× ×××

(注)保険積立金の金額は満期になった保険について資産計上していた金額です。

2 保険差損がある場合

借	方	貸	方
現金及び預金 雑損失	××× ×××	保険積立金	×××

なお、満期保険金を退職金として支給した場合には、上記の処理をしたうえで次の処理をします。

借	方	貸	方
退職金	×××	現金及び預金	×××

2-129 配当を受け取った場合の取扱い

Q 配当を受け取った場合、税務上どのように取り扱われますか。

A 法人が、自己を契約者・死亡保険金及びの満期保険金の受取人とし、役員または従業員(これらの人の親族を含みます)を被保険者とする定期付養老保険等に加入している場合において、配当を受け取ったときは、次のように処理をします。

---

❶ 現金配当

借	方	貸	方
現金及び預金	×××	雑収入	×××

❷ 相殺配当

借	方	貸	方
保険積立金	×××	雑収入	×××
保険料	×××	現金及び預金	×××

❸ 増加保険

借	方	貸	方
保険積立金	×××	雑収入	×××
保険料	×××	現金及び預金	×××

4 据置配当

借	方	貸	方
配当金積立金	×××	雑　収　入	×××

第２款　契約者＝法人、被保険者・満期保険金受取人＝従業員、死亡保険金受取人＝従業員の遺族の定期付養老保険等

2-130　保険料の取扱い

Q　契約者を当社、被保険者及び満期保険金受取人を従業員、死亡保険金受取人を従業員の遺族とする定期付養老保険等に加入した場合、保険料の処理は、税務上どのように取り扱われますか。

A　法人が、自己を契約者とし、役員または従業員（これらの人の親族を含みます）を被保険者、死亡保険金及び満期保険金の受取人を被保険者またはその遺族とする定期付養老保険等に加入してその保険料を支払った場合には、その保険料の額は次のように扱われます。

---

❶ 定期保険または第三分野保険の保険料と養老保険の保険料が区分されている場合

1．定期保険または第三分野保険の保険料

保険料の取扱いは、その保険契約の最高解約返戻率によって処理が異なります。詳しくは、第２章第１節を参照してください。

ただし、役員または特定の従業員だけを被保険者としている場合は、その役員または従業員に対する給与（給与の取扱いについては、第６章参照）となります。

2．養老保険の保険料

養老保険の保険料部分は、役員または従業員に対する給与（給与の取扱いについては、第６章参照）となります。

2 定期保険または第三分野保険の保険料と養老保険の保険料が区分されていない場合

払込保険料の区分がされていない場合は、その保険料の全額が役員または従業員に対する給与（給与の取扱いについては、第6章参照）となります。

2-131 保険料を年払いまたは一時払いした場合の取扱い

Q 前問の契約形態で、保険料を年払いまたは一時払いした場合、その保険料は税務上どのように取り扱われますか。

A 法人が、自己を契約者とし、役員または従業員（これらの人の親族を含みます）を被保険者、死亡保険金及び満期保険金の受取人を被保険者またはその遺族とする定期付養老保険等に加入してその保険料を支払った場合には、その保険料の額は次のように扱われます。

---

1 年払いの場合

保険料の額については、前問2-130を参照してください。

2 一時払いの場合

1. 定期保険または第三分野保険の保険料と養老保険の保険料が区分されている場合

定期保険部分または第三分野保険部分の保険料を一時払いした場合は、その保険契約の最高解約返戻率によって処理が異なります。詳しくは、第2章第1節を参照してください。

ただし、役員または特定の従業員だけを被保険者としている場合には、その役員または従業員に対する給与(給与の取扱いについては、第６章参照)となるので注意が必要です。

2. 定期保険または第三分野保険の保険料と養老保険の保険料が区分されていない場合

払込保険料の区分がされていない場合は、その保険料の全額が役員または従業員に対する給与（給与の取扱いについては、第６章参照）となります。

2-132 死亡保険金を受け取った場合の取扱い

Q 従業員またはその遺族が死亡保険金を受け取った場合、税務上どのように取り扱われますか。

A 定期付養老保険等において、法人が、役員または従業員（これらの人の親族を含みます）を被保険者とする生命保険契約に加入して、その保険料を負担している場合で、保険事故の発生により役員または従業員その他の人が保険金を取得したときは、次のように取り扱われます。

従業員の死亡により相続人その他の人が保険金を受け取った場合	相続または遺贈により生命保険金を取得したものとみなされ、相続税の対象になる。ただし、法人が死亡保険金を従業員の退職手当金として支給することとしているときは、退職手当金として取得したものとみなして相続税がかかる
従業員の親族の死亡により従業員が保険金を受け取った場合	従業員が受け取った生命保険金は、一時所得として所得税の対象になる。この場合、法人が負担した保険料は、従業員が負担していたものとして取り扱われる
従業員の親族の死亡により従業員以外の人が保険金を受け取った場合	法人が負担した保険料は、従業員が負担していたものとして取り扱われるので、従業員以外の人が受け取った生命保険金は、従業員からの贈与として贈与税の対象となる

2-133 満期保険金を受け取った場合の取扱い

Q 満期保険金を従業員または従業員の親族が受け取った場合、税務上どのように取り扱われますか。

A 2−102と同様、満期保険金を受け取った人によって、税務処理は以下のようになっています。

被保険者及び満期保険金受取人が従業員の場合	従業員が受け取った満期保険金は、一時所得として所得税の対象になる
被保険者が従業員、満期保険金受取人が従業員の親族の場合	従業員の親族が受け取った満期保険金は、従業員からの贈与として贈与税の対象になる
被保険者が従業員の親族、満期保険金受取人が従業員の場合	従業員が受け取った満期保険金は、一時所得として所得税の対象になる
被保険者及び満期保険金受取人が従業員の親族の場合	従業員の親族が受け取った満期保険金は、従業員からの贈与として贈与税の対象になる
被保険者が従業員の親族、満期保険金受取人が従業員及び被保険者以外の場合	従業員及び被保険者以外の人が受け取った満期保険金は、従業員からの贈与として贈与税の対象になる

2-134 配当を受け取った場合の取扱い

Q 配当を受け取った場合、税務上どのように取り扱われますか。

A 法人が、自己を契約者とし、役員または従業員（これらの人の親族を含みます）を被保険者、死亡保険金及び満期保険金受取人を被保険者またはその遺族とする定期付養老保険に加入している場合において、配当を受け取ったときは、次のように処理をします。

❶ 現金配当

法人が生命保険契約に基づいて支払を受けた契約者配当の額については、その通知を受けた日の属する事業年度の益金の額に算入します。

借	方	貸	方
現金及び預金	×××	雑収入	×××

❷ 相殺配当

相殺配当があったときは、次のように処理します。

1. 保険料が養老保険部分と定期保険部分または第三分野保険部分に区分されているとき

借	方	貸	方
保険料	×××	雑収入	×××
給与	×××	現金及び預金	×××

(注)定期保険部分の保険料または第三分野保険の保険料はその定期保険または第三分野保険の最高解約返戻率に応じた処理をします。詳しくは、第2章第1節を参照してください。また、養老保険部分は給与として処理します。
役員または特定の従業員だけに付保する場合は、全額を給与として処理します。

2. 保険料が区分されていないとき

借	方	貸	方
給与	×××	雑収入	×××
		現金及び預金	×××

❸ 増加保険

契約者配当の額をもっていわゆる増加保険の保険料の額に充当すること

となっている契約については、いったん契約者配当金を受け取ったうえで、ただちにこの配当金に相当する額を増加保険の保険料に充当したものとして処理をします。増加した保険の種類が、定期付養老保険の場合は次のような処理になります。

1. 保険料が養老保険部分と定期保険部分または第三分野保険部分に区分されているとき

借　方		貸　方	
保険料	×××	雑収入	×××
給与	×××	現金及び預金	×××

(注)定期保険部分の保険料または第三分野保険の保険料はその定期保険または第三分野保険の最高解約返戻率に応じた処理をします。詳しくは、第2章第1節を参照してください。また、養老保険部分は給与として処理します。
役員または特定の従業員だけに付保する場合は、全額を給与として処理します。

2. 保険料が区分されていないとき

借　方		貸　方	
給与	×××	雑収入	×××
		現金及び預金	×××

4 据置配当

借　方		貸　方	
配当金積立金	×××	雑収入	×××

●定期付養老保険等に係る法人課税関係一覧表（保険料の区分：あり）

<table>
<tr><th colspan="5">契約内容</th><th colspan="9">法人課税関係</th></tr>
<tr><th rowspan="3">契約者
(保険料負担者)</th><th rowspan="3">被保険者
(従業員)</th><th colspan="3">保険金等受取人</th><th colspan="3">保険料の取扱い</th><th colspan="6">各種受取金の取扱い</th></tr>
<tr><th rowspan="2">満期保険金</th><th rowspan="2">死亡保険金</th><th rowspan="2">特約給付金</th><th rowspan="2">養老保険分</th><th rowspan="2">定期保険分</th><th rowspan="2">特約分</th><th rowspan="2">満期保険金</th><th rowspan="2">死亡保険金</th><th rowspan="2">解約返戻金</th><th rowspan="2">特約給付金</th><th colspan="2">契約者配当金</th></tr>
<tr><th>買増し・相殺</th><th>現金・積立て</th></tr>
<tr><td rowspan="12">法人</td><td rowspan="6">普遍的加入</td><td colspan="3">法人</td><td rowspan="2">資産計上</td><td rowspan="6">損金算入（※1）</td><td rowspan="6">損金算入（※2）</td><td colspan="3" rowspan="2">〔受取金−資産計上額〕の益金算入</td><td>益金算入</td><td rowspan="6">益金算入のうえ充当した保険料は「保険料の取扱い」による</td><td rowspan="6">益金算入</td></tr>
<tr><td colspan="2">法人</td><td>従業員</td><td>処理なし</td></tr>
<tr><td rowspan="2">法人</td><td rowspan="2">従業員の遺族</td><td>法人</td><td rowspan="2">2分の1資産計上
2分の1損金算入</td><td rowspan="2"></td><td rowspan="2">資産計上額の損金算入(個人課税あり)</td><td rowspan="2"></td><td>益金算入</td></tr>
<tr><td>従業員</td><td>処理なし</td></tr>
<tr><td rowspan="2">従業員</td><td rowspan="2">従業員の遺族</td><td>法人</td><td rowspan="2">給与</td><td colspan="2" rowspan="2">処理なし
（個人課税）</td><td rowspan="2">益金算入</td><td>益金算入</td></tr>
<tr><td>従業員</td><td>処理なし</td></tr>
<tr><td rowspan="6">差別的加入</td><td colspan="3">法人</td><td rowspan="2">資産計上</td><td rowspan="2">損金算入（※1）</td><td>損金算入（※2）</td><td colspan="3" rowspan="2">〔受取金−資産計上額〕の益金算入</td><td>益金算入</td><td rowspan="6">益金算入のうえ充当した保険料は「保険料の取扱い」による</td><td rowspan="6">益金算入</td></tr>
<tr><td colspan="2">法人</td><td>特定の従業員</td><td>給与</td><td>処理なし</td></tr>
<tr><td rowspan="2">法人</td><td rowspan="2">特定の従業員の遺族</td><td>法人</td><td rowspan="2">2分の1資産計上
2分の1給与</td><td rowspan="2">給与</td><td>損金算入（※2）</td><td rowspan="2"></td><td rowspan="2">資産計上額の損金算入(個人課税あり)</td><td rowspan="2"></td><td>益金算入</td></tr>
<tr><td>特定の従業員</td><td>給与</td><td>処理なし</td></tr>
<tr><td rowspan="2">特定の従業員</td><td rowspan="2">特定の従業員の遺族</td><td>法人</td><td rowspan="2">給与</td><td rowspan="2">給与</td><td>損金算入（※2）</td><td colspan="2" rowspan="2">処理なし
（個人課税）</td><td rowspan="2">益金算入</td><td>益金算入</td></tr>
<tr><td>特定の従業員</td><td>給与</td><td>処理なし</td></tr>
</table>

（注１）「従業員」とは、役員または従業員（これらの人の親族を含みます）を意味します。
（注２）「特定の従業員」とは、役員または部課長その他特定の従業員（これらの人の親族を含みます）を意味します。
（注３）給与の取扱いについては、第６章を参照してください。
（※１）定期保険分は、その定期保険の最高解約返戻率によって処理が異なります。第２章第１節を参照してください。
（※２）特約分は、その内容に応じて養老保険または定期保険の保険料の取扱いに準じた処理をします。

●定期付養老保険等に係る法人課税関係一覧表（保険料の区分：なし）

<table>
<tr><th colspan="5">契約内容</th><th colspan="8">法人課税関係</th></tr>
<tr><th rowspan="3">契約者
（保険料負担者）</th><th rowspan="3">被保険者
（従業員）</th><th colspan="3">保険金等受取人</th><th colspan="2">保険料の取扱い</th><th colspan="6">各種受取金の取扱い</th></tr>
<tr><th rowspan="2">満期
保険金</th><th rowspan="2">死亡
保険金</th><th rowspan="2">特約
給付金</th><th rowspan="2">主契約分</th><th rowspan="2">特約分</th><th rowspan="2">満期
保険金</th><th rowspan="2">死亡
保険金</th><th rowspan="2">解約
返戻金</th><th rowspan="2">特約
給付金</th><th colspan="2">契約者配当金</th></tr>
<tr><th>買増し
・相殺</th><th>現金・
積立て</th></tr>
<tr><td rowspan="12">法人</td><td rowspan="6">普遍的加入</td><td colspan="3">法人</td><td rowspan="2">資産計上</td><td rowspan="6">損金算入
（※）</td><td colspan="3" rowspan="2">〔受取金－資産計上額〕
の
益金算入</td><td>益金算入</td><td rowspan="6">益金算入のうえ充当した保険料は「保険料の取扱い」による</td><td rowspan="2">資産計上額からの控除も可</td></tr>
<tr><td colspan="2">法人</td><td>従業員</td><td>処理なし</td></tr>
<tr><td rowspan="2">法人</td><td rowspan="2">従業員
の遺族</td><td>法人</td><td rowspan="2">２分の１
資産計上
２分の１
損金算入</td><td rowspan="2"></td><td rowspan="2">資産計上額の損金算入（個人課税あり）</td><td rowspan="2"></td><td>益金算入</td><td rowspan="4">益金算入</td></tr>
<tr><td>従業員</td><td>処理なし</td></tr>
<tr><td rowspan="2">従業員</td><td rowspan="2">従業員
の遺族</td><td>法人</td><td rowspan="2">給与</td><td colspan="2" rowspan="2">処理なし
（個人課税）</td><td rowspan="2">益金算入</td><td>益金算入</td></tr>
<tr><td>従業員</td><td>処理なし</td></tr>
<tr><td rowspan="6">差別的加入</td><td colspan="3">法人</td><td rowspan="2">資産計上</td><td>損金算入
（※）</td><td colspan="3" rowspan="2">〔受取金－資産計上額〕
の
益金算入</td><td>益金算入</td><td rowspan="6">益金算入のうえ充当した保険料は「保険料の取扱い」による</td><td rowspan="2">資産計上額からの控除も可</td></tr>
<tr><td colspan="2">法人</td><td>特定の
従業員</td><td>給与</td><td>処理なし</td></tr>
<tr><td rowspan="2">法人</td><td rowspan="2">特定の
従業員
の遺族</td><td>法人</td><td rowspan="2">２分の１
資産計上
２分の１
給与</td><td>損金算入
（※）</td><td rowspan="2"></td><td rowspan="2">資産計上額の損金算入（個人課税あり）</td><td rowspan="2"></td><td>益金算入</td><td rowspan="4">益金算入</td></tr>
<tr><td>特定の
従業員</td><td>給与</td><td>処理なし</td></tr>
<tr><td rowspan="2">特定の
従業員</td><td rowspan="2">特定の
従業員
の遺族</td><td>法人</td><td rowspan="2">給与</td><td>損金算入
（※）</td><td colspan="2" rowspan="2">処理なし
（個人課税）</td><td rowspan="2">益金算入</td><td>益金算入</td></tr>
<tr><td>特定の
従業員</td><td>給与</td><td>処理なし</td></tr>
</table>

(注１)「従業員」とは、役員または従業員（これらの人の親族を含みます）を意味します。
(注２)「特定の従業員」とは、役員または部課長その他特定の従業員（これらの人の親族を含みます）を意味します。
(注３)給与の取扱いについては、第６章を参照してください。
(※)特約分は、その内容に応じて養老保険または定期保険の保険料の取扱いに準じた処理をします。

第 4 節　終身保険

第 1 款　契約者・受取人＝法人、被保険者＝従業員の終身保険

2-135 終身保険とは

Q 終身保険とは、どのような内容の保険ですか。

A 終身保険とは、保険期間を終身とする保険です。定期保険や養老保険のように保険期間の満了または満期というものがありません。

保険事故が発生した場合には必ず保険金が支払われます。

終身保険は、貯蓄性も備えているので、保険期間の中途で解約した場合には、解約返戻金が発生します。

また、終身保険の保険料は、定期保険よりは高く、養老保険よりは安くなっています。

終身保険の税務上の取扱いは明文化されていませんが、貯蓄性があることから養老保険の取扱いに準じて取り扱います。

法人で契約する場合には、契約形態によって税務上の取扱いが異なるので注意してください。

2-136 保険料の取扱い

Q 契約者・保険金受取人を当社、被保険者を従業員とする終身保険に加入した場合の保険料は、税務上どのように取り扱われますか。

【契約形態】

契約者	法　人
被保険者	役員、従業員
死亡保険金受取人	法　人

A 契約者・保険金受取人を法人、被保険者を従業員とする終身保険に加入した場合の保険料の処理は、以下のようになります。

❶ 法人の税務処理

法人が、自己を契約者とし、役員または従業員（これらの人の親族を含みます）を被保険者、死亡保険金の受取人を法人とする終身保険に加入してその保険料を支払った場合の税務上の取扱いは、法人税基本通達には定められていません。保険の性格から養老保険に係る保険料に準じて処理することになります。したがって、その支払った保険料の額は、保険事故の発生または保険契約の解除もしくは失効によりその保険契約が終了するまで資産に計上しなければなりません。

この場合、被保険者が役員または特定の従業員であっても、全従業員が対象であっても処理は同じです。

借	方	貸	方
保険積立金 （資産計上）	×××	現金及び預金	×××

❷ 役員、従業員の税務処理

法人が負担した保険料は、被保険者である役員または従業員の給与にはなりません。

2-137 保険料を一時払いした場合の取扱い

Q 前問の契約形態で、保険料を一時払いした場合には、その保険料は税務上どのように取り扱われますか。

A 法人が、自己を契約者・死亡保険金の受取人とし、役員または従業員(これらの人の親族を含みます)を被保険者とする終身保険に加入してその保険料を支払った場合には、その支払った保険料の額は、資産に計上します。

また、保険料を一時払いした場合は、支払保険料のうち、支出の日の属する事業年度の保険期間に対応する保険料を保険積立金として資産計上します。未経過保険料については、前払保険料として資産計上をして翌事業年度以後のそれぞれの事業年度の保険期間に対応する前払保険料を保険積立金に振り替えるのが原則です。

なお、その保険料払込み時に全額を保険積立金として処理することもできます。

---

1 原則法

借　　方		貸　　方	
保険積立金 （資産計上） 前払保険料 （資産計上）	××× ××× 	現金及び預金	×××

（翌期以後の処理）

借　　方		貸　　方	
保険積立金	×××	前払保険料	×××

2 簡便法

借　　方		貸　　方	
保険積立金 （資産計上）	×××	現金及び預金	×××

2-138 死亡保険金を受け取った場合の取扱い

Q 死亡保険金を受け取った場合、税務上どのように取り扱われますか。

A 法人が死亡保険金を受け取った場合の税務処理は、以下のようになります。

1 法人の税務処理

終身保険において、法人が、自己を契約者及び保険金受取人とし、役員または従業員（これらの人の親族を含みます）を被保険者とする終身保険に加入している場合で、被保険者である役員または従業員の死亡により、死亡保険金を受け取ったときの税務処理は次のとおりです。

1. 保険差益がある場合

借	方	貸	方
現金及び預金	×××	保険積立金	×××
		雑収入	×××

（注）保険積立金の金額は、死亡保険金を受け取った保険について資産計上していた金額です。

2. 保険差損がある場合

借	方	貸	方
現金及び預金	×××	保険積立金	×××
雑損失	×××		

2 死亡保険金の益金算入時期

死亡保険金の益金算入時期は保険会社から支払通知を受けた日にその支払が確定することになります。したがって、その支払通知を受けた日の属する事業年度において収益計上することが相当と認められます。

3 受け取った保険金を死亡退職金及び弔慰金として被保険者の遺族に支払った場合

借	方	貸	方
退職金	×××	現金及び預金	×××
弔慰金	×××		

（注）役員に支払った死亡退職金のうち、不相当に高額な金額は損金の額に算入されません。

死亡退職金等を受け取った人の税務

1. 死亡退職金

被相続人の死亡により、相続人その他の人が死亡退職金で被相続人の死亡後３年以内に支給が確定したものの支給を受けた場合においては、その死亡退職金を受け取った人は、その死亡退職金を相続または遺贈により取得したものとみなされ、相続税の対象となります。ただし、相続人が受け取った死亡退職金のうち、500 万円に法定相続人の数を乗じた金額は非課税となり、相続税の対象から除外されます。

2. 弔慰金

弔慰金は、相続税法上原則として非課税とされますが、その弔慰金の額が次の金額を超える場合は、その超える部分の金額は退職金として扱われます。

業務上の死亡である場合	被相続人の死亡時の賞与以外の給与の３年分に相当する金額
業務上以外の死亡である場合	被相続人の死亡時の賞与以外の給与の半年分に相当する金額

2-139 配当を受け取った場合の取扱い

Q 配当を受け取った場合、税務上どのように取り扱われますか。

A 法人が、自己を契約者及び保険金受取人とし、役員または従業員（これらの人の親族を含みます）を被保険者とする終身保険に加入している場合において、配当を受け取ったときは次のように処理をします。

法人が生命保険契約に基づいて支払を受ける契約者配当金は、その配当を受けた日の属する事業年度の益金の額に算入します。一方、法人を契約者・死亡保険金受取人とする終身保険のようにその契約に係る保険料を全額資産計上しているものについては、その契約者配当の額を資産に計上している保険積立金の額から控除することができます。

---

1 現金配当

借　　　　方		貸　　　　方	
現金及び預金	×××	保険積立金	×××

2 相殺配当

相殺配当の場合には、配当金を差引きした、実際に支払う保険料の額を資産計上します。

借　　　　方		貸　　　　方	
保険積立金	×××	現金及び預金	×××

3 増加保険

契約者配当の額をもって、いわゆる増加保険の保険料の額に充当することになっている契約については、いったん契約者配当金を受け取ったうえで、ただちにこの配当金に相当する額を増加保険の保険料に充当したものとして処理します。この場合、特に仕訳は必要ありません。

4 据置配当

配当については、特に仕訳は必要ありません。配当金に利息がついている場合には、次の処理をします。

借　　　方		貸　　　方	
配当金積立金	×××	雑　収　入 （配当金利息部分）	×××

第2款 契約者＝法人、被保険者＝従業員、保険金受取人＝従業員の遺族の終身保険

2-140 保険料の取扱い

Q 契約者を当社、被保険者を従業員、保険金受取人を被保険者の遺族とする終身保険に加入した場合の保険料は、税務上どのように取り扱われますか。

A 契約者を法人、被保険者を従業員、保険金受取人を被保険者の遺族とする終身保険に加入した場合の取扱いは、以下のようになります。

---

1 法人の税務処理

法人が自己を契約者とし、役員または従業員（これらの人の親族を含みます）を被保険者、死亡保険金の受取人を被保険者の遺族とする終身保険に加入してその保険料を支払った場合には、その支払った保険料の額は、その役員または従業員に対する給与（給与の取扱いについては、第6章参照）となります。

【契約形態】

契約者	法　人
被保険者	役員、従業員
死亡保険金受取人	被保険者の遺族

借	方		貸	方
給	与	×××	現金及び預金	×××

❷ 役員、従業員の税務処理

法人が支払う保険料は、役員または従業員の給与（給与の取扱いについては、第６章参照）となります。

したがって、法人は、その給与とされる保険料相当額を通常の給与と合算した金額に対する所得税を源泉徴収しなければなりません。

2-141 保険料を年払いまたは一時払いした場合の取扱い

Q 前問の契約形態で、保険料を年払いまたは一時払いした場合には、その保険料は税務上どのように取り扱われますか。

A 法人が自己を契約者とし、役員または従業員（これらの人の親族を含みます）を被保険者、死亡保険金の受取人を被保険者の遺族とする終身保険に加入してその保険料を支払った場合には、その支払った保険料の額は、その役員または従業員に対する給与（給与の取扱いについては、第６章参照）となります。

2-142 死亡保険金を受け取った場合の取扱い

Q 従業員または従業員の遺族が死亡保険金を受け取った場合、税務上どのように取り扱われますか。

A 終身保険において、法人が、役員または従業員（これらの人の親族を含みます）を被保険者とする生命保険契約に加入して、その保険料

を負担している場合で、保険事故の発生により役員または従業員その他の人が保険金を取得したときは、次のように取り扱われます。

---

❶ 従業員の死亡により相続人その他の人が保険金を受け取った場合

相続または遺贈により生命保険金を取得したものとみなされ、相続税の対象になります。ただし、法人が死亡保険金を従業員の退職手当金として支給することとしているときは、退職手当金として取得したものとみなして相続税がかかります。

❷ 従業員の親族の死亡により従業員が保険金を受け取った場合

従業員が受け取った生命保険金は、一時所得として所得税の対象になります。この場合、法人が負担した保険料は、従業員が負担していたものとして取り扱われます。

❸ 従業員の親族の死亡により従業員以外の人が保険金を受け取った場合

法人が負担した保険料は従業員が負担していたものとして取り扱われるので、従業員以外の人が受け取った生命保険金は、従業員からの贈与として贈与税の対象となります。

2-143 配当を受け取った場合の取扱い

Q 配当を受け取った場合、税務上どのように取り扱われますか。

A 法人が、自己を契約者とし、役員または従業員（これらの人の親族を含みます）を被保険者、死亡保険金受取人を被保険者の遺族とする終身保険に加入している場合において、配当を受け取ったときは次のような処理をします。

---

❶ 現金配当

法人が生命保険契約に基づいて支払を受ける契約者配当の額については、その通知を受けた日の属する事業年度の益金の額に算入します。

借方		貸方	
現金及び預金	×××	雑収入	×××

❷ 相殺配当

相殺配当があったときは、次のように経理します。

借方		貸方	
給与	×××	雑収入	×××
		現金及び預金	×××

❸ 増加保険

契約者配当の額をもっていわゆる増加保険の保険料の額に充当することとなっている契約については、いったん契約者配当金を受け取ったうえで、ただちにこの配当金に相当する額を増加保険の保険料に充当したものとして処理をします。増加した保険の種類が、養老保険の場合は次のような処理になります。

借	方	貸	方
給与	×××	雑収入 現金及び預金	××× ×××

4 据置配当

借	方	貸	方
配当金積立金	×××	雑収入	×××

●終身保険契約に係る法人課税関係一覧表

<table>
<tr><th colspan="4">契約内容</th><th colspan="7">法人課税関係</th></tr>
<tr><th rowspan="3">契約者
（保険料負担者）</th><th rowspan="3">被保険者
（従業員）</th><th colspan="2">保険金等受取人</th><th colspan="2">保険料の取扱い</th><th colspan="5">各種受取金の取扱い</th></tr>
<tr><th rowspan="2">死亡
保険金</th><th rowspan="2">特約
給付金</th><th rowspan="2">終身
保険
契約分</th><th rowspan="2">特約分</th><th rowspan="2">死亡
保険金</th><th rowspan="2">解約
返戻金</th><th rowspan="2">特約
給付金</th><th colspan="2">契約者配当金</th></tr>
<tr><th>買増し・相殺</th><th>現金・積立て</th></tr>
<tr><td rowspan="8">法人</td><td rowspan="4">普遍的
加入</td><td colspan="2">法人</td><td rowspan="2">資産計上</td><td rowspan="4">損金算入
（※）</td><td colspan="2" rowspan="2">〔受取金−資産計上額〕の
益金算入</td><td>益金算入</td><td rowspan="4">益金算入のうえ充当した保険料は「保険料の取扱い」による</td><td rowspan="2">資産計上額からの控除も可</td></tr>
<tr><td>法人</td><td>従業員</td><td>処理なし</td></tr>
<tr><td rowspan="2">従業員
の遺族</td><td>法人</td><td rowspan="2">給与</td><td rowspan="2">処理なし
（個人課税）</td><td rowspan="2">益金算入</td><td>益金算入</td><td rowspan="2">益金算入</td></tr>
<tr><td>従業員</td><td>処理なし</td></tr>
<tr><td rowspan="4">差別的
加入</td><td colspan="2">法人</td><td rowspan="2">資産計上</td><td>損金算入
（※）</td><td colspan="2" rowspan="2">〔受取金−資産計上額〕の
益金算入</td><td>益金算入</td><td rowspan="4">益金算入のうえ充当した保険料は「保険料の取扱い」による</td><td rowspan="2">資産計上額からの控除も可</td></tr>
<tr><td>法人</td><td>特定の
従業員</td><td>給与</td><td>処理なし</td></tr>
<tr><td rowspan="2">特定の
従業員
の遺族</td><td>法人</td><td rowspan="2">給与</td><td>損金算入
（※）</td><td rowspan="2">処理なし
（個人課税）</td><td rowspan="2">益金算入</td><td>益金算入</td><td rowspan="2">益金算入</td></tr>
<tr><td>特定の
従業員</td><td>給与</td><td>処理なし</td></tr>
</table>

（注１）「従業員」とは、役員または従業員（これらの人の親族を含みます）を意味します。
（注２）「特定の従業員」とは、役員または部課長その他特定の従業員（これらの人の親族を含みます）を意味します。
（注３）給与の取扱いについては、第６章を参照してください。
（※）特約分は、その内容に応じて養老保険または定期保険の保険料の取扱いに準じた処理をします。

第５節　特約保険料

2-144　税務上の特約保険料の取扱い（令和元（2019）年７月８日以後契約分）

Q　特約保険料は、税務上どのように取り扱われますか。

A　法人が、自己を契約者とし、役員または従業員（これらの人の親族を含みます）を被保険者とする特約を付けた養老保険、定期保険、第三分野保険または定期付養老保険等に加入し、その特約（保険給付のある特約に限ります）に係る保険料を支払った場合は、主契約の保険料とは区分して、定期保険等（第１節参照）、養老保険（第２節参照）に準じた取扱いをします。なお、保険給付のない特約（例えば保険料払込免除特約）に係る保険料を支払った場合は、主契約に係る保険料に含めた処理をすることになります。

第 6 節　団体定期保険

2-145 団体定期保険のしくみと税務上の取扱い

Q 団体定期保険のしくみと、支払保険料の税務上の取扱いはどうなっていますか。

A 団体定期保険のしくみと税務上の取扱いは、以下のようになっています。

1 団体定期保険のしくみ

団体定期保険とは、団体選択が可能な団体（職場或いは地域等）の所属員等のうち、一定の資格を有する者を被保険者とし、団体または被保険団体の代表者を保険契約者とする保険期間１年の定期保険をいいます。10名以上の加入者がいれば発足できることとされています。

契約形態は、次の２パターンです。

	パターンⅠ	パターンⅡ
契　約　者	法人（団体）	法人（団体）
被 保 険 者	役員、従業員	役員、従業員
保険金受取人	法人（団体）	被保険者の遺族

❷ 支払保険料

1. 保険金受取人が法人（団体）の場合（前掲表パターンⅠ）

① 法人（団体）の税務

法人が支払う保険料の額は、保険期間の経過に応じて損金の額に算入することができます。ただし、定期保険のうち、超長期の保険については一定の条件のもとに損金算入に限度が設けられています（第２章第１節第７款参照）。

② 役員、従業員の税務

法人が負担した保険料は、被保険者である役員、従業員の給与にはなりません。

2. 保険金受取人が役員、従業員の遺族である場合（前掲表パターンⅡ）

① 法人（団体）の税務

法人が支払う保険料の額は、保険期間の経過に応じて損金の額に算入することができます。ただし、役員または一定の従業員だけを被保険者としている場合は、その役員または従業員に応ずる給与（給与の取扱いについては、第６章参照）とします。

なお、定期保険のうち超長期の保険については、一定の条件の基に損金算入に限度が設けられています（第２章第１節第７款参照）。

② 役員、従業員の税務

法人が負担した保険料は、被保険者である役員、従業員の給与にはなりません。ただし、役員または一定の従業員だけを被保険者としている場合は給与（給与の取扱いについては、第６章参照）になります。

2-146 保険料の一部を役員や従業員が負担する場合の取扱い

Q 団体保険の保険料の一部を役員、従業員が負担する場合、税務上どのように取り扱われますか。

A 団体保険の保険料の一部を役員、従業員が負担する場合は、以下のように取り扱われます。

---

1 給与を支払ったとき

支給する給与の額から役員、従業員が負担する保険料を、預り金で処理します。

借 方		貸 方	
給 与	×××	現金及び預金 預 り 金	××× ×××

2 初回保険料充当金を支払ったとき

法人が負担する保険料の額を仮払金で処理し、役員、従業員が負担する保険料の額は給与時に預かった預り金を減らします。

借 方		貸 方	
仮 払 金 預 り 金	××× ×××	現金及び預金	×××

3 契約予定日を迎えたとき

仮払金を、保険料に振り替えます。

借	方	貸	方
保険料	×××	仮払金	×××

4 2回目以降保険料を支払ったとき

借	方	貸	方
保険料 預り金	××× ×××	現金及び預金	×××

5 配当金を受け取ったとき

配当金のうち、法人が負担した保険料に相当する部分は雑収入として益金の額に算入し、役員、従業員が負担した保険料に相当する部分は預り金として処理します。

借	方	貸	方
現金及び預金	×××	雑収入 預り金	××× ×××

6 役員、従業員分の配当金を分配したとき

借	方	貸	方
預り金	×××	現金及び預金	×××

2-147 子会社の従業員を被保険者とした場合の取扱い

Q 子会社の役員や従業員を被保険者として親会社が団体定期保険に加入しました。この場合、税務上どのように取り扱われますか。

A 子会社の役員や従業員を被保険者として親会社が団体定期保険に加入した場合は、以下のように取り扱われます。

1 保険料を支払ったとき

1. 親会社

親会社が子会社の役員、従業員を被保険者とする団体定期保険の保険料を負担した場合の負担金額は、販売奨励金等に該当します。したがって、法人が支払う保険料の額は、保険期間の経過に応じて損金の額に算入することができます。

ただし、子会社の役員または一定の従業員だけを被保険者として法人が保険料を支払ったときは、その保険料の額は交際費等に該当することとなります。この交際費は他の交際費と合算して、その合計額が交際費の損金算入限度額を超えるものは、損金の額に算入されません。

① 全員加入した場合

借　方		貸　方	
保険料	×××	現金及び預金	×××

② 役員または一定の従業員だけ加入した場合

借　方		貸　方	
交際費	×××	現金及び預金	×××

2. 子会社

子会社は、特に経理処理を要しません。

2 配当金を受け取ったとき

1. 親会社

親会社が配当金を受け取った場合は、その配当金の額はその配当の通知を受けた日の属する事業年度の益金の額に算入します。

借方		貸方	
現金及び預金	×××	雑収入	×××

2. 子会社

子会社は、特に経理処理を要しません。

2-148 役員・従業員の家族を被保険者とする保険料の取扱い

Q 役員または従業員の配偶者やその親族を被保険者として法人が保険に加入した場合、税務上どのように扱われますか。

A 役員または従業員の配偶者やその親族を被保険者として法人が保険に加入した場合は、以下のように取り扱われます。

---

1 保険金の受取りが法人である契約

1. 支払保険料

法人が契約者、保険金の受取人になり、役員または従業員の親族を被保険者として団体定期保険に加入して保険料を支払ったときは、その支払った保険料の額は、期間の経過に応じて損金の額に算入されます。

借	方	貸	方
保　険　料	×××	現金及び預金	×××

2. 保険金

法人が受け取った保険金は、雑収入として益金の額に算入します。

借	方	貸	方
現金及び預金	×××	雑　収　入	×××

2 保険金の受取りが被保険者の家族である契約

1. 支払保険料

法人が契約者、役員または従業員の親族を被保険者、被保険者の家族を保険金の受取人として、法人が団体定期保険に加入した場合、法人が支払う保険料の額は、期間の経過に応じて損金の額に算入されます。

ただし、役員または特定の従業員の親族だけを被保険者にしているときは、その保険料の額は、その役員または特定の従業員に対する給与（給与の取扱いについては、第6章参照）になります。

2. 保険金

① 法人の処理

法人は、特に処理を要しません。

② 被保険者の家族

役員または従業員が保険金を受け取ったときは、その受け取った保険金は、役員または従業員の一時所得として所得税、住民税の対象になります。

また、役員、従業員以外の人が受け取ったときは、その受け取った人には贈与税が課税されることになります。

2-149 集団定期保険の保険料の取扱い

Q 集団定期保険の保険料は、税務上どのように取り扱われますか。

A 集団定期保険とは、個々の定期保険に集団扱特約を付し、ある一定数以上の集団を対象とする保険をいい、一定の加入人員数以上になれば保険料の割引があります。集団定期保険の保険料は、以下のように取り扱われます。

---

1 保険料を支払ったとき

法人が、役員または従業員を被保険者とし、死亡保険金受取人を法人とする集団定期保険に加入して保険料を支払った場合は、その支払った保険料の額は、保険期間の経過に応じて損金の額に算入することができます。

借　　　　　　方		貸　　　　　　方	
保　険　料 （損金算入）	×××	現金及び預金	×××

❷ 解約したとき

法人が、集団定期保険契約を解約もしくは保険金額の減額等をして、これにより解約返戻金が生じた場合には、その解約返戻金の支払を受けた日の属する事業年度において益金の額に算入することになります。

借　　　　　　方		貸　　　　　　方	
現金及び預金	×××	雑　収　入	×××

第7節　外貨建ての生命保険

2-150 外貨建ての生命保険とは

Q 外貨建ての生命保険というものがあるそうですが、どのような内容のものなのですか。

A 外貨建ての生命保険とは、払込保険料、保険金の支払等が外貨によって行われる保険です。払い込んだ保険料は、外貨建てで米国国債等に運用されます。

また、この外貨建て生命保険には円換算特約をつけることができ、その場合には、外貨ではなく換算基準日における換算レートにより外貨を円に換算した金額で、保険料の支払や保険金の受取りができることとなっています。

この場合には、円を外貨に、また外貨を円に換算するので為替変動によりリスクの生じる場合があります。

2-151 保険料の取扱い

Q 外貨建ての生命保険の保険料は、税務上どのように取り扱われますか。

A 外貨建ての生命保険の保険料は、以下のように取り扱われます。

---

❶ 外貨建ての保険料

円換算特約を付さない限り、外貨で保険料を支払うという生命保険については、主要取引金融機関が公表している電信売相場（TTS）と電信買相場（TTB）の仲値（TTM）により保険料を換算し、その金額をもとに、各保険の種類及び契約形態等に応じた処理をします（第２章第１節以降参照、下記❷において同じ）。

❷ 円換算特約により円で支払うこととしている場合

外貨建ての生命保険に円換算特約を付したため、保険料を円で支払うこととなっている場合には、その払い込んだ金額を基に各保険の種類及び契約形態等に応じた処理をします。

2-152 保険金（解約返戻金）を受け取った場合の取扱い

Q 外貨建ての生命保険の保険金を受け取った場合、税務上どのように取り扱われますか。

A 外貨建ての生命保険の保険金を受け取った場合は、以下のように取り扱われます。

---

1 外貨建ての場合

円換算特約を付さない限り、外貨で保険金を受け取ることになっている生命保険については、保険会社の支払基準日における主要取引金融機関が公表している電信売相場（TTS）と電信買相場（TTB）の仲値（TTM）により円換算した保険金額を、保険会社から支払通知を受けた日の収益の額に計上します。

2 円換算特約により円で受け取ることとしている場合

外貨建ての生命保険に円換算特約を付したため、保険金を円で受け取ることとなっている場合には、その受け取った金額を保険会社から支払通知を受けた日の収益の額に計上します。

2-153 契約者貸付けを受けた場合の取扱い

Q 外貨建ての生命保険で契約者貸付けを受けた場合、税務上どのように取り扱われますか。

A 外貨建ての生命保険で契約者貸付けを受けた場合は、以下のように取り扱われます。

---

1 契約者貸付けを受けた場合

1. 外貨建ての場合

円換算特約を付さない限り、外貨で契約者貸付けが行われる生命保険については、その契約者貸付けを受けた日における主要取引金融機関が公表している電信売相場（TTS）と電信買相場（TTB）の仲値（TTM）により円換算した金額を借入金として計上します。

2. 円換算特約が付されている場合

円換算特約が付されており、円で契約者貸付けを受けた場合には、その金額を借入金として計上します。

2 契約者貸付けを返済する場合

1. 外貨建ての場合

契約者貸付けを外貨で返済する場合には、その返済する契約者貸付け金額及び支払利息の金額は、その契約者貸付けを返済する日の為替レート（TTM）で円換算した金額で計上します。

2. 円換算特約が付されている場合

円換算特約が付されており、円で契約者貸付け及び支払利息を支払うこととされている場合は、その金額で計上します。

第8節　保険契約の解約、変更等

2-154 保険料払込み後に不承諾になった場合の取扱い

Q 当社は3月決算ですが、決算対策で役員を被保険者とする生命保険（全額損金プラン）に入ろうと、3月に申込書を提出し、検診を受け、保険料の支払を済ませました。すると、4月に入り、「検診結果が悪く、契約不承諾になった」とのことで返金を受けました。どのように処理をすればよいですか。

A 契約不承諾の通知または返金が決算確定前か後かで、次のように処理内容が違ってきます。

---

1 契約不承諾の通知または返金が決算確定前のとき

契約不承諾の通知または返金が決算確定前のときは、次のように処理をします。

1. 保険料支払時の経理処理

借　方		貸　方	
支払保険料	×××	現金及び預金	×××

2. 期末までに契約不承諾の通知があったとき

借　方		貸　方	
預け金	×××	支払保険料	×××

3. 期末までに返金があったとき

借	方	貸	方
現金及び預金	×××	預け金	×××

4. 決算確定前までに契約不承諾の通知があったとき

借	方	貸	方
預け金	×××	支払保険料	×××

※決算確定前までに契約不承諾の通知があったときは、期末に上記の修正仕訳をします。

5. 返金があったとき

借	方	貸	方
現金及び預金	×××	預け金	×××

2 契約不承諾の通知または返金が決算確定後のとき

契約不承諾の通知または返金が決算確定後のときは、修正申告をすることになります。この場合には、前事業年度の確定申告の別表四で「支払保険料否認」として加算処理を行い、当事業年度で「支払保険料容認」として減算処理を行います。

なお、当事業年度では、返金を受けた時に次の処理を行います。

借	方	貸	方
現金及び預金	×××	雑収入	×××

2-155 保険金を減額した場合の取扱い

Q 保険金の減額をした場合、税務上どのように取り扱われますか。

A 保険金額の減額は、保険契約の一部解約と同じなので、解約の場合に準じて処理をします。

つまり、減額に伴う減額返戻金を法人が受け取った場合には、その減額返戻金を受け入れるとともに、資産に計上されている保険積立金を取り崩し、差額を雑収入または雑損失として処理します。

借　方		貸　方	
現金及び預金	×××	保険積立金	×××
雑損失	×××		

この場合の保険積立金の取崩し額は、次の算式で計算します。

$$\text{保険積立金の取崩し額} = \text{その保険契約についての保険積立金の総額} \times \frac{\text{減額した保険金額}}{\text{減額前保険金額}}$$

なお、支払保険料相当額を役員または従業員に対する給与として課税されていた場合には、減額に伴う返戻金の帰属は役員、従業員にあると考えられがちですが、減額する請求権を有しているのは契約者である法人なので、減額に伴う返戻金は法人が受け取ることになります。

借　方		貸　方	
現金及び預金	×××	雑収入	×××

また、法人が受け取った減額返戻金に相当する額を役員、従業員に支払ったときは、その役員、従業員に対する給与（給与の取扱いについては、第6章参照）として扱われます。

借　　　　方		貸　　　　方	
給　　　与	×××	現金及び預金	×××

このように、支払保険料相当額が給与となる保険契約を解約したときは、法人にも個人にも課税関係が生じてしまうので、注意しなければなりません。

なお、解約時までに役員、従業員が給与として課税されてきた税金については、保険契約を解約しても精算はされません。

2-156 給与扱いになる契約に変更した場合の取扱い

Q 会社が保険料を負担してきた養老保険の受取人を変更しようと思います。この場合、税務上どのように取り扱われますか。

【契約形態】

	変更前	変更後
契約者	法　人	法　人
被保険者	役員、従業員	役員、従業員
死亡保険金受取人	法　人	役員、従業員の遺族
満期保険金受取人	法　人	役員、従業員

A 変更前の契約形態では、法人が支払った保険料は資産計上されますが、変更後の契約形態では、給与となります。

契約変更する方法には、有償でする場合、無償でする場合の二つがあります。

---

1 有償の場合

法人の資産に計上されてきた保険積立金を取り崩し、契約変更時の解約返戻金に相当する額を役員、従業員から現金等で受け入れ、差額がある場合は雑収入または雑損失で処理します。

なお、役員または従業員から受け入れる現金等が契約変更時の解約返戻金相当額に満たないときは、その差額は給与（給与の取扱いについては、第6章参照）となります。

借　方		貸　方	
現金及び預金	×××	保険積立金	×××
		雑収入	×××

2 無償の場合

法人の資産に計上されてきた保険積立金を取り崩し、契約変更時の解約返戻金に相当する額を給与（給与の取扱いについては、第6章参照）とし、差額がある場合は雑収入または雑損失として処理します。

借　方		貸　方	
給与	×××	保険積立金	×××
		雑収入	×××

3 自動振替貸付けのある場合

借　方		貸　方	
現金及び預金	×××	保険積立金	×××
雑損失	×××	支払利息	×××
借入金	×××		

2-157 損金算入できる契約に変更した場合の取扱い

Q 養老保険の保険料の税務処理が、契約形態によって異なることを知らずに保険に加入しました。現状の契約形態では保険料相当額は資産計上しなければなりません。損金として処理できるようにするにはどうすればよいですか。なお、保険には全員が加入しています。

【契約形態】

契約者	法　人
被保険者	役員、従業員
死亡保険金受取人	法　人
満期保険金受取人	法　人

A 以下のように契約を変更します。

---

❶ 保険料の2分の1を損金とする契約

保険料の2分の1を損金とするには、契約形態の死亡保険金受取人を法人から被保険者の遺族に変更しなければなりません。また、その場合の修正経理は次のように処理します。

借　方		貸　方	
福利厚生費	×××	保険積立金	×××

(注)支払保険料の2分の1に相当する額を保険積立金から福利厚生費に振り替えます。

なお、特定の役員、従業員にだけ保険料を支払っている場合は、福利厚生費にはならず、給与(給与の取扱いについては、第6章参照)になります。

❷ 保険料の全額を損金とする契約

保険料の全額を損金とするには、その契約形態の死亡保険金受取人を法人から被保険者の遺族に、満期保険金受取人を役員、従業員に変更する必要があります。

この場合には、法人で支払った保険料は給与として取り扱われ、役員または従業員については給与について所得税が課税されます。

修正経理は、次のように処理します。

借　　　方		貸　　　方	
給　　与	×××	保険積立金	×××

2-158 転籍に伴い契約変更した場合の取扱い

Q A社の役員・従業員が子会社のB社に転籍することになり、保険契約の名義を変更しました。この場合、税務上どのように取り扱われますか。

A 転籍に伴い契約変更した場合は、以下のように取り扱われます。

1 死亡保険金の受取人が法人である契約

（契約変更内容）

	変更前	変更後
契約者	A社	B社
死亡保険金受取人	A社	B社

1．有償譲渡

① A社の処理

A社の保険契約をB社に有償で譲渡するときは、A社は譲渡代金を受け入れるとともに、資産計上されていた保険積立金、配当金積立金を取り崩し、差額を雑収入または雑損失として計上します。

借　　方		貸　　方	
現金及び預金	×××	保険積立金	×××
		配当金積立金	×××
		雑収入	×××

なお、譲渡代金は、その保険契約を変更するときにおける解約返戻金によって行っているときは税務上問題ありませんが、解約返戻金より譲渡代金のほうが低いときは、差額は寄付金とされることがあります。

② B社の処理

借　　方		貸　　方	
保険積立金	×××	現金及び預金	×××
配当金積立金	×××		
雑損失	×××		

2. 無償譲渡

① A社の処理

保険契約を変更するときにおける解約返戻金、積立配当金、前納保険料は寄付金とされ、資産計上されていた保険積立金、配当金積立金を取り崩し、差額は雑損失または雑収入として処理します。

借　　方		貸　　方	
寄付金	×××	保険積立金	×××
雑損失	×××	配当金積立金	×××

② B社の処理

保険契約を変更するときにおける解約返戻金に相当する額を保険積立金に、積立配当金を配当金積立金として資産に計上し、その同額を雑収入として益金の額に算入します。

借　　方		貸　　方	
保険積立金	×××	雑収入	×××
配当金積立金	×××		

❷ 死亡保険金の受取人が役員、従業員の遺族である契約

（契約変更内容）

	変更前	変更後
契約者	A社	B社

この契約の変更は、保険料については給与とされていることから処理は特に要しません。配当金積立金が資産に計上されているときに限り、以下の処理が必要になります。

1. 有償譲渡

① A社の処理

A社は譲渡代金を受け入れるとともに、資産計上されていた配当金積立金を取り崩し、差額があれば雑収入または雑損失として処理します。この場合、配当金積立金を取り崩した額と譲渡代金との間に差があるときは、税務上寄付金とされることがあります。

② B社の処理

契約変更時の配当金積立金を資産に計上し、その額と譲渡代金との間に差があるときは、雑収入または雑損失として処理をします。

2. 無償譲渡

① A社の処理

資産計上されている配当金積立金を取り崩し、その同額は寄付金とされます。

借方		貸方		
寄付金	×××	雑収入	×××	（解約返戻金相当額）

② B社の処理

契約変更時の配当金積立金を資産に計上し、同額を雑収入として益金の額に算入します。

借　　　　方		貸　　　　方		
保険積立金	×××	雑　収　入	×××	（解約返戻金相当額）

（注）期末における解約返戻金相当額がこの金額を下回った場合は、その差額を損金の額に算入します。

2-159 退職に伴い契約変更した場合の取扱い

Q 当社の役員・従業員が退職することになり、退職金の一部として保険契約の名義を変更して支給しました。この場合、税務上どのように取り扱われますか。

A 退職金の一部として保険契約の名義を変更して支給した場合は、以下のように取り扱われます。

---

1 死亡保険金の受取人が法人である契約

（契約変更内容）

	変更前	変更後
契約者	法　人	役員、従業員
死亡保険金受取人	法　人	役員、従業員の遺族

保険契約の権利を退職金の一部として支給するような場合、税務上、その権利は支給時にその契約を解除したとした場合に支払われる解約返戻金の額（前納保険料の金額や剰余金の分配額等があるときは合計します）によって評価されます。

したがって、処理としては、資産計上されている保険積立金を取り崩し、保険積立金と税務上の評価額、つまり解約返戻金との差額は雑収入または雑損失とします。

【設例】

退職金	1,000,000円
保険積立金	600,000円
解約返戻金	700,000円
現金支給	300,000円

借方		貸方	
退職金	1,000,000円	保険積立金	600,000円
		現金及び預金	300,000円
		雑収入	100,000円

❷ 死亡保険金の受取人が役員、従業員の遺族である契約

（契約変更内容）

	変更前	変更後
契約者	法人	役員、従業員

死亡保険金の受取人が役員、従業員の遺族である契約については、その保険料が支払われたときに役員、従業員に対する給与として課税されているため、契約者の変更に伴う処理は必要ありません。

ただし、契約者の名義を変更するときに配当金積立金が資産に計上されている場合には、その配当金積立金を取り崩し、同額を雑損失として処理します。

借方		貸方	
雑損失	×××	配当金積立金	×××

第9節 法人契約から個人契約への名義変更（名義変更プラン）

第1款 原則的な取扱い

2-160 法人が生命保険の名義を個人に変更し、個人がそれを解約した場合の取扱い

Q 法人契約の生命保険を個人に名義変更し、それを解約した場合は、税務上どのように取り扱われますか。

A 法人から個人に名義変更したとき及び個人がその契約を解約したときに課税関係が生じます。

---

❶ 法人から個人に名義変更をしたとき

1. 無償で名義変更した場合

法人から個人へ無償で契約の名義を変更した場合は、変更時におけるその契約の解約返戻金相当額（解約返戻金のほかに支払われる前納保険料の金額、剰余金の分配額等がある場合は、これらの金額との合計額（支給時解約返戻金の額）。以下この節において同じ）がその個人に対する給与または退職金として課税されることになります。

2. 有償で譲渡して名義変更した場合

法人から個人へ有償で保険契約を譲渡して名義変更をした場合は、その譲渡金額が適正な対価（譲渡時におけるその契約の解約返戻金相当額）であれば課税関係が生じませんが、譲渡金額が適正な対価より高かったり低

かったりする場合は、その内容によって課税関係が生じてきます。

2 個人が契約を解約したとき

1. 無償で名義変更をした場合

法人から個人へ無償で名義変更した契約を個人が解約した場合は、所得税（一時所得）が課税されることになります。

一時所得の金額は、以下の算式で計算をしますが、この場合の「その収入を得るために支出した金額」は、契約を変更したときに課税された解約返戻金相当額と契約変更後に個人が支出した保険料の合計額となります。

2. 有償で名義変更をした場合

法人から個人へ有償で名義変更した契約を個人が解約した場合は、所得税（一時所得）が課税されることになります。

この場合の一時所得の金額を計算する場合の「その収入を得るために支出した金額」は、契約を変更した際に支払った譲渡金額と契約変更後に個人が支出した保険料の合計額となります。

$$\text{一時所得の金額} = \{(\text{総収入金額}) - (\text{その収入を得るために支出した金額}) - 50\text{万円}\} \times \frac{1}{2}$$

第２款　例外的な取扱い（令和３（2021）年７月１日以後の名義変更）

2-161　改正になった名義変更の取扱い

Q　会社が契約した生命保険を個人に名義変更した場合の取扱いが変更になったそうですが、どのようになったのですか。

A　いわゆる低解約返戻金型保険を名義変更する場合の取扱いが定められました。

令和３年６月25日、所得税基本通達36−37（保険契約等に関する権利の評価）が改正されました。パブリックコメントによる意見公募を経ての改正で、いわゆる低解約返戻金型保険を使った名義変更プランの取扱いがこれにより封じ込められることとなりました。

対象となる保険契約は、令和３（2021）年７月１日以後に名義変更をするもので、定期保険等の保険料に相当多額の前払部分の保険料が含まれる場合の取扱い（法基通９-３-５の２）の適用を受けるものに限られます。

法基通９-３-５の２（定期保険等の保険料に相当多額の前払部分の保険料が含まれる場合の取扱い）の適用を受けない保険契約を名義変更する場合は、これまでどおりの取扱いになりますので、前問を参照ください。

2-162　改正の契機になった取引の概要

Q　どうして通達が改正されたのですか。

A 契約当初数年間の解約返戻金の額が低く設定された、いわゆる「低解約返戻金型保険」を使った節税対策に歯止めをかけるため、通達が改正されました。

改正の契機になった取引の流れは、おおむね次のようなものでした。

①	法人が、契約当初数年間の解約返戻金の額が低く設定された、いわゆる「低解約返戻金型保険」に加入して、数年間の保険料を払い込む。
②	低解約返戻期間の間に保険契約者の地位を法人から個人に移転する。
③	契約者が個人になった後、個人が１回程度保険料を支払い、返戻額が高額になったところで保険契約を解約する。

法人と個人の課税関係と税効果は、概略次のとおりです。

【設例】

・保険の種類　　低解約返戻金型保険

・支払保険料　　100万円（損金計上10万円、資産計上90万円）

・最高解約返戻率　100%

・各年の解約返戻率と資産計上額

	解約返戻率	資産計上額	損金計上額
1年目	0%	90万円	10万円
2年目	5%	180万円	20万円
3年目	10%	270万円	30万円
4年目	20%	360万円	40万円
5年目	100%	個人が支払い	

・契約者を法人から個人へ移転　　4年目

・移転時の評価額（解約返戻金相当額）　80万円（100万円×4年×20%）

・個人が契約を解約　　5年目

［法人］

·	個人への保険契約の移転は、解約返戻金相当額なので課税関係なし
·	保険契約移転に係る損金計上額は 320 万円（40 万円＋360 万円－80 万円）
·	支払保険料の合計額は 4 年で 400 万円
·	損金算入割合は 80%（320 万円/400 万円）

［個人］

·	法人からの保険契約の移転は、解約返戻金相当額なので課税関係なし
·	比較的低額（80 万円）の解約返戻金相当額で保険契約が移転できる
·	契約を解約した場合の所得は一時所得となり、135 万円〔{(100 万円×5 年×100%)－(80 万円＋100 万円)－50 万円(特別控除額)}÷2〕が課税の対象になる
·	少額のコスト（180 万円（80 万円＋100 万円））で多額の解約返戻金（500 万円）が取得できる

［税効果］

·	法人では多額の金額が損金に算入される
·	法人から個人に無税で資金移転ができる
·	個人が保険契約を解約した場合は一時所得課税となり、課税所得金額はその半額になる
·	法人から個人に低コストで多額の資金が移転できる

2-163 改正の内容

令和 3 年 6 月 25 日に通達が改正されたと聞きました。どのような内容になったのですか。

A 低解約返戻金型保険など解約返戻金の額が著しく低いと認められる保険契約等については、支給時解約返戻金の額で評価せず、支給時資産計上額により評価することとされました。

改正通達では、原則的な取扱いは従来どおりとし、法人税基本通達 9 - 3 - 5 の 2（定期保険等の保険料に相当多額の前払部分の保険料が含まれる場

合の取扱い）の適用を受ける保険契約等については、次の取扱いをすることとされました。

①	支給時解約返戻金の額が支給時資産計上額の70%に相当する金額未満である保険契約等に関する権利を支給した場合には、その支給時資産計上額により評価する
②	復旧することのできる払済保険その他これに類する保険契約等に関する権利を支給した場合には、支給時資産計上額に法人税基本通達9-3-7の2（払済保険へ変更した場合）の取扱いにより使用者が損金に算入した金額を加算した金額により評価する

（注1）使用者は、法人又は個人を問いません。
（注2）支給時資産計上額とは、使用者が支払った保険料の額のうちその保険契約等に関する権利の支給時の直前において前払保険料として法人税基本通達の取扱いにより資産に計上すべき金額をいい、預け金などで処理した前納保険料の金額、未収の剰余金の分配額等がある場合には、これらの金額を加算した金額をいいます。
（注3）復旧することのできる払済保険その他これに類する保険契約等とは、保険契約等を変更した後、元の保険契約等に戻すことができる保険契約等の全てが含まれます。
（注4）法人が他の法人に保険契約等に関する権利を移転する場合も同じ取扱いになります。

2-164　支給時解約返戻金の額と支給時資産計上額

Q　支給時解約返戻金の額と支給時資産計上額は、どの額をいいますか。

A　支給時解約返戻金の額は原則的取扱い、支給時資産計上額は例外的取扱いにおける評価額です。

1　支給時解約返戻金の額

支給時解約返戻金の額とは、その保険契約等を解除したとした場合に支払われることとなる解約返戻金の額（解約返戻金のほかに支払われることとなる前納保険料の金額、剰余金の分配額等がある場合には、これらの金額との合計額）をいいます。

前納保険料とは、解約時に解約返戻金とともに保険会社から返還される保険料をいいます。

2 支給時資産計上額

支給時資産計上額とは、使用者が支払った保険料の額のうち、その保険契約等に関する権利の支給時の直前において、前払部分の保険料として資産に計上すべき金額をいい、預け金等で処理した前納保険料の金額、未収の剰余金の分配額等がある場合は、これらの金額を加算した金額をいいます。

なお、この場合の前払部分の保険料として資産に計上すべき金額は、年払保険を期間対応で処理する場合と短期の前払保険料として処理する場合とでは金額が異なりますが、使用者が選択した経理方法によって資産計上している金額によることとなります。

また、預け金等で処理した前納保険料の金額、未収の剰余金の分配額等は加算することとされていますが、この加算する金額には、据置保険金など保険契約上の地位（権利）の支給により、役員等に移転する全ての経済的利益の額も含まれることになります。

2-165 改正の効果

Q 通達改正の効果は、どのようになっていますか。

A 税効果は、ほとんどなくなりました。

通達の改正前と改正後の効果を2-162の設例で見てみると、次のようになっており、税効果はほぼなくなりました。

①	保険契約を移転する場合の個人の負担が大きくなった		
	課税関係が生じない契約移転時の評価額	改正前	80 万円
		改正後	360 万円（360 万円×70%>80 万円）
②	法人における損金算入額及び損金算入割合が、大幅に減少することになった		
	損金算入額と損金算入割合	改正前	320 万円、80%（320 万円/400 万円）
		改正後	40 万円、10%（40 万円/400 万円）
③	個人が解約返戻金を取得するのに支出する金額が大幅に増えることとなった		
	個人の支出金額	改正前	180 万円（80 万円+100 万円）
		改工後	460 万円（360 万円+100 万円）

2-166 施行日とその前後の取扱い

Q 施行日とその前後の取扱いは、どのようになりますか。

A この通達は、令和３年７月１日以後に行う保険契約等に関する権利の支給について適用されます。

改正後の通達は、令和３年７月１日以後に行う保険契約等に関する権利の支給について適用されますが、法人税基本通達９-３-５の２（定期保険等の保険料に相当多額の前払部分の保険料が含まれる場合の取扱い）の取扱いが、令和元年７月８日以後に締結する保険契約等について適用されていることから、同日前に締結した保険契約等は、原則として見直しの対象にならないこととされています。

2-167 定期付養老保険等を名義変更する場合の取扱い

Q 法人で契約した定期付養老保険等を個人に名義変更する場合の評価は、どのようになりますか。

A 養老保険に係る保険料の額と定期保険等に係る保険料の額を区分しているかどうかで、取扱いが異なります。

定期付養老保険の保険料は、養老保険に係る保険料の額と定期保険等に係る保険料の額を区分しているかどうかで、次のように取扱いが異なります。

保険料の区分の有無	保険料の取扱い
養老保険に係る保険料の額と定期保険等に係る保険料の額を区分している場合	それぞれの保険の種類（養老保険、定期保険及び第三分野保険、定期保険等の保険料に相当多額の前払部分の保険料が含まれる場合）に応じた処理を行います
養老保険に係る保険料の額と定期保険等に係る保険料の額を区分していない場合	全額を養老保険の保険料として処理します

したがってこの場合においては、名義変更をする保険に「定期保険等の保険料に相当多額の前払部分の保険料が含まれる場合の取扱いの適用を受けるもの」が含まれているときは、例外的な取扱い（支給時資産計上額）により評価し、それ以外の保険であるときは原則的取扱い（支給時解約返戻金の額）により評価することになります。

2-168 復旧することができる払済保険を名義変更する場合の取扱い

Q 法人で契約した復旧することができる低解約返戻金型保険を低解約返戻期間に払済保険に変更して個人に名義変更する場合の評価は、どのようになりますか。

A 支給時資産計上額に払済保険に変更した時に損金に算入した金額を加算した金額により評価します。

保険契約等では、保険契約等は維持したいが保険料の負担が難しい者への対応として、「保障内容が低く追加保険料が発生しない保険契約等」（払済保険）に変更することができる場合があり、この払済保険については、一定期間、元の契約に戻す（復旧）ことができる場合があります。

保険契約等を払済保険に変更した場合は、洗い替え処理（資産計上額と解約返戻金の額との差額を益金の額又は損金の額に算入すること）をすることとなっていますが、復旧することができる低解約返戻金型保険を低解約返戻時期に払済保険に変更して役員等に支給した場合は、支給時資産計上額が低い解約返戻金の額に洗い替えされてしまうことから、この場合には、支給時資産計上額に使用者が法基通９-３-７の２（払済保険へ変更した場合）の取扱いにより損金に算入した金額を加算した金額（元の契約の資産計上額）で評価することとされています。

なお、この復旧することができる払済保険とは、元の契約が法基通９-３-５の２（定期保険等の保険料に相当多額の前払部分の保険料が含まれる場合の取扱い）の適用を受けたものに限られ、保険契約等を変更した後、元の保険契約等に戻すことのできる保険契約等の全てを含みます。

2-169 法人から法人へ名義変更する場合の取扱い

Q 法人契約の生命保険等を法人に名義変更する場合は、どのような評価額になりますか。

A 個人に名義変更する場合と同じ取扱いになります。

法人が、自己を契約者、従業員を被保険者とする定期保険等の名義を別の法人に変更する場合の評価額は、個人に名義変更する場合と同じ取扱いになります。

法人税基本通達９－３－５の２（定期保険等の保険料に相当多額の前払部分の保険料が含まれる場合の取扱い）の適用を受ける保険契約等については、本款2–163他を、それ以外の保険契約については、第１款2–160を参照してください。

2-170 個人事業者から別の個人等へ名義変更する場合の取扱い

Q 個人事業者が契約した生命保険等を別の個人等に名義変更する場合は、どのような評価額になりますか。

A 法人契約の生命保険等を名義変更する場合と同じ取扱いになります。

個人事業者が、自己を契約者、従業員等を被保険者とする定期保険等の

名義を別の個人等に変更する場合の評価額は、法人契約の生命保険等を個人に名義変更する場合と同じ取扱いになります。

法人税基本通達9-3-5の2（定期保険等の保険料に相当多額の前払部分の保険料が含まれる場合の取扱い）の適用を受ける保険契約等については、本款2-163他を、それ以外の保険契約については、第1款2-160を参照してください。

2-171　名義変更した場合の支払調書

Q 生命保険等の契約者を変更した場合、税務署にその情報が記載された支払調書が提出されますか。

A 提出されます。

平成30年1月1日以後に生命保険契約の名義変更が行われた場合は、保険会社等からその変更情報が記載された「生命保険契約等の一時金の支払調書」が税務署に提出されることとなっています。

したがって、同日以後に名義変更が行われたものは、平成30年1月1日前に契約したものであっても、変更情報が記載された支払調書が提出されることになります。

第 10 節　組織再編成(合併、分割、現物出資、現物分配)による契約変更

2-172　適格の場合の定期保険の取扱い

Q　税制適格となる組織再編成に係る定期保険は、税務上どのように取り扱われますか。

A　法人がその有する資産を他に移転する場合は、原則として、時価で資産譲渡があったものとして譲渡損益を計上しなければなりません。しかし、その移転が税制適格な組織再編成（合併、分割、現物出資、現物分配）に基づくものであるときは、その経済実態に実質的な変更がないことから､移転資産の譲渡損益の計上の繰延べが認められることとされています。

繰延べ方法は、その組織再編成の形態により、①合併及び分割型分割は帳簿価額による引継ぎ、②分社型分割及び現物出資、現物分配は帳簿価額による譲渡という方法と異なりますが、結果として、帳簿価額による移転が認められます。

1　一般の定期保険の取扱い

一般の定期保険は帳簿価額もなく、また、原則として掛捨てなので、組織変更に伴う処理はありません。

一般の定期保険以外の定期保険

1. 合併、分割、現物出資、現物分配の場合

資産の移転を行った法人側では、前払費用、前払金、配当積立金等保険取引について資産計上しているものの移転直前（合併の場合は最後事業年度終了時、分割型分割の場合は分割事業年度終了時）の帳簿価額を取り崩し、資産の移転を受けた法人側では、同額を資産に計上します。

2. 事後設立の場合

① 資産の移転を行った法人（事後設立法人）の処理

事後設立の場合は、まず、資産の移転時にその保険契約に係る解約返戻金相当額（時価）で譲渡があったものとする処理をし、その後、その取引に係る帳簿価額修正損益（解約返戻金相当額と帳簿価額との差額）をその取引のあった事業年度において計上する処理をします。

② 資産の移転を受けた法人（被事後設立法人）の処理

被事後設立法人は、まず、その保険契約を資産の移転時における解約返戻金相当額（時価）で取得したものとする処理をし、その後、その取引に係る事後設立法人の帳簿価額修正損益に相当する金額を帳簿価額から減算または加算する処理をします。具体的には、次のようになります。

【事後設立法人】　　　　　【被事後設立法人】

・設立時

借　方		貸　方	
子会社株式	×××	現　金	×××

借　方		貸　方	
現　金	×××	資本金	×××

・移転時

借　方		貸　方	
現　金	×××	前払費月等 譲渡益	××× ○○○

借　方		貸　方	
前払費用等	×××	現　金	×××

・決算時

借　方	貸　方
帳簿価額修正損　○○○	子会社株式　○○○

借　方	貸　方
資本積立金　○○○	前払費用等　○○○

なお、事後設立の規定は、平成22（2010）年度の税制改革で削除されましたが、かわりに完全支配関係にある法人間における譲渡損益を繰り延べられるグループ法人税制が導入されたことから、これまでと同じ処理をすることとなります。

2-173 非適格の場合の定期保険の取扱い

Q 税制非適格となる組織再編成に係る定期保険は、税務上どのように取り扱われますか。

A 法人が、合併または分割により合併法人または分割法人にその有する資産及び負債を移転したときは、その合併法人または分割承継法人に、その移転をした資産及び負債のその合併または分割のときの価額により譲渡したものとして、その法人の所得の計算をすることとされています。

したがって、税制非適格となる組織変更をした場合における定期保険の取扱いは、次のようになります。

---

❶ 一般の定期保険の取扱い

一般の定期保険は帳簿価額もなく、また、原則として掛捨てなので組織変更に伴う処理がないことは、2-172と同様です。

2 一般の定期保険以外の定期保険

1. 資産の移転を行った法人側

合併時または分割時における前払費用、前払金、配当積立金等保険取引について資産計上しているものの帳簿価額を取り崩すとともに、そのときにおける保険契約の解約返戻金相当額を収入金額に計上します。差額の譲渡利益額または譲渡損失額は、その合併または分割型分割の最後事業年度または分割事業年度の益金の額または損金の額に算入します。

2. 資産の移転を受けた法人側

資産の移転を受けた法人側では、その保険契約の解約返戻金相当額を前払費用等として資産に計上します。

なお、契約変更日以後の取扱いについては、契約当初から保険契約に加入していたものとして処理をします。

2-174 適格の場合の養老保険の取扱い

Q 税制適格となる組織再編成に係る養老保険は、税務上どのように取り扱われますか。

A 税制適格となる組織変更をした場合における養老保険の取扱いは、次のようになります（原則については2−172参照）。

---

1 合併、分割、現物出資、現物分配の場合

資産の移転を行った法人側では、資産計上している保険積立金等の移転

直前（合併の場合は最後事業年度終了時、分割型分割の場合は分割事業年度終了時）の帳簿価額を取り崩し、資産の移転を受けた法人側では、同額を資産に計上します。

❷ 事後設立の場合

2-172と同様の処理をします。具体的には、次のようになります。

【事後設立法人】　　　　　　【被事後設立法人】

・設立時

借　　方	貸　　方	借　　方	貸　　方
子会社株式 ×××	現　　金 ×××	現　　金 ×××	資 本 金 ×××

・移転時

借　　方	貸　　方	借　　方	貸　　方
現　　金 ×××	保険積立金 ××× 譲渡益 ○○○	保険積立金 ×××	現　　金 ×××

・決算時

借　　方	貸　　方	借　　方	貸　　方
帳簿価額修正損 ○○○	子会社株式 ○○○	資本積立金 ○○○	保険積立金 ○○○

なお、事後設立の規定は、平成22（2010）年度の税制改革で削除されましたが、かわりに完全支配関係にある法人間における譲渡損益が繰り延べられるグループ法人税制が導入されたので、これまでと同じ処理をすることとなる点も2-172と同様です。

2-175 非適格の場合の養老保険の取扱い

Q 税制非適格となる組織再編成に係る養老保険は、税務上どのように取り扱われますか。

A 税制非適格となる組織変更をした場合における養老保険の取扱いは、次のようになります（原則については、2-173参照）。

---

❶ 資産の移転を行った法人側

合併時または分割時において資産計上している保険積立金等の帳簿価額を取り崩すとともに、そのときにおける、その保険契約の解約返戻金相当額を収入金額に計上します。差額の譲渡利益額または譲渡損失額は、その合併または分割型分割の最後事業年度または分割事業年度の益金の額または損金の額に算入します。

❷ 資産の移転を受けた法人側

資産の移転を受けた法人側の取扱いは、2-173と同様です。

2-176 適格の場合の終身保険の取扱い

Q 税制適格となる組織再編成に係る終身保険は、税務上どのように取り扱われますか。

A 法人がその有する資産を他に移転する場合は、原則として、時価で資産譲渡があったものとして譲渡損益を計上しなければなりません。しかし、その移転が税制適格な組織再編成（合併、分割、現物出資、現物分配）に基づくものであるときは、その経済実態に実質的な変更がないことから、移転資産の譲渡損益の計上の繰延べが認められることとされています。

繰延べ方法は、その組織再編成の形態により、①合併及び分割型分割は帳簿価額による引継ぎ、②分社型分割及び現物出資、現物分配は帳簿価額による譲渡となります。それぞれ異なりますが、結果として、帳簿価額による移転が認められます。

税制適格となる組織変更をした場合における終身保険の取扱いは、以下のようになります（原則については、2-172 参照）。

---

1 合併、分割、現物出資、現物分配の場合

資産の移転を行った法人側では、資産計上している保険積立金等の移転直前（合併の場合は最後事業年度終了時、分割型分割の場合は分割事業年度終了時）の帳簿価額を取り崩し、資産の移転を受けた法人側では、同額を資産に計上します。

2 事後設立の場合

2-172 と同様の処理をします。具体的には、次のようになります。

【事後設立法人】　　　　　　　【被事後設立法人】

・設立時

借　方	貸　方
子会社株式 ×××	現　金 ×××

借　方	貸　方
現　金 ×××	資本金 ×××

・移転時

借　方	貸　方
現　金 ×××	保険積立金 ××× 譲渡益 ○○○

借　方	貸　方
保険積立金 ×××	現　金 ×××

・決算時

借　方	貸　方
帳簿価額修正損 ○○○	子会社株式 ○○○

借　方	貸　方
資本積立金 ○○○	保険積立金 ○○○

なお、事後設立の規定は、平成 22（2010）年度の税制改革で削除されましたが、かわりに完全支配関係にある法人間における譲渡損益が繰り延べ

られるグループ法人税制が導入されたことから、これまでと同じ処理をすることとなることも2−172と同様です。

2-177 非適格の場合の終身保険の取扱い

Q 税制非適格となる組織再編成に係る終身保険は、税務上どのように取り扱われますか。

A 税制非適格となる組織変更をした場合における終身保険の取扱いは、次のようになります（原則については、2−173参照）。

1 資産の移転を行った法人側

2−173と同様に合併時または分割時において資産計上している保険積立金等の帳簿価額を取り崩すとともに、そのときにおけるその保険契約の解約返戻金相当額を収入金額に計上します。差額の譲渡利益額または譲渡損失額は、その合併または分割型分割の最後事業年度または分割事業年度の益金の額または損金の額に算入します。

2 資産の移転を受けた法人側

資産の移転を受けた法人側の取扱いは、2−173と同様です。

第 11 節　契約者貸付制度

2-178 契約者貸付けを受けた場合の取扱い

Q 契約者貸付けを受けた場合、税務上どのように取り扱われますか。

A 契約者貸付けを受けた場合は、次のように処理をします。

---

1 契約者貸付けを受けた場合

借	方	貸	方
現金及び預金	×××	借入金	×××

2 契約者貸付けを返済した場合

借	方	貸	方
借入金	×××	現金及び預金	×××
支払利息	×××		

❸ 契約者貸付けを受けている間に、死亡・満期・解約があった場合

借	方	貸	方
現金及び預金	×××	保険積立金	×××
借入金	×××	雑収入	×××
支払利息			

2-179 保険料の自動振替貸付けを受けた場合の取扱い

Q 保険料の自動振替貸付けを受けた場合、税務上どのように取り扱われますか。

A 保険料の自動振替貸付けを受けた場合は、次のように処理をします。

---

❶ 保険料の自動振替貸付けを受けた場合

1. 養老保険の場合

借	方	貸	方
保険積立金	×××	借入金	×××
支払利息	×××		

2. 定期付養老保険の場合

借	方	貸	方
保険積立金	×××	借入金	×××
保険料	×××		
支払利息	×××		

(注) 定期保険契約の内容によって異なります。

❷ 利息の繰入れ通知を受けた場合

借　方		貸　方	
保険積立金	×××	借入金	×××

❸ 自動振替貸付金を返済した場合

借　方		貸　方	
借入金	×××	現金及び預金	×××
		支払利息	×××

(注)通常、利息は前払いなので、自動振替貸付金を返済したときには戻し利息が生じます。

❹ 自動振替貸付けを受けている間に、死亡・満期・解約があった場合

借　方		貸　方	
現金及び預金	×××	保険積立金	×××
借入金	×××	支払利息	×××
		雑収入	×××

(注)通常利息は前払いなので、自動振替貸付金を返済したときには戻し利息が生じます。

第12節　失効、復活

2-180　保険契約が失効した場合の取扱い

Q 当社は、契約者・保険金受取人を当社、被保険者を役員とする保険に加入して保険料を支払ってきました。しかし、資金繰りが悪化したため、保険料を支払わなかったところ、保険会社から失効の通知を受けました。税務上どのように取り扱われますか。

A 保険契約は、保険料の払込期日後一定の期間（払込猶予期間）を経過してもなお保険料の払込みが行われない場合にその契約は効力を失います。これを「失効」といいますが、失効した契約でも、失効してから3年以内であれば、契約を元に戻すことができます。これは「復活」といいます。ただし、この場合には、告知書を保険会社に提出し、承諾を得るとともに未払の保険料を支払わなければなりません。

このように失効しても、復活することもできることから、失効の時点では何も処理せず、復活可能期間が経過して保険契約が完全に失効した時点で会社の損益を計上することとされています。

2-181 保険契約を復活した場合の取扱い

Q 失効中の保険契約を復活させたいと思っていますが、この場合、税務上どのように取り扱われますか。

A 2-180のように失効した契約でも、失効して3年以内であれば、契約を元に戻すことができます。これを「復活」といいます。

保険契約を復活するには、告知書を保険会社に提出し、承諾を得るとともに未払いの保険料を支払わなければなりません。

未払いの保険料を支払った場合には、その保険の種類及び契約形態に応じて第2章第1節以後の処理をすることになります。

なお、復活は過年度の保険期間に係る保険料を一括で支払うので、失効及び復活に至った事情を説明できるようにしておかねばならないでしょう。

第13節　高度障害保険金

2-182 高度障害保険金を受け取った場合の取扱い

Q 高度障害保険金を受け取った場合、税務上どのように取り扱われますか。

A 高度障害保険金を受け取った場合は、以下のように取り扱われます。

1 死亡保険金の受取人が法人である契約

1. 高度障害保険金を法人が受け取った場合

法人の資産に計上されている保険積立金、配当金積立金があれば、それを取り崩し、高度障害保険金との差額を雑収入または雑損失として益金または損金の額に算入します。

借方		貸方	
現金及び預金	×××	保険積立金	×××
		配当金積立金	×××
		雑収入	×××

なお、法人が受け取った高度障害保険金の中から被保険者である役員、使用人に見舞金を支払ったときは、その見舞金は社会通念上妥当な金額であれば、福利厚生費として損金の額に算入されます。

一方、見舞金を受け取った役員、従業員は、その見舞金の額が妥当であれば非課税となり課税されません。

2. 高度障害保険金を役員、使用人等が受け取った場合

法人の資産に計上されている保険積立金、配当金積立金があれば、それを取り崩し、雑損失として損金の額に算入します。

借	方	貸	方
雑 損 失	×××	保険積立金 配当金積立金	××× ×××

一方、高度障害保険金を被保険者である役員、従業員、あるいはその被保険者の配偶者もしくは直系血族または生計を一にするその他の親族が受け取った場合は、その高度障害保険金は非課税とされます。

2 死亡保険金の受取人が役員、従業員の遺族である契約

配当金積立金が法人の資産に計上されているときは、その金額を取り崩し、雑損失として損金の額に算入します。

借	方	貸	方
雑 損 失	×××	配当金積立金	×××

一方、高度障害保険金を被保険者である役員、従業員、あるいはその配偶者もしくは直系血族または生計を一にするその他の親族が受け取ったときは、その高度障害保険金は非課税とされます。

3 高度障害保険金が受け取れる場合

高度障害保険金は、事故や病気で次の状態になったときに受け取ることができます。

【対象となる高度障害状態】

① 両眼の視力を全く永久に失ったもの

② 言語またはそしゃくの機能を全く永久に失ったもの

③ 中枢神経系または精神に著しい障害を残し、終身常に介護を要するもの

④ 胸腹部臓器に著しい障害を残し、終身常に介護を要するもの

⑤ 両上肢とも、手関節以上で失ったかまたはその用を全く永久に失ったもの

⑥ 両下肢とも、足関節以上で失ったかまたはその用を全く永久に失ったもの

⑦ １上肢を手関節以上で失い、かつ、１下肢を足関節以上で失ったかまたはその用を全く永久に失ったもの

⑧ １上肢の用を全く永久に失い、かつ、１下肢を足関節以上で失ったもの

第 14 節　給付金

2-183 障害給付金を受け取った場合の取扱い

Q 障害給付金を受け取った場合、税務上どのように取り扱われますか。

A 障害給付金を受け取った場合は、以下のように取り扱われます。

1 障害給付金を法人が受け取った場合

法人が障害給付金を受け取った場合は、その受け取った額を雑収入として益金の額に算入します。

借　方		貸　方	
現金及び預金	×××	雑　収　入	×××

なお、2‒182 にも挙げたとおり、法人が受け取った障害給付金を、被保険者である役員、従業員に対し見舞金として支払ったときは、その支払った額が社内規定等に基づくものであれば原則として損金の額に算入されます。

一方、その見舞金を受け取った被保険者は、その額が社会通念上相当と認められる額であれば非課税とされます。

❷ 障害給付金を被保険者である役員、従業員が受け取った場合

法人は特に処理を要しませんが、法人の口座を経由して被保険者に支払われる場合は、次のように処理をします。

1. 法人の口座に入金されたとき

借　方		貸　方	
現金及び預金	×××	預り金	×××

2. 被保険者に支払われたとき

借　方		貸　方	
預り金	×××	現金及び預金	×××

なお、被保険者が自己の身体の傷害に基因して支払を受ける障害給付金等は所得税法上非課税とされます。

❸ 死亡保険金の受取人が役員、従業員の遺族である契約

法人については、特に処理を要しません。また、被保険者が支払を受ける障害給付金は、所得税法上非課税とされます。

2-184 入院給付金を受け取った場合の取扱い

Q 入院給付金を受け取った場合、税務上どのように取り扱われますか。

A 入院給付金を受け取った場合は、以下のように取り扱われます。

---

1 入院給付金の受取人が法人である場合

法人が入院給付金や障害給付金を受け取る場合には、その受け取った給付金は雑収入として計上します。

主契約が、定期保険でも養老保険でも終身保険でも同じ処理をします。

なお、法人が受け取った給付金から役員または従業員に見舞金を支払った場合には、その支払った額が社会通念上妥当な額であるならば福利厚生費として損金処理が認められます。

2 入院給付金の受取人が役員または従業員である場合

入院給付金の受取人が役員または従業員である場合には、法人において特に処理の必要はありません（受け取った役員や従業員の側でもこれらの給付金は非課税です）。

第15節　法人契約の個人年金

2-185 保険料の取扱い

Q 当社では、役員及び従業員を被保険者とする個人年金保険に加入する予定です。保険料は、税務上どのように取り扱われますか。

A 法人税法上個人年金保険とは、法人が自己を契約者とし、役員または従業員(これらの人の親族を含みます)を被保険者として加入する生命保険で、その保険契約に係る年金支払開始日に被保険者が生存しているときに所定の期間中、年金がその保険契約に係る年金受取人に支払われるもので、掛金等が損金の額に算入される適格退職年金等及び養老保険以外のものをいいます。

法人が支払う保険料は、契約形態により次のように取り扱われます。

---

❶ 年金受取人、死亡給付金受取人が法人である場合

契約者	法　人
被保険者	役員、従業員
年金受取人	法　人
死亡給付金受取人	法　人

また、法人が負担する保険料は、以下のように全額資産計上されます。

借　　　　　方		貸　　　　　方	
保険積立金 （資産計上）	×××	現金及び預金	×××

❷ 年金受取人が従業員、死亡給付金受取人が従業員の遺族である場合

契約者	法　人
被保険者	役員、従業員
年金受取人	被保険者
死亡給付金受取人	被保険者の遺族

法人が負担する保険料は、役員、従業員に対する給与（給与の取扱いについては、第6章参照）とされます。

借　　　　　方		貸　　　　　方	
給　　　　与	×××	現金及び預金	×××

❸ 年金受取人が法人、死亡給付金受取人が被保険者の遺族である場合

契約者	法　人
被保険者	役員、従業員
年金受取人	法　人
死亡給付金受取人	被保険者の遺族

1. 従業員の全員が加入する場合

法人が負担する保険料のうち90％に相当する額は資産に計上され、残りの10％は福利厚生費として期間の経過に応じて損金の額に算入されます。

借　　　　　方		貸　　　　　方	
保険積立金 （資産計上）	×××	現金及び預金	×××
福利厚生費 （損金算入）	×××		

2. 特定の従業員のみが加入する場合

法人が負担する保険料のうち90％に相当する額は資産に計上され、残りの10％は給与（給与の取扱いについては、第6章参照）とされます。

借　　　　　方		貸　　　　　方	
保険積立金 （資産計上）	×××	現金及び預金	×××
給　　　　与	×××		

2-186 年金支払開始前に被保険者が死亡した場合の取扱い

Q 年金の支払開始前に被保険者が死亡した場合、税務上どのように取り扱われますか。

A 年金支払開始前に死亡給付金支払の保険事故が生じた場合には、その保険事故が生じた日（死亡給付金の受取人がその法人である場合には、死亡給付金の支払通知を受けた日）の属する事業年度において、その保険契約に基づいて資産に計上された保険積立金、配当金積立金の額の全額を取り崩して損金の額に算入します。

この場合、死亡給付金の受取人が法人であるときは、支払を受ける死亡給付金の額及び契約者配当等の額を法人の益金の額に算入することになりますが、資産に計上した保険積立金及び配当金積立金の取崩しによる損金算入の時期と死亡給付金等の益金算入の時期は、同一の事業年度に計上することが相当とされます。なお、差額は雑収入または雑損失として処理をします。

---

❶ 年金受取人・死亡給付金受取人が法人の場合

借方		貸方	
現金及び預金	×××	保険積立金 配当金積立金 雑収入	××× ××× ×××

❷ 年金受取人が従業員、死亡給付金受取人が従業員の遺族の場合

法人の資産に配当金積立金が計上されているときは、それを取り崩して損金の額に算入します。

借方		貸方	
雑損失	×××	配当金積立金	×××

❸ 年金受取人が法人、死亡給付金受取人が従業員の遺族の場合

資産計上された保険積立金及び配当金積立金の全額を取り崩して損金の額に算入します。

借方		貸方	
雑損失	×××	保険積立金 配当金積立金	××× ×××

2-187 契約の名義変更をした場合の取扱い

Q 年金の支払開始前に従業員の退職に伴って契約の名義を次のように変更した場合、税務上どのように取り扱われますか。

【契約形態】

	変更前	変更後
契約者	法　人	従業員
被保険者	従業員	従業員
年金受取人	法　人	従業員
死亡給付金受取人	法　人	従業員の遺族

A 契約の名義変更をした場合は、以下のように取り扱われます。

---

❶ 法人の経理処理

資産に計上されている保険積立金、配当金積立金を取り崩して損金の額に算入します。

退職金として計上する金額は、名義を変更したときにその保険を解約したものとする場合の解約返戻金に相当する額になり、保険積立金及び配当金積立金の取崩し額と差額がある場合は、雑収入または雑損失として処理をします。

借　　方		貸　　方	
退　職　金	×××	保険積立金	×××
		配当金積立金	×××
		雑　収　入	×××

❷ 従業員の税務上の取扱い

従業員は退職金として受け取った保険契約の権利に対して退職所得として課税されます。

その後に受け取る年金は、雑所得として所得税の課税対象になります。

2-188 法人が契約年金及び増加年金を受け取った場合の保険積立金及び配当金積立金の取扱い

Q 当社は、次のような個人年金保険に加入しています。支払保険料は、保険積立金としてその全額を資産計上していますが、年金を受け取った場合は、税務上どのように取り扱われますか。

【契約形態】

契約者	法　人
被保険者	従業員
年金受取人	法　人
死亡給付金受取人	法　人

A 法人が契約年金及び増加年金を受け取った場合の保険積立金及び配当金積立金の取扱いは、以下のようになります。

1 年金の処理

法人が受け取る年金の額については、その支払通知を受けた日の属する事業年度の益金の額に算入します。

借	方	貸	方
現金及び預金	×××	雑　収　入	×××

2 保険積立金の処理

法人が契約年金及び増加年金の支払を受けた場合（年金の一時払いを受ける場合を除きます）には、その年金の支払通知を受けた日の属する事業年度において、次の算式で計算した年金積立保険料の額を取り崩して損金の額に算入します。

$$損金算入額＝年金積立保険料の額 \times \frac{支払を受ける年金の額}{年金支払総額}$$

（注１）年金積立保険料の額とは、年金支払開始時までに資産計上した保険積立金、配当金積立金の額と年金支払開始日に責任準備金に充当された契約者配当金の合計額をいいます。
（注２）年金支払総額は個人年金の種類に応じて次の金額をいいます。

確定年金の場合	保証期間中に支払われる契約年金と増加年金の合計額
保証期間付終身年金の場合	保証期間と余命年数の期間とのいずれか長い期間中に支払われる契約年金と増加年金の合計額、ただし、保証期間中に被保険者が死亡したとき以後は、保証期間中に支払われる契約年金と増加年金の合計額
有期年金の場合	生存を前提とした保証期間中に支払われる契約年金と増加年金の合計額

（注３）契約年金とは、年金支払開始日前の支払保険料を原資とする年金をいいます。
（注４）増加年金とは、年金支払開始日前に積立てをした契約者配当を原資とする年金をいいます。

2-189　保証期間付終身年金の受給開始後に被保険者が死亡した場合の取扱い

Q　当社は、保証期間付終身年金に基づく年金の給付を受けており、被保険者の余命年数により資産計上した年金積立保険料の額の取崩し額を算定しています。この度、被保険者が死亡したのですが、この保険積立金は、税務上どのように取り扱われますか。

A　保証期間付終身年金につき被保険者の余命年数により年金積立保険料の額の取崩し額を算定している契約で、被保険者が死亡した場合には、次の額を死亡の日の属する事業年度の損金の額に算入します。

1　保険期間経過後に死亡した場合

取崩し残額の全額の支払を受けることになります。

❷ 保険期間中に死亡した場合

以下の算式による金額が支払われます。

$$\text{年金積立保険料の額} \times \left(\frac{\text{すでに支払を受けた年金合計額}}{\text{保証期間中の年金総額}} - \frac{\text{すでに支払を受けた年金合計額}}{\text{余命年数に基づく年金支払総額}} \right)$$

2-190 法人が買増年金の支払を受けた場合の取扱い

Q 当社は、年金受取人及び死亡給付金受取人を当社とする個人年金保険に加入しています。この度、従業員の買増年金の支払を受けました。この場合、税務上どのように取り扱われますか。

A 年金受取人が法人である保険契約に基づいて買増年金（年金支払開始日後の契約者配当により買い増した年金をいいます）の支払を受けた場合は、その買増年金の支払を受けた日の属する事業年度において、その保険契約に基づいて支払を受ける１年分の買増年金ごとに、次の算式で求められる額の買増年金積立保険料の額を取り崩して損金の額に算入します。

なお、その契約が保証期間付終身年金で、保証期間及び被保険者の余命年数の期間のいずれをも経過した後は、買増年金積立保険料の全額を取り崩して損金の額に算入します。

$$\text{買増年金の受取りに伴い取り崩すべき買増年金積立保険料の額(年額)} = \text{前年分の買増年金の受取りのときにおいてこの算式で計算された取崩し額（年額）} + \frac{\text{新たに一時払保険料に充当した契約者配当の額}}{\text{新たに一時払保険料に充当した後の年金の支払回数}}$$

(注1)新たに一時払保険料に充当した後の年金の支払回数は、次の区分に応じそれぞれ次に掲げる年金の支払回数をいいます。

その保険契約が確定年金である場合及び保証期間付終身年金で、かつ、被保険者がすでに死亡している場合	保証期間中の年金の支払回数から新たに買増年金の買増しをするときまでに経過した年金の支払回数を控除した回数
その保険契約が保証期間付終身年金で、かつ、被保険者が生存している場合	保証期間と被保険者の余命年数の期間とのいずれか長い期間中の年金の支払回数から新たに買増年金の買増しをするときまでに経過した年金の支払回数を控除した回数

(注2)分割払いで年金を受け取る場合の取崩し額は、上記算式で求めた取崩し額をその分割回数で按分した金額になります。

(注3)保証期間付終身年金に係る被保険者が保証期間経過後に死亡したときは、その買増年金積立保険料の取崩し残額の全額を取り崩します。また、保証期間中に死亡したときは、それまでの取崩し不足額を取り崩します。

2-191 年金の一時払いを受ける場合の取扱い

Q 当社は、確定年金に係る年金を受領してきましたが、この度、年金の残りについて一時払いを受けようと思っています。この場合、税務上どのように取り扱われますか。

A 年金保険は、その種類によって年金を一時払いしたときに契約が消滅するものと消滅しないものとがあり、それぞれ次のように取り扱われます。

---

1 保険契約が年金の一時払いのときに消滅するもの

年金の一時払いを受ける日の属する事業年度において、年金積立保険料の取崩し残額及び買増年金積立保険料の全額を取り崩して損金の額に算入します。

❷ 保険契約が年金の一時払いのときに消滅しないもの

年金の一時払いを受ける日の属する事業年度において、年金積立保険料及び買増年金積立保険料の取崩し残額のうち、保証期間の残余期間に係る部分の金額は、一時払いを受けたときに取り崩します。そして、その取崩し後の残額は、保証期間経過後に年金を受け取ったときまたは一時払い後の保証期間中に被保険者が死亡したときに取り崩します。

2-192 年金支払開始日前に支払を受ける契約者配当金の取扱い①

Q 当社は、次のような個人年金保険に加入しています。年金支払開始日前に契約者配当金を受けたときは、税務上どのように取り扱われますか。

【契約形態】

契約者	法　人
被保険者	従業員
年金受取人	法　人
死亡給付金受取人	法　人

A 年金受取人及び死亡給付金受取人が法人である個人年金保険の契約者配当金を受け取った場合には、その配当金の通知のあった日の属する事業年度の益金の額に算入します。

借　方		貸　方	
未収金 又は 現金及び預金	×××	雑収入	×××

2-193 年金支払開始日前に支払を受ける契約者配当金の取扱い②

Q 当社は、次のような個人年金保険に加入しています。年金支払開始日前に契約者配当金を受けたときは、税務上どのように取り扱われますか。

【契約形態】

契約者	法　人
被保険者	従業員
年金受取人	従業員
死亡給付金受取人	被保険者の遺族

A 個人年金保険の契約者配当金は、年金支払開始前は年金受取人でなく保険契約者に支払われることになっています。

したがって、法人が受け取った契約者配当金は原則として、その通知を受けた日の属する事業年度の益金の額に算入します。

ただし、次に該当する場合にはこれによらず、益金の額に算入しなくてもよいことになっています。

益金の額に算入しなくてもよい	保険契約の年金受取人が被保険者（従業員等）であり、かつ、その法人とその被保険者との契約によりその法人が契約者配当の請求をしないで、その全額を年金支払開始日まで積み立てておくことが明らかなものであること
	その積み立てた契約者配当の額が、生命保険会社において年金支払開始日にその保険契約の責任準備金に充当され、年金の額が増加するものであること

なお、契約者配当の額に付される利子については、契約者配当の額を益金に算入しない場合を除き、その通知を受けた日の属する事業年度の益金の額に算入します。

2-194 年金支払開始日以後に支払を受ける契約者配当金の取扱い

Q 当社は、次のような個人年金保険に加入していますが、年金支払開始日以後に契約者配当金を受けたときは、税務上どのように取り扱われますか。

【契約形態】

契約者	法　人
被保険者	従業員
年金受取人	法　人
死亡給付金受取人	法　人

A 個人年金保険に係る年金支払開始日以後の契約者配当には、年金支払開始日に支払われる配当と年金支払期間中に支払われる配当があり、以下のように取り扱われます。

---

1 年金支払開始日に受け取った配当の処理

法人が年金受取人である場合に年金支払開始日に支払を受ける契約者配当については、その通知を受けた日の属する事業年度の益金の額に算入することを原則とします。

ただし、生命保険会社がその配当を年金として支払うこととし、年金受取人にその配当の支払方法の選択を認めないものであるときは、その契約者配当は、その通知を受けた日の属する事業年度の益金の額に算入しないことができます。

2 年金支払期間中に受け取った配当の処理

年金支払期間中に受け取った配当は、その通知を受けた日の属する事業年度の益金の額に算入します。

2-195 年金を受け取ることとなった場合の配当金積立金の取扱い

Q 当社は、次のような個人年金保険に加入しています。年金支払開始前の配当金で益金の額に算入するとともに配当金積立金として処理しているものがあります。この度、従業員が年金の支給を受けることになりましたが、この資産計上している配当金積立金は、税務上どのように取り扱われますか。

【契約形態】

契約者	法　人
被保険者	従業員
年金受取人	従業員
死亡給付金受取人	被保険者の遺族

A 年金の受取人が従業員である個人年金保険契約の年金支払開始日が到来した場合には、年金支払開始日まで保険会社に積み立てていた契約者配当金は、その時点で年金の責任準備金に充当されることになり、以後年金として支払われることになります。

すなわち、年金支払開始日が到来すると、契約者配当金は受取人の年金として支給されるので、契約者である法人が、その地位に基づいて配当金を受け取ることはできなくなります。

したがって、年金支払開始日が到来した場合には、その資産計上している配当金を全額取り崩し、損金の額に算入することになります。

借　　方		貸　　方	
雑　損　失	×××	配当金積立金	×××

●個人年金保険契約に係る法人課税関係一覧表

契約内容				法人課税関係					
契約者（保険料負担者）	被保険者	保険金等受取人		保険料	年金受取	死亡保険金	支払開始日前の契約者配当	支払開始日の配当金	支払開始日後の配当金
		死亡保険金	年金受取人						
法人	従業員	法人	法人	全額資産計上	年金の額を益金算入 年金等に応じた保険積立金、買増年金積立金の取崩し	保険金配当金は益金算入 保険積立金、配当金積立金を損金算入	益金算入	益金算入 ただし、年金としてのみ支払われるものは益金不算入とすることが可	益金算入 一時払保険料充当額は買増年金積立額 積立てた金額は配当金積立金
法人	従業員	従業員の遺族	法人	積立保険料部分は資産計上、死亡保険料部分は損金算入（特定の従業員のみは給与）	同上	保険積立金、配当金積立金を損金算入死亡保険金は相続税の対象	同上	同上	同上
法人	従業員	従業員の遺族	従業員	給与	法人は課税関係なし	配当金積立金の損金算入	同上 ただし引出さないことが契約等で明らかな場合は益金不算入とすることが可	法人は課税関係なし	法人は課税関係なし

(注)給与の取扱いについては、第6章を参照してください。

第16節　適格退職年金

2-196 適格退職年金のしくみ

Q 適格退職年金制度のしくみは、どのようになっていますか。

A 適格退職年金制度とは、企業年金制度の一つであり、生命保険会社や信託会社等が受託して実施する制度です。

生命保険会社等の受託会社との契約内容が、一定の要件を満たし、かつ、国税庁長官の承認を受けたものを適格退職年金契約といいます。

法人は、退職金の原資を社外の受託会社に掛金等として拠出し、受託会社はその資金の運用をし、その法人に退職者がでた場合には、受託会社は企業年金契約に基づく年金または一時金をその退職者に給付するしくみになっています。

具体的には、次のような流れになります。

① 退職年金規定を設ける

② 労働基準監督署に①の規定を届け出る

③ 生命保険会社等の受託会社と企業年金契約を結ぶ

④ ③の受託会社はその契約につき国税庁長官の承認を受ける

なお、この制度は2012年3月31日で廃止となっており、いわゆる閉鎖型の適格退職年金契約のうち事業主が存在しないもの及び厚生年金保険未適用事業所の事業主が締結しているものについてのみ継続適用が認められています。

---

❶ 法人のメリット

適格退職年金制度による法人のメリットとしては、次のことが挙げられます。

① 退職金給与の費用を各年度で平準化して負担できる
② 優秀な人材の確保ができる
③ 税制上、法人が負担する掛金は全額損金になる

❷ 従業員のメリット

適格退職年金制度による従業員のメリットとしては、次のことが挙げられます。

① 退職年金の資金が社外に保全されるため、退職金給付が確実になる
② 運用収益により将来の退職金給付の改善が期待できる

2-197 掛金等の取扱い

Q 適格退職年金契約は、税務上どのように取り扱われますか。

A 法人が適格退職年金契約に基づき、受託会社に支払った掛金等は、その法人の所得の金額の計算上損金の額に算入されます。

ただし、法人の役員（使用人兼務役員は除きます）を適格退職年金契約に加入させた場合は、その掛金等については損金の額に算入されません。

なお、損金の額に算入することができる掛金等の額は、現実に払い込んだものに限られ、未払いの掛金等については損金の額には算入されません。

借方		貸方	
福利厚生費 （損金算入）	×××	現金及び預金	×××

また、国税庁長官の承認を受ける前に払い込んだ掛金等については、適格退職年金契約としての承認を受けた日の属する事業年度の前事業年度に支出した掛金等の額は、承認申請書をその支出の日の属する事業年度の確定申告期限までに提出している場合に限り、その支出の日の属する事業年度の損金の額に算入することができます。

国税庁長官の承認を受けられなかった場合には、その不承認の通知を受けた日の属する事業年度において、すでに損金の額に算入した掛金等は益金に算入することになります。

2-198 退職給付金を受け取った場合の取扱い

Q 適格退職年金契約に基づく退職給付金の支給を受け取った場合、税務上どのように取り扱われますか。

A 適格退職年金契約に基づく退職給付金には、年金で受給する方法と、一時金で受給する方法がありますが、税務上は、それぞれ次のように取り扱われます。

1 年金として受給する場合

適格退職年金契約に基づく退職給付金を年金として受給する場合のその年金は、公的年金等に該当し、雑所得として所得税や住民税の対象になります。

なお、適格退職年金契約に係る掛金のうち加入者等が一部負担した金額があるときは、次の算式で求めた加入者負担掛金対応金額を控除した残額が公的年金等の金額になります。

$$\text{加入者負担保険料対応金額} = (\text{年金年額}) \times \frac{(\text{加入者負担保険料合計額})}{\left(\begin{array}{l}\text{年金の支給総額または}\\ \text{支給総額見込額}\end{array}\right)}$$

2 一時金として受給する場合

一時金として受給する場合は、その一時金が加入者の退職に基因して支払われるものであれば、退職手当等とみなされ退職所得として課税されますが、それ以外のものについては、一時所得として課税の対象になります。

2-199 遺族給付金を受け取った場合の取扱い

Q 年金給付対象者が亡くなった場合に、その遺族に支払われる遺族給付金は、税務上どのように取り扱われますか。

A 適格退職年金契約に基づき遺族が受け取る遺族給付金は、死亡した者の勤務に基づいて支給されるものであり、所得税法上は非課税ですが、相続税法ではみなし相続財産となり課税の対象になります。遺族給付金は、年金で受け取る方法と、一時金で受け取る方法とがありますが、それぞれ次のように取り扱われます。

---

❶ 年金として受け取る場合

1. 加入者等が在職中（年金受給前）に死亡した場合

加入者が在職中に死亡した場合に遺族が受け取る年金受給権は、退職手当金等として相続税の対象になります。

この場合の年金受給権の評価額は、その遺族年金が有期定期金なのか、または終身定期金、期間付終身定期金、保証期間付定期金なのかにより取扱いが異なります（詳しくは3-134を参照してください）。

なお、退職手当金等には相続税法上の非課税限度額（500万円に法定相続人の数を乗じた金額）があるので、その年金受給権の評価額のうちその限度額を超える部分の金額だけが相続税の課税価格に算入されることとなります。

2. 年金受給中に加入者等が死亡した場合

年金受給中の加入者等が死亡した場合に受け取る遺族年金は、契約に基づかない定期金に関する権利（評価については**1.**と同様）として相続税の課税対象になります。

この場合は、退職手当金等には該当しないので上記のような非課税の適用はありません。

❷ 一時金として受け取る場合

適格退職年金契約に基づく遺族給付金を一時金として受け取る場合の一時金は、所得税や住民税の対象にはならず、相続税法上のみなし相続財産（退職手当金等）として相続税の課税対象となります。

この場合、退職手当金等には相続税法上の非課税限度額（500万円に法定相続人の数を乗じた金額）があるので、その一時金のうち、その限度額を超える部分の金額だけが相続税の課税価格に算入されることとなります。

2-200 解約一時金を受け取った場合の取扱い

Q 当社は、適格退職年金制度を導入してきましたが、資金繰りの都合で、この度解約することにしました。解約により従業員が一時金を受け取ることになりますが、この一時金は、税務上どのように取り扱われますか。

A 適格退職年金契約が一方の当事者の都合で解約された場合には、要留保額は受益者に帰属することになっているので、現に年金の支給を受けている者には年金現価相当額が支払われます。また、掛金を負担しているときには、今までの掛金の元利合計額が従業員に一時金として支払われます。

この場合、従業員が受け取る一時金は、一時所得として所得税や住民税が課税されることになります（従業員自身が負担した掛金があるときは、その合計額を控除します）。

また、法人が適格退職年金契約について適格承認を取り消された場合で、その取消し後に支給を受けた一時金も同じように一時所得として所得税や住民税が課せられます。

2-201 確定拠出年金の導入により支払われる適格退職年金契約の解除一時金の取扱い

Q 当社はこの度、適格退職年金制度から確定拠出年金制度に移行します。移行月に60歳になる者は確定拠出年金に加入できず、解除一時金が資格喪失者に支払われますが、その月に退職せず、その後の月において退職する場合でも、その解除一時金は退職所得として取り扱ってもよいですか。

A 適格退職年金制度から確定拠出年金制度に移行する場合における適格退職年金契約の解除一時金であっても、退職に基因しない一時金は、所得税法施行令第72条第3項第4号に規定する「勤務した者の退職により支払われるもの」に該当せず、所得税法第34条第1項に規定する「利子所得、配当所得、不動産所得、事業所得、給与所得、退職所得、山林所得及び譲渡所得以外の所得のうち、営利を目的とする継続的行為から生じた所得以外の一時の所得で労務その他の役務又は資産の譲渡の対価としての性質を有しないもの」に該当するものと認められることから、一時所得として取り扱われることとなります。

ただし、確定拠出年金制度移行後においても、資格得喪者のみを対象とする適格退職年金契約を会社が継続し、資格得喪者の退職に伴って一時金が支給されるものは、退職所得として取り扱われます。

2-202 出向した場合の取扱い

Q 当社は、適格退職年金制度を導入しています。この度、当社の従業員がグループ会社の役員として出向することになりました。この場合の掛金はどのように処理すればよいですか。

A 出向元法人が適格退職年金契約を締結している場合において、その出向先法人があらかじめ定めた負担区分に基づき、その出向者に係る掛金または保険料（過去勤務債務等に係る掛金または保険料を含みます）の額を出向元法人に支出したときは、その支出した金額は、その支出をし

た日の属する事業年度の損金の額に算入します。

なお、適格退職年金に役員は加入できませんが、出向元で従業員であれば出向先で役員になったとしても、そのまま契約を継続することができます。

1 出向先法人の経理処理

借	方	貸	方
福利厚生費	×××	現金及び預金	×××

2 出向元法人の経理処理

借	方	貸	方
現金及び預金	×××	預り金	×××
預り金	×××	現金及び預金	×××
福利厚生費	×××		

(注)預り金は出向先法人が負担した金額です。

2-203 契約者配当金を受け取った場合の取扱い

Q 当社は、適格退職年金制度を導入しています。この度、適格退職年金契約を結んでいる生命保険会社から契約者配当金を受け取りました。どのように処理すればよいですか。

A 法人が、適格退職年金契約に基づく契約者配当金を受け取った場合は、その通知を受けた日の属する事業年度の益金の額に算入します。

また、契約者配当の額に付される利子があるときは、その利子の額はその通知のあった日の属する事業年度の益金の額に算入されます。

借　　　方		貸　　　方	
現金及び預金	×××	雑　収　入	×××

2-204 適格退職年金制度を廃止した後の退職年金契約の取扱い

Q 当社は、適格退職年金制度が廃止された後も、そのまま退職年金契約として継続しています。この場合の保険料、退職一時金、退職年金はどのように取り扱われますか。この契約は、一定の閉鎖型の適格退職年金契約ではありません。

A 適格退職年金制度は、一定の閉鎖型のものを除き、2012年3月31日をもって廃止となっており、引き続き継続している年金契約は、一般の退職年金契約（生命保険契約等）として取り扱われることとなっています。

したがって、法人が支出する保険料は従業員に対する給与として扱われ、退職時に支給される一時金は一時所得、年金受給者に給付される退職年金は公的年金等以外の雑所得に該当することとなります。

なお、適格退職年金制度廃止後に給与所得に係る収入金額とされた保険料相当額については、一時所得または雑所得の金額の計算上、必要経費等として収入金額から控除されることになります。

第 17 節　確定給付企業年金

2-205 確定給付企業年金のしくみ

Q 確定給付企業年金制度のしくみは、どのようになっていますか。

A わが国の年金制度には、公的年金と確定給付型の企業年金である厚生年金基金と適格退職年金がありましたが、そのいずれもが少子高齢化、景気の低迷、低金利時代の長期化による年金積立金の運用悪化等から行き詰まりをみせており、年金受給者の老後所得に不安を抱かせるものとなっていました。このことから、年金制度を抜本的に見直し、年金受給者が高齢期において安定した老後所得を得られるような現在の年金制度に再編されることとなりました。

次の図が、現在の年金制度ですが、公的年金をベースとし、確定給付型年金と確定拠出年金（2–213 参照）を上乗せする構成になっています。

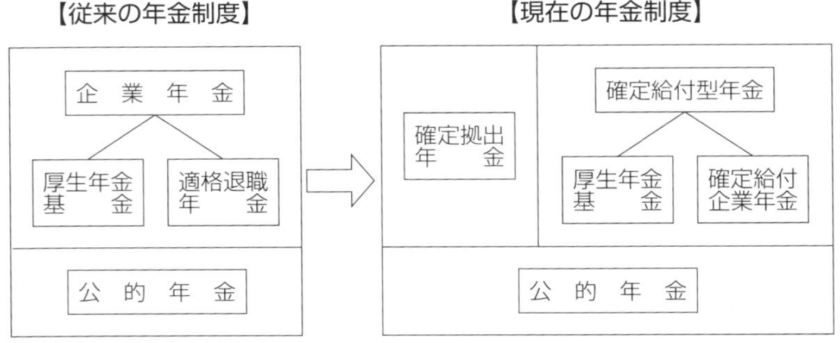

確定給付型年金は、厚生年金基金と新設された確定給付企業年金から成

り立ち、従来からあった適格退職年金は廃止、特定の契約についてのみ継続が認められています。

確定給付企業年金には、積立金の管理及び運用を信託会社や生命保険会社等に委託する規約型企業年金と、基金を設立して行う基金型企業年金とがありますが、いずれも労使合意に基づく規約に基づき実施されます。規約には、加入者、給付、掛金、積立金の積立て及び運用等の基準を定めなければならず、これにより、受給者の老後所得が確保されることとなっています。

2-206 掛金の取扱い

Q 確定給付企業年金に係る掛金は、税務上どのように取り扱われますか。

A 法人が確定給付企業年金に加入した場合に支払う掛金は、その法人の所得の金額の計算上損金の額に算入され、従業員等の給与にはなりません。なお、従業員等が掛金の一部を負担している場合には、その掛金相当額はその従業員等の生命保険料控除の対象となります。

借　　　方		貸　　　方	
福利厚生費 （損金算入）	×××	現金及び預金	×××

2-207 老齢給付金を受け取った場合の取扱い

Q 確定給付企業年金に基づく老齢給付金は、税務上どのように取り扱われますか。

A 確定給付企業年金に基づく老齢給付金には、年金で受け取る方法と、一時金で受け取る方法がありますが、税務上は、それぞれ次のように取り扱われます。

---

1 年金として受け取る場合

確定給付企業年金に基づく老齢給付金を年金として受け取る場合のその老齢年金は、公的年金等に該当し、雑所得として所得税や住民税の対象になります。

なお、確定給付企業年金の掛金のうち加入者等が一部負担した金額があるときは、次の算式で求めた加入者負担掛金対応金額を控除した残額が公的年金等の金額になります。

$$\text{加入者負担保険料対応金額} = (\text{年金年額}) \times \frac{(\text{加入者負担保険料合計額})}{\left(\begin{array}{l}\text{年金の支給総額または}\\ \text{支給総額見込額}\end{array}\right)}$$

2 一時金として受け取る場合

一時金として受け取る場合は、その一時金が加入者の退職に基因して支払われるものであれば、退職手当等とみなされ退職所得として課税され、それ以外のものについては一時所得として課税の対象になります。

2-208　障害給付金を受け取った場合の取扱い

Q　確定給付企業年金では、年金加入者等が一定の障害状態になった場合には、障害給付金の給付が受けられるそうですが、この障害給付金は、税務上どのように取り扱われますか。

A　障害給付金には年金として受け取る方法と、一時金で受け取る方法がありますが、いずれの場合にもその受け取った障害給付金には課税されません。

2-209　遺族給付金を受け取った場合の取扱い

Q　年金給付対象者が死亡した場合に、その遺族に支払われる遺族給付金は、税務上どのように取り扱われますか。

A　確定給付企業年金の規約に基づき遺族が受け取る遺族給付金は、死亡した者の勤務に基づいて支給されるものですから、所得税では非課税とされています。ただし、相続税法ではみなし相続財産となり課税の対象になります。なお遺族給付金は、年金で受け取る方法と、一時金で受け取る方法とがあります（2-199参照）。

2-210 脱退一時金を受け取った場合の取扱い

Q 確定給付企業年金の加入者で一定の要件を満たす者は、脱退一時金の請求ができるとのことですが、この脱退一時金は、税務上どのように取り扱われますか。

A 確定給付企業年金の脱退に基づき受け取る一時金は、一時所得として所得税や住民税の対象になります。

2-211 確定給付企業年金の給付減額に伴い支給される一時金の取扱い

Q 当社は、この度、確定給付企業年金の給付を減額することとしましたので、年金を受給している人のうち希望する者には、最低積立基準額の全部を一時金として支給する予定です。この一時金は、どのように取り扱われますか。

A 所得税法では、確定給付企業年金法の規定に基づいて支払われる一時金で加入者の退職により支払われるものは退職所得とみなすこととされています。この加入者の退職により支払われるものには、年金の受給資格者に対しその年金に代えて支払われる一時金のうち、退職の日以後その年金の受給開始日までの間に支払われるもの（年金の受給開始日後に支払われる一時金のうち、将来の年金給付の総額に代えて支払われるものを含みます）も含まれることになっています。よって、設問の場合の一時金は、将来の年金給付の総額に代えて支払われるものと認められますので、退職

所得として取り扱われます。

なお、受給権者が退職時に退職所得の支払をすでに受けているときは、その退職した日の属する年分の退職所得として、すでに支払を受けた退職所得の上積み計算を行うこととなり、それまで退職所得の支払を受けていない場合には、その一時金を受領した日の属する年分の退職所得として取り扱われます。

2-212 確定給付企業年金の制度終了に伴い従業員に支払う一時金の取扱い

Q 当社は、この度、適格退職年金制度から移行した確定給付企業年金制度を廃止することとしましたので、引き続き勤務する従業員に一時金を支給します。この一時金は、どのように取り扱われますか。

A 確定給付企業年金法の規定に基づいて支給を受ける一時金で、加入者の退職により支払われるものは、退職所得とみなされますが、確定給付企業年金の制度終了に伴う一時金のように、契約関係の変更(終了)のみで何ら従業員（加入者）の勤務形態または身分関係に変更がない（退職の事実またはそれに準じた事実等がない）状況において支払われる一時金は、加入者の退職により支払われるものと解することはできません。また、この場合の一時金は、外部拠出型の退職金制度から支払われるものですから、給与にも該当せず、所得税法の退職所得に規定するこれらの性質を有する給与にも当たりません。

これらのことから、従業員に対して支払われる一時金は、一時所得として取り扱われることになります。

第 18 節　企業型確定拠出年金（日本版 401k）

2-213 確定拠出年金とは

Q 確定拠出年金とは、どういうものですか。

A 確定拠出年金は、個々の加入者が積立金の運用方法（預貯金、信託、株式、生保・損保等）を自己の責任で選定して、その運用益に応じた給付が受けられるというものです。

確定拠出年金には、企業型確定拠出年金と個人型確定拠出年金（3-179参照）とがあります。

実施主体及び加入対象者によって、次の図のように掛金の限度額が決められています。

確定拠出年金制度には、企業型年金と個人型年金の２種類があり、企業型は 60 歳（令和４年５月からは 70 歳）未満のサラリーマンが加入対象で、事業主が掛金を拠出します。一方個人型は、60 歳（令和４年５月からは 65 歳）未満の自営業者や企業型の対象とならないサラリーマンが対象で、本人が国民年金基金連合会に掛金を拠出します。公務員や専業主婦も加入することができます。個人型の確定拠出年金の詳細は、第３章第 13節を参照してください。

【確定拠出年金制度】

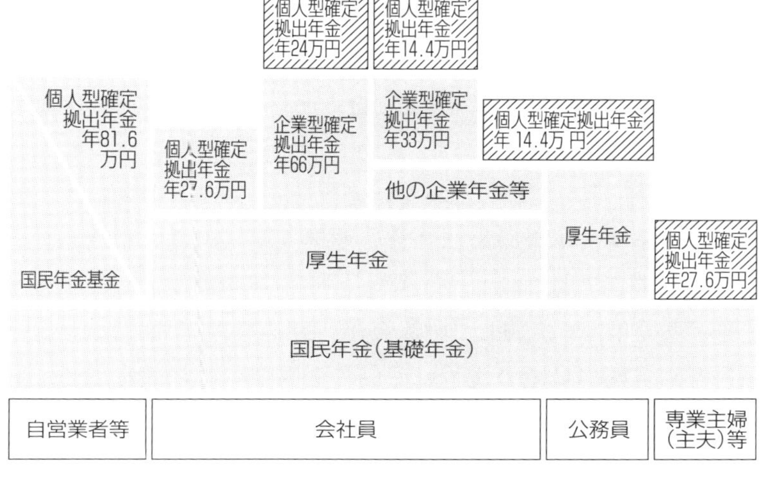

（注）金額は年間の拠出限度額です。

2-214 企業型確定拠出年金とは

Q 企業型確定拠出年金とは、どういうものですか。

A 企業型年金規約の承認を受けた会社が実施主体となり、従業員を加入者として、会社が掛金を拠出するというものです。

企業型確定拠出年金の概要は、次のとおりです。

① 実施主体

企業型年金規約の承認を受けた会社

② 加入対象者

実施企業に勤務する従業員

③ 掛金

事業主（企業型確定拠出年金の規約に定めた場合は加入者も拠出可能）

④ 拠出限度額

・確定給付型の年金を実施していない会社：55,000円／月

※企業型確定拠出年金の規約において個人型への加入を認めている会社：35,000円／月

・確定給付型の年金を実施している会社：27,500円／月

※企業型確定拠出年金の規約において個人型への加入を認めている会社：15,500円／月

⑤ 給付

老齢給付金や障害給付金、死亡一時金、脱退一時金がある

2-215 企業型確定拠出年金と個人型確定拠出年金（iDeCo）との違い

Q 企業型確定拠出年金と個人型確定拠出年金（iDeCo）は、どう違うのですか。

A 企業型確定拠出年金は、会社が主体者、従業員が加入者となって実施する制度です。掛金は事業者が拠出しますが、規約に定めれば加入者も掛金を拠出（マッチング拠出）することができます。

一方、個人型確定拠出年金（iDeCo）は、国民年金基金連合会が実施する制度で、原則として、20歳以上60歳未満のすべての人が加入することができます。掛金は、加入者が拠出します。

違いをまとめると、次のようになっています。

	企業型		個人型	
	企業年金制度がない会社の会社員等	企業年金制度がある会社の会社員等	企業年金制度がない会社の会社員等	自営業者など
加入対象	60 歳未満の従業員		60 歳未満の厚生年金被保険者	60 歳未満の国民年金の第 1 被保険者
加入方法	会社が導入を決めた場合は原則として全員加入（規約で要件を定めることもできる）		任意加入 申し込みは国民年金基金連合会	
掛金限度	月 55,000円(注5)	月 27,500円(注6)	月 23,000円(注1、2、3、4)	月 68,000 円
掛金拠出	会社（加入者が上乗せして拠出することも可）		加入者本人	
納付方法	会社が一括納付		口座振替または給与天引き	口座振替
運営主体	会社		国民年金基金連合会	
運営管理機関	会社が選択		加入者が選択	

(注 1)企業型確定拠出年金制度がある会社の会社員等は、個人型に月 20,000 円を限度に加入できます。
(注 2)企業年金制度がある会社の会社員等は、個人型に月 12,000 円を限度に加入できます。
(注 3)専業主婦（主夫）は、個人型に月 23,000 円を限度に加入できます。
(注 4)公務員は、個人型に月 12,000 万円を限度に加入できます。
(注 5)個人型への加入を認めている場合は、35,000 円になります。
(注 6)個人型への加入を認めている場合は、15,500 円になります。

2-216 企業型確定拠出年金の掛金の取扱い

Q 企業型確定拠出年金の掛金は、税務上どのように取り扱われますか。

A 法人が拠出する企業型確定拠出年金の掛金は、その拠出時の損金の額に算入されます。従業員の給与等にはなりません。

借	方	貸	方
福 利 厚 生 費 （損金算入）	×××	現 金 及 び 預 金	×××

また、法人において、加入者が掛金を拠出するマッチング拠出を認めている場合における加入者が拠出する掛金は、その者の支払った年分の所得

控除（小規模企業共済等掛金控除）の対象になります。

なお、確定拠出年金に係る老齢給付金、障害給付金、死亡一時金、脱退一時金を受け取った場合の取扱いは、第３章第13節の個人型確定拠出年金（iDeCo）を参照ください。

2-217 確定拠出年金制度の加入者とされない使用人に対する打切支給の取扱い

Q 当社はこの度、確定拠出金制度を導入しますが、定年（60歳）前の従業員については早期退職優遇制度があるため、50歳以上の従業員については、加入者とせず、かわりに移行日前の過去勤務期間に係る打切支給を行おうと思います。この場合に支払う一時金は、どのように取り扱われますか。

A この場合の一時金は、次の合理的な理由による退職金制度の実質的改変により精算の必要があって支給されるものと認められますので、退職所得として取り扱うことが認められます。

① 確定拠出年金制度の老齢給付金の支給を受けるためには、原則として10年以上の通算加入者期間を必要とすることから（確定拠出年金法第33条）、受給者のライフプランを考慮すると、早期退職者優遇制度がある場合には、50歳以上の使用人を加入者としないことを規約に定めることは合理性があると認められること

② 移行日前の勤続期間に係る打切支給が各使用人の意思にかかわらず一律に行われること

③ 50歳以上の使用人に対する早期退職優遇制度がある場合には、社会的な慣行からみて定年前の早期に退職する蓋然性が高いものと考えられること

2-218 確定拠出年金制度への移行に伴う打切支給の取扱い

Q 当社はこの度、企業内退職金制度から引き続き勤務する従業員の全員を加入者とする確定拠出年金制度へ移行しますが、これに伴い、全従業員に対して打切支給を行うこととなりました。この場合の一時金は、どのように取り扱われますか。

A 確定拠出年金制度への移行に伴って、使用人の選択によって支払われる一時金は、原則として退職所得になりませんが、確定拠出年金制度への移行が、中小企業退職金共済制度と同様の手順で、全員打切支給・全員加入となるような場合には、退職所得として取り扱うことが認められます。

2-219 確定拠出年金制度へ移行するために支給される給与（従業員が資産移換または一時金が選択できる場合）の取扱い

Q 当社は、企業内退職金制度から確定拠出年金制度への移行に当たって、従業員に次のいずれかを選択させることとしました。この場合、どのように取り扱われますか。

① 移行日前の過去勤務期間に係る退職金相当額の全額を資産移換する

② 移行日前の過去勤務期間に係る退職金相当額の50%を資産移換し、残りの50%については一時金として受け取る

③ 移行日前の過去勤務期間に係る退職金相当額の全額を受け取る

A ①の場合は、本人への資産の移転等がありませんから、課税関係は生じません。しかしながら、②と③は、従業員が支給方法を選択できるものであり、合理的な理由による退職金制度の実質的改変により精算の必要から支給されるものではありませんので、退職所得とはならず、給与所得として取り扱われます。

2-220 企業内退職金制度の廃止に伴う打切支給（個人型の確定拠出年金へ全員加入する場合）の取扱い

Q 当社はこの度、個人型の確定拠出年金制度に全従業員が加入することとなりましたので、企業内退職金制度を廃止して打切支給を実施することにしました。この場合に支払われる一時金は、どのように取り扱われますか。

A 個人型の確定拠出年金制度は、退職金制度を採用していない企業の従業員が任意で加入するものですから、企業型の確定拠出年金制度とは異なり、資産移換が認められていません。このため、たとえ結果的に引き続き勤務する使用人の全員が任意加入することとなった場合であっても、外部拠出型の退職金制度への移行には該当しません。

したがって、この場合の一時金は、退職所得とはならず、原則として給与所得となります。

なお、企業の経営状態が悪化していて、将来においても回復する見込みがないと認められ、かつ、労使協議の下に退職金制度を廃止せざるを得ない等の「相当の理由」によって企業内退職金制度を廃止し、その支給される一時金が、「その給与が支払われた後に支払われる退職手当等の計算上その給与の計算の基礎となった勤続期間を一切加味しない条件の下に支払われるもの」に当たる場合には、退職所得として取り扱うことが認められます。

第 19 節　経理処理の修正

2-221 損金算入できる定期保険の保険料を資産に計上している場合の修正

Q 当社は、損金算入できる定期保険の保険料を誤って資産に計上してきました。この処理を修正するにはどうしたらよいですか。

A 法人が、自己を契約者・保険金受取人とし、役員または従業員（これらの人の親族を含みます）を被保険者とする定期保険に加入して、保険料を支払った場合には、その保険料の額は期間の経過に伴って損金の額に算入することができます。

このように損金算入できる保険料の額を誤って資産に計上していた場合には、資産計上されている額を取り崩すとともに同額を過年度損益修正損とする会計処理をします。

ただし、税務上は、法定申告期限から5年以内でないと、税額の還付を請求することができる「更正の請求」の手続が認められません。5年を超えるものについては、損金の額に算入することができないこととなっています。

いずれにせよ、このような過年度の税務処理を修正する場合は、所轄の税務署長とよく相談することでしょう。

2-222 給与となる定期保険の保険料を単純損金としている場合の修正

Q 当社は、給与扱いになる定期保険の保険料を誤って保険料として処理してきました。この処理を修正するにはどうしたらよいですか。

A 法人が、自己を契約者とし、役員または従業員（これらの人の親族を含みます）を被保険者、受取人を被保険者の遺族とする定期保険に加入して保険料を支払った場合には、その支払った保険料の額は、期間の経過に応じて損金の額に算入します。ただし、役員または特定の従業員だけを被保険者としている場合は、その役員または従業員に対する給与となります。

給与扱いとなる保険料の額を支払保険料等として処理をしていた場合には、法人税の課税所得が過少であったわけではないので、法人税の所得計算上は問題ありません。ただし、役員給与や特殊関係使用人に対する給与が損金不算入になる場合には法人税の課税所得が増えることになるので、その場合には、過年度申告分の修正申告書を提出することになります。

また、払い込んだ保険料相当額は給与となるので、法人では対象者の他の給与と合算しなおしたうえで源泉所得税額を求め、差額を源泉徴収しなければなりません。

ただし、この場合には、過年分の課税漏れ給与等（年末調整を行うべきものに限ります）に対する源泉徴収税額は、過年分の課税漏れ給与等とその年分の課税済の給与等との合計額について計算した年税額から、課税済の給与等について計算した年税額（年末調整していない場合には、毎月の源泉徴収税額）を控除して計算してもよいこととされています。

2-223 資産計上する養老保険（終身保険）の保険料を損金算入している場合の修正

Q 当社は、資産計上すべき養老保険の保険料を誤って損金に算入してきました。この処理を修正するにはどうしたらよいですか。

A 法人が、自己を契約者・死亡保険金及び満期保険金の受取人とし、役員または従業員(これらの人の親族を含みます)を被保険者とする養老保険に加入してその保険料を支払った場合、その支払った保険料の額は、保険事故の発生または保険契約の解除もしくは失効によりその保険契約が終了するまで資産に計上しなければなりません。

このように資産計上しなければならない保険料の額を誤って損金に算入していた場合には、過去の保険料相当額を一括して資産計上するとともに、同額を益金に算入します。

税務上は、過年度の申告について修正申告書を提出することになります。

この場合、資産計上すべきものを損金算入してきたので、過年度の税額を少なく申告していることになります。したがって、過少申告加算税及び延滞税がペナルティとして課せられることとなります。

2-224 資産計上する養老保険（終身保険）の保険料を給与としている場合の修正

Q 当社は、資産計上すべき養老保険の保険料を誤って給与として損金に算入してきました。この処理を修正するにはどうしたらよいですか。

A 2-223と同様に、法人が、自己を契約者・死亡保険金及び満期保険金の受取人とし、役員または従業員(これらの人の親族を含みます)を被保険者とする養老保険に加入してその保険料を支払った場合、その支払った保険料の額は、保険事故の発生または保険契約の解除もしくは失効によりその保険契約が終了するまで資産に計上しなければなりません。

このように資産計上しなければならない保険料の額を誤って給与として損金に算入していた場合には、過去の保険料相当額を一括して資産計上するとともに同額を益金に算入します。

税務上、法人については、過年度の申告について資産計上すべきものを給与として損金算入してきたので、過少に税額を計算していたこととなり、修正申告書を提出しなければなりません。

この場合には、過少申告加算税及び延滞税が課せられることとなります。

一方、給与課税されてきた役員または従業員は、過年度分の課税所得が過大となっているので、更正の請求をして減額更正してもらうことになります。

2-225　給与となる養老保険（終身保険）の保険料を資産に計上している場合の修正

Q 当社は、給与扱いになる養老保険の保険料を誤って資産に計上してきました。この処理を修正するにはどうしたらよいですか。

A 法人が、自己を契約者とし、役員または従業員（これらの人の親族を含みます)を被保険者、死亡保険金及び満期保険金の受取人を被保険者またはその遺族とする養老保険に加入してその保険料を支払った場合には、その支払った保険料の額は、その役員または従業員に対する給与となります。

給与扱いになる保険料の額を資産に計上していた場合には、資産計上されている額を取り崩すとともに、同額を過年度損益修正損（給与）として処理します。

この場合には、法人については、過年度申告分の課税所得が過大となっているので、更正の請求をして減額更正してもらうことになりますが、過年度分給与にかかる源泉所得税については、源泉徴収をしなければなりません。

一方、給与課税の対象となる役員または従業員は、過年度分の所得税の修正申告をすることになります。

2-226 タックスハーフの保険料を全額資産計上している場合の修正

Q 養老保険の保険料を全額資産計上していましたが、契約形態を確認してみたところ、いわゆるタックスハーフに該当することがわかりました。正しくは半分損金計上とのことですが、このまま資産計上を続けていっても問題ないですか。

A タックスハーフの保険料は、その２分の１相当額を資産に計上し、残額を期間の経過に伴って損金に算入するとしています。２分の１としているのは、保険料に含まれている積立保険料部分と危険保険料部分を区分することができないため、簡便的に半分としているのですが、必ずしも半分を損金算入しなければならないというものではなく、半分を損金に算入している場合はこれを認めるというものであり、法人が資産計上することを否定するものではないと考えられます。したがって、法人が保険料の全額を継続して資産計上している場合は、利益調整のためでなければ、そのままでも特に問題ないものと思われます。

2-227 定期付養老保険（終身保険）の保険料を全額損金算入している場合の修正

Q 当社は、誤って定期付養老保険の保険料の全額を損金算入してきました。これを修正するにはどうしたらよいですか。

A 法人が、自己を契約者・死亡保険金及び満期保険金の受取人として、役員または従業員(これらの人の親族を含みます)を被保険者とする定期付養老保険に加入してその保険料を支払った場合には、その払込保険料が生命保険証券等において養老保険部分と定期保険部分とに区分されているときは、養老保険部分の保険料は資産計上し、定期保険部分の保険料は損金に算入することができます。なお、生命保険証券等において養老保険部分の保険料と定期保険部分の保険料が区分されていないときは、定期付養老保険の保険料の全額を資産計上します。

このような定期付養老保険の保険料の額を誤って全額損金算入している場合には、次のように処理をします。

定期保険部分の保険料と養老保険部分の保険料が区分されている場合	過去の保険料のうち養老保険の保険料部分相当額を一括して資産計上するとともに同額を益金に算入
定期保険部分の保険料と養老保険部分の保険料が区分されていない場合	過去の保険料相当額を一括して資産計上するとともに同額を益金に算入

なお、税務上は、過年度分の申告分について資産計上すべきものを損金算入してきたので、この申告についての修正申告書を提出しなければなりません。

また、この場合、過少申告加算税及び延滞税のペナルティが課せられます。

第 20 節　生命保険と消費税

2-228 保険料の取扱い

Q 生命保険の保険料は、消費税の対象になりますか。

A 消費税法では、次の金融取引等は非課税取引とされています。

① 利子を対価とする貸付け金その他一定の資産の貸付け
② 信用の保証としての役務の提供
③ 合同運用信託または公社債投資信託に係る信託報酬を対価とする役務の提供
④ 保険料を対価とする役務の提供
⑤ その他これらに類するもの

したがって、保険契約に係る保険料、共済に係る掛金は消費税の課税対象にはなりません。

2-229 生命保険料の引去手数料

Q 生命保険会社から、生命保険料の給与からの引去手数料を受け取っていますが、これは、消費税ではどのように取り扱われますか。

A 生命保険会社から受け取る生命保険料の給与からの引去手数料は、保険料受入にかかる役務の対価ですから、課税売上げになります。

なお、生命保険料の受入れについては、課税取引にはなりません。

2-230 生命保険の集金事務手数料の取扱い

Q 生命保険の保険料は消費税がかからないそうですが、集金事務手数料はどのように取り扱われますか。

A 従業員と保険会社との契約に係る保険料を法人がとりまとめをする場合と、保険会社から法人に手数料が支払われる場合がありますが、この場合の手数料は、その保険料のとりまとめという役務の提供に対する対価なので、消費税の課税対象となります。

2-231 保険金の取扱い

Q 保険金は、消費税の課税対象になりますか。

A 消費税は、事業として対価を得て行われる資産の譲渡、資産の貸付け及び役務の提供を課税の対象としています。

したがって、保険契約や共済契約に基づき、保険事故の発生に伴い受け取る保険金または共済金は、資産の譲渡等に係る対価には該当せず、消費税の課税対象にはなりません。

2-232 保険契約者の地位を譲渡した場合の取扱い

Q この度、企業組織の再編等に基づき保険契約者の地位を解約返戻金相当額で譲渡しました。この場合の保険契約者の地位の移転は、消費税の課税対象となりますか。

A 消費税法では、法人が国内において行った資産の譲渡について消費税が課せられることとされています。

この場合の資産には、棚卸資産、固定資産等の有形固定資産の他、権利等の無形資産も含まれます。

ところで、保険契約における保険金を受け取る権利というのは、保険事故が発生してはじめて生じるものなので、それまでは発生しません。また、保険事故発生までに行う保険契約者の地位は、消費税法でいう資産の譲渡には該当しません。

したがって、保険契約者の地位の譲渡に伴い収受する解約返戻金相当額は、消費税の課税対象にはなりません。

第21節　自社株評価と生命保険

2-233 生命保険契約に関する権利の評価

Q 当社の株式は純資産価額方式で評価されます。資産のなかには次のような養老保険の保険契約があります。株式を評価する場合、この保険契約に関する権利は、どのように評価するのですか。

【契約形態】

契約者	法　人
被保険者	役員、従業員
保険金受取人	法　人

A 取引相場のない株式を純資産価額で評価する場合において、評価対象となる法人の資産の中に生命保険契約で保険事故が発生していないものがあるときは、その生命保険契約に関する権利の評価は、課税時期におけるその保険契約を解約したとした場合に支払われる解約返戻金相当額(前納保険料の金額、剰余金の分配額等がある場合にはこれらを合計します)で評価します。

2-234 低解約返戻金型生命保険契約に関する権利の評価

Q 純資産価額方式で株式を評価する場合、低解約返戻金型生命保険契約に関する権利の評価は、どのようにするのですか。

A 令和３年に法人契約の低解約返戻金型保険等を個人に名義変更する場合の評価方法が、名義変更時の解約返戻金の額から名義変更時の資産計上額に改正されました（詳しくは第９節第２款を参照ください）。

このことから、株式を純資産価額方式で評価する場合の評価も同様の取扱いになると思われるかもしれませんが、相続税では、相続発生時における時価により評価をしますので、資産計上額ではなく、その保険契約を解約したとした場合に支払われる解約返戻金相当額で評価をすることになります。

2-235 変額保険の生命保険契約に関する権利の評価

Q 変額保険の場合には、生命保険契約に関する権利はどのように評価すればよいですか。

A 変額保険は、その運用方法が一般の生命保険とは異なりますが、あくまでも生命保険の一種です。したがって、課税時期において、まだ保険事故が発生していない生命保険については、2−233と同様に評価します。

2-236　２分の１損金算入型養老保険の生命保険契約に関する権利の評価

Q　２分の１損金型養老保険の場合には、生命保険契約に関する権利は、どのように評価すればよいですか。

A　２分の１損金型養老保険であっても、課税時期において、まだ保険事故が発生していない生命保険契約については、2−233 と同様に評価します。

2-237　転換した場合の生命保険契約に関する権利の評価

Q　転換制度に基づき保険契約を転換している場合、生命保険契約に関する権利はどのように評価すればよいですか。

A　保険契約の転換制度とは、現在加入している契約の転換価格を頭金にして新しい保険契約に切り替える制度で、下取制度とも呼ばれているものです。

この転換制度によって新しい保険契約に切り替えた場合の生命保険契約に関する権利の価額についても、課税時期においてその保険契約を解約したとする場合の解約返戻金相当額で評価します。

2-238 社長の死亡により会社が受け取った生命保険の評価

Q 当社の株式は純資産価額方式で評価されます。社長の死亡退職金の準備として次のような定期保険に加入していましたが、先日保険事故が発生し会社が生命保険金を受け取ることになりました。この場合、株式の評価はどのようにすればよいですか。

【契約形態】

契約者	法　人
被保険者	役　員
保険金受取人	法　人
死亡保険金	50,000,000円
死亡退職金	40,000,000円

A 被保険者の死亡により、法人は保険金を受け取る権利を取得しているので、その死亡保険金の金額を未収受取保険金として資産の部の「相続税評価額」及び「帳簿価額」のいずれにも記載します。

一方、負債の部には、被相続人の死亡により相続人その他の者に支給することが確定した退職手当金、功労金その他これに準ずる給与の金額（退職給与引当金を取り崩して支給されるものを除きます）と受取死亡保険金に課税される法人税相当額を「相続税評価額」及び「帳簿価額」のいずれにも記載します。

資　産　の　部			負　債　の　部		
科目	相続税評価額(円)	帳簿価額(円)	科目	相続税評価額(円)	帳簿価額(円)
未収受取保険金	50,000,000	50,000,000	未払退職手当金	40,000,000	40,000,000
			未払公租公課	3,700,000	3,700,000

受取死亡保険金に課税される法人税等相当額は、次の算式で求めます。

$$\left(\text{死亡保険金額} - \begin{array}{c}\text{損金に計上される}\\ \text{退職手当金の額}\end{array}\right) \times 37\% = \text{法人税等相当額}$$

したがって、上記の事例の法人税等相当額は以下のようになります。

(50,000,000円－40,000,000円)×37%＝3,700,000円

2-239 純資産価額方式で評価される会社の自社株対策

Q 当社の株式は純資産価額方式で評価されます。生命保険を使った自社株対策があると聞きましたが、どのようなものですか。

A 取引相場のない株式は、次ページの表のとおり、法人の総資産価額、従業員の数及び取引金額によって、その評価方法が純資産価額方式、類似業種比準価額方式、純資産価額方式と類似業種比準価額方式の折衷方式、配当還元価額方式（零細株主の場合）に分けられます。

純資産価額方式の利用により、含み益をつくることができます。

【会社規模区分表】

① 従業員数が70人以上の会社は、大会社となります。

② 従業員数が70人未満の会社は、それぞれ以下の表により判定します。

【卸売業の場合】…該当するもののいずれか上位で判定します。

取引金額 総資産価額 及び従業員数	2億円未満	2億円以上 3.5億円未満	3.5億円以上 7億円未満	7億円以上 30億円未満	30億円以上
7,000万円未満 または5人以下	小会社				
7,000万円以上 (5人以下を除く)		中会社の 「小」 (L=0.6)			
2億円以上 (20人以下を除く)			中会社の 「中」 (L=0.75)		
4億円以上 (35人以下を除く)				中会社の 「大」 (L=0.9)	
20億円以上 (35人以下を除く)					大会社

【小売・サービス業の場合】…該当するもののいずれか上位で判定します。

取引金額 総資産価額 及び従業員数	6,000万円未満	6,000万円以上 2.5億円未満	2.5億円以上 5億円未満	5億円以上 20億円未満	20億円以上
4,000万円未満 または5人以下	小会社				
4,000万円以上 (5人以下を除く)		中会社の 「小」 (L=0.6)			
2.5億円以上 (20人以下を除く)			中会社の 「中」 (L=0.75)		
5億円以上 (35人以下を除く)				中会社の 「大」 (L=0.9)	
15億円以上 (35人以下を除く)					大会社

【それ以外の業種の場合】…該当するもののいずれか上位で判定します。

総資産価額及び従業員数 ＼ 取引金額	8,000万円未満	8,000万円以上2億円未満	2億円以上4億円未満	4億円以上15億円未満	15億円以上
5,000万円未満または5人以下	小会社	中会社の「小」(L=0.6)			
5,000万円以上(5人以下を除く)			中会社の「中」(L=0.75)		
2.5億円以上(20人以下を除く)				中会社の「大」(L=0.9)	
5億円以上(35人以下を除く)					
15億円以上(35人以下を除く)					大会社

(注)表中の「L」とは中会社を評価する際に用いる割合で、総資産価額及び従業員数、取引金額に応じて上記のように求められています。
支配的株主の場合、自社株（非上場株）の相続税評価は、上記の会社規模区分によって、原則として次により行います。

・大会社……類似業種比準価額か純資産価額のいずれか低い方により計算した金額
・中会社……(類似業種比準価額×Lの割合)＋{純資産価額×(1－Lの割合)}により計算した金額か純資産価額のいずれか低い方
・小会社……(類似業種比準価額×0.5)＋(純資産価額×0.5)により計算した金額か純資産価額のいずれか低い方

❶ 純資産価額方式の計算方法

純資産価額は次の算式で求められます。

純資産価額＝{総資産価額（相続税評価額により計算した金額）－負債の合計額－評価差額に対する法人税額等相当額※}÷課税時期における発行済株式数

※ 評価差額に対する法人税額等相当額＝(相続税評価額による純資産価額－帳簿価額による純資産価額)×37%

❷ 自社株対策

純資産価額で評価される株式の自社株対策のポイントは、含み益をつくることです。なぜなら、株式の評価を算出するときには、含み益の37%に相当する金額が税務上の純資産から差し引かれるからです。

含み益とは、上記❶の相続税評価額による純資産価額から帳簿価額による純資産価額を差し引いたものをいいます。

含み益をつくることができる生命保険には、次のようなものがあります。

1. 定期保険

定期保険のうち、支払保険料の一部が損金となり、なおかつ、解約したときには解約返戻金がある保険は、その解約返戻金部分が含み益になります。契約形態は次のとおりです。

契約者	法　人
被保険者	役員、従業員
保険金受取人	法　人

2. 一時払養老保険

一時払養老保険の評価は、その一時に支払った保険料の額で評価されます。

通常の金融商品であれば、毎年の受取利息等の収益に対して課税されますが、一時払養老保険は保険期間満了になるまで課税されないので、この部分が含み益になります。

その契約形態は、次のとおりです。

契約者	法　人
被保険者	役員、従業員
満期保険金受取人	法　人
死亡保険金受取人	法　人

2-240 類似業種比準価額方式で評価される会社の自社株対策

Q 当社の株式に類似業種比準価額方式で評価されます。生命保険を使った自社株対策があると聞きましたが、どのようなものですか。

A 取引相場のない株式の評価方法は、法人の総資産価額、従業員の数及び取引金額等によって純資産価額方式、類似業種比準価額方式、純資産価額方式と類似業種比準価額方式との折衷方式、配当還元価額方式にわかれます（2-239参照）。

類似業種比準価額方式で評価する株式は、１株当たりの利益金額を減らすことで株価を引き下げることができます。

---

1 類似業種比準価額方式の計算方法

類似業種比準価額とは、評価会社と類似する業種の上場会社の平均株価に次の比準割合を乗じて計算した金額の70％相当額（大会社の場合）をいいます。

この類似業種の株価は、課税時期の属する日以前３か月間の各月別平均株価または課税時期の属する月以前２年間の平均株価、前年の平均株価のうち、最も低い金額とすることができます。

$$比準割合 = \left(\frac{\frac{b}{B} + \frac{c}{C} + \frac{d}{D}}{3} \right) \times 0.7^{（注）}$$

b：評価会社の１株当たりの配当金額

c：評価会社の１株当たりの利益金額

d：評価会社の１株当たりの純資産価額（帳簿価額）

B：類似業種の１株当たりの配当金額
C：類似業種の１株当たりの年利益金額
D：類似業種の１株当たりの純資産価額（帳簿価額）
(注)計算式の0.7は中会社の場合は0.6、小会社の場合は0.5になります。

2 自社株対策

類似業種比準価額で評価される株式の自社株対策のポイントは、その法人の１株当たりの利益金額を減らすこと、すなわち、損金となる額を増やすということです。

１株当たりの利益金額を減らす次のような保険を活用すると株価が下がることになります。

1. 定期保険

全額が損金になる定期保険です。

その契約形態は、次のとおりです。

契約者	法　人
被保険者	役員、従業員
保険金受取人	法　人

2. 月払いまたは年払いの養老保険

この場合の養老保険は、支払った保険料の２分の１が損金になり、残りの２分の１は資産計上するものです。その契約形態は、次のとおりです。

契約者	法　人
被保険者	役員、従業員
死亡保険金受取人	被保険者の遺族
満期保険金受取人	法　人

第22節　法人の生命保険活用方法

2-241 生命保険を活用する場合のポイント

Q 保険商品を選ぶ場合には、どのような点に注意したらよいですか。

A 重要なのは加入の目的です。何が何でも「全額損金の保険」ではなく、次のようなことを考えて検討しましょう。

---

1 生命保険のどのような特徴を活用したいのか

死亡または高度障害になったときの保障を活用したいのか、それとも解約返戻金を活用することを目的に加入するのかによって選ぶ保険が違ってきます。

借入金対策や万一に備えてということであれば、解約返戻金は少なくても保険料の安い保険ということになりますし、解約返戻金を活用したいということであれば貯蓄性のある保険になります。

2 解約返戻金をいつ受け取りたいのか（解約返戻率のピークをいつにすればよいか）

保険料が損金になる商品を解約した場合は、その解約時に雑収入が計上されることになります。したがって、解約するときに何かしら損金計上できるものがないと、単なる税の繰り延べになってしまいますので、解約返戻金を活用したいのなら、5年後ぐらいに建物の修繕をするつもりであるとか、10年後に退職金を支払う予定があるとか、先を見越したうえで商品を選択することが大切です。

2-242 活用方法マトリックス

Q 法人契約の生命保険を有効に活用するには、どのようなプランが考えられますか。

A 各種の生命保険を有効に活用した法人プランをまとめると、次のようになります。

		死亡保障及び損金性	死亡保障及び内部留保	生前退職金	福利厚生	貯蓄性	自社株対策
定期保険、第三分野保険		○			○		○
保険料の全額が損金にならない定期保険、第三分野保険		△	○	○			△
養老保険	—		○			○	
	2分の1損金算入		○	○	○		○
終身保険			○			○	
団体定期保険		○					
個人年金				○			

2-243 定期保険を使った節税重視プラン

Q 定期保険を使った節税対策とは、どのようなプランですか。

A 定期保険の特徴は、安い保険料で大きな保障が得られることです。中小企業で社長等に万一のことがあった場合、遺族の生活保障、借入金の返済、従業員の退職金等多額の資金が必要になるケースがあります。

定期保険を使った節税重視プランは、こうした場合に備えるのに適しています。

---

❶ 保険の種類

このプランの定期保険は、一般の定期保険を活用します。

❷ 契約形態

契約者	法　人
被保険者	役員、従業員
保険金受取人	法　人

上記の契約形態で支払う保険料は、全額損金の額に算入することができます。

なお、被保険者が死亡した場合には、法人が受け取った保険金を死亡退職金として支給することができます。この場合には、退職金規程を整備しておく必要があります。

2-244 保険解約に伴う利益対策

Q 内部留保対策の一環として生命保険に加入していましたが、解約すると、かなり利益が出てしまいます。何か対策はありませんか。

A 保険会社によっては、年金支払移行特約をつけることができます。この特約をつけると、解約返戻金が一時金ではなく、年金で受け取ることができます。この特約がつけられると、保険を解約した場合でも、一時に利益が計上されず、利益の分散を図ることができます。ただし、保険会社によって特約の取扱いが異なるので、契約時によく確認しておく必要があります。

2-245 短期前払費用の活用

Q 当社は、役員を被保険者、当社を保険金受取人とする定期保険に加入しようと思っています。決算期は３月末ですが、３月中にこの保険に加入して保険料を年払いすると１年分の保険料が損金に算入できると聞いていますが本当ですか。

A 法人税基本通達では、短期の前払費用について次のような特例を設けています。

「前払費用(一定の契約に基づき継続的に役務の提供を受けるために支出した費用のうち当該事業年度終了の時においてまだ提供を受けていない役務に対応するものをいう。）の額は、当該事業年度の損金の額に算入されないのであるが、法人が、前払費用の額でその支払った日から１年以内に提供を受ける役務に係るものを支払った場合において、その支払った額に相当する金額を継続してその支払った日の属する事業年度の損金の額に算入しているときは、これを認める」というものです。

したがって、法人が生命保険契約に基づく保険料の額で、その支払った日から１年以内に提供を受ける役務に係るものである場合には、その支払った額をその支払った日の属する事業年度の損金の額に算入することができます。

つまり、この場合は、その全額を支払った事業年度に損金の額に算入できるということです。

ただし、継続適用が前提になっているので、利益操作のため利益が出た期間だけ１年分前払いするというような支出については認められません。

2-246 終身保険を使った退職金プラン

Q 終身保険は退職金の準備に役立つそうですが、どのように契約すればよいですか。

A 終身保険は、一生涯にわたり保障されるので、同族会社の役員等のように死亡したときの保障が必要な場合に適しています。また、終身保険には貯蓄性もあるため、長期間保険料を払い込むような場合には多額の解約返戻金が戻ってきます。この解約返戻金を生前退職金として利用することができます。

---

❶ 保険の種類

終身保険

❷ 契約形態

契約者	法　人
被保険者	役員、従業員
保険金受取人	法　人

このような契約形態の場合、法人が支払う終身保険の保険料は、全額資産に計上されます。したがって、節税効果は全くありませんが、死亡退職金を準備するのには適したプランといえます。

死亡退職金は、相続税法上の非課税規定により、法定相続人１人当たり500万円までが非課税になります。また、「役員等の保障も必要だし、会社の含み資産も持ちたい」という場合にも適しています。

2-247 養老保険を使った福利厚生プラン

Q 養老保険により支払った保険料の２分の１が損金になるプランがあるそうですが、どのようなものですか。

A 養老保険とは、一定期間の死亡の保障があり、かつ、貯蓄性もある保険です。従業員が死亡した場合の遺族の保障及び従業員の退職金準備に適しています。

---

❶ 保険の種類

養老保険

❷ 契約形態

契約者	法　人
被保険者	役員、従業員
死亡保険金受取人	被保険者の遺族
満期保険金受取人	法　人

上記の契約形態で保険に加入して保険料を支払った場合には、その支払

った保険料のうち２分の１に相当する金額は資産計上を要しますが、残りの２分の１相当額は期間の経過に応じて損金の額に算入できます。

この場合、原則として全員加入が望ましいです。しかし、全員加入していなくても全員に加入の機会が与えられており、それが合理的な基準により設けられた普遍的な格差であると認められるときは、上記の取扱いが適用されます。

役員や部課長その他特定の従業員だけを被保険者としている場合や、全従業員の大部分が同族関係者であるような場合は、先の「残りの２分の１相当額」はこれらの者に対する給与（給与の取扱いについては、第６章参照）となるので注意が必要です。

2-248　養老保険を使った資金運用プラン

Q　養老保険を使った資金運用プランがあるそうですが、どのようなものですか。

A　養老保険は、被保険者に死亡事故が生じた場合、死亡保険金が支払われる他、保険期間の満了時に被保険者が生存している場合にも、生存（満期）保険金が支払われます。

また、養老保険は貯蓄性の高い保険なので、途中で解約した場合には多額の返戻金が戻ってくることがあります。

このプランは、「死亡保障もほしいが、運用益もほしい」という場合に適しています。

---

❶ 保険の種類

養老保険

2 保険料の支払方法

一時払い、全期前納払い

3 契約形態

契約者	法　人
被保険者	役員、従業員
死亡保険金受取人	法　人
満期保険金受取人	法　人

上記の契約形態は、保険料の全額資産計上を要するので、節税効果はありません。

このプランは、保険期間の途中で資金が必要になった場合は、保険契約の一部解約をすることもでき、契約者貸付金制度を利用することもできます。

2-249 終身保険を使った資金運用プラン

Q 終身保険を使った資金運用プランがあるそうですが、どのようなものですか。

A 終身保険は、一生涯保障が得られる保険ですが、保険期間の中途で解約した場合には多額の解約返戻金が戻ってくることがあります。

「定期性預貯金をするよりも、同じように運用益があって、かつ、一生涯の保障がついた保険のほうがよい」という場合に適しています。

---

❶ 保険の種類

終身保険

❷ 保険料の支払方法

一時払い

❸ 契約形態

契約者	法　人
被保険者	役員、従業員
保険金受取人	法　人

上記の契約形態の場合、保険料は全額資産計上を要するので、節税効果はありません。

このプランについても、保険期間の途中で資金が必要になったときは、保険契約の一部解約をすることができ、契約者貸付金制度を利用することもできます。

2-250 個人年金を使った年金プラン

Q 法人が個人年金に加入しても節税メリットがあると聞いています。どのようにすればよいですか。

A 個人年金保険とは、ある年齢に達したら年金が支払われる保険です。

個人年金を利用するプランは、従業員が死亡した場合の遺族保障や生前の退職年金資金作りに適しています。

また、このプランは、法人が年金形式で保険金を受け取るので養老保険のように満期時に多額の収益があがるということもありません。

基本的には従業員の福利厚生を目的にしており、養老保険の２分の１損金プランと同様に、原則的に全員が加入する必要があります。全員が加入しない場合には、合理的に設けられた普遍的な格差が必要です。

---

1 保険の種類

個人年金保険

2 契約形態

契約者	法　人
被保険者	役員、従業員
年金受取人	法　人
死亡保険金受取人	被保険者の遺族

上記の契約形態で法人が保険料を支払った場合には、その保険料のうち90％に相当する額は資産に計上されますが、残りの10％相当額は福利厚生費として期間の経過に応じて損金の額に算入されます。

ただし、役員または特定の従業員だけを被保険者としている場合や、全員加入でもその大部分が同族関係者であるときは、残りの10％相当額については給与（給与の取扱いについては、第６章参照）とされます。

2-251 年金払特約を活用したプラン

Q 会社で福利厚生型の生命保険（養老保険）に加入しようと思っていますが、満期のときに多額の益金が計上されてしまいます。何かよい方法はありませんか。

A 年金払特約をつけておくとよいでしょう。

年金払特約をつけておくと、保険金を年金払いでもらうことができ、この場合には、年金が入金されるときに益金に算入すればよく、一時の益金に算入しなくても済みます。

なお、年金払特約をつけなくても年金でもらうことは可能ですが、この場合には、もらうこととなったときにその全額を益金に算入しなければなりませんので、注意が必要です。

年金払特約は、無料ですので、必ずつけておきましょう。

2-252　役員退職金の積立てに生命保険を活用するプラン

Q 役員退職金を準備するのに生命保険がよいと聞きますが、どういうメリットがあるのですか。

A 資金を積み立てる方法には、金融機関での預金積立や証券会社の商品の活用等がありますが、いずれもただ単に積み立てるというだけで、税制上のメリットもありませんし、受け取った利益には税金もかかってきます。

また、死亡退職金や弔慰金の積立を目的とした場合でも、貯めた金額しか戻ってきません。

これに対して、役員退職金の積立てに生命保険の商品を用いることには、次のようなメリットがあります。

---

❶ 損金を作ることができる

保険料の全額または一部が損金になる税制上のメリットがあります。

❷ 赤字防止策となる

退職金は会社の損金となります。多額な退職金を支給すると、その期は赤字になるかもしれませんが、生命保険で退職金を積み立てる場合は、保険料の全額が損金になる商品であれば解約返戻金の全額が、また保険料の一部が損金になる商品であれば解約返戻金からそれまでに資産計上していた金額を差し引いた金額が益金となります。よって、退職金の支払による赤字転落を防ぐことができます。

❸ 死亡退職金・弔慰金の準備を効果的にできる

保険は、少ない掛金で大きな死亡保障を買うことができ、万一の場合には、一括で保険金を受け取ることもできますし、分割で受け取ることも可能です。決算の状態に合わせて選択することができるというメリットがあります。

❹ 緊急資金として活用することもできる

経営者である社長や役員が死亡した場合は、取引先や銀行、社員に与えるインパクトはとても大きく、場合によっては、取引の縮小や融資の引き揚げさえも余儀なくされかねません。そんなときに、死亡保険金は、後任の者が会社の軌道修正をするまでの緊急資金として活用することができます。

2-253 従業員退職金の積立てに生命保険を活用するプラン

Q 役員退職金の積立てだけでなく、従業員の退職金の積立てにも生命保険がよいと聞きます。どういうメリットがあるのですか。

A 従業員の退職金は、以前は退職給与引当金があり、内部積立が可能でしたが、2002年に廃止になり、外部積立をせざるを得なくなりました。従業員の退職金の外部積立の制度や方法には、次のようなものがあります。

- 新適格退職年金
- 確定給付企業年金
- 確定拠出年金（日本版401K）
- 中小企業退職金共済
- 特定退職金共済
- 生命保険

生命保険以外の積立制度は、その掛金が全額損金になりますが、生命保険だけは損金にならないものがあります。この点から、従業員の退職金の積立には向かないのではと思われるかもしれませんが、生命保険は会社経営を考えると、次のようなメリットがあります。

---

1 死亡退職金に効力を発揮

退職金には生前退職金と死亡退職金の２種類があります。一般的な退職金といえば生前退職金ですが、企業の福利厚生としては、死亡退職金や弔慰金の制度も必要でしょう。後者の死亡による退職時に活きてくるのが生命保険です。

死亡による退職であっても、他の制度では、積み立てたお金の範囲でしか従業員に支給できませんから、積立金より多く支給しようとする場合には、会社の現預金から支出しなければなりません。しかし、生命保険であれば、少ない掛金で大きな死亡保障が準備できるので、この点が会社経営においてとても有効です。

❷ 従業員の退職金以外にも使える

生命保険以外の制度は、資金を積み立てても会社では受け取ることができず、従業員でないと受け取れません。もちろん、目的が従業員の退職金の積立なので当然といえば当然なのですが、会社の経営が立ち行かず、現金が急に必要になった場合でも使うことができません。これに対して、生命保険で積み立てたお金は、いつでも自由に使えます。このメリットはとても大きいといえるでしょう。

2-254 BCP対策として生命保険を活用するプラン

Q 事業継続計画（BCP）に生命保険が有効だと聞きました。どのように活用できるのですか。

A 事業継続計画は、BCP（Business Continuity Plan）といわれ、ISOにもなっています（ISO22301）。

BCPは、企業に重大な事態が発生した際に、事業をどのように継続させるかということを具体的に計画していくというものです。例を挙げれば、「工場が一つしかない企業で、もし工場が火事になって操業できなくなった場合に、どう対処するかということを事前に計画しておきましょう」というものです。

何の事前対策もしていないと、重大な事態が生じたとき企業は製品を出荷できず、その影響で取引先に取引を打ち切られてしまうかもしれません。

しかし、有事の際には同業他社の工場を借り、製品を生産する提携を事前に結んでおくとか、別の場所に代替作業のできる工場を用意しておく等の事前対策を講じていれば、取引先からの大きな信頼が得られるだけでなく、商売を拡大するチャンスになるかもしれません。

最近、大手企業ではBCPの検討が進んでおり、きちんとした計画を策定しているかどうかを取引条件の一つにするというところもあるようです。こうした状況に対応するための、生命保険の活用は以下のような内容となります。

---

1 BCPにおける保険の活用

事業継続計画を策定するというと難しいもののように感じるかもしれませんが、そのようなことはありません。

例えば、大地震が発生したとすれば、以下のことを検討しなくてはなりません。

- ・役員や従業員の安否確認は誰が行い、誰に情報を集約するのか。
- ・社長が出社できない状況や安否確認できない状況になった場合に、誰が社長の業務を一時的に引き継ぐのか。
- ・有事になったとき、社員への指示系統はどのようにするのか。
- ・工場や店舗が操業できなくなった場合に、どのように対処するのか。
- ・操業不能になり一時的に売上が上がらなくなった場合に、取引先や金融機関への支払、社員の給与の支払をどうするのか。

これらの事項を事前に会社の中で話し合い、資料化し、役員・社員全員に周知徹底しておきます。

そして、そのまとめた資料を取引先に「弊社は、有事の際にはこのような体制をとりますので、万一の場合でもご安心ください。仕事をとぎれさせません」といってみせればよいのです。会社の大きなPRにもなります。

また、会社に重大な事態が発生した場合、例えば、火災で工場が焼けたという場合でも、火災保険を掛けておけば、工場を修復することができます。利益補填や営業継続費用をカバーしてくれる損害保険商品（企業費用利益保険といい、保険料は掛捨てです）もあります。

❷ 生命保険の活用方法

このようなメリットから、保険には加入しておくべきなのですが、工場が元どおりになるまでの間をどうするのかも考えておかなければなりません。また、保険金が支払われるまでには時間がかかります（1か月以上かかることも多々あります）。

さらに、この間、取引先や金融機関への支払、給料の支払をどうするかも考えておく必要があります。銀行に緊急融資をお願いしても、思い通りにいくとは限りません。

そんなときに力を発揮するのが、貯蓄型の生命保険です。社長や役員を被保険者として会社で加入します。貯蓄型の生命保険は、解約すればお金が戻ってくるので、いざというときに非常に役立つでしょう。

また、解約せずにお金を借りるということもできます。契約者貸付という制度ですが、貯まっているお金の50～90％を3～4日で調達することができます。

「重大な事態」にも色々あります。火災や地震だけでありません。リーマンショックのような景気変動で、緊急資金が必要になるケースもあります。

事業継続対策の一つとして生命保険や損害保険の活用をすることは非常に有効であるといえます。

2-255 社員の医療費補助対策として生命保険を活用するプラン

Q 社員の医療費補助対策に生命保険が活用できると聞きましたが、どのような内容なのですか。

A 付加給付制度の導入による医療費補助対策という活用方法がありますが、医療費補助対策の前に、まずは健康保険（社会保険）の内容を確認しておきましょう。

健康保険（社会保険）は、医療費が3割負担で済むという制度ですが、それ以外にも次のような制度があります。

---

1 傷病手当制度

社員が病気やケガで働けなくなり、連続4日以上休み、給与がゼロになるか一定額以上減額になった場合に、給与日額の2／3を限度に、減額された分の給与相当額を補てんしてくれる制度です。支給期間は最長1年半です。なお、この傷病手当制度は、健康保険（社会保険）には付帯されていますが、国民健康保険には付帯されていません。

2 高額療養費制度

同じ月に同一の病院に支払った医療費が一定の限度額を超えた場合は、健康保険（社会保険）組合に請求するとその超えた部分の金額が払い戻されるという制度です。

❸ その他

その他、入院時食事療養費や訪問看護療養費、出産育児一時金、出産手当金、埋葬料、移送費等の現金給付制度があります。

さらに、上場企業等のように、自社で健康保険（社会保険）組合を持っている場合は、上記❷の高額療養費制度に加えて独自の制度による補助金制度があり、治療費の自己負担額が月額１万円～３万円位しかかからないというケースも結構多いようです。しかし、中小企業の多くが加入している全国健康保険協会の健康保険（社会保険）には、こうした付加給付制度はありません。

そこで、生命保険会社の医療保険を活用すれば、同様の付加給付制度を導入することができ、医療費補助対策として活用することができます。

保険料も安いですし、しかも、保険料は全額損金に算入されます。福利厚生の一環として活用できるものと思います。

2-256 企業防衛対策として生命保険を活用するプラン

Q 社長に万一のことがあった場合に生命保険が有効と聞きますが、どのように有効なのですか。

A 後継者が会社の経営を軌道に乗せるまでの資金繰りに有効です。

社長に万一のことがあると、会社を取り巻く環境が激変してしまいます。銀行は、融資の一括返済を迫ってくるかもしれません。取引先は、取引の縮小や停止を求めてくるかもしれません。優秀な社員は退職してしまうかもしれません。

社長自身が、「自分が死んだら会社は倒産しても仕方ない」と思っているなら別ですが、一般的に多くの社長は、スムーズな事業承継を望んでいます。では、スムーズに事業承継をするにはどうしたらよいでしょうか。

方法は二つです。

① 後継者となる人材を育て、その後継者に対外的な信用を持たせる。

② 後継者が会社を軌道に乗せるまでの間の資金を事前に準備しておく。

生命保険は、この②の資金的な問題を解決するのに有効です。

具体的には、契約者＝会社、被保険者＝社長、死亡保険金受取人＝会社という契約形態で会社が保険に加入します。

すると、社長に万一のことが起きた場合には、会社に保険金が入ってきますので、後継者は余計な心配をせず、事業を軌道に乗せることに専念できます。

この場合の保険金額の目安は、次のように計算します。

必要資金＝(①＋②)×1.6倍＋③

① 借入金返済資金	銀行から一括返済を迫られた場合の対策（1年以内に支払期日が到来する短期借入金相当額の確保）として
② 買掛金・支払手形の支払資金	取引先に安心してもらう為の対策として
③ 社員の給与保証資金	優秀な社員の不安を減らす対策（給与支払保証期間は全社員給与の6か月～1年間で設定）として

※①と②の合計額を1.6倍する理由：
受け取った保険金は税金の対象となるので、これを考慮しておかないと借入金や買掛金が支払えなくなってしまいます。そうならないため、手残り額が①と②の合計額になるよう逆算して計算します。

2-257 ポリシー分割で生命保険を活用するプラン（死亡保障の大きい生命保険に加入する場合のプラン）

Q 死亡保障の大きい生命保険に加入する場合は、どのような点に注意したらよいですか。

A 死亡保障の大きい生命保険に加入する場合は、次のように契約を分ける（保険契約をいくつかの証券に分けることをポリシー分割といいます）とよいでしょう。

ただし、分けた契約の中には、保険料の高額割引の取扱いがあるかもしれないので、保険契約を分けることによって保険料が上がらないかを確認してください。

ポリシー分割とは、例えば、保険金３億円の保険に入るなら、１億円の契約３本に分けて入るというように、保険契約をいくつかの証券に分けることをいいます。

このように保険契約を分けると、解約返戻金のピークが来たときでも、１本ずつ期をずらして解約していけば計画的に利益調整をすることができるだけでなく、１本に「保険金等の支払方法の選択に関する特約（年金受取特約）」をつけておけば、さらに一時に益金をなだらかに発生させることができます。

ポリシー分割の活用例は、以下のとおりです。

【活用例】

① 保険契約の１件目を死亡保険金の一括受取りにする。

〈効果〉

次のような短期的に必要な資金に充当できます。

・社葬費用

・死亡退職金、弔慰金

・早期に返済が必要となる短期借入金の返済資金 etc.

この場合、死亡退職金と弔慰金は一定額まで損金に算入できますので、雑収入となる保険金と相殺すれば節税につながります。

② 保険契約の２件目は「保険金等の支払方法の選択に関する特約（年金受取特約）」をつけて、保険金を分割受取りにする。

〈効果〉

次のような長期的に必要な資金に充当でき、また節税にもなります。

・経営立て直し期間の売上減少対策資金
・賃料、従業員給料等の固定費を補う資金
・長期借入金の返済資金等

なお、この「保険金等の支払方法の選択に関する特約」は、すべての保険会社やすべての商品につけることができるものではありませんので、注意してください。

2-258 保険会社を分けて生命保険を活用するプラン

Q 保険会社を分けてもポリシー分割と同様の効果があると聞きますが、どういうことですか。

A 会社の税金対策に活用される定期保険や第三分野保険は、保険会社各社によって、その内容は少しずつ違っています。

また、国内生保や外資系の生保でも返戻率や返戻率のピークを迎える時期、保険料等が違います。

保険を活用する場合は、返戻率がよいものを選ぶことはもちろん、返戻率のピークの時期がいつかによって保険商品を選ぶことになります。

具体的には、大きな赤字が出るとき、例えば役員が退職するときや大きな修繕をするときにピークが来るという商品を選択するとよいでしょう。

また、単純に利益を繰延べ対策として保険を活用するという場合であれば、ピークになる時期がずれていても、そのピーク時にあわせて解約していけば問題ありません。したがって、同様にピークになる時期を見ながら商品を選択することになります。こうした使い方は、ポリシー分割と同様の効果が得られます。

2-259 保障を増額したい場合のプラン

Q 会社の業績がよくなってきたので、保障を増額したいのですが、どのような方法がありますか。

A 会社の業績がよくなり、利益が上がると、それに伴って税金の負担も重くなります。

こうした場合には、既存の保険の保障を増やして、損金になる金額を増やしたいと考えるものです。

しかし、生命保険は保険金額を減らす（減額する）ことはできるのですが、増額するということはできませんので、こうした場合には、新たに別の保険に加入しなければなりません。

ただ、この場合には、新たに検診が必要になりますので、健康状態に問題がなければよいのですが、どこかに問題があるというときは、特別条件付での契約になるので、注意が必要です。

2-260 払済保険を活用するプラン

Q 会社の業績が悪くなったので保険を見直したいのですが、よい方法はありますか。

A 会社の業績が悪くなったからといって、すぐに保険を解約するというのは得策ではありません。保険を解約しますと、保障もなくなってしまいます。

こうした場合の一つの方法に、払済保険を活用するというプランがあります。

「払済保険」とは、保険料（掛金）の払込みを止めることです。「払済保険」という保険商品があるわけではありません。

払済保険にすると、その時点における解約返戻金相当額をもって、同種の保険または養老保険に加入し直すことになりますので、保障額はこれまでより少なくなりますが、以後の保険料は支払う必要がなくなります。

まとめると、次のようになります。

① 保険料を支払わなくてよくなるので、資金繰りが楽になる。

② 以前より保障は少なくなるが、保障を残すことができる。

③ 利益を出すこともできる。

なお、払済保険は、保険会社によって取扱いが異なるので事前に確認する必要があります。

ちなみに、払済保険は、財務状態が好転した場合には、加入時の状態に戻すことが可能です。これを「復旧」といいます。

【払済保険のイメージ】

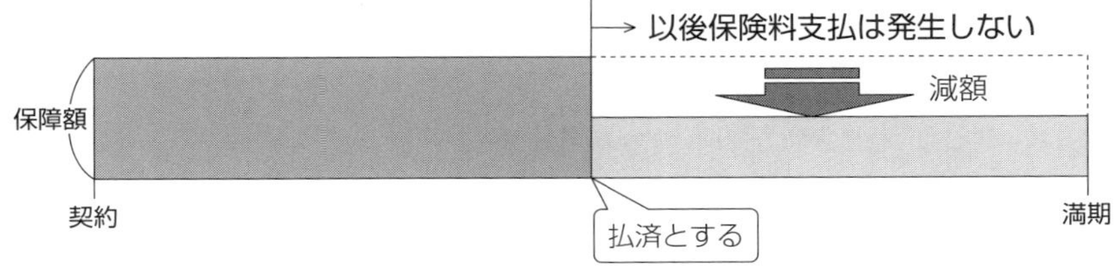

2-261 期間短縮を活用するプラン

Q 会社の業績が悪くなったので、保険の見直しをしたいと思っています。保険期間を短縮する方法があると聞きましたが、どのようなものですか。

A 保険を見直す方法の一つに「期間短縮」という方法があります。この方法は、保険期間を元々の契約の期間より短くするというものです。

期間短縮は、前問の払済保険のように保険料の支払を止めることはできませんが、保険期間の短い保険に変更するため、毎回の保険料をかなり圧縮することができます。

「期間短縮」には、次のような効果があります。

① 死亡保障金額を維持できる。

② 全額損金タイプの保険は、元の保険の責任準備金の金額と変更後の保険の責任準備金の金額の差額が一時金として払い戻されるので、利益を上げることができ、また緊急資金としても活用できる（保険の内容によっては、利益が計上されないものもあります）。

③ 保険料がかなり安くなるので資金繰りの負担が軽くなる。

なお、期間短縮は、保険会社によって取扱いが異なりますので事前に確認することが必要です。

ちなみに、期間短縮は、財務状態が好転した場合には、加入時の状態に戻すことが可能です。これを「復旧」といいます。

【期間短縮のイメージ】

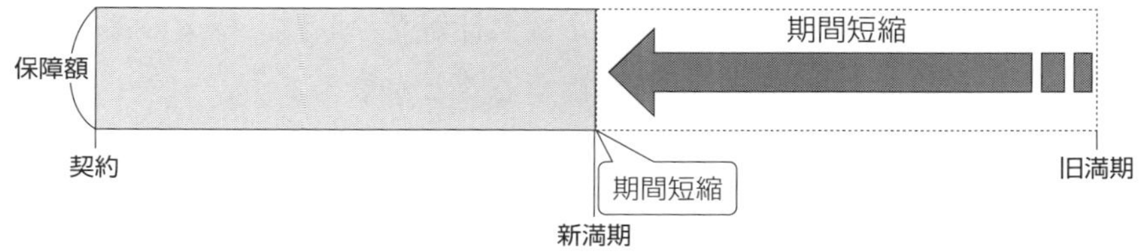

2-262 保険期間の延長を活用するプラン

Q 会社で保険期間10年の定期保険に入っています。会社も軌道に乗ってきたことから、保険を活用して、将来の退職金の準備をしたいと思っているのですが、昨年に糖尿病になってしまいました。保険に入れますか。

A 基本的に、生命保険は健康な人しか加入できません。

持病があるという場合、保険会社は厳しい判断を下すでしょう。

加入できたとしても特別条件がつく、もしくは引受謝絶（加入拒否）という結果が出るかもしれません。

しかし、あきらめなければならないというわけではなく、このような場合には、「保険期間の延長」という方法を活用します。

保険期間の延長は、その時点の被保険者の健康状態を問いませんので、現在、保険期間10年間の定期保険に加入されているということであれば、これを保険期間を100歳とする定期保険に変更することができます。

この定期保険でしたら保険期間10年の定期保険と比較すると解約返戻金が大幅にアップしますので、変更すれば、退職金の原資を積み立てていくことが可能になります。

また、死亡保障額（保険金額）もそのままなので、保険期間の途中に万一のことが起きた場合でも死亡保険金は会社が受け取れ、事業の継続対策や役員の死亡退職金対策としても活用することができます。

ただし、保険期間の延長をすると、次の点が変わるので、注意してください。

① 毎年または毎月の保険料（掛金）が今までより上がる。
② 延長手続をする時点において、現在加入している保険と保険期間を延長する保険との解約返戻金相当額の差額を一括で保険会社に支払わなければならない。
③ 保険料の損金計上額が変わる。

なお、保険期間の延長は、各保険会社で取扱ルールが異なるので、事前に確認することが必要です。

【保険期間延長のイメージ図】

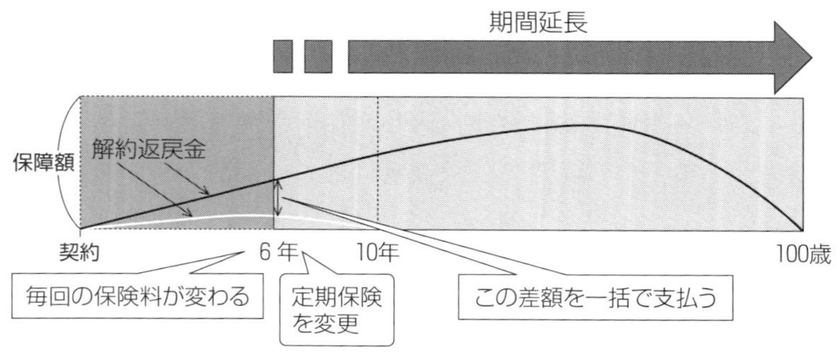

2-263 変換制度の活用方法

Q 保険の活用方法に変換制度というものがあるそうですが、どういうものですか。

A 変換制度は、「変換」や「転換」、「コンバージョン」等と呼ばれているもので、保険会社によって若干内容が違っていますが、基本的には、保険契約を解約して、無告知・無審査で新たな保険に加入することをいいます。

無告知・無審査ですので、変換時の健康状態は問われませんが、変換時の年齢で保険に加入しなおすので、保険料率は転換時の年齢で算出されることになります。

変換制度の代表的なものは、次の二つです。

① 定期保険から終身保険または養老保険への変換

② 定期保険から別の定期保険への変換

2-264 変換制度を活用するプラン（その1）—定期保険から終身保険、養老保険への変換

Q 定期保険を養老保険や終身保険に変換するプランがあるそうですが、どういうときに使うとよいのですか。

A 変換は、無告知・無審査で新たな保険に加入する制度ですので、変換時の健康状態は問われません。したがって、まず、健康面で問題があり、新たに保険に加入できないという場合にこのプランは有効です。

では、どういう場合に定期保険から養老保険または終身保険に変更するかですが、例えば、会社が社長を被保険者とする100歳満了の定期保険に加入しており、社長が体調を崩し退職することになったが、自社株の評価額も高く、相続税も心配だという場合です。

こういう場合であれば、一般に、保険を解約して、その解約返戻金を社長の退職金に充てて、これを納税資金として活用するという方法が考えられます。しかし、この方法より次のようにしたほうが、一生涯の保障が得

られ、確実に納税資金が準備できるので有利になります。

具体的には、以下のように変換します。

① 退職金として、この保険を会社から社長に名義変更して現物支給する(契約者を会社から社長に変更、保険金受取人を会社から社長の家族に変更する)。

② この保険を定期保険から終身保険に変換する。

終身保険に変換しますと、その時点の解約返戻金相当額はその後も目減りしないので、将来的な資金需要にも対応できます。また、変換後の終身保険が介護状態時の保障まで付帯されているような終身保険であれば、社長が介護状態になった場合にも、その保険金を使うことが可能になります。

このように、この変換制度を活用すれば保険の活用範囲がぐんと広がり、変わりゆく用途に合わせて資金準備ができるようになります。

ただし、この場合、変換後の終身保険の保険料は、変換時点での年齢に対する保険料になりますので、変換前の保険料とは同じになりません。高額になる場合もありますので、この点に注意してください。

なお、保険会社によってはこの変換ができない保険もありますので、事前に保険会社に確認してください。

【変換のイメージ図】

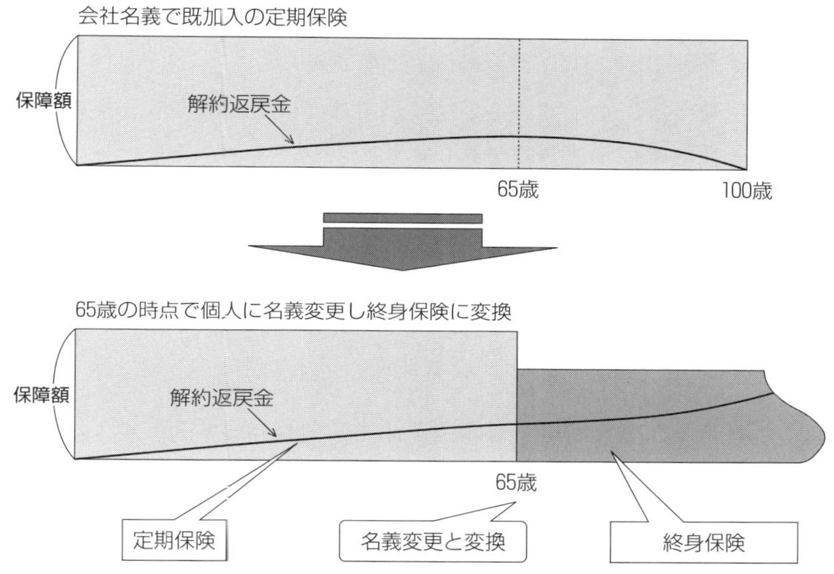

2-265 変換制度を活用するプラン（その2）―逓増定期保険や長期平準定期保険から定期保険への変換

Q 逓増定期保険や長期平準定期保険を定期保険に変換するプランがあるそうですが、どういうときに使うとよいのですか。

A 変換は、無告知・無審査で新たな保険に加入する制度ですので、変換時の健康状態は問われません。したがって、まず、健康面で問題があり、新たに保険に加入できないという場合にこのプランは有効です。

では、どういう場合に逓増定期保険や長期平準定期保険を定期保険に変更するかですが、例えば、退職金や修繕の積立として保険に入っていて、いったん含み益を実現した後においても、将来の保障を確保しておきたいため、新たに保険に入るのが難しいという場合です。

こうした場合には、変換は無告知・無審査ですので、スムーズに新たな保険に加入することができますが、保険料率が変換時の年齢になることに注意してください。

なお、保険会社によってはこの変換ができない保険もありますので、事前に保険会社に確認する必要があります。

2-266 外貨建て生命保険を活用するプラン

Q 円建ての生命保険は、日銀のマイナス金利の影響を受けて、あまり良い商品がありません。何か他にプランはありませんか。

A 外貨建て保険があります。外貨建て保険とは、終身保険や養老保険、個人年金などを米国ドルや豪ドル等の外貨通貨で運用している生命保険のことです。

保険会社によって異なりますが、保険料は日本円またはその外貨通貨で支払うことができ、保険金や解約返戻金も日本円かその外貨通貨で受け取ることができます。

外貨建て保険の保障内容は基本的に円建ての保険と変わりませんが、運用利回りの高さに大きな特徴があります。保険商品の運用利回りのことを予定利率といいますが（銀行の運用率とは異なります）、例えば、円建ての商品の予定利率が1.75％だとしたら米国ドル建ての商品は3.00％等と、円建て商品に比べて高いという特徴を有しています。

ただし、外貨建て保険は外貨で換算するため、為替のリスクがあります。

例えば、毎年の保険料が＄10,000の外貨建て終身保険に加入する場合、1ドルが120円では、1,200,000円必要になりますが、90円では、900,000

円で加入することができます。

外貨建ての保険を検討する場合は、この為替のリスクをよく考えなければなりません。

ちなみに、外貨建ての保険は、保険料を支払っている期間は円高で、保険金や解約返戻金を受け取るときが円安という場合がベストになります。

なお、貿易や海外取引をしている会社は、米国ドルを保有していることが多く、外貨建ての保険に加入しても、保険料を外貨で支払い、保険金や解約返戻金も外貨で受け取ることがあります。こうした場合は為替のリスクがありませんので、単純に高利回りのメリットを享受するということができます。

2-267 高度障害保険を上手に活用するプラン

Q 法人で、生命保険に入る場合に高度障害保険の受取りは誰にしておくのがよいのですか。

A 法人で保険に加入する場合は、契約者＝法人、被保険者＝役員または従業員、死亡保険金受取人＝法人とするケースが多いですが、高度傷害保険については、受取人によって次のように税金の取扱いが大きく変わってきます。

---

1 法人が受取人の場合

法人が保険金を受け取った場合、その保険金は雑収入として益金の額に算入されます。

そして、その受け取った金銭をその対象となった役員または従業員に見舞金として渡すと、その費用は、福利厚生費となりますが、税務上は、社会通念上妥当な金額でないと損金として認められません。

❷ 被保険者本人が受取人の場合

被保険者本人が受取人の場合は、保険金が直接、被保険者本人に支払われますので、会社での処理は不要です。

一方、この保険金を受け取った被保険者本人も非課税となり、課税関係は特に生じません。

このように、法人で契約する場合は、死亡保険金の受取人が法人でも、高度障害保険金の受取人は被保険者本人にしておいたほうが、会社にとっても被保険者本人にとっても税務上は有利になります。

ただし、保険会社によっては、この高度障害保険金の受取人を被保険者本人にできない会社もありますので、加入時にはよく確認してください。

2-268 売掛金回収対策として生命保険を活用するプラン

Q 売掛金回収対策に生命保険は活用できますか。

A 企業経営をするうえで、重要な事項の一つに「売掛金の早期回収」があります。

取引先が期日どおり、きちんと支払をしてくれればよいのですが、中には期日どおり払ってくれない、夜逃げしてしまう、取引先が倒産してしまうこともあります。

そのような場合に備える方法には、次のような方法があります。

---

1 損害保険会社の取引信用保険の活用

損害保険会社には、未回収の売掛金を代わりに支払ってくれる保険があります。「取引信用保険」という商品です。

ただし、この保険は、全取引先を対象にしなければばならない、自社にとって優良な取引先しか対象にならない等の制約があり、中小企業にとってはあまり使い勝手がよくありません。また、全取引先を対象にすると保険料も多額になってしまうというデメリットがあります。

2 売掛保証会社の活用

売掛金が確実に回収できないと、場合によっては、経営の屋台骨を揺るがしかねません。そのような不安をなくし、売掛金の回収を保証してくれる会社があります。この会社を、売掛保証会社といいます。売掛保証をかけると、もしもの時の未回収リスクを負わなくなるので、安心して取引を拡大できるというメリットがあります。

売掛保証会社の売掛保証の特徴は、次のとおりです。

・審査が通りやすく、リスクの高い取引先も対象になる
・保証が必要な取引先のみに設定することが可能
・取引状況に合わせて保証金額を変更できるため、無駄なく効果的に保証が利用できる
・審査のスピードが速い
・柔軟な対応をしてくれる

【保証の比較】

利用シーン	損保会社の取引信用保険	売掛保証
取引を断っていた先と取引したい	△	○
不安な取引先を選んでリスクヘッジしたい	△	○
商習慣にあわせて保証の設計をしたい	△	○
取引状況にあわせて保全したい	×	○
取引先を全体的にリスクヘッジしたい	○	△

3 生命保険の活用

生命保険では、未回収の売掛金を回収することはできませんが、お金の貯まるタイプの生命保険に加入しておけば、売掛金未回収のような不測の事態のときでも、契約者貸付という制度を利用することによって、貯まっている解約返戻金の所定の範囲内で早期に貸付を受けることができ、会社のキャッシュフローを良好に保つことができます。

契約者貸付は、保険会社の商品によって違いはありますが、解約返戻金の約70%～90%の貸付けを受けることができるという制度で、申請をすると約1週間でお金を手にすることができます。

第3章　個人をめぐる生命保険

第1節　生命保険料控除

3-1　生命保険料控除とは

Q　生命保険に加入すると所得税が安くなるそうですが、どうしてですか。

A　個人が、生命保険や個人年金保険の保険料を支払った場合には、その保険料のうち一定の金額が「生命保険料控除」として基礎控除や扶養控除等と合わせて所得金額から控除されます。

したがって、生命保険料を支払うと所得税だけでなく、住民税の負担も軽くなります。

1　生命保険契約の範囲

生命保険料控除の対象となる生命保険料は、満期保険金や死亡保険金の受取人が本人もしくはその配偶者その他の親族である保険契約の保険料です。

(注1)生計を一にしていなくても適用はあります。

(注2)親族とは、6親等以内の血族と3親等以内の姻族をいいます。

2 個人年金保険契約の範囲

生命保険料控除の対象となる個人年金保険料は、生命保険契約のうち次の要件を満たす契約に基づいて支払われる保険料です。

① 年金の受取人が、保険料の払込みをする本人またはその配偶者であり、被保険者と同一人であること

② 保険料の払込みが、年金支払開始日前10年以上の期間にわたって定期的に行われるものであること

③ 年金の支払が、年金の受取人の年齢が60歳に達した日以後10年以上の期間または終身にわたって定期的に行われるものであること

3 生命保険料控除額の計算

生命保険料控除は、2012年1月1日以後に締結した保険契約等（新契約）か、2011年12月31日までに締結した保険契約等（旧契約）によって、次のように取り扱われます。旧契約では、一般の生命保険料と個人年金保険料が適用対象でしたが、新契約では、これに加えて介護医療保険料も適用対象になっています。

1. 2012年1月1日以後に締結した保険契約等(新契約)に係る控除

	保険料の区分	支払保険料の額	生命保険料控除額
(イ)	一般の新生命保険料だけの場合	20,000円以下 (12,000)	支払保険料の額
		20,001円～40,000円 (12,001)　(32,000)	支払保険料×1/2+10,000円 (6,000)
		40,001円～80,000円 (32,001)　(56,000)	支払保険料×1/4+20,000円 (14,000)
		80,001円以上 (56,001)	40,000円 (28,000)
(ロ)	新個人年金保険料だけの場合	上記(イ)と同様の方法により求めた金額	

	保険料の区分	支払保険料の額	生命保険料控除額
(ハ)	介護医療保険料 だけの場合	(イ)と同様の方法により求めた金額	
(ニ)	一般の新生命保険料、新個人年金保険料、 介護医療保険料がある場合		(イ)で求めた金額＋(ロ)で求めた金額＋(ハ)で求めた金額 (住民税は70,000円が限度)

(注)（　）書きは住民税です。

2. 2011年12月31日以前に締結した保険契約等(旧契約)に係る控除

2011年12月31日以前に契約した生命保険契約等（旧契約）については、従来の一般生命保険料控除及び個人年金保険料控除が適用されます。それぞれの控除額は次の額となり、適用限度額は、それぞれ所得税5万円、住民税3万5,000円となります。

保険料の区分	支払保険料の額	生命保険料控除額
旧生命保険料または 旧個人年金保険料	25,000円以下 (15,000)	支払保険料の額
	25,001円～50,000円 (15,001)　(40,000)	支払保険料×1/2＋12,500円 (7,500)
	50,001円～100,000円 (40,001)　(70,000)	支払保険料×1/4＋25,000円 (17,500)
	100,001円以上 (70,001)	50,000円 (35,000)

(注)（　）書きは住民税です。

3. 新契約と旧契約の双方について保険料控除の適用を受ける場合

新契約と旧契約の双方について一般生命保険料控除または個人年金保険料控除の適用を受ける場合は、上記にかかわらず、一般生命保険料控除または個人年金保険料控除の控除額は、それぞれ次に掲げる金額の合計額(適用限度額所得税4万円、住民税2万8,000円）となります。

① 新契約の支払保険料等につき、上記**1.**により計算した金額

② 旧契約の支払保険料等につき、上記**2.**により計算した金額

3-2 生命保険料控除の対象となる保険契約

Q 生命保険料控除の対象となる生命保険料とは、どのような契約に基づいて支払ったものですか。

A 生命保険料控除の対象となる生命保険料とは、次の契約に基づいて支払った保険料です。

1 新生命保険契約等

新生命保険契約等とは、2012年1月1日以後に締結した次の契約等のうち、保険金等の受取人のすべてがその保険料等の払込みをする者またはその配偶者その他の親族であるものをいいます。

① 生命保険会社または外国生命保険業免許を受けた外国生命保険会社等と締結した保険契約のうち生存または死亡に基因して一定額の保険金等が支払われるもの（ただし、保険期間が5年未満で政令で定めるもの及び国外において締結した契約を除きます）

② 旧簡易生命保険契約のうち生存または死亡に基因して一定額の保険金等が支払われるもの

③ 農業協同組合または農業協同組合連合会と締結した生命共済契約（ただし、共済期間が5年未満で政令で定めるものを除きます）

④ 確定給付企業年金、適格退職年金契約

⑤ 漁業協同組合、水産加工業協同組合または共済水産業協同組合連合会等と締結した生命共済契約

⑥ 消費生活協同組合連合会、警察職員生活協同組合、埼玉県民共済生活協同組合、全国交通運輸産業労働者生活協同組合、電気通信産業労

働者生活協同組合、日本教職員共済生活協同組合及び全逓信労働者共済生活協同組合と締結した生命共済契約、全国理容環境衛生同業組合連合会と締結した年金共済契約または中小企業事業団と締結した第2種共済契約

2 新個人年金保険契約等

新個人年金保険契約等とは、2012年1月1日以後に締結した❶①から③の契約（年金を給付する定めのあるもので一定のもの（年金給付契約）に限ります）のうち次の要件の定めのあるものをいいます。

① 年金の受取人が、保険料の払込みをする者またはその配偶者が生存しているときはこれらの者のうちいずれかとされているもの

② 保険料等の払込みが、年金支払開始日前10年以上の期間にわたって定期に行われるものであること

③ 年金の支払が、年金受取人の年齢が60歳に達した日以後の日で、10年以上の期間またはその受取人が生存している期間にわたって定期に行われるものであること等

3 介護医療保険契約等

介護医療保険契約等とは、2012年1月1日以後に締結した次の契約等のうち、保険金等の受取人のすべてがその保険料等の払込みをする者またはその配偶者その他の親族であるものをいいます。

① 生命保険会社または損害保険会社と締結した疾病または身体の傷害その他これらに類する事由に基因して保険金等が支払われる保険契約（❶①の契約、保険金等の支払事由が身体の傷害のみに基因することとされているもの、特定保険契約、国外で締結したものその他一定のものを除きます）のうち医療費等支払事由に基因して保険金等が支払われる

もの

② 疾病または身体の傷害その他これらに類する事由に基因して保険金等が支払われる旧簡易生命保険契約等（❶②③の契約、保険金等の支払事由が身体の傷害のみに基因するものその他一定のものを除きます）のうち医療費等支払事由に基因して保険金等が支払われるもの

❹ 旧生命保険契約等

旧生命保険契約等とは、2011年12月31日以前に締結した次の契約のうち、保険金等の受取人のすべてがその保険料等の払込みをする者またはその配偶者その他の親族であるものをいいます。

① ❶の契約

② 旧簡易生命保険契約

③ 生命共済契約等

④ ❸①の契約

⑤ ❶④の契約

❺ 旧個人年金保険等

旧個人年金保険等とは、2011年12月31日以前に締結した❹①、②、③の契約のうち次の要件の定めのあるものをいいます。

① 年金の受取人が、保険料の払込みをする者またはその配偶者が生存しているときはこれらの者のうちいずれかとされているもの

② 保険料等の払込みが、年金支払開始日前10年以上の期間にわたって定期に行われるものであること

③ 年金の支払が、年金受取人の年齢が60歳に達した日以後の日で、10年以上の期間またはその受取人が生存している期間にわたって定期に行われるものであること等

6 旧契約が新契約とみなされる場合

2012年1月1日以後に、旧契約について次の変更をした場合には、その旧契約は新契約とみなされることとなっています。

1. 生命保険契約

① 転換
② アカウント型商品の保障の見直し（全部・一部）
③ 主契約の更新
④ 特約の（中途）付加（各保障区分に属さない保障の特約や不担保特約等の付加及び団体保険等における加入者単位での特約の付加を除きます）

※団体保険契約及び団体年金保険契約については、その変更等が団体の契約単位で行われたかどうかで判断します。この場合には、保障性特約の契約全体への付加及び団体保険契約（更新型）の更新のみが対象となる契約変更等に該当し、被保険者の追加は契約変更等に該当しないこととなっています。

2. 損害保険契約

① 主契約の満期更改、中途更改、継続、転換
② 特約（新生命保険料控除の対象となる各保障区分に属する保障をするものに限ります）の満期更改、中途更改、継続、付加
③ 保険料変更を伴う被保険者の増加（団体契約を除きます）を行った場合

7 旧契約が新契約とみなされない場合

なお、次の契約変更等については、新契約等とはみなさないこととなっています。

1. 生命保険契約

① 保険金額の増減額（特約の付加によらないもの）

② 保障のない特約（保険料口座振替特約や特別勘定特約等）の（中途）付加
③ 契約者の名義変更

2. 損害保険契約

① 特約の付加

特約の付加の種類	例
新生命保険料控除の対象となる各保障区分に属さない保障を付加する特約の付加	ホールインワン特約、傷害死亡担保特約、無事故戻し規定不適用特約
保障内容の不担保特約または削減特約の付加	特定疾病不担保特約、免責期間延長特約
保障を伴わない特約の付加	共同保険特約、保険料払込方法の変更に関する特約

② 保険料変更を伴わない被保険者の増加
被保険者本人のみの記名によって本人の家族を自動的に被保険者に含める「家族特約」において出産等によって対象被保険者が増加する場合
③ 保険金額の増減（特約の付加によらないもの）
④ 契約内容の異動
契約者の名義変更や住所変更等補償を伴わない契約内容の異動を行った場合

3-3 少額短期保険と生命保険料控除

Q 愛犬のため、ペット保険に入りました。この保険の保険料は、生命保険料控除の対象になりますか。

A お尋ねの保険は、いわゆるミニ保険と呼ばれているもので、少額短期保険というものに該当します。

少額短期保険は、財務局に登録された少額短期保険業者だけが商品を販売することができるもので、①保険料が少額であることや②保険金額の上限が設けられていること、③保険期間が1年（損害保険は2年）であることなどの特徴があります。

少額短期保険には、ペットの病気やけがに備える保険のほかバイクの盗難や破損を保障する保険、結婚式や旅行、コンサートのキャンセル代を保障する保険、スマホの修理や盗難を保障する保険など様々なニーズに対応する商品があります。

ところで、この少額短期保険の保険料が生命保険料控除の対象になるかですが、生命保険料控除の対象となる保険料は生命保険会社又は損害保険会社等と締結した保険契約に係る保険料となっており、少額短期保険業者と締結した保険契約に係る保険料は対象となっていません。

したがって、少額短期保険の保険料は生命保険料控除の対象になりません。

3-4　旧生命保険料と新生命保険料の支払がある場合の生命保険料控除額

Q　旧生命保険料と新生命保険料の支払がある場合の生命保険料控除額は、どのように計算するのですか。

A　その年中に新生命保険料と旧生命保険料を支払っている場合において、新生命保険料と旧生命保険料に係る控除のいずれを適用するかまたはその両方の支払について適用するかは、納税者がいずれか有利なほうを選択することができます。

（例）

・新生命保険料の支払額：40,000 円

・旧生命保険料の支払額：100,000 円

【新生命保険料に係る控除額】

年間の支払保険料等の合計額	控除額
20,000円以下	支払保険料等の全額
20,001円から40,000円まで	支払保険料等×1/2+10,000円
40,001円から80,000円まで	支払保険料等×1/4+20,000円
80,001円以上	一律40,000円

【旧生命保険料に係る控除額】

年間の支払保険料等の合計額	控除額
25,000円以下	支払保険料等の全額
25,001円から50,000円まで	支払保険料等×1/2+12,500円
50,001円から100,000円まで	支払保険料等×1/4+25,000円
100,001円以上	一律50,000円

【生命保険料控除額の計算】

①新生命保険料だけの場合	30,000円(40,000円×1/2+10,000円)
②旧生命保険料だけの場合	50,000円(100,000円×1/4+25,000円)
③両方の適用を受ける場合	40,000円 (①+②=80,000円→限度額40,000円)

したがって、この場合には、旧生命保険料だけによる控除額5万円を一般の生命保険料控除額とすることが認められます。

3-5 新生命保険契約等と介護医療保険契約等が一体となった生命保険契約の生命保険料控除

Q ケガ又は病気で入院した場合や手術を受けた場合に給付金がもらえて、健康還付給付金基準日に生存していた場合にも給付金がもらえる保険契約に加入しました。保険はそれぞれが一体となって効力を有するもので、保険料は区分することができません。この保険の保険料は、生命保険料控除の適用を受ける場合、どのような取扱いになりますか。

A　この保険は、健康還付給付金支払い基準日に被保険者が生存していた場合に健康還付給付金が支給されるものですから、人の生存に関し一定額の保険金又は給付金を支払う保険契約に該当し、特定介護医療保険契約からは除かれることになります。

したがって、この保険にかかる保険料は、特定介護医療保険契約以外の保険料になり、新生命保険料（一般の生命保険料）に該当することになります。

3-6　共済契約終了後に剰余金が支払われる場合の生命保険料控除の取扱い

Q　共済期間を1年とする掛捨ての共済に係る剰余金が入金になりましたが、共済契約は終了しています。この場合、生命保険料控除において、この剰余金はどのように取り扱われますか。

A　他の共済契約や生命保険会社等と締結した生命保険契約があり、これらの契約に係る新生命保険料または介護医療保険料の支払がある場合には、次のように、剰余金の額の計算期間である対象期間中に払い込んだ掛金の額を基にして、その掛金の額の合計額のうち新生命保険料の金額または介護医療保険料の金額に占める割合に基づき計算した金額を、それぞれの保険料の金額から控除することになります。

控除すべき剰余金等の額＝

$$対象となる剰余金の額 \times \frac{対象期間中に払い込んだ共済契約に係る掛金の額のうち新生命保険料の金額（または介護医療保険料の額）}{対象期間中に払い込んだ共済契約に係る掛金の額の合計額}$$

3-7 傷害特約付生命保険契約の特約を更新した場合の取扱い

Q 2011年12月31日以前に締結した傷害特約付生命保険契約について、2012年1月1日以後に傷害特約のみを同様の契約内容で更新した場合、更新後に支払う保険料は生命保険料控除の対象となりますか。なお、これまで傷害特約に係る保険料部分も含めて一般の生命保険料控除の対象とされていました。

A 平成22（2010）年度の税制改正で生命保険料控除の取扱いが改正され、2012年1月1日以後に締結をした生命保険契約等（新契約）に係る保険料は、主契約または特約の内容に応じてそれぞれ新生命保険料、介護医療保険料または新個人年金保険料に区分したところで、生命保険料控除の規定が適用されることとなりました。

また、2011年12月31日以前に締結した生命保険契約等（旧契約）に附帯して新契約を締結した場合には、その旧契約は新契約とみなすこととされており、新契約とみなされる契約変更等には、主契約や特約の更新も含まれるとされています。

よって、生命保険契約に係る保険料については、更新前においては、傷害特約部分に係る保険料も含めた全体が旧生命保険契約等に係る保険料（旧生命保険料）として生命保険料控除の対象とされますが、更新後は新契約とみなされますので、主契約または特約の内容に応じて各生命保険料に区分することとなります。

ところで、生命保険料控除の対象となる新生命保険契約等とは、一定の保険契約等のうち生存または死亡に基因して保険金が支払われるものをいい、介護医療保険契約等とは、疾病または身体の傷害その他これらに類する事由に基因して保険金が支払われる保険契約のうち、医療費等支払事由に基因して保険金等が支払われるものをいいます。

なお、傷害特約は、身体の傷害のみに基因して保険金が支払われるものですので、新生命保険契約等または介護医療保険契約等のいずれにも該当せず、その保険料は生命保険料控除の対象とはなりません。

3-8　生命保険料控除を受けるための要件

Q　生命保険料控除を受ける要件は、どのようになっていますか。

A　生命保険料控除を受けるための要件は、以下のようになっています。

1　給与所得者

国内において給与等の支払を受ける給与所得者は、その年の最後に給与等の支払を受ける日の前日までに次に掲げる事項を記載した「保険料控除申告書」を会社等に提出しなければなりません。

①　その給与等の支払者の氏名または名称

②　その年中に支払った生命保険料等の金額

③ ②の生命保険料等の金額の支払をした旨を証する書類（生命保険料控除証明書）

原則として③の証明書が保険料控除申告書に添付されていないときは、生命保険料控除を受けることはできませんが、翌年1月31日までにその証明書を提出する場合には適用を受けることができます。

2 給与所得者以外

給与所得者以外の人が生命保険料控除の適用を受ける場合は、生命保険料控除に関する事項を確定申告書に記載します。また、その年中に支払った各生命保険料（剰余金の分配や割戻金の支払があるときは、その生命保険料の金額からこれを控除します。また、旧生命保険契約に係る保険料については、その残額が9,000円を超える契約に係るものに限ります）の支払金額を証する書類をその確定申告書に添付するかまたは確定申告の際に提示しなければなりません。

3-9 生命保険料控除による節税額

Q 生命保険料控除によってどれくらい税金が安くなるのですか。

A 生命保険料控除というのは、「所得控除」なので、税額から直接生命保険料を差し引くのではなく、課税の対象となる所得金額から差し引きます。したがって、安くなる税金の額はその人の所得金額によって違ってきます。これは、所得税、住民税は超過累進税率を採用しているため、所得金額によって税率が違うからです。例を挙げてみましょう。

---

1 所得税の節税額

家族構成	本人、妻（収入はゼロ）、子供２人
給与収入	5,000,000円
支払保険料	一般の生命保険料年間100,000円

	加入前	加入後
給与収入	5,000,000円	5,000,000円
給与所得金額	3,560,000円	3,560,000円
生命保険料控除	――	40,000円
配偶者控除	380,000円	380,000円
扶養控除	760,000円	760,000円
基礎控除	480,000円	480,000円
その他の控除	400,000円	400,000円
課税所得金額	1,540,000円	1,500,000円
所得税額	77,000円	75,000円
節税額	――	2,000円

2 住民税の節税額

	加入前	加入後
給与収入	5,000,000円	5,000,000円
給与所得金額	3,560,000円	3,560,000円
生命保険料控除	――	28,000円
配偶者控除	330,000円	330,000円
扶養控除	660,000円	660,000円
基礎控除	430,000円	430,000円
その他の控除	400,000円	400,000円
課税所得金額	1,740,000円	1,712,000円
住民税額	174,000円	171,200円
節税額	――	2,800円

（注１）住民税額に均等割は含まれていません。
（注２）人的控除の差額調整は考慮していません。
（注３）復興特別所得税は考慮していません。

この事例では、生命保険に加入することによって所得税と住民税を合わせた4,800円の税金が安くなることになります。

3-10 配当を受けた場合の取扱い

Q 保険会社から配当金があり、その配当金が保険料にあてられていますが、この場合の生命保険料控除の対象は、どうなりますか。

A その年中に生命保険契約に基づく配当金や割戻金の割戻しを受けた場合、または配当金や割戻しを受ける割戻金を生命保険料の払込みにあてた場合には、契約上の保険料の合計額からそれらの配当金または割戻金の合計額を差し引いた残額が生命保険料控除の対象になります。

これは、配当金は過払保険料の精算分としての性格を有していると考えられているからです。

3-11 前納した場合の取扱い

Q 私は全期前納型の養老保険に加入しています。この場合の生命保険料控除の対象となる金額は、どうなりますか。

A 保険料を前納した場合の生命保険料控除の対象となる保険料は、その年中に払込期日が到来している分の保険料の額になります。具体的には、次の算式で計算します。

$$（前納保険料の総額）\times \frac{\left(\begin{array}{c}前納保険料についてその年中に\\到来する払込期日の回数\end{array}\right)}{（前納保険料についての払込期日の総回数）}$$

（注）前納保険料とは、各払込期日が到来するごとに生命保険料の払込みに充当するものとしてあらかじめ保険会社等に払い込んだ金額で、まだ充当されない残額があるうちに保険事故が生じた等により生命保険料等の払込みを要しないことになった場合に、その残額に相当する金額が返還されることとなっているものをいいます。

なお、その年に前納した保険料で翌年以後に払込みの期日が到来するものは、翌年以後の年分で控除されます。

3-12　一時払いした場合の取扱い

Q 私は、この度、一時払養老保険に加入しました。この場合の生命保険料控除の対象は、どうなりますか。

A 前問の全期前納と一時払いとはよく似ています。前者は、年払いや月払いの掛金を加入時にまとめて全部預けておく方法で、掛金の払込期間中にもし被保険者が死亡した場合には、死亡保険金の他に残りの期間の掛金が戻ってきます。しかし、後者は、全保険期間の保険料を１回で払い込むように計算されたものなので、被保険者が死亡しても保険料は戻ってこないという違いがあります。

なお、生命保険料控除の対象となる保険料は、一時払いの場合には、全期前納のように按分はせずその年中に支払った保険料の全額がその年の控除対象金額となります。

3-13 自動振替貸付けによる場合の取扱い

Q 私は、保険料の支払が一時できなくなり、保険会社から契約者自動振替貸付けにより生命保険料を払いました。この契約者の場合の保険料は、生命保険料控除の対象になりますか。

A 生命保険会社には、契約者が払込期日までに生命保険料の払込みがない場合、その契約を有効に継続させるため、保険料に相当する金額を貸し付け、保険料に充当するというシステムがあります。この制度を契約者自動振替貸付けといいます（1−13 参照）が、この契約者自動振替貸付けにより払い込んだ生命保険料は、その年の生命保険料控除の対象になるとされています。

ただし、契約者自動振替貸付けにより生命保険料等に充当した金額を後日返済した場合には、その返済した金額は生命保険料控除の対象とはなりません。

3-14 未払保険料の取扱い

Q 払込期日が到来しているにもかかわらず、未払いの生命保険料があります。この生命保険料は、生命保険料控除の対象になりますか。

A 生命保険料控除は、その年中において生命保険契約等に基づく保険料等で現実に支払った保険料について適用があります。

したがって、払込期日が到来したものであっても、現実に支払っていない未払保険料は控除の対象にはなりません。

3-15　年の中途で死亡した人の生命保険料控除

Q　年の中途で死亡した人の生命保険料控除はどうなりますか。

A　年の中途で死亡した人が給与所得者で「給与所得者の扶養控除等（異動）申告書」を給与等の支払者に提出している人は、年末調整で生命保険料控除の適用を受けることができます。そして、それ以外の人は、亡くなった人（被相続人といいます）の相続人が相続の開始があったことを知った日の翌日から４か月以内に申告（準確定申告といいます）をすることで生命保険料控除の適用を受けることができます。

なお、この場合の生命保険料控除の対象となる金額は、被相続人が死亡の日までに支払った保険料等の額となります。この取扱いは、地震保険料控除も同様です。

3-16　年末調整の控除対象となる生命保険料

Q　年末調整において控除の対象になる生命保険料とは、どのようなものですか。

A　生命保険料控除は、所得税法において、居住者が、各年において、保険金等の受取人のすべてが自己またはその配偶者その他の親族である生命保険契約等に係る保険料等を支払った場合に、一定の金額を、居住者のその年分の所得金額から控除するとしています。

したがって、居住者が、居住者であった期間内に実際に支払った生命保険料等が対象になるのですが、前納保険料については、居住者であった期間内に支払期日が到来する部分の金額だけが対象になります。なお、生命保険料控除の計算をする場合において、剰余金の分配があるときは、生命保険料の金額から剰余金の金額を差し引きますが、控除するかどうかは、居住者であった期間内に分配を受けたものかどうかで判断します。

3-17 海外に転勤になる人の生命保険料控除

Q 海外勤務で、日本に3年間戻って来ない社員がいます。年末調整は出国するときまでにしなければならないようですが、生命保険料控除は、どうなりますか。

A 海外支店等に転勤になったことにより、非居住者（日本国内に住所を有しない者）となる人は、年の中途で年末調整をしなければなりませんが、この場合の生命保険料控除の対象となるものは、居住者が支払った「保険金の受取人のすべてが自己またはその配偶者その他の親族である生命保険契約の保険料等」になります。

したがって、質問の場合、海外勤務になる人が、居住者だった間（国内にいた間）に支払った保険料等の金額が生命保険料控除の対象になります。

なお、この場合の「居住者」とは、国内に「住所」を有し、または、現在まで引き続き1年以上「居所」を有する個人をいい、「非居住者」とは、「居住者」以外の個人をいうとされていて、「住所」とは生活の本拠となるところで、住居、職業、国内において生計を一にする配偶者その他の親族を有するか否か、資産の所在等に基づいて判定するとされています。

3-18　海外勤務者が帰国したときの生命保険料控除

Q 海外に転勤にしていた者が帰国した場合の生命保険料控除は、どうなりますか。

A 所得税では、海外勤務が 1 年以上になると、日本国内に住所を有しない者と推定され、一般的には非居住者として取り扱われることとなります。

非居住者は、国内源泉所得（国内不動産の賃貸料収入等）のみが課税対象となり、海外での所得は、国内の課税対象にはならず、もちろん年末調整もありません。

ところで、海外勤務から帰国して日本の居住者になるという場合は、国内源泉所得だけでなく全ての所得が課税対象となり、帰国後に日本で支給される給与については、年末調整の対象となります。そしてまた、その年の給与収入金額が 2,000 万円を超える人や給与を 1 か所からもらっており、給与所得や退職所得以外の所得の合計額が 20 万円を超えている人等一定の人は確定申告が必要になります。

なお、この場合の生命保険料控除の対象となる金額は、居住者になった期間（帰国後）に支払った金額となります。

3-19　配偶者名義の生命保険料控除証明書に基づく生命保険料控除

Q 妻名義の保険料控除証明書があります。私の生命保険料控除に使用しても認められますか。なお、この生命保険契約は、契約者及び被保険者、満期保険金の受取人が妻で、死亡保険金の受取人が私ですが、保険料は私が支払っています。

A 生命保険料控除は、居住者が、各年において、保険金等の受取人のすべてが自己またはその配偶者その他の親族である生命保険契約等に係る保険料等を支払った場合に、一定の金額を、その居住者のその年分の所得金額から控除してくれるという制度です。

したがって、この生命保険契約等は、保険金等の受取人の全てがその保険料等の払込みをする者またはその配偶者その他の親族でなければなりませんが、払込みをする者については、必ずしも契約者本人である必要はありません。この設問のように、契約者の配偶者が支払う場合でもその支払ったことを明らかにしたときは、生命保険料控除の対象とすることが認められます。ただし、この設問の場合には、満期保険金を妻が取得したときに、契約者から配偶者へ満期保険金相当額の贈与があったこととなり、贈与税が課税されるので、注意が必要です。

3-20 結婚した娘を受取人とする生命保険の保険料の取扱い

Q 私は、次のような契約でその受取人を娘とする生命保険に加入していましたが、この娘が今年の6月に結婚することになりました。6月以後に支払う保険料については生命保険料控除の対象になりますか。

【契約形態】

契約者	本人
保険料負担者	本人
被保険者	本人
保険金受取人	娘

A 生命保険料控除の対象となる生命保険契約に係る生命保険料等は、その保険金等の受取人のすべてが、自己または自己の配偶者その他の親族であることが要件とされています。

この場合の要件に該当するかどうかは、その保険料等を支払ったときの現況によることとされています。

また、ここにいう自己の配偶者その他の親族は、自己と生計を一にしていなければならないということはありません。

したがって、この場合、娘が結婚し別生計になったとしても、娘を受取人とする保険料は、従前と変わりなく生命保険料控除の対象になります。

3-21 内縁の妻を受取人とする生命保険の保険料の取扱い

Q 私には、内縁の妻がおり、その内縁の妻を受取人とする月払の生命保険に加入しました。この場合、毎月支払う保険料の取扱いはどうなりますか。

A 生命保険料控除の対象となる生命保険契約に係る生命保険料等とは、その保険金等の受取人のすべてが、自己または自己の配偶者その他の親族であることが要件とされています。この場合の、要件に該当するかどうかは、その保険料等を支払ったときの現況によることとされています。

したがって、内縁の妻は自己の配偶者その他の親族に該当しないため、保険料は生命保険料控除の対象となりません。

3-22 会社が負担した生命保険料の取扱い

Q 私の勤務する会社は、私を被保険者とする生命保険に加入し、会社が保険料を支払っています。この場合の保険料は生命保険料控除の対象になりますか。

A 生命保険料控除は、その保険料を実際に支払った人に適用があるので、法人が従業員等に支払った生命保険料については、その人の生命保険料控除の対象にはなりません。

ただし、法人が負担した生命保険料に相当する金額で、その従業員等の給与等として課税されたものについては、その従業員等が支払った生命保険料として生命保険料控除の対象になります。

3-23 がん保険の保険料の取扱い

Q 私はこの度、がん保険に加入しました。この保険料は、生命保険料控除の対象となりますか。

A 生命保険料控除の対象となるのは、生命保険会社の締結した疾病または身体の傷害その他これらに類する事由に基因して保険金等が支払われる保険契約のうち、医療費等支払事由に基因して保険金等が支払われるものに係る保険料です。

がん保険は、被保険者ががんに罹患した場合に一定の保険金が支払われるものなので、医療費等支払事由の１つである「疾病若しくは身体の傷害又はこれらを原因とする人の状態」に基因して保険金等が支払われるものと認められます。したがって、がん保険の保険料については、生命保険料控除の対象として取り扱われることとなります。

なお、がん保険の契約が2011年12月31日以前に締結されたものについては旧生命保険契約等として、また2012年1月1日以後に締結されたものについては介護医療保険契約等として生命保険料控除の対象になることとされています。

3-24　住宅ローンの生命保険（団体信用保険）に係る保険料の取扱い

Q 私は、住宅ローンを組んで自宅を購入しましたが、その際に生命保険もセットで加入しました。この場合の生命保険料は、生命保険料控除の対象となりますか。

A 住宅ローンとセットで加入する生命保険は、団体信用生命保険というものです。この保険は、住宅ローンの借入れをした人に何かあったときに、その借入金を生命保険金で弁済できるようになっているものです。

契約形態は、銀行等を契約者及び保険金の受取人とし、借入れをした人を被保険者とする契約になっています。生命保険料控除の対象となる生命保険料は、保険金受取人のすべてが自己またはその配偶者、その他の親族とする生命保険契約等に基づいて支払われる保険料でなければならないので、銀行等が受取人になっている住宅ローンにセットされている生命保険料は生命保険料控除の対象にはなりません。

3-25 生命保険信託契約に係る保険料の取扱い

Q 私はこの度、信託銀行と次のような生命保険信託契約を締結しました。この場合に支払う保険料は、生命保険料控除の対象になりますか。

契約者	委託者（本人）
受託者	信託銀行
受益者	配偶者
信託財産	死亡保険金請求権

A 生命保険信託とは、財産管理が困難な事情にある親族等の受取保険金を保全しながら、必要な財産の交付を行うことを目的として利用される信託で、次のようなしくみになっています。

① 保険契約者と生命保険会社の間で生命保険契約を締結します。契約者（被保険者）は信託契約の委託者になる者、保険金受取人は受益者になる者とします。

② 保険契約者と信託銀行との間で生命保険信託契約を締結します。

③ 保険金受取人を信託銀行に変更します。

④ 被保険者が死亡した場合には、信託銀行に生命保険金が支払われ、その保険金が信託財産になります。

⑤ 信託銀行は、信託契約に基づき、その保険金の管理・運用し、受益者に金銭を交付します。

この生命保険信託は、委託者である被保険者が死亡した場合に保険金が形式的にいったん信託会社に支払われ、その後、受益者に交付されるというものなので、税務では、受益者等課税信託に該当して、受益者が契約に係る死亡保険金請求権または死亡保険金を有しているものとして取り扱われることになっています。

したがって、このような契約に基づいて支払われる保険料は、生命保険料控除の対象として取り扱われることになります。

なお、生命保険料控除の対象となる生命保険契約等とは、保険金等の受取人が保険料等を負担する者またはその配偶者その他の親族となっているので、保険料を払い込むときに、この要件を満たしていなければなりません。

3-26　連生の個人年金保険（夫婦年金保険）の保険料の取扱い

Q 新個人年金保険契約に以下のような特約を付加した連生の個人年金保険（夫婦年金保険）の保険料は、どのように取り扱われますか。

【契約形態】

契約者	夫
被保険者年金開始前 年金開始後	妻 夫・妻
年金受取人	夫・妻
年金種類	15年保証期間付終身年金
年金支払	妻の年齢が60歳に達した場合に年金の支払を開始する 年金支払開始後は、夫または妻が生存している限り年金を支払う

（注）夫婦共に生存の場合は夫に支払い、夫の死亡後は妻に支払います。

A この場合の夫婦年金保険は、新個人年金保険の年金受取人要件と年金の支払要件を次のとおり、満たしていますので、この保険契約に係る保険料は、新個人年金保険料として取り扱われることになります。

① 保険金の受取人が、契約者（保険料支払者）である夫またはその妻であること

② 年金が終身年金であり、受取人が生存している期間にわたって定期に支払われるものであること

第 2 節　解約返戻金と税金

3-27 解約返戻金の課税関係

Q 生命保険契約を解約した場合に受け取る解約返戻金には、どのような税金がかかりますか。

A 解約返戻金を受け取った場合の課税関係は、満期保険の場合と同じで、その契約形態によって異なります。

【解約返戻金と課税関係】

契約形態				課税関係
契約者	保険料負担者	被保険者	返戻金受取人	
夫	夫	夫	夫	夫に所得税と住民税
夫	夫	夫	妻	妻に贈与税
夫	夫	妻	妻	〃
夫	夫	妻	夫	夫に所得税と住民税
夫	妻	妻	夫	夫に贈与税
夫	妻	妻	妻	妻に所得税と住民税
夫	妻	夫	妻	〃
夫	妻	夫	夫	夫に贈与税
夫	夫	妻	子	子に贈与税
夫	妻	妻	子	〃
夫	妻	夫	子	〃
夫	妻	子	夫	夫に贈与税
夫	妻	子	妻	妻に所得税と住民税
夫	妻	子	子	子に贈与税

保険料負担者と解約返戻金受取人が同じときはその人に所得税と住民税が、また、保険料負担者と解約返戻金の受取人が異なるときは、その解約

返戻金の受取人に贈与税が課税されます。

3-28 所得税がかかる場合の計算方法

Q 生命保険契約を解約した場合、保険料負担者と解約返戻金の受取人が同じときは所得税がかかるそうですが、どのような所得になりますか。

A 契約者が生命保険契約を解約して、解約返戻金を受け取った場合でその契約者自身が保険料を負担していたときには、その解約返戻金は一時所得として所得税や住民税が課税されます。

一時所得の金額は、次の算式で計算されます。

一時所得の金額＝解約返戻金－既払込正味保険料－特別控除額（50 万円）

ただし、一時払養老保険契約（保険期間の初日から 1 年以内に保険料の総額の 2 分の 1、2 年以内に保険料の 4 分の 3 以上を支払う場合も含みます）を保険期間の初日から 5 年以内に解約した場合に受け取る解約返戻金については、一時所得としての課税ではなく、次の算式により計算した税金が源泉徴収されて課税が完結することになっています。

源泉徴収される税金＝（解約返戻金－支払った保険料の合計額）×20.315%（所得税 15.315%、住民税 5%）

3-29 一時払いの生命保険契約を退職金として受領したものを解約した場合

Q 会社が契約していた一時払いの生命保険契約を退職金の一部として受け取りました。この保険契約を解約した場合は、税務上どのように取り扱われますか。

A 一時払いの生命保険契約を退職金として受領したものを解約した場合の取扱いは、以下のようになります。

---

1 解約返戻金の取扱い

法人から役員または従業員の名義に変更した保険契約を解約した場合に受け取る解約返戻金は、その役員または従業員の一時所得となり、所得税や住民税の対象となります。

所得税の対象となる一時所得の金額は、次の算式で計算をします。

> 一時所得の金額＝
> {(総収入金額)－(その収入を得るために支出した金額)－500,000円} $\times \frac{1}{2}$

2 収入を得るために支出した金額

ここで、一時所得を計算する場合の「その収入を得るために支出した金額」の対象には、法人が一時払いした保険料相当額になるのか、それとも退職金の一部として支給されたということからしてその退職時の解約返戻金相当額になるのかが問題になります。これについては、①所得税法第34条第2項及び所得税法施行令第183条第2項第2号は、生命保険契約に基づく一時金に係る一時所得を完結的・網羅的に規定したものではなく、一時所得の計算上、保険料総額のみしか控除できない旨を規定したものではない、②保険料総額以外にその収入を得るために支出した金額がある場合には、その支出した金額も控除できる、としています。したがって、退職時における解約返戻金相当額が会社が支払った保険料総額を上回っている本件は解約返戻金相当額とするのが相当とする裁決（2001年12月12日）があり、退職時における解約返戻金相当額をこの対象とすることも認められるものと思われます。

3-30　一時払養老保険の保険金を減額した場合の清算金の課税関係

Q　一時払養老保険の保険金を減額した場合の清算金は、税務上どのように取り扱われますか。

A　一時払養老保険の保険金を減額した場合には、その減額した保険金額に対応する清算金等が支払われることとなります。この場合の清算金等は一時所得として課税されますが、この場合の収入金額から控除する「その収入を得るために支出した金額」は、すでに支払った保険料の額のうち、その清算金等の金額に達するまでの金額となります。

3-31　契約変更をした場合の課税関係

Q　契約者が私である生命保険の契約者を、妻に変更しようと思います。この場合、課税関係は生じますか。

A 契約者を変更した段階では課税関係は生じませんが、次の場合には、相続税や贈与税が課税されることになります。

① 保険料の負担者が死亡した場合

② 保険料の負担者が保険金や解約返戻金を取得した場合

③ 保険契約者の変更後に保険契約を解約し、その保険契約の解約返戻金を取得した場合

3-32 契約を転換した場合の課税関係

Q 転換制度に基づいて契約を転換した場合、課税関係は生じますか。

A 契約転換制度とは、既存の生命保険契約（転換前契約）の責任準備金を新たな生命保険契約（転換後契約）の責任準備金に引き継ぐことをいいます。転換後契約において、次の要件を満たしているものについては、実質的に契約内容の変更と認められることから、課税関係は生じないこととされています。ただし、契約者と保険料負担者が異なる場合において、契約者に対する貸付金が転換時に責任準備金、社員配当金または前払保険料をもって精算されたときは契約者に対して贈与税の課税関係が生じます。

① 転換前契約と保険契約者・被保険者が同一であること

② 契約者配当の権利を引き継ぐこと

③ 転換前契約の死亡保障の範囲内（死亡保険金・保険期間）での危険選択を行わないこと

④ 告知義務違反による契約解除や自殺による保険金支払免責等の場合での転換前契約への復帰が認められること

⑤ 転換前契約を解約処理するものではないこと

3-33 生命共済契約から医療共済契約に転換した場合の課税関係

Q JA共済の生命共済契約を医療共済契約に転換した場合、課税関係は生じますか。

A その転換が、次の要件を満たしており、かつ、その生命共済契約の責任準備金が、最終的に転換後契約である医療共済契約の掛金に充当され、その責任準備金として積み立てられるものである場合には、課税関係は生じないこととされています。

ただし、契約者と保険料負担者が異なる場合において、契約者に対する貸付金が転換時に責任準備金、社員配当金または前払保険料をもって精算されたときは契約者に対して贈与税の課税関係が生じます。

① 転換前契約と保険契約者・被保険者が同一であること

② 契約者配当の権利を引き継ぐこと

③ 転換前契約の死亡保障の範囲内（死亡保険金・保険期間）での危険選択を行わないこと

④ 告知義務違反による契約解除や自殺による保険金支払免責等の場合での転換前契約への復帰が認められること

⑤ 転換前契約を解約処理するものではないこと

3-34 JA 共済の医療共済契約への乗換制度を利用する場合の課税関係

Q 従来から加入しているJA 共済の医療共済契約を乗換制度を利用して新しい医療共済契約に変更しようと思います。特約に係る積立金は、どのように取り扱われますか。

A JA 共済の医療共済契約への乗換制度を利用する場合の取扱いは、以下のようになります。

---

1 JA 医療共済契約の乗換制度

JA 医療共済契約の乗換制度とは、既存の医療共済及び定期医療共済（以下「既存の医療共済等」といいます）並びに全入院特約を新しい医療共済に統合するとともに、特約部分も医療共済へ乗り換えることを認める制度です。

この乗換制度は、特約に係る積立金だけを消滅させ、医療共済の主契約へ乗換することができるという点に特徴があります（この部分だけを分離して単独の契約とすることはできません）。なお、積立金を主契約へ乗換する場合には、積立金をいったん契約者に返戻したうえで主契約に乗換えすることとなります。

2 転換制度の取扱い

既存の生命保険契約の責任準備金を新しい生命保険契約の責任準備金に引き継ぐことを転換制度といいますが、次の要件を満たす場合には、転換の際に課税関係は生じないこととされています。

① 転換前契約と保険契約者及び被保険者が同一であること

② 契約者配当の権利を引き継ぐこと
③ 転換前契約の死亡保障の範囲内（死亡保険金、保険期間）での危険選択を行わないこと
④ 告知義務違反による契約解除や自殺による保険金支払免責等の場合での転換前契約への復帰が認められること
⑤ 転換前契約を解約処理するものではないこと

3 乗換制度と転換制度の違い

乗換制度と転換制度では、次の点に違いがあります。
① 転換制度は、転換前契約を消滅させその責任準備金等を新たに締結する転換後契約の責任準備金等に充当するものである一方、乗換制度は、乗換前契約のうち特約のみが消滅しその積立金が乗換後契約に引き継がれるだけであること。したがって、乗換前の主契約は消滅せずにそのまま継続すること
② 乗換前の契約に係る割戻金の権利は、乗換前の主契約に引き継がれ、乗換後の契約には引き継がれないこと
③ 告知義務違反等の乗換の取消事由があった場合の乗換前の特約への復帰は、「乗換前の主契約が継続している場合」に限り認められること

4 乗換制度を利用した場合の特約に係る積立金の取扱い

この乗換制度は、特約に係る積立金を乗換後の主契約の一部に充当するものです。しかし、①この特約が乗換前の主契約から分離して単独の契約として存続することができないものであり、また、転換制度のように実質的に契約の継続性を失わない契約でもないことや、②特約の医療共済への乗換については、特約が乗換前の主契約から分離した時点でいったん解約

処理されるもので、その継続性がないことから、その積立金は次のように取り扱われることとなります。

乗換前契約の契約者が共済掛金を負担している場合	所得税の対象 （一時所得）
乗換前契約の契約者が共済掛金を負担していない場合	贈与税の対象

第3節　満期保険金と税金

3-35　満期保険金の課税関係

Q 生命保険の満期日が到来して満期保険金を受け取りましたが、これにはどのような税金がかかりますか。

A 生命保険の満期保険金にかかる課税は、その契約形態によって異なります。夫婦を例にした満期保険金の課税関係は次のとおりです。

【満期保険金と課税関係】

契約形態				課税関係
契約者	保険料負担者	被保険者	保険金受取人	
夫	夫	夫	夫	夫に所得税と住民税
夫	夫	夫	妻	妻に贈与税
夫	夫	妻	妻	〃
夫	夫	妻	夫	夫に所得税と住民税
夫	妻	妻	夫	夫に贈与税
夫	妻	妻	妻	妻に所得税と住民税
夫	妻	夫	妻	〃
夫	妻	夫	夫	夫に贈与税
夫	夫	妻	子	子に贈与税
夫	妻	妻	子	〃
夫	妻	夫	子	〃
夫	妻	子	夫	夫に贈与税
夫	妻	子	妻	妻に所得税と住民税
夫	妻	子	子	子に贈与税

一見複雑そうですが、保険料負担者と保険金受取人の関係に着目すればよくわかります。

例えば「保険料負担者＝保険金受取人」の場合はその人に所得税と住民税がかかり、「保険料負担者≠保険金受取人」の場合には保険金受取人に贈与税がかかります。

3-36 所得税がかかる場合の計算方法

Q 保険料負担者と満期保険金の受取人が同一人の場合は所得税がかかるそうですが、どのような所得になるのですか。

A 保険料負担者と満期保険金の受取人が同じである場合には、満期保険金の受取人には一時所得として所得税や住民税が課税されます。

一時所得の金額は、次の算式によって計算します。ただし、他の所得がある場合、例えば、給与所得等があるようなときにはそれらの所得と合算して税金がかかりますが、そのときには次の算式で計算した一時所得の金額の２分の１の金額を合算して、税額を計算します。

$$\text{一時所得の金額}=\left(\begin{matrix}\text{その年中の}\\\text{総収入金額}\end{matrix}-\begin{matrix}\text{収入を得るため}\\\text{に支出した金額}\end{matrix}\right)-\begin{matrix}\text{特別控除額}\\\text{(500,000円)}\end{matrix}$$

（注）総収入金額には保険金の他に、その保険金とともに支払を受ける配当金等も含まれます。

なお、一時払養老保険（保険期間の初日から１年以内に保険料の総額の２分の１、２年以内に保険料の総額の４分の３以上支払うものも含まれます）で保険期間が５年以下のものについて受け取った満期保険金は、一時所得ではなく、次の算式で計算する税金が源泉徴収されて納税が完了します。

$$\text{源泉徴収される税金}=\left(\begin{matrix}\text{満期保}\\\text{険金額}\end{matrix}-\begin{matrix}\text{支払った保険}\\\text{料の合計額}\end{matrix}\right)\times\begin{matrix}\text{20.315\%}\\\text{(所得税 15.315\%、住民税 5\%)}\end{matrix}$$

また、満期保険金が一時金ではなく、年金で支払われるものは、一時所得ではなく、雑所得になります。

$$\text{雑所得の金額}=\begin{matrix}\text{その年に支払を}\\\text{受ける年金の額(A)}\end{matrix}-\left(\text{(A)}\times\frac{\text{支払保険料の総額}}{\text{年金の支払総額}}\right)$$

3-37 申告不要の満期保険金（一時所得）

Q 私はサラリーマンですが、貯蓄目的で保険に加入しようと考えています。満期保険金を受け取ったときに確定申告しなくてもよい場合があるそうですが、どんな場合ですか。

A 生命保険の満期保険金は、通常、一時所得になるので、次の算式で求めた金額が課税対象になります。

$$\text{一時所得の金額}=\left(\begin{matrix}\text{満期保}\\\text{険金額}\end{matrix}-\begin{matrix}\text{支払保険}\\\text{料の総額}\end{matrix}-\begin{matrix}\text{特別控除額}\\\text{(500,000円)}\end{matrix}\right)\times\frac{1}{2}$$

したがって、一時所得の金額がある人は原則的に確定申告をしなければなりません。ただし、給与の収入金額が2,000万円以下の場合は、例外的に、給与所得及び退職所得以外の所得金額が20万円以下であれば、確定申告を要しないこととされています。したがって、給与所得及び退職所得以外の所得が生命保険の満期保険金だけという場合で、満期保険金額から支払保険料の総額を差し引いた金額が90万円以下（以下算式参照）であれば、申告はしなくてもよいということになります。

$$200{,}000\text{円}=(\text{満期保険金額}-\text{支払保険料の総額}-500{,}000\text{円})\times\frac{1}{2}$$

$$\therefore(\text{満期保険金額}-\text{支払保険料の総額})=900{,}000\text{円}$$

3-38 一時所得の満期保険金がある場合の確定申告義務

Q 私は今年、10年間保険料を支払ってきた養老保険が満期になり保険金を受け取りました。満期保険金が200万円、払込保険料が100万円でした。私はサラリーマンで年収は1,000万円ですが、この満期保険金の受取りについて確定申告しなければなりませんか。

A 給与の収入金額が2,000万円以下の人は、「給与所得及び退職所得以外の所得の金額」が20万円以下であれば、確定申告をしなくてもよいことになっています。

この場合の「給与所得及び退職所得以外の所得の金額」を計算すると次のように25万円となるので、確定申告はしなければなりません。

---

1. 給与所得の金額

給与収入金額　給与所得控除額
10,000,000円－1,950,000円＝8,050,000円

2. 一時所得の金額

満期保険金　支払保険料　基礎控除額
2,000,000円－1,000,000円－500,000円＝500,000円

3. 総所得金額

給与所得　一時所得
8,050,000円＋500,000円×$\frac{1}{2}$＝8,300,000円

4. 給与所得及び退職所得以外の所得の金額

総所得　　　　給与所得
8,300,000円－8,050,000円＝250,000円

3-39 満期保険金の帰属年度

Q 今年のはじめに、満期保険金を受け取りましたが満期日は昨年の12月29日です。この場合、申告はいつすればよいですか。

A 満期保険金を受け取った場合に、その生命保険の保険料をその満期保険金の受取人本人が負担していたときは、その満期保険金は一時所得として所得税や住民税が課税されます。

一時所得の総収入金額の収入時期は、原則として、その支払を受けた日とされていますが、満期保険金の金額がその支払を受けた日より前に生命保険会社等から通知されているものについては、その通知を受けた日を収入すべき日として申告することになっています。

したがって、今年のはじめに保険金を受け取られた場合であっても、昨年の暮れに保険会社等から保険金額が通知されていたときは、その通知を受けた日になります。この場合であれば、12月29日が収入すべき日ということになるので、申告は、今年の3月15日までにしなければならないこととなります。

契約者貸付金が差し引かれた場合の取扱い

Q 夫は、私を受取人とする次のような生命保険に加入していました。この度、その生命保険が満期になり、保険金を受け取りましたが、夫の契約者貸付金に相当する金額が差し引かれていました。この場合の課税関係はどうなりますか。

【契約形態】

契約者	夫
保険料負担者	夫
被保険者	夫
保険金受取人	本人
満期保険金	3,000,000 円
契約者貸付金	1,000,000 円

A 契約者貸付金が差し引かれた場合の取扱いは、以下のようになります。

---

1. 受取人に対する課税

この場合、受取人（相続者）については、実際に受け取った金額200万円（300万円－100万円）は贈与により取得したものとみなされ、贈与税が課されます。

2. 契約者に対する課税

契約者（相談者の夫）が契約者の地位に基づいて借り入れた契約者貸付金の額と保険金とが相殺されたので、その契約者貸付金に相当する金額100万円は夫が受け取った一時金となり、一時所得の対象となります。

$$課税所得 = \left\{ \begin{matrix}契約者貸付金\\(1,000,000円)\end{matrix} - \begin{matrix}正味払込\\保険料\end{matrix} \times \frac{\begin{matrix}契約者貸付金\\1,000,000円\end{matrix}}{\begin{matrix}3,000,000円\\満期保険金\end{matrix}} - \begin{matrix}特別控除額\\(500,000円)\end{matrix} \right\} \times \frac{1}{2}$$

3-41 満期保険金受取人を事業主、死亡保険金の受取人を従業員の遺族とする養老保険の満期保険を受け取った場合の取扱い

Q 被保険者を従業員、満期保険金受取人を事業主、死亡保険金の受取人を従業員の遺族とする生存給付金付養老保険に加入してその保険料を支払い、支払保険料の２分の１を必要経費（福利厚生費）に算入し、残りの２分の１を資産計上（積立保険料）しています。

事業主が、この保険の満期保険金及び生存給付金を受け取った場合、どのような取扱いになりますか。

A 満期保険金及び生存給付金は、事業主が支払った保険料のうち福利厚生費として必要経費に算入した部分ではなく、積立保険料として資産計上した部分に対応するものです。

したがって、満期保険金を受け取った場合には、積立保険料を必要経費に算入することとなり、生存給付金を受け取った場合には、積立保険料のうち、生存給付金に対応する額（積立保険料の額を限度）を取り崩して事業所得の必要経費に算入することとなります。

なお、この場合の満期保険金及び生存給付金は、業務に関して受けるもの（事業付随収入）と認められますので、一時所得ではなく、事業所得となります。

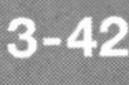

3-42 同一年に満期保険金と解約返戻金がある場合の取扱い

Q 同じ年に満期保険金と解約返戻金を受け取った場合は、一時所得の金額はどのように計算されますか。

A 同じ年に一時所得となる保険金を２件以上受け取った場合は、一時所得内で通算します。具体的には、次のように計算します。

	受取額	払込保険料総額	差引き	備　考
A契約	10, 000, 000 円	6, 000, 000 円	4, 000, 000 円	満期保険金
B契約	2, 000, 000 円	3, 000, 000 円	△1, 000, 000 円	解約返戻金

総収入の金額
一時所得の金額＝(10, 000, 000 円＋2, 000, 000 円)

その収入を得るために支出した金額　特別控除額
－(6, 000, 000 円＋3, 000, 000 円)－500, 000 円

＝2, 500, 000 円

(この年に他の一時所得となる収入はないものとします)

▶この 2,500,000 円の２分の１を他の所得と合算して、所得税を計算します。

3-43 保険料の一部を満期保険金受取人以外の人が負担していた場合の取扱い

Q 生命保険が満期になり、保険金を受け取りました。この保険は私と父が保険料を半分ずつ出していました。課税関係はどのようになりますか。

A 保険料の一部を保険金の受取人が負担し、残りの部分を保険金の受取人以外の人が負担していた場合は、その保険金の受取人が負担した保険料に対応する保険金は一時所得となり、受取人以外の人が負担していた保険料に対応する保険金は贈与税の課税対象になります。

一時所得と贈与税の課税対象となる金額は、次のように計算します。

【設例】

満期保険金	10,000,000円
払込保険料	6,000,000円
子	3,000,000円
父	3,000,000円

1. 一時所得の金額

$$10,000,000円 \times \frac{3,000,000円}{6,000,000円} = 5,000,000円$$

5,000,000円－3,000,000円＝2,000,000円……　一時所得とされる金額

2. 贈与税の課税対象となる金額

$$10,000,000円 \times \frac{3,000,000円}{6,000,000円} = 5,000,000円$$……　贈与税の課税対象となる金額

3-44　養老保険の保険料を会社が負担していた場合の取扱い

Q 会社が保険料を負担し、私が給与課税されていた養老保険が満期になり、保険金を受け取りました。課税関係はどのようになりますか。

A 受け取った満期保険金は、一時所得となり、所得税の対象になります。所得税の対象になる一時所得の金額は、次の算式で計算します。

ただし、この場合の「その収入を得るために支出した金額」は、役員または従業員において給与課税が行われたものに限られます。

一時所得の金額＝{(総収入金額)－(その収入を得るために支出した金額)－50万円}×1/2

3-45 一時払養老保険の課税関係

Q 一時払養老保険の満期保険金を受け取った場合の課税関係は、どのようになりますか。

A 一時払養老保険について、満期保険金、解約返戻金を受け取った場合の課税は次のようになります。

1 原則

満期保険金等を受け取った場合には、一時所得として、その保険金等の金額から払込保険料を差し引き、他に一時所得がないときは、この金額から特別控除額50万円を控除した残額の2分の1相当額が他の所得と合算されて総合課税されることになっています。

2 例外

一時払養老保険のうち一定のものは、金融類似商品として、その差益に対して20.315％（国税15.315％、地方税５％）の源泉分離課税が行われます。

ここでいう「一定のもの」とは、以下に述べる①保険期間、②保険料の払込方法、③保障倍率の３要件をすべて満たすものをいいます。

1. 保険期間

保険期間または共済期間（以下、保険期間等といいます）が５年以下のもの及び保険期間等が５年を超えるものでその保険期間等の初日から５年以内に解約されたもの

2. 保険料の払込方法

一時払い及び一時払いに準ずる方法で次の方法を含むもの（保険料の全部を前納したときまたは一部をこれらの方法に準じて前納したときも含まれます）。

① 保険期間の初日から１年以内に保険料または掛金の総額の２分の１以上を支払う方法

② 保険期間の初日から２年以内に保険料または掛金の総額の４分の３以上を支払う方法

なお、一時払いに準ずる支払方法に当たるかどうかは、次の算式により判定します。

保険期間等の初日から１年以内または２年以内に払い込まれた保険料等の総額	÷	保険期間等の満了の日までに払い込まれた保険料等の総額

（注１）前納により払い込まれた保険料等については、その前納割引後の金額によります。

（注２）保険契約または共済契約（以下、保険契約等といいます）が保険期間等の初日から５年以内に解約された場合においては、上記の算式中「保険期間等の満了の日までに払い込まれた保険料等の総額」とあるのは、「保険契約等が解約された日までに払い込まれた保険料等の総額と、保険契約等の解約の直前において同日以後に払い込むこととされていた表定保険料（保険契約等の締結時に定められた保険料払込方法等〔契約内容の変更があった場合には、変更後の保険料払込方法等〕に基づき、あらかじめ定められた払込期日に払い込むべき保険料等をいいます）の総額との

合計額」と読み替えて計算します。

(注３)払込期日前に払い込まれた保険料等であっても、その払込みにより保険料等の割引が行われない場合には、その払込期日前の払込みは前納に当たらないので、払込期日に保険料等が払い込まれたものとして計算します。

3. 保障倍率

死亡保険金のうち、災害死亡等を保険事故として支払われる保険金で次に掲げる金額の合計額が満期保険金の５倍未満であり、かつ、それ以外の死亡保険金が満期保険金と同額以下であるもの

① 各被保険者の災害死亡等により支払われる死亡保険金

② 各被保険者の疾病または傷害に基因する入院及び通院給付金の日額にその支払限度日数を乗じて計算した金額

なお、保障倍率の判定は、保険期間等の初日から満了の日までを通じた累積平均額により行われます。

3-46 一時払養老保険の保険料と借入金が、いわゆる「ひもつき」関係にある場合の一時所得

Q 私はこの度、10 年満期の養老保険の保険金を受け取りました。この保険の保険料は、銀行から借り入れて一時払いしたものですが、この場合の借入利息の取扱いはどのようになりますか。

A 生命保険の満期保険金を受け取った場合、その生命保険の保険料をその満期保険金の受取人本人が負担していたときは、その満期保険金は一時所得として所得税や住民税が課税されます。

一時所得の金額は、次の算式によって計算します。ただし、他の所得がある場合には、その他の所得と合算して税金がかかりますが、そのときには、次の算式で計算した一時所得の金額の２分の１の金額が合算され、税金がかかります。

$$\text{一時所得の金額}=\left(\begin{array}{c}\text{その年中の}\\\text{総収入金額}\end{array}-\begin{array}{c}\text{収入を得るため}\\\text{に支出した金額}\end{array}\right)-\begin{array}{c}\text{特別控除額}\\\text{(500,000円)}\end{array}$$

ところで、上記算式中の収入を得るために支出した金額というのは、税務上、その収入を生じた行為をするため、またはその収入を生じた原因の発生に伴い直接要した金額に限ることとされています。

保険料相当額を借入れして一時払いした場合には、その払込保険料は当然「直接要した金額」になりますが、その借入利息が「直接要した金額」になるかどうかは、保険料と借入金がいわゆる「ひもつき」関係にあるかどうかで判断します。つまり、保険料と借入金がひもつきである場合には、その借入利息相当額は「直接要した金額」に該当することとなり、収入を得るために支出した金額として、総収入金額から控除することができます。

3-47　満期保険金で住宅取得資金の贈与をした場合の取扱い

Q 先日、私は父が保険料を負担していた生命保険契約の満期保険金を受け取りました。この保険金を自宅の新築資金にあてたいと思いますが、この保険金について、住宅取得資金の贈与の規定を適用することはできますか。

A 生命保険契約の満期保険金を受け取った場合において、保険料を負担した人と保険金受取人が異なるときは、保険金受取人は保険料を負担した人からその保険金を贈与により取得したものとみなされ贈与税が課税されます。したがって、受け取った生命保険金は贈与税の対象となります。

なお、受け取った満期保険金（直系尊属からの贈与により受け取った保険金）でその受け取った年の翌年3月15日までに住宅用の家屋を新築または建築後使用されたことのない住宅用の家屋もしくは建築後使用されたことのある一定の要件を満たす住宅用の家屋を取得、または家屋の増改築等をして居住の用に供した場合には、直系尊属からの住宅取得等資金の贈与を受けた場合の贈与税非課税の規定の適用を受けることができます。

3-48 満期保険金を贈与された場合の贈与税の配偶者控除の適用

Q 私と夫は結婚して25年になります。この度、夫が保険料を負担していた生命保険契約が満期になり、満期保険金2,000万円を私が受け取りました。私はこの保険金で居住用の家屋を購入しようと思っています。この場合の保険金について配偶者控除の適用を受けることができますか。

A 3-47と同様、生命保険契約の満期保険金を受け取った場合で、保険料を負担した人と保険金受取人が異なるときは、保険金受取人は保険料を負担した人からその保険金を贈与により取得したものとみなされ、贈与税が課税されます。したがって、この場合の受け取った生命保険金2,000万円は贈与税の対象となります。

しかし、相談者が受け取った満期保険金で、その受け取った年の翌年3月15日までに居住用不動産を取得し、居住の用に供した場合には、その保険金のうちその居住用不動産にあてられた金額の2,000万円までの金額は贈与税の配偶者控除の適用を受けることができ、贈与税は課税されないことになっています。

なお、この規定は、婚姻期間が20年以上である配偶者からの居住用不動産または居住用不動産の取得資金の贈与について適用があり、同一配偶者からの贈与については、一度しか適用できません。

また、配偶者控除の適用を受ける場合には、贈与税の申告書に配偶者控除を受ける旨、その控除額の明細及び配偶者控除の適用を受けようとする年の前年以前に同一人からの贈与につき贈与税の配偶者控除の適用を受けていない旨を記載して、次に掲げる書類を添付して提出する必要があります。

① 財産の贈与を受けた日から10日を経過した日以後に作成された戸籍の謄本または抄本及び戸籍の付票の写し

② その不動産の登記簿の謄本または抄本

③ 居住の用に供した日以後に作成された住民票の写し

3-49 子供に保険料相当額を贈与する場合の取扱い

Q 私は、子供を契約者及び保険金の受取人、私を被保険者とする生命保険契約を結び、その保険契約の保険料相当額を子供に贈与しようと思っています。この保険が満期になり子供が保険金を受け取った場合、課税関係はどうなりますか。

A 被相続人の死亡または生命保険契約の満期により保険金等を取得した場合もしくは保険事故は発生していないが保険料の負担者が死亡した場合には課税関係が生じますが、どのような課税になるかは保険料の負担者と保険金受取人の関係で決まります。一般的に、保険料支払能力のない子供等を契約者とした場合には、父親等がその保険料を負担しているとみるのが妥当だと思われるので、その保険契約に係る保険金を子供等が受け取った場合には、父親等から子供等に対して贈与があったものとして、贈与税が課税されます。しかし、この場合のように、父親等が子供に現金を贈与し、その現金を保険料の支払に充当するようなケースで、贈与の事

実があったと確認ができ、贈与を受けた子供からその旨の主張があった場合については、子供が保険料を負担していたものとして認められることになっています。例えば以下のものが挙げられます。

① 毎年の贈与契約書

② 過去の贈与税申告書

③ 所得税の確定申告等における生命保険料控除の状況

④ その他贈与の事実が認定できるもの等

なお、この場合の子供が受け取る満期保険金は、一時所得として所得税、住民税の課税の対象になります。

3-50 生命保険契約等の一時金に係る支払調書

Q 生命保険契約等の一時金を受け取りました。支払調書が税務署に提出されると聞きましたが、どのような場合に提出されるのですか。

A 「生命保険契約等の一時金の支払調書」は、所得税法施行令第 183 条第 2 項に規定する一時金又は同施行令第 351 条第 1 項第 9 号に掲げる財産形成給付金、第一種財産形成基金給付金もしくは第二種財産形成基金給付金で 1 回に支払うべき金額が 100 万円を超えるものについて提出されます。受取人が法人であっても同じです。

この場合の 1 回に支払うべき金額とは、保険契約等において定められている支払うべき金額をいいます。

なお、提出については、保険等の支払いを受ける者の各人別に提出することになっていますので、契約者ではなく受取人を基礎として判定されることになります。

第４節　死亡保険金と税金

3-51　保険金を受け取る二つの方法

Q　私には、障がい者の妹がいます。私が他界した後の妹の将来が不安なので、妹を受取人とする生命保険に入ろうと思います。どのような方法がありますか。

A　死後、家族に保険金を残す（死亡保険金）には、次の二つの契約方法があります。それぞれ、次のような特徴があります。

---

❶ 契約者＝本人、被保険者＝本人、保険金受取人＝妹

この方法の特徴は、次のとおりです。

①	保険金は、みなし相続財産となり相続税の対象になる
②	妹は遺贈により財産を取得したことになり、相続税の申告が必要になることがある
③	妹にも相続税がかかることがある
④	妹に相続財産の内容がわかってしまう

❷ 契約者＝妹、被保険者＝本人、保険金受取人＝妹

この方法は、本人から妹に保険料相当額を贈与して、妹が本人に保険をかけることになります。

この方法の特徴は、次のとおりです。

①	保険金は、相続税の対象ではなく所得税の対象になる
②	妹に所得税（一時所得）がかかる
③	本人の相続からは切り離される

3-52 非課税となる生命保険金

Q 私はこの度、父の死亡により、父が保険料を負担していた生命保険契約に基づく保険金を受け取りました。この生命保険金には、相続税法上の恩恵があると聞いていますが、どのようになっているのですか。

A 被保険者が保険料を負担していた生命保険契約の保険金を、その相続人が受け取った場合には、その保険金は、被保険者から相続により取得したものとみなして相続税の対象になるとされていますが、次に掲げる金額は非課税とされています。

---

1 保険金の非課税限度額

保険金の非課税限度額は、以下の算式で求めます。

「保険金の非課税限度額」＝5,000,000円×法定相続人の数

2 各相続人の非課税金額

すべての相続人が取得した死亡保険金の合計額が「保険金の非課税限度額」以下である場合	その相続人が取得した保険金の金額の全額
すべての相続人が取得した死亡保険金の合計額が「保険金の非課税限度額」を超える場合	保険金の非課税限度額×$\dfrac{\text{その相続人が取得した保険金の合計額}}{\text{すべての相続人が取得した保険金の合計額}}$

ただし、この規定は相続を放棄した人や相続権を失った人には適用がありません。

【非課税額の計算例】

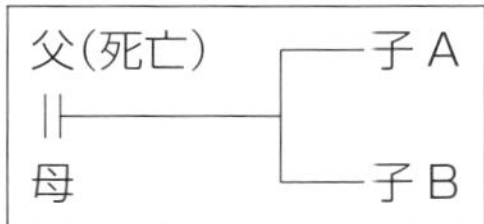

※父の死亡により、母と子Aが生命保険金をそれぞれ2,000万円、1,000万円を取得した場合(保険料は父が負担、子Bは生命保険金を取得せず))

① 法定相続人　母、子A、子Bの3人

② 保険金の非課税限度額　　5,000,000円×3人＝15,000,000円　……(a)

③ 保険金の合計額　20,000,000円＋10,000,000円＝30,000,000円……(b)

④ 非課税とされる金額

(イ)母の非課税金額

$$(a) \times \frac{20,000,000円}{(b)} = 10,000,000円$$

(ロ)子Aの非課税金額

$$(a) \times \frac{10,000,000円}{(b)} = 5,000,000円$$

⑤ 相続税の課税対象となる金額

(イ)母……20,000,000円－10,000,000円＝10,000,000円

(ロ)子A…10,000,000円－ 5,000,000円＝ 5,000,000円

3-53 非課税の対象になる生命保険金

Q 相続や遺贈によって取得したものとみなされる保険金には、どのようなものが含まれますか。

A 相続や遺贈によって取得したものとみなされる保険金には、本来の保険金のほか、保険契約に基づき分配を受ける剰余金、割戻しを受ける割戻金及び払戻しを受ける前納保険料で、保険金とともに受け取るものも含まれることとなっています。

したがって、たとえば保険金とともに支払を受けた配当金や特別配当金などは、保険契約に基づき分配を受ける剰余金ですから、みなし相続財産に該当し、生命保険金の非課税の対象になりますし、生命保険契約を転換したことにより、死亡保険金とともに支払を受けた転換価格残額についても、生命保険金の非課税の対象となります。

なお、保険金とともに受け取ったものであっても、保険金が所定の期日までに支払われなかったことに基因して支払を受けた遅延利息については、相続人の雑所得となるもので、生命保険金の非課税対象にはなりませんので、注意してください。

3-54 年金を一時金で受け取る場合の生命保険金の非課税

Q 夫が生前に受け取っていた年金は、死ぬまで年金が支払われ、一定期間内に死んだときはその残りの期間、継続年金受取人に年金または一時金が支払われるというものでした。私は、この年金を一時金でもらいましたが、この一時金は生命保険の非課税の対象になりますか。

A お尋ねの年金は、いわゆる保証期間付定期金といわれるもので、定期金に関する権利として相続税の対象になるものです。一時金で受け取ったことから、非課税の対象になる生命保険金に該当するのではと思われるかもしれませんが、この定期金に関する権利は、相続税法では、非課税となる生命保険金には該当しないこととなっています。なお、相続財産に計上する保証期間付定期金の評価については、3-145を参照ください。

3-55　かんぽ生命の特約還付金の取扱い

Q 父親が亡くなり、かんぽ生命から保険金が振り込まれました。特約還付金というものが含まれていますが、これは、どのような取扱いになりますか。

A かんぽ生命の特約還付金は、主契約に付加した死亡を保険事故としない特約の積立部分の返還金になります。

したがって、生命保険金の非課税の適用はなく、保険契約者が被保険者であれば、被保険者の本来の相続財産として、課税の対象になります。

3-56 生命保険会社等に該当しない社団等が取り扱う共済保険の保険金を受け取った場合

Q 非営利型一般社団法人等が取り扱う共済保険の死亡保険金を受け取った場合は、どのような取扱いになりますか。

A 被相続人の死亡により、相続人その他の者が生命保険契約の保険金または損害保険契約の保険金（偶然の事故に基因する死亡に伴い支払われるものに限ります）を取得した場合には、その保険金受取人について、その保険金のうち被相続人が負担した保険料の金額のその契約に係る保険料で被相続人の死亡時までに払い込まれたものの全額に対する割合に相当する部分は、保険金受取人が相続または遺贈によって取得したものとみなされることとなっていますが、この取扱いの対象になる保険金とは、相続税法に規定する保険会社と締結した保険金となっています。したがって、ここに規定されている保険会社以外との契約に基づいて取得する保険金は、この対象にはなりません。

この場合の死亡保険金は一般社団法人からのもので、相続税法に規定している保険会社からのものではありませんので、相続税法に規定するみなし相続財産には該当せず、相続税の課税対象とはなりません。このような保険金は、一時所得として所得税が課されることとなります。

3-57 医師会の共済制度に基づく死亡共済金の取扱い

Q 父が亡くなり、医師会から共済制度に基づく死亡共済金が入金されました。この死亡共済金は、生命保険金として非課税になりますか。

A お尋ねは、死亡共済金が相続税のみなし相続財産に該当して非課税になるかということだと思いますが、医師会の共済制度に基づく死亡共済金は、相続税法に規定するみなし相続財産となる生命保険には該当しませんので、相続税の非課税にはならず、相続人の一時所得として課税されることとなります。

3-58　生命保険に加入した場合の相続税軽減額

Q 生命保険に加入すると相続税が安くなるそうですが、どのくらい安くなりますか。

家族構成	本人、夫、子供（２名）（計４名）
相続財産	２億円

A 生命保険に加入すると相続税がどれだけ安くなるのか、比較のための計算を、次のように生命保険に加入していない場合と加入している場合で同じ２億円の相続財産を残したものとして計算してみましょう。

	加入していない場合	生命保険1,500万円に加入している場合
1　相続財産	2億円	2億円
2　生命保険金の非課税金額	——	500万円×3人 =1,500万円
3　基礎控除額	3,000万円+(600万円×3人)=4,800万円	4,800万円
4　課税財産	2億円−4,800万円 =1億5,200万円	2億円−1,500万円−4,800万円 =1億3,700万円
5　相続税の総額	2,700万円	2,325万円
6　納税後の財産	2億円−2,700万円 =1億7,300万円	2億円−2,325万円 =1億7,675万円
7　差額	——	375万円

(注)配偶者の税額軽減は適用していません。

相続税の総額は、2,325万円で、加入していない場合の2,700万円と比較して375万円少なくなります。

当然、相続税を納付した後の財産の価額を比較しても、加入していない場合は1億7,300万円で、加入している場合の1億7,675万円と比べると、その差額は同じく375万円になります。

これは、生命保険金に対して非課税制度があるためです。相続税は累進課税であり、一概にどれだけ税額が少なくなるとはいえませんが、税率の高い人ほど節税効果は大きくなります。

3-59　相続税の非課税限度額の計算に係る法定相続人の数

Q　生命保険金の非課税限度額を計算する場合、法定相続人の数に制限があるそうですが、どのようになっているのですか。

保険金の非課税限度額を計算する場合の法定相続人の数は、次のように規定されています。

---

1 原則

保険金の非課税限度額を計算する法定相続人の数は、原則として、被相続人の民法第５編第２章の規定による相続人の数をいい、相続の放棄があった場合には、その放棄がなかったものとした場合における相続人の数をいいます。なお、被相続人に養子がいる場合には、養子の数のうち次の数だけを法定相続人の数に含めることになっています。

被相続人に実子がいる場合	１名
被相続人に実子がいない場合	２名

2 特別養子等がある場合

次に掲げる養子は、実子とみなされることになっているので、被相続人と養子縁組によって養子になった者であっても、上記の取扱いはされません。

① 民法上の特別養子縁組による養子となった者

② 配偶者の実子で被相続人の養子となった者

③ 被相続人との婚姻前に被相続人の配偶者の特別養子縁組による養子となった者でその被相続人の養子となった者

④ 被相続人の実子もしくは養子またはその直系卑属が相続開始以前に死亡し、または相続権を失ったため相続人となったその者の直系卑属

3-60 養子がいる場合の生命保険金の非課税金額

Q 被相続人の死亡により、相続人A、B、Cは生命保険金をそれぞれ、1,000万円、1,000万円、2,000万円取得しました。Cは被相続人の実子ですが、A、Bは普通養子です。この場合の相続税の非課税金額はどうなりますか。

A 相続税における生命保険金の課税限度額を計算する場合の法定相続人の数は、被相続人に実子がある場合には養子のうち1人だけしかその数に含めることができません（3–59参照）。

したがって、この場合の非課税金額は次のようになります。

---

❶ 非課税限度額

非課税金額は次の算式で求めます。

5,000,000円×法定相続人の数

よって、この場合は以下のようになります。

5,000,000円×2人＝10,000,000円

❷ 相続人が取得した保険金の合計額

10,000,000円＋10,000,000円＋20,000,000円＝40,000,000円

3 非課税金額

$$A = 10,000,000\text{円} \times \frac{10,000,000\text{円}}{40,000,000\text{円}} = 2,500,000\text{円}$$

$$B = 10,000,000\text{円} \times \frac{10,000,000\text{円}}{40,000,000\text{円}} = 2,500,000\text{円}$$

$$C = 10,000,000\text{円} \times \frac{20,000,000\text{円}}{40,000,000\text{円}} = 5,000,000\text{円}$$

3-61 相続税の非課税金額の計算①
― 代襲相続人が被相続人の養子である場合の相続人の数

Q この度、私の祖父が他界しました。私の父はすでに他界しており、私は祖父と祖母の養子になっています。相続関係は次のとおりですが、この場合、法定相続人は何人になりますか。

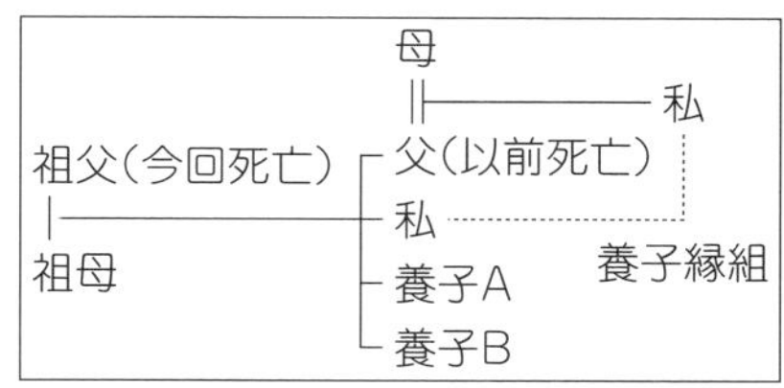

A この場合、本来の相続人（相談者の父）が被相続人（相談者の祖父）より前に他界しているので、相談者は、被相続人に代わって相続する権利があります。これを代襲相続人といいます。

また一方では、相談者は被相続人の養子にもなっています。代襲相続人であり、かつ、養子であるという場合の相続人の数は、実子が１人として計算することになっています。

したがって、この場合の相続については、実子がいる場合に該当し、保険金の非課税限度額を計算する場合の法定相続人の数は養子を１人として計算することになります（3−59 参照）。

つまり、この場合の法定相続人の数は、被相続人の配偶者（相談者の祖母）と相談者と養子 A、B のうち 1 人の 3 人になります。

3-62 相続税の非課税金額の計算②
― 胎児がある場合の相続人の数

Q 先日、私の夫が交通事故で他界しました。私のお腹には 5 か月の子がいますが、このようにまだ生まれていない子でも、法定相続人の中に含めることができますか。

A 民法上、胎児は、相続についてはすでに生まれたものとみなされますが、死産の場合には胎児がいないものとして扱われます。

そこで、相続税法上は、相続人となるべき胎児が相続税の申告書を提出する日までに出生していない場合は、その胎児がいないものとして取り扱うこととしています。つまり、法定相続人の数には含めないで相続税額の計算及び申告をすることになるわけです。

そして、相続税の申告をした後に胎児が生きて生まれてきた場合には、法定相続人の数に含めて、もう一度相続税額を計算することになります。

なお、この計算によって、すでに申告した課税価格や相続税額が過大となった場合は、その胎児の出生を知った日から 4 か月以内に更正の請求をすることができます。

また、相続の日には胎児であったけれども、相続税の申告期限までに、その胎児が生まれている場合には、法定相続人の数にその胎児の数を含めて相続税額の計算や申告をすることになります。

この場合は、相続税の申告期限までにその胎児が生まれることとなるので、生産であれば法定相続人の数に含め、死産のときは数に含めずに相続税額等を計算することになります。

なお、例外的に胎児が生まれたものとして課税価格及び相続税額を計算した場合において、相続または遺贈により財産を取得したすべての者が相続税の申告書の提出義務がなくなるときは、これらの者の申請に基づいて、胎児の生まれた日の後２か月の範囲内で申告期限が延長されることになっています。

【参考】 相続税の申告期限

相続の日	申告期限
1996 年１月１日～	10 か月を経過する日

3-63 相続放棄者がいる場合の生命保険金の非課税金額

Q 被相続人の死亡により、相続人 A、B、C は生命保険金をそれぞれ、1,000 万円、2,000 万円、3,000 万円取得しました。相続人 B は相続放棄の手続をしていますが、この場合、相続税の非課税金額はどうなりますか。

A 相続税法では、相続人が取得した生命保険金については一定の金額を非課税としています（3‒52 参照）が、相続人以外の者が受け取った保険金には非課税の適用はありません。

また、相続を放棄した者は、はじめから相続人でなかったものとみなされます。この場合、相続人 B は相続人でなくなり、非課税の適用はないこととなり、非課税金額は次のようになります。

❶ 非課税限度額

非課税限度額は、以下の算式で求めます。

5,000,000円×法定相続人の数＝5,000,000円×3人＝15,000,000円

相続人Bは相続人ではなくなりますが、非課税限度額を計算するときの「法定相続人の数」は、相続の放棄があった場合でも、その放棄がなかったものとした場合の数によるので、A、B、Cの3人になります。

❷ 相続人が取得した保険金の合計額

したがって、相続人が取得した保険金の合計額は以下のようになります。

10,000,000円＋30,000,000円＝40,000,000円

この場合、相続放棄をしたBの金額は含めません。

❸ 非課税金額

$$A = 15,000,000円 \times \frac{10,000,000円}{40,000,000円} = 3,750,000円$$

B＝適用なし

$$C = 15,000,000円 \times \frac{30,000,000円}{40,000,000円} = 11,250,000円$$

3-64 同時死亡した場合の取扱い①

Q 先日、私の夫と長男が交通事故で同時に他界しました。長男は保険契約者である夫の死亡保険金2,000万円の受取人になっていました。この場合、誰が生命保険金の受取人となり、生命保険金の非課税の規定の適用はどのようになりますか。

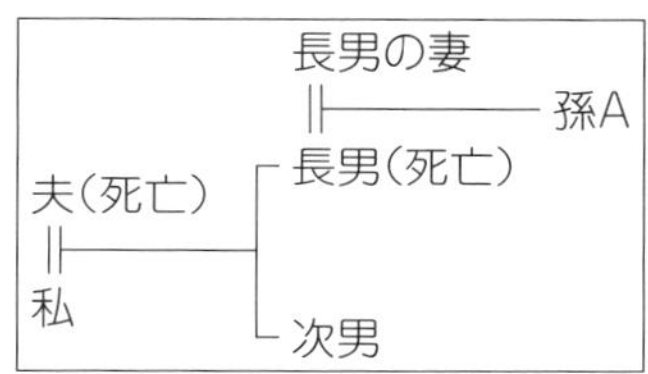

A 生命保険契約では、保険事故発生前に指定受取人が死亡したときには受取人を再指定できますが、再指定をしないで死亡した場合には、指定受取人であった人の相続人がその生命保険金の受取人になります。

この場合、指定受取人であった長男が他界したため、その相続人である孫Aと長男の妻がそれぞれ1,000万円ずつ生命保険金を受け取ることになります。

ところで、相続税法の生命保険金規定の適用は、相続人が取得した生命保険金に限られています。

したがって、孫Aは相談者の夫の相続人なので、生命保険金の非課税の適用がありますが、長男の妻については相続人ではないので生命保険金の非課税の適用はありません。

結局、相続人でない長男の妻が受け取った生命保険金は遺贈により取得したものとして1,0C0万円全額が相続税の対象になり、相続人である孫Aが受け取った生命保険金1,000万円は、非課税の金額1,500万円（500

万円×3人）の範囲内なので全額が非課税となります。

3-65 同時死亡した場合の取扱い②

Q 甲とその配偶者Aが次のような二つの生命保険に加入している場合において、2人が同時死亡した場合の課税関係はどのようになりますか。

【契約形態】

生命保険①

契約者（保険料負担者）	甲
被保険者	A
保険金受取人	甲（甲の死亡により乙、丙が取得）

生命保険②

契約者（保険料負担者）	甲
被保険者	甲
保険金受取人	A（Aの死亡によりB、Cが取得）

A 生命保険契約の契約者は、受取人が死亡した場合、受取人の再指定をすることができますが、再指定しないまま被相続人が死亡した場合には、その受取人の相続人が保険金を取得することになっています。

1 生命保険①の取扱い

この場合の、生命保険①の保険金は、契約者（甲）の相続人（乙及び丙）が受け取ることになります。

相続人（乙及び丙）が取得する保険金は、契約者（甲）が保険料を負担したものなので、税務上は、保険料負担者である契約者（甲）から相続人（乙及び丙）に対して贈与があったものとみなして贈与税が課税されることとなります（この場合は相続年の贈与なので、贈与税ではなく相続税が課せられることになります）。

ただし、次に掲げる「保険料負担者と被保険者が同時に死亡した場合について」の適用を受ける場合は、相続人（乙及び丙）が受け取った保険金は、保険料負担者である甲から相続により取得したものとみなして相続税が課税されることになります。

（注）「保険料負担者と被保険者が同時に死亡した場合について」

保険契約に係る保険料の全部又は一部がその契約に係る被保険者及び保険金受取人以外の者によって負担されていた場合において、その保険料の負担者と被保険者とが同時に死亡したものと推定されるときは、その保険料負担者を被相続人として取り扱うことができる。（昭和57年5月17日直資2－178）

2 生命保険②の取扱い

生命保険②の保険金は、上記同様、Aの相続人であるB及びCが受け取ることになります。

この場合のB及びCが取得した保険金は、保険料負担者である甲から遺贈により取得したものとみなされて相続税が課税されます。

3-66 同時死亡した場合の取扱い③

Q 契約者（保険料負担者）が父、被保険者が母、受取人が私（子）という生命保険に加入している場合において、父母が同時死亡した場合の課税関係はどのようになりますか。

A 同時死亡の場合、その当事者はお互い相続人にならないこととされています。

したがって、父も母も相互の相続人にはならないこととなります。

こうした場合、実務では、保険料の負担者を被相続人として取り扱うことができることとされていますので、この場合であれば、保険金は父のみなし相続財産として、子（相談者）が相続により取得したこととすることが認められます。

3-67 外国の保険会社から受け取った保険金の取扱い

Q 夫は、5年前から海外勤務となり、単身赴任していましたが、今年になって事故で他界しました。夫は海外で私を受取人とする生命保険に加入しており、夫の死亡により私はその保険金を受け取りました。この場合の保険金は、どのように取り扱われますか。

A 海外の生命保険会社から受け取った保険金は相続財産とみなされて、相続税の対象となります。

3-68 認可特定保険業者が行う特定保険業の死亡給付金、弔慰給付金の取扱い

Q 認可特定保険業者が行う特定保険業の死亡給付金及び弔慰給付金は、税務上、どのように取り扱われますか。

A 2005年5月2日に特定保険業（保険業法に基づき特定の者を相手にする保険業）を行っていた団体で、一定の要件に該当するもののうち、行政庁の認可を受けたものについては、当分の間、認定特定保険業者として、特定保険業の範囲内で事業を継続することが認められています。

ところで、被相続人の死亡により、相続人その他の者が生命保険契約の保険金または損害保険契約の保険金（偶然の事故に基因する死亡に伴い支払われるものに限る）を取得した場合には、その保険金受取人について、その保険金のうち被相続人が負担した保険料の金額のその契約に係る保険料で被相続人の死亡時までに払い込まれたものの全額に対する割合に相当する部分は、保険金受取人が相続または遺贈によって取得したものとみなされることとなっています。しかし、この取扱いの対象になる保険金とは、相続税法に規定する保険会社と締結した保険金となっており、ここに規定されている保険会社以外との契約に基づいて取得する保険金は、この対象にはなりません。

認可特定保険業者は、ここに規定されている保険会社以外になりますから、受取人が受け取る死亡給付金及び弔慰給付金（給付金等）は、相続税法に規定するみなし相続財産には該当せず、相続税の課税対象とはならないこととなります。

したがって、この給付金等は、受取人に対する所得税が課税されることとなりますが、この場合の給付金等は、利子所得、配当所得、不動産所得、事業所得、給与所得、退職所得、山林所得及び譲渡所得以外の所得のうち、

営利を目的とする継続的行為から生じた所得以外の一時の所得で労務その他の役務又は資産の譲渡の対価としての性質を有しないものと認められますので、一時所得として課税されることとなります。

3-69 被相続人以外の人が保険料を負担していた場合の取扱い

Q 私の父は、父を被保険者とし、私を保険金受取人とする生命保険契約を締結し、保険料は、父が２分の１、母が３分の１、私が６分の１負担していました。この度父の死亡により、私が保険金3,000万円を受け取りましたが、課税関係はどのようになりますか。

A 被相続人の死亡により、保険金の受取人以外の人が保険料を負担した生命保険契約に基づく生命保険金を取得した場合には、保険料を負担していた人によって課税関係は次のようになります。

① この場合の父が負担していた保険料の部分については、相続または遺贈により取得したものとみなされ、相続税の対象になります。

【相続または遺贈により取得したものとみなされる金額】

$$\text{取得した保険金の額} \times \frac{\text{被相続人が負担した保険料の額}}{\text{相続開始時までに払い込まれた保険料の総額}}$$

$$= 30,000,000\text{円} \times \frac{1}{2} = 15,000,000\text{円}\cdots\cdots\text{みなし相続財産}$$

② 母が負担していた保険料の部分については、贈与により取得したものとみなされ、贈与税の対象になります。

【贈与により取得したものとみなされる金額】

$$\text{取得した保険金の額} \times \frac{\text{被相続人及び保険金受取人以外の人が負担した保険料の額}}{\text{相続開始時までに払い込まれた保険料の総額}}$$

$$= 30,000,000\text{円} \times \frac{1}{3} = 10,000,000\text{円}\cdots\cdots\text{みなし贈与財産}$$

③ 保険金受取人が負担していた保険料の部分については、その保険金の受取人の一時所得として所得税の対象になります。

$$\text{取得した保険金の額} \times \frac{\text{その保険金受取人が負担した保険料の額}}{\text{相続開始時までに払い込まれた保険料の総額}}$$

$$= 30,000,000\text{円} \times \frac{1}{6} = 5,000,000\text{円}\cdots\cdots\text{一時所得の総収入金額}$$

以上のように、被保険者の死亡によって、死亡保険金を受け取った場合には、その保険料を誰が負担していたかによって課税関係が変わってきます。

すなわち、その保険料を(イ)被相続人が負担していた場合には相続税、(ロ)被相続人及び保険金受取人以外の第三者が負担していた場合は贈与税、(ハ)保険金受取人が負担していた場合には所得税が課税されます。その関係をまとめると、次のようになります。

契約形態			課税関係
保険料負担者	被保険者	保険金受取人	
A(父)	A(父)	C(本人)	相続税
B(母)	A(父)	C(本人)	贈与税
C(本人)	A(父)	C(本人)	所得税

3-70　死亡保険金の受取人が2人以上いる場合の取扱い

Q　次の契約形態の生命保険について、死亡保険金を受け取った場合の課税関係はどのようになりますか。

契約者	本人
保険料負担者	本人
被保険者	父親
保険金受取人	本人４分の３、弟４分の１
保険金	1,000万円
支払保険料の総額	100万円

A 本人が受け取った保険金は、本人の一時所得となり、弟が受け取った保険金は、本人からの贈与となります。

❶ 本人の課税関係

本人が受け取った保険金は、本人の一時所得の総収入金額に算入され、その保険金を受け取るために支出した次の金額は、その収入を得るために支出した金額として、総収入金額から控除されます。

$$\text{その収入を得るために支出した金額} = 100\text{万円} \times \frac{3}{4} = 75\text{万円}$$

❷ 本人以外の課税関係

本人以外が受け取る保険金は、みなし贈与財産となり贈与税の対象となります。

3-71 法人が保険料を負担していた場合の生命保険金の取扱い

Q 当社では、従業員を被保険者として次のような生命保険に加入しています。この度、ある従業員が他界し、その従業員の配偶者が保険金を受け取りました。この場合の生命保険金の課税関係はどのようになりますか。

【契約形態】

契約者	従業員
保険料負担者	法　人
被保険者	従業員
保険金受取人	従業員の相続人

A 法人がその従業員やその親族を被保険者とする生命保険に加入し、その保険料の全部または一部を負担している場合に、保険事故が発生して、従業員あるいは従業員以外の人が生命保険を受け取ったときには、次のように取り扱われます。

❶ 従業員の死亡によりその相続人が保険金を受け取った場合

法人が負担した保険料は、その従業員が負担したものとして相続税の課税対象になります。

❷ 従業員以外の人の死亡により従業員が保険金を受け取った場合

法人が負担した保険料は、保険金を受け取った従業員が負担したものとして所得税や住民税の課税対象になります。

❸ 従業員以外の人の死亡によりその従業員及び被保険者以外の人が保険金を受け取った場合

法人が負担した保険料は、保険金を受け取った従業員あるいは被保険者以外の人が負担したものとしてその保険料に対応する部分は贈与税の課税対象になります。

この場合は❶にも該当するので、従業員の相続人の受け取った保険金は相続税の課税対象になります。

ただし、法人がその保険金を従業員の退職金として支給することとしているときは、その保険金は生命保険金としてではなく退職手当金等として取り扱われます。

3-72 受取人の指定がない生命保険金の取扱い

Q この度私の父が他界したのですが、生命保険の中に受取人の指定のないものがありました。この保険金は法定相続分に応じて分割しなければなりませんか。

A 生命保険は、民法上の相続財産ではありませんが、実質的には相続または遺贈により取得した財産と同様の経済的効果があり、これを相続財産の課税対象から除外すると相続税負担の不均衡を許すことになるため、相続税法上、相続財産とみなして課税の対象にされています。

また、生命保険金の受取人は、本来、保険契約において契約者によって指定されており、取得した保険金は遺産分割の協議の対象にはならないものですが、保険金の受取人を指定してない場合は、特段の事情がない限り、民法の規定による法定相続分に応じて分割することになります。

ただし、この保険金を配偶者等特定の人が取得した場合において、保険金受取人の変更手続がなされていなかったことにつき、やむを得ない事情があると認められる場合等、現実に保険金を取得した人がその保険金を取得することについて相当な理由があると認められるときには、その保険金を受け取った人が保険金受取人として取り扱われます。

3-73　受取人の再指定が行われていない場合の生命保険金の取扱い

Q 私の夫は先日他界しました。夫は、父の相続のとき、夫を被保険者、父を契約者で保険金受取人とする養老保険契約に係る権利を相続していましたが、保険金受取人は他界した父のままになっていました。この保険金の受取人は誰になりますか。

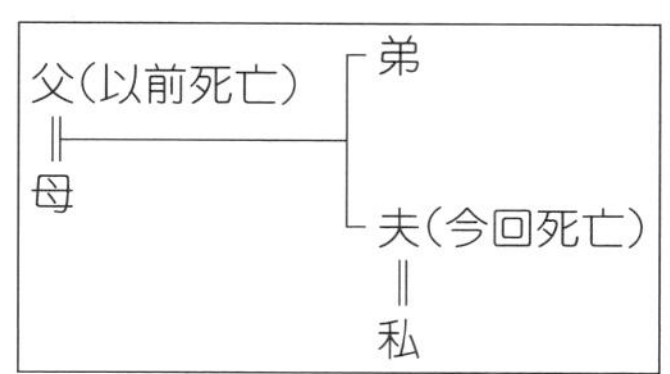

A 保険法では、保険金受取人が被保険者よりも先に死亡した場合は、保険契約者は改めて受取人を指定できますが、その指定をしないまま死亡したときは、受取人の相続人が受取人になります。この場合の受取人の相続人とは、保険契約によって保険金受取人として指定された者の法定相続人またはその順次の法定相続人で被相続人の死亡時に現に生存する者をいいます。

したがって、この場合は、保険契約上の保険金受取人である父の法定相続人である母と弟が受取人になります。

ただし、保険金受取人（父）の法定相続人（母）は被保険者（夫）の相続人なので相続により取得します。そして、保険金受取人（父）の子（弟）は相続人ではないので遺贈により取得することになります。したがって、この場合、母親には相続税における生命保険金の非課税の規定が適用されますが、弟には適用がありません。

なお、この場合の保険金請求権の割合は、相続分ではなく、平等の割合になります。

3-74 保険金受取人を変更した場合の取扱い

Q 生命保険契約に係る受取人を変更した場合、何らかの課税関係が生じますか。

A 所得税法では、課税対象となる所得を「収入」で捉えているので、「収入」として把握できないものは、特別の規定のない限り、所得税は課税されません。

また、相続税法では、保険事故が発生した場合において、保険金受取人が保険料を負担していないときは、保険料の負担者から保険金等を相続、遺贈または贈与により取得したものとみなすと規定しています。

したがって、生命保険契約に係る保険金受取人を変更したというだけでは何ら課税関係は生じません。

ただし、その契約を解約したとき、満期になったとき、保険事故が発生したときは変更後の契約形態に応じて、それぞれ、3–27、3–35、3–82に示した課税関係が生じます。

3-75 契約者を変更した場合の取扱い

Q 生命保険契約に係る契約者を変更した場合は、生命保険契約に関する権利の贈与があったものとして課税されますか。

A 相続税法では、保険事故が発生した場合において、保険金受取人が保険料を負担していないときは、保険料の負担者から保険金等を相続、遺贈または贈与により取得したものとみなすと規定しています。また、保険料を負担していない保険契約者の地位は相続税等の課税上は特に財産的に意義のあるものと考えておらず、契約者が保険料を負担している場合であっても契約者が死亡しない限りは課税関係は生じないものとしています。

したがって、契約者の変更があってもその変更に対して贈与税の課税が行われることはありません。

ただし、その契約を解約したとき、満期になったとき、保険事故が発生したときは変更後の契約形態に応じて、それぞれ、3–27、3–35、3–82に示した課税関係が生じます。

3-76　指定受取人が死亡保険金を他の相続人に分与した場合の取扱い

Q 夫の死亡により、保険金の指定受取人である私は3,000万円の保険金を受け取りました。子供2人と1,000万円ずつ分けようと思いますが、この場合、贈与税が課税されますか。

A 生命保険契約が締結された場合において、契約者であり、かつ、被保険者である被相続人が特定の相続人を受取人に指定し、その氏名が明示されているときは、その受取人とされた相続人等が死亡保険金を受け取ることは保険契約に基づくものであり、相続により取得するものではありません。

つまり、死亡保険金の請求権は、保険契約の発生と同時に指定受取人の固有財産となり、保険契約者であり、かつ、被保険者である被相続人の遺産とは関係のないものになります。すなわち、相続税法上は保険金をその経済性に着目して、みなし相続財産として相続税の課税対象にしていますが、民法上では保険金は被相続人の相続財産にはなりません。

したがって、この場合には、受取人（相談者）が受け取った保険金は、当初から保険契約に基づいて定められているものであり、相続によって取得したものではないことになり、その保険金を子供に1,000万円ずつ分けたとすると、子供には1,000万円の贈与があったものとして、贈与税が課税されることになります。

3-77 遺言書の保険金受取人指定と保険契約の受取人が違う場合の取扱い

Q 先日夫が他界しました。遺言書があり、生命保険の保険金は前妻に渡してほしいと書いてありましたが、その保険契約の受取人は私の名前になっていたため、私の口座に保険金が振り込まれました。この保険金は遺言どおり、前妻に渡さなければなりませんか。

A 遺言によって保険金受取人を変更できるかどうかについては、これまで、旧商法の規定が明確でなかったため、判例や学説も統一されていませんでした。しかし、新保険法によって遺言により保険金受取人が変更できる旨が明文化されたので、今後は、遺言によって保険金受取人が変更された場合は、その遺言の内容に従って手続を進めていくことになります。したがって、この場合は原則として前妻に渡さなくてはならないでしょう。

3-78　代償分割資金を死亡保険金から支払った場合の取扱い

Q　私の父がこの度、他界しました。遺産は、自宅（5,000万円）と私が受取人となっている生命保険金(1億円)だけです。相続人3人で分割協議したところ、自宅を私が相続する代わりに、代償分割として受け取った生命保険金を残る2人で5,000万円ずつ分けるということになりました。この場合の生命保険金の課税関係は、どのようになりますか。

A　被相続人の死亡により、相続人やその他の人が生命保険契約の保険金を取得した場合には、その保険金のうち被相続人が負担した保険料で相続開始のときまでに払い込まれたものに相当する部分については、その保険金受取人はその保険金を相続または遺贈により取得したものとみなして相続税が課税されることになっています。

ここにいう、保険金受取人とは、その保険契約に係る保険約款等の規定に基づいて保険事故の発生により保険金を受け取る権利を有する人をいいます。ただし、保険契約上の保険金受取人以外の人が現実に保険金を取得している場合において、保険金受取人の変更の手続がなされていなかったことについてやむを得ない事情があると認められる場合等、現実に保険金を取得した者がその保険金を取得することについて相当な理由があると認められるときは、その現実に保険金を取得した人が保険金受取人であるとされます。

この場合、相談者以外の相続人2人が生命保険金を受け取ることについて相当の理由があるとは認められず、あくまでも保険金受取人は相談者自身ということになります。

したがって、相談者が受け取った生命保険金の中から相続人2人に各々5,000万円に相当する金額を分けたということになり、他の相続人は代償債権の5,000万円を相続により取得したものとして相続税が課税されます。

3-79 限定承認後に受け取る保険金の取扱い

Q 私の父は、2か月前に他界しましたが、財産より債務の額が多かったため、限定承認をするべく手続をとりました。ところが、今月に入って父が生前加入していた死亡保険金を生命保険会社から受け取りました。この保険金はどのように取り扱われますか。

A 限定承認とは、相続人が相続によって取得した相続財産の範囲内で被相続人の債務を負担するという条件付相続のことをいいます。

限定承認をするには、相続人全員の承認を必要とし、相続開始から3か月以内に家庭裁判所に申立ての手続をしなければなりません。もしもその期間中に何もせずに経過すると、財産より債務が多かったとしても、その全部を引き継がなければなりません。

限定承認をすると、相続税の課税価格を計算する際に、本来の相続財産の価額を超えて債務控除することはできません。

この場合、相談者が受け取った生命保険金は、相続税を計算するうえで相続財産とみなされる財産であって、本来の相続財産ではないので、限定承認をした財産の価額には含めないこととなっています。

このことから、相談者が受け取った保険金については、非課税金額を差し引いた残りが相続税の対象になることになります。

3-80 死亡保険金の受取人

Q 生命保険金の受取人は、誰でもなれますか。

A 生命保険の死亡保険金の受取人は、原則、次のようになっています。

法人契約	その法人または被保険者の遺族
個人契約	被保険者の遺族

しかし、時代の流れとともに、この「被保険者の遺族」の範囲が保険会社によって変わってきています。

これまでは、被保険者の遺族は、基本的に、被保険者の配偶者または二親等以内の親族に限られていました。

しかし、最近は離婚する人も増えてきており、内縁状態で長く一緒に暮らしている人も増えてきていることから、例外的に、一定の条件を満たす場合は、事実婚（内縁）の妻・夫と三親等以内の姻族・六親等以内の血族も受取人として認めている保険会社も出てきています。会社によっては、同性のパートナーも受取人として認めているところもあります。

保険会社によって取扱いが違いますので、確認してください。

3-81 死亡保険金の受取りと所得税の課税

Q 私はこの度、夫の死亡により5,000万円の死亡保険金を受け取りました。この死亡保険金には所得税が課税されますか。また、私は以前から所得がなく、夫の配偶者控除の対象者になっていましたが、この所得控除はどのようになりますか。

A 被相続人の死亡により、相続人あるいは相続人以外の人が生命保険契約の保険金を取得した場合においては、その保険金のうち被相続人が負担した保険料でその被相続人の死亡のときまでに払い込まれたものの金額に対する割合に相当する部分については、その取得をした人が、その死亡保険金を相続または遺贈により取得したものとみなされ相続税の対象になります。

したがってこの場合、相談者が受け取った死亡保険金は相続税の対象になります。しかし、相続税の課税対象となった死亡保険金は所得税の課税対象にはならないので、所得税の申告をする必要はありません。また、夫の準確定申告（相続開始を知った日の翌日から４か月を経過した日の前日までに提出する死亡した人の確定申告）の控除対象配偶者として今までどおり所得控除を受けることができます。

3-82 死亡保険金の課税関係

Q 夫婦間に死亡があった場合、課税関係はどのようになりますか。

A 死亡があった場合の課税関係を契約形態別に整理すると、次のようになります。

契約形態				課税関係			
契約者	保険料負担者	被保険者	保険金受取人	保険事故発生の場合	保険事故が発生していない場合		
				被保険者が死亡	契約者が死亡	保険料負担者が死亡	保険金受取人が死亡
夫	夫	夫	夫	夫の相続人に相続税	——	——	——
夫	夫	夫	妻	妻に相続税	——	——	課税なし
夫	夫	妻	夫	夫に所得税（一時所得）と住民税	権利承継者に相続税		
夫	夫	妻	妻	〃	〃	〃	——
夫	妻	妻	夫	夫に相続税	課税なし	——	課税なし
夫	妻	妻	妻	〃	〃	——	——
夫	妻	夫	妻	妻に所得税（一時所得）と住民税	——	夫（権利承継者）に相続税	
夫	妻	夫	夫	〃	——	〃	——
夫	夫	妻	子	子に贈与税	権利承継者に相続税		課税なし
夫	妻	妻	子	子に相続税	課税なし	——	〃
夫	妻	夫	子	子に贈与税	—	夫（権利承継者）に相続税	課税なし
夫	妻	子	夫	夫に贈与税	課税なし	〃	〃
夫	妻	子	妻	妻に所得税（一時所得）と住民税	〃	夫（権利承継者）に相続税	

（注）被保険者と保険金受取人が同一である契約において被保険者が死亡した場合、新しい保険金受取人は保険約款等の定めるところにより判断することになります。ここでは配偶者が新しい保険金受取人になったものとしています。

3-83　連生終身保険の保険金の取扱い

Q　連生終身保険の保険金は、どのように取り扱われますか。

A　連生終身保険とは、２人の被保険者を対象とした終身保険で、次の場合に保険金が支払われるものをいいます。

被保険者が２人とも死亡した場合	指定した受取人に対して死亡保険金が支払われる
一方の被保険者が高度障害状態になり、さらに他方の被保険者が高度障害状態になったとき	先に高度障害状態になった者（その者がすでに死亡している場合には後に高度障害状態になった者）に対して高度障害保険金が支払われる
一方の被保険者が高度障害状態になり、さらに他方の被保険者が死亡したとき	先に高度障害状態になった者に対して高度障害保険金が支払われる

このような連生終身保険の保険金を受け取った場合には、２人目の被保険者の保険事故が発生した時点における保険契約者（保険料負担者）と保険金受取人の関係により課税関係が決定します。

したがって、例えば、下の表のような場合において、甲が保険契約者(保険料負担者）であるときは、表中の①は一時所得、②③⑤⑥は高度障害保険金の受取りのため非課税、④⑦は相続税の課税対象となります。また、⑧の場合は、甲の死亡後、その権利の承継者が誰であるかによって課税関係が決定します（3-82 参照)。

	第１保険事故	第２保険事故	保険金受取人
①	甲（高度障害）	乙（死亡）	甲
②	甲（死亡）	乙（高度障害）	乙
③	甲（高度障害）	乙（高度障害）	甲
④	乙（高度障害）	甲（死亡）	乙
⑤	乙（死亡）	甲（高度障害）	甲
⑥	乙（高度障害）	甲（高度障害）	乙
⑦	乙（死亡）	甲（死亡）	指定受取人
⑧	甲（死亡）	乙（死亡）	指定受取人

3-84 特別夫婦年金保険の取扱い

Q 簡易保険の特別夫婦年金保険に入っていますが、この保険は相続時または贈与時にどのような取扱いになりますか。

A 特別夫婦年金保険とは、配偶者の一方の死亡後に年金の支払が開始されるもので、次のようなものです。

① 夫婦のうちいずれか一方が保険契約者（主たる被保険者）となり、その他方が配偶者たる被保険者となります。

② 夫婦のうちいずれか一方が死亡した日から夫婦のうち生存している者に年金が支払われます。ただし、年金支払開始年齢に達する日前に夫婦のいずれか一方が死亡した場合には、年金支払開始年齢に達した日から夫婦のうち生存している者に一定の期間（保証期間）中、年金が支払われます。

③ 年金受給者である生存配偶者が保証期間中に死亡した場合には、その者の相続人に継続年金が支払われます。

この保険における相続時または贈与時の取扱いは、次のとおりです。保険契約者（主たる被保険者）は甲、配偶者たる被保険者は乙であり、保険料負担者は甲とします。

---

1 年金支払開始年齢に達する前に甲が死亡した場合

乙は、甲から生命保険契約に関する権利（いわゆる本来の相続財産）を相続することになるので相続税の課税対象となります。

評価は、生命保険契約に関する権利により評価します。

（注）年金支払開始年齢に達する前に乙が死亡した場合には、乙の死亡に係る相続税及び贈与税の課税関係は生じません。

2 甲または乙に年金の支払が開始した場合

1. 年金支払開始年齢に達した後に甲が死亡した場合（乙に年金が支払われた場合）

乙は、甲から生命保険金を相続により取得したものとみなされて相続税の課税対象となります。評価は、定期金に関する権利の評価（保証期間付定期金）により評価します。

2. 甲が死亡した後に年金支払開始年齢に達した場合（乙に年金が支払われた場合）

相続税及び贈与税の課税関係は生じません（甲の死亡時に課税済）。

3. 甲に年金が支払われた場合

相続税及び贈与税の課税関係は生じません。

❸ 年金受給者が保証期間中に死亡した場合（年金受給者の相続人に継続年金が支払われた場合）

1. 上記❷1. または2. のケースで乙が死亡した場合

甲の支払った保険料は乙が支払ったものとみなされ、乙の相続人が乙から保証期間付定期金に関する権利を相続により取得したものとみなされて相続税の課税対象となります。

評価は、定期金に関する権利の評価（有期定期金）により評価します。

2. 上記❷3. のケースで甲が死亡した場合

甲の相続人が甲から保証期間付定期金に関する権利を相続により取得したものとみなされて相続税の課税対象となります。

評価は、定期金に関する権利の評価（有期定期金）により評価します。

3-85 疾病で重度障害になった者以外の親族が保険金を受け取った場合の取扱い

Q 父は、自分を被保険者、私を保険金受取人とする生命保険に加入していましたが、疾病により重度障害になったことから、私が高度障害保険金を受け取りました。この保険金はどのように取り扱われますか。

A 所得税では、疾病により重度障害の状態になったことなどにより、生命保険契約または損害保険契約に基づき支払を受けるいわゆる高度障害保険金、高度障害給付金、入院費給付金等は、所得税法施行令第30条第1号に規定する「身体の傷害に基因して支払を受けるもの」に該当するものとして取り扱っています。

そして、「身体の傷害に基因して支払を受けるもの」は、自己の身体の傷害に基因して支払を受けるものをいい、その支払を受ける者と身体に傷害を受けた者とが異なる場合であっても、その支払を受ける者がその身体に傷害を受けた者の配偶者もしくは直系血族または生計を一にするその他の親族であるときは、その保険金または給付金等は非課税になるとしています。

したがって、あなたが受け取った高度障害保険金は、非課税所得として取り扱われることになります。

3-86　団体信用生命保険付ローンの相続時の取扱い

Q 私は、自宅を購入する際に銀行から資金を借り入れました。その際、団体信用生命保険に入りましたが、この保険金はどういう内容のもので、私が死亡した場合はどうなりますか。

A 団体信用生命保険とは、賦払償還債務者が債務の償還中に死亡または高度障害になったときに、債権者である契約者に保険金が支払われるものです。この場合、相談者が亡くなったときは住宅ローンの残額に相当する保険金額が銀行に支払われ、相談者の住宅ローンは免除されるこ

とになります。

したがって、相続が発生した場合には、住宅ローンの残額は免除されるため、債務控除の対象にはならず、自宅部分だけが相続財産として相続税の課税対象となります。

3-87 団体信用生命保険付ローンが連帯債務の場合の相続時の取扱い

Q 自宅を住宅ローンを組んで取得しました。土地建物の持分は妻と2分の1なので、ローンを連帯債務にして妻が半分負担するようにしました。ところで、ローンを組んだ際に団体信用生命保険に加入しましたが、この保険は債務者が死亡した場合には、その時点における住宅ローンの残高相当額が保険会社から銀行に支払われ、以後のローンの返済義務がなくなる保険とのことでした。私が死亡した場合には、妻の負担もなくなりますが、この場合の税務上の取扱いは、どのようになりますか。

A 奥さんが負担すべき住宅ローン相当額の経済的利益を受けたとして、奥さんに所得税（一時所得）が課せられます。

団体信用生命保険は、住宅ローンを組む際に銀行から加入を義務づけられることが一般的となっている保険です。この保険は、被保険者（債務者）が死亡した場合または高度障害状態になった場合に、保険会社から債権者である銀行等に住宅ローンの残高相当額が支払われ、住宅ローンが完済するというものです。

債務者が１人の場合でこの債務者が死亡したというときは、住宅ローンの債務免除益について債務者にもその相続人にも所得税の課税関係は生じませんが、お尋ねのような連帯債務の場合については、債務者の死亡により連帯債務者の負担もなくなることになるので、その免除となった経済的利益について所得税（一時所得）が課せられることとなります。

第 5 節　給付金と税金

3-88 リビングニーズ(生前給付金)の取扱い

Q 私は生命保険に加入する際、余命が6か月以内と判断された場合、生前給付金がもらえる特約、いわゆるリビングニーズ特約と呼ばれるものをつけました。この生前給付金に所得税は課税されますか。

A 生前給付金は、死亡を支払事由とするものではなく、疾病に基因して支払われるものと考えられており､高度障害保険金等に該当します。

高度障害保険金等とは、疾病により重度障害の状態になったこと等により、生命保険契約または損害保険契約に基づき支払を受けるいわゆる高度障害保険金、高度障害給付金、入院費給付金等のことをいい、身体の傷害に基因して支払を受けるものとして所得税法上、非課税とされています。

また、三大疾病（がん、急性心筋梗塞、脳卒中）と診断されたことにより受け取る特定疾病給付保険金も、同様に非課税とされています。

したがって、相談者が受け取ることとなる生前給付金についても所得税や住民税は課税されません。

3-89 入院給付金を受け取った場合の取扱い

Q 私はこの度、交通事故に遭いケガをしました。生命保険会社から生命保険契約の特約に基づく障害給付金を受け取りましたが、この入院給付金には税金がかかりますか。

A 生命保険契約の特約に基づき、自分の身体の障害を基因として支払を受ける障害給付金、高度障害保険金、高度障害給付金、入院費給付金等には所得税だけでなく、住民税や贈与税も課税されません。

また、生命保険契約の特約に基づく障害給付金、高度障害保険金、高度障害給付金、入院費給付金等の支払を受ける人とケガ等をした人が異なる場合であっても、その支払を受ける人がケガ等をした人の配偶者や直系血族または生計を一にするその他の親族であるときは、その給付金等には課税されないことになっています。

3-90　被保険者の死亡に伴い支払われる医療保険の解約返戻金の取扱い

Q 夫は生前、自分が入院、手術、放射線治療を受けた場合に給付金が支給される医療保険に加入していました。その夫が亡くなり、生前に給付されるべきであった給付金相当額が解約返戻金として戻ってきました。

この解約返戻金は、どのように取り扱われますか。

A 保険契約者と被保険者が同一である場合において、被保険者が死亡したときは、契約者の死亡時に契約が消滅することから、契約者が有していた契約の解約請求権及び支払請求権が消滅することとなります。そして、消滅と同時に契約者が、いったん、支払請求権を取得し、取得と同時に支払請求権を保険契約者の相続人が相続により承継取得するものと考えられますので、その支払請求権（解約返戻金）は、本来の相続財産として、相続税の課税対象になることとされています。

3-91 生存給付金付定期保険の生存給付金の課税関係

Q 生存給付金付定期保険の生存給付金を受け取った場合、税務上どのように取り扱われますか。

A 生存給付金付定期保険契約に基づいて受け取った生存給付金は、一時所得として課税されますが、この場合の収入金額から控除する「その収入を得るために支出した金額」は、その時点での払込保険料の累計額（過去に生存給付金を受け取っている場合には、その際に一時所得の金額の計算上控除した金額を除きます）となります。その生存給付金がその支出した金額に満たないときはその給付金相当額をもって、その給付金を得るために支出した金額となります。

3-92 がん保険の健康回復給付金の取扱い

Q 私は、特定のがんにより入院、または手術を受けた場合に、入院給付金、手術給付金の他に健康回復給付金がもらえるがん保険に加入しています。健康回復給付金とは、入院した後、療養のために退院したとき及び退院後数か月ごと、生存しているときに支給されるというものですが、税務上どのように取り扱われますか。

A 健康回復給付金は、次のことから非課税所得となります。

① 給付金が、特定のがんと診断された場合に支払われるものであるこ

と

② 給付金が、非課税とされている在宅療養費給付金と同様の性格を有するもので、退院後のリハビリ費用や検診費用、家事代行費用等の補填を行うものであること

3-93 保険料負担者以外の者が受け取る生存給付金付特別終身保険の生存給付金の取扱い

Q 一時払いの生存給付金付特別終身保険の生存給付金を保険料負担者以外の者が受け取った場合、税務上どのように取り扱われますか。

A 生存給付金付特別終身保険の生存給付金は、「生存給付金支払期間中の毎年の保険年度の満了時における被保険者の生存」を支払事由として、その支払事由の発生を条件として、支払事由の発生の都度、保険契約者があらかじめ指定した生存給付金の受取人に支払われるものです。生存給付金支払期間の途中で被保険者が死亡した場合には、被保険者が生存していた場合に支払われる残りの期間に係る生存給付金を、死亡保険金として、保険契約者があらかじめ指定した死亡保険金の受取人に支払われます。

この生存給付金は、「生存給付金支払期間中の毎年の保険年度の満了時における被保険者の生存」が支払事由なので、保険年度の満了時にその都度、毎年支払請求権が発生することになります。

したがって、この場合の生存給付金については、契約によりある期間定期的に金銭その他の給付を受けることを目的とする債権を取得して、これを行使して受け取るというものではありませんので、定期金給付契約に関する権利には該当せず、支払期間中の毎年の保険年度の満了時に、生存給付金の受取人が保険料負担者（保険契約者）から贈与により取得したもの

とみなされ、贈与税が課税されることとなります。

3-94 就業不能保険に基づく給付金と復帰支援一時金の取扱い

Q 就業不能保険に基づく給付金と復帰支援一時金はどのような取扱いになりますか。就業不能保険とは、被保険者が障害又は疾病を原因として就業不能状態になった場合に給付金が給付される第三分野保険です。復帰支援一時金は、就業不能状態が終了した後に必要となる療養費用等を補填するために支給されるものです。

A **1. 就業不能保険に基づく給付金**

就業不能保険に基づく給付金は、身体の障害又は疾病に基因して支払われるものですから、非課税となります。

2. 復帰支援一時金

復帰支援一時金は、被保険者が就業不能状態でなくなった後に必要となる療養費用等の補填に充てることを目的としたものですから、就業不能保険に基づく給付金と同様、非課税として取り扱われます。

第6節　年金と税金

3-95　所得税における年金保険の種類

Q 所得税において年金保険の種類は、どのように区分されていますか。

A 次の五つに分けられています。

【所得税における年金の種類】

確定年金	年金の支払開始日において支払総額が確定している年金
終身年金	年金の支払開始日において支払総額が確定していない年金のうち、終身の年金で契約対象者の生存中に限り支払われるもの
有期年金	年金の支払開始日において支払総額が確定していない年金のうち、有期の年金で契約対象者がその期間（支払期間）内に死亡した場合には、その死亡後の支払期間につき支払を行わないもの
特定終身年金	いわゆる保証期間付終身年金のことで、年金の支払開始日において支払総額が確定していない年金のうち、終身の年金で、契約対象者の生存中支払われる他、その契約対象者がその支払開始日以後一定期間（保証期間）内に死亡した場合にはその死亡後においてもその保証期間の終了の日までその支払が継続されるもの なお、特定終身年金について、契約対象者が年金の支払開始日以後保証期間内に死亡した場合、年金の継続受取人が残存保証期間中に受けるときのその年金の種類は、確定年金となる
特定有期年金	いわゆる保証期間付有期年金のことで、年金の支払開始日において支払総額が確定していない年金のうち、有期の年金で契約対象者が保証期間内に死亡した場合にはその死亡後においてもその保証期間の終了の日までその支払が継続されるもの

※年金が、いずれの年金に該当するかは、年金の支払を受ける者のその年金の支払開始日の現況において判定します。

3-96 年金の受取りに係る税金

Q 年金を受け取った場合の課税関係はどのようになりますか。

A 年金の受取りに係る税金は、保険契約の保険料の負担者と年金受取人との関係によって、課税関係が決定します。また、年金の受給権を取得した場合には、取得原因により贈与税または相続税が課税されます。

これらをまとめると、次のようになります。

<table>
<tr><th>契約者
（保険料負担者）</th><th>年金受取人
（被保険者）</th><th>ケース</th><th colspan="2">課税関係</th></tr>
<tr><td rowspan="4">夫</td><td rowspan="4">夫</td><td>年金支払開始時前に解約</td><td colspan="2">所得税・住民税（一時所得）</td></tr>
<tr><td>年金支払開始時前に被保険者が死亡</td><td colspan="2">相続税</td></tr>
<tr><td>年金受取人が年金受給</td><td colspan="2">所得税・住民税（雑所得）</td></tr>
<tr><td>年金受給期間に被保険者が死亡
継続受取人が残存保証期間の年金を受給</td><td colspan="2">相続開始時に相続税
年金受取時に相続税の対象になった部分以外の部分につき、所得税、住民税（雑所得）</td></tr>
<tr><td rowspan="6">夫</td><td rowspan="6">妻</td><td rowspan="2">年金支払開始時前に解約</td><td>所得税・住民税（一時所得）</td><td>…夫が受取り</td></tr>
<tr><td>贈与税</td><td>…妻が受取り</td></tr>
<tr><td>年金支払開始時前に被保険者が死亡</td><td colspan="2">所得税・住民税（一時所得）</td></tr>
<tr><td>年金受取人が年金受給</td><td colspan="2">受給開始時に贈与税
年金受取時に贈与税の対象になった部分以外の部分につき、所得税･住民税（雑所得）</td></tr>
<tr><td rowspan="2">年金受給期間に被保険者が死亡
継続受取人が残存保証期間の年金を受給</td><td>所得税・住民税（雑所得）</td><td>…夫が受取り</td></tr>
<tr><td>相続開始時に贈与税
年金受取時に相続税の対象になった部分以外の部分につき、所得税・住民税（雑所得）</td><td>…夫以外受取り</td></tr>
</table>

3-97 年金保険における所得税、相続税、贈与税の関係

Q 年金保険における所得税、相続税、贈与税の関係はどのようになっていますか。

A 次のような課税関係になります。

【年金保険における所得税、相続税、贈与税の関係】

<table>
<tr><th colspan="4">契約形態</th><th rowspan="2">契約した年金</th><th rowspan="2">事例による相続税・贈与税の課税関係</th><th rowspan="2">相続税・贈与税の評価</th></tr>
<tr><th>契約者</th><th>保険料負担者</th><th>被保険者</th><th>年金受取人</th></tr>
<tr><td rowspan="8">夫</td><td rowspan="8">夫</td><td rowspan="2">夫</td><td>夫</td><td rowspan="8">確定年金</td><td>10年受取り、3年受け取って死亡、妻が相続</td><td rowspan="2">定期金に関する権利（有期定期金）</td></tr>
<tr><td>妻</td><td>年金受取り時に贈与税課税</td></tr>
<tr><td rowspan="2">妻</td><td rowspan="2">妻</td><td>年金受取り前に夫が死亡、妻が相続</td><td>生命保険契約に関する権利</td></tr>
<tr><td>年金受取り開始時に贈与税課税</td><td rowspan="2">定期金に関する権利（有期定期金）</td></tr>
<tr><td rowspan="2">夫 or 妻</td><td rowspan="2">妻</td><td>年金受取り開始後、妻が死亡、子が年金継続受取人に（子に贈与税）</td></tr>
<tr><td>年金受取り開始後、妻が死亡、夫が年金継続受取人に</td><td>課税なし</td></tr>
<tr><td rowspan="2">妻</td><td rowspan="2">夫</td><td>年金受取り前に夫が死亡、妻が相続</td><td>生命保険契約に関する権利</td></tr>
<tr><td>10年受取り、3年受け取って死亡、妻が相続</td><td>定期金に関する権利（有期定期金）</td></tr>
<tr><td rowspan="4">夫</td><td rowspan="4">夫</td><td rowspan="4">妻</td><td rowspan="2">夫</td><td rowspan="4">終身年金</td><td>年金受取り前に夫が死亡、妻が相続</td><td>生命保険契約に関する権利</td></tr>
<tr><td>10年受取り、3年受け取って死亡、妻が相続</td><td rowspan="2">定期金に関する権利（終身定期金）</td></tr>
<tr><td rowspan="2">妻</td><td>年金受取り開始時に贈与税課税</td></tr>
<tr><td>年金受取り前に夫が死亡、妻が相続</td><td>生命保険契約に関する権利</td></tr>
<tr><td rowspan="4">夫</td><td rowspan="4">夫</td><td rowspan="4">妻</td><td rowspan="2">夫</td><td rowspan="4">有期年金</td><td>年金受取り前に夫が死亡、妻が相続</td><td>生命保険契約に関する権利</td></tr>
<tr><td>10年受取り、3年受け取って死亡、妻が相続</td><td>定期金に関する権利（期間付終身定期金）</td></tr>
<tr><td rowspan="2">妻</td><td>年金受取り開始時に贈与税課税</td><td>定期金に関する権利（有期定期金）</td></tr>
<tr><td>年金受取り前に夫が死亡、妻が相続</td><td>生命保険契約に関する権利</td></tr>
<tr><td rowspan="4">夫</td><td rowspan="4">夫</td><td rowspan="2">夫</td><td>夫</td><td rowspan="4">特定終身年金</td><td>保証期間10年、3年受け取って死亡、妻が相続</td><td>定期金に関する権利（有期定期金）</td></tr>
<tr><td>妻</td><td>年金受取り開始時に贈与税課税</td><td>定期金に関する権利（保証期間付定期金）</td></tr>
<tr><td rowspan="2">妻</td><td rowspan="2">妻</td><td>年金受取り前に夫が死亡、妻が相続</td><td>生命保険契約に関する権利</td></tr>
<tr><td>年金受取り開始時に贈与税課税</td><td>定期金に関する権利（保証期間付定期金）</td></tr>
</table>

		夫 or 妻	妻		年金受取り開始後、妻が死亡、子が年金継続受取人に（子に贈与税）	定期金に関する権利（有期定期金）
					年金受取り開始後、妻が死亡、夫が年金継続受取人に	課税なし
		妻	夫		年金受取り前に夫が死亡、妻が相続	生命保険契約に関する権利
					保証期間 10 年、3 年受け取って死亡、妻が相続	定期金に関する権利（保証期間付定期金）
夫	夫	夫	夫	特定有期年金	保証期間 10 年、3 年受け取って死亡、妻が相続	定期金に関する権利（有期定期金）
			妻		年金受取り開始時に贈与税課税	定期金に関する権利（保証期間付定期金）
		妻	妻		年金受取り前に夫が死亡、妻が相続	生命保険契約に関する権利
					年金受取り開始時に贈与税課税	定期金に関する権利（保証期間付定期金）
		夫 or 妻	妻		年金受取り開始後、妻が死亡、子が年金継続受取人に（子に贈与税）	定期金に関する権利（有期定期金）
					年金受取り開始後、妻が死亡、夫が年金継続受取人に	課税なし
		妻	夫		年金受取り前に夫が死亡、妻が相続	生命保険契約に関する権利
					保証期間 10 年、3 年受け取って死亡、妻が相続	定期金に関する権利（保証期間付定期金）

3-98 受取年金が雑所得となる場合の計算区分

Q 年金保険は、自分がかけたものをもらう場合と相続税等の対象になったものをもらう場合とでは、所得税の計算方法が異なるそうですが、どのようになっているのですか。

A 年金保険に関する所得税の計算は、以下のようになっています。

1 年金の区分

年金の保険料の負担が誰かにより、次のように区分します。

① 年金の受取人と保険料の負担者が同じもの

② 年金を相続等により取得した者がその保険料を負担していないもの

❷ 雑所得の計算

区分した年金は、次のように計算します。具体的な計算は、次問以後を参照してください。

❶①の場合		その年の年金の所得金額（年金収入額－支払保険料）の全額が雑所得になる
❶②の場合 （2011年3月31日以前）	A	その年の年金のうち（課税部分の年金収入額－課税部分の支払保険料）のみが雑所得になる ただし、AとBでは、課税部分の年金収入額の計算方法が違うため、別々に計算することになる
❶②の場合 （2011年4月1日以後）	B	

❸ 注意点

❶②（年金を相続等により取得した者がその保険料を負担していない場合）の雑所得の金額の計算は、年金の取得が2011年3月31日前後で異なるので、その点に注意してください。

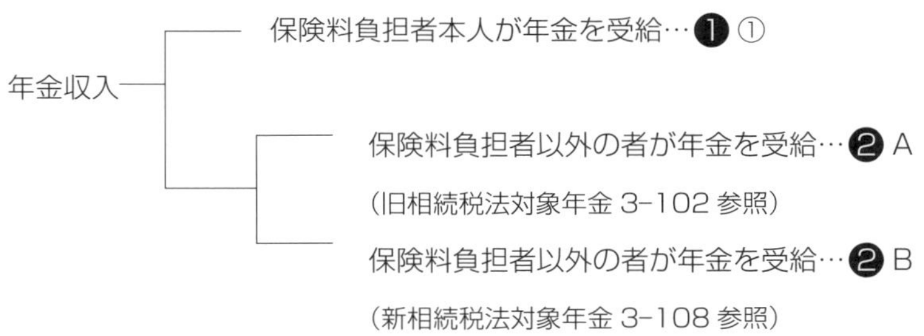

3-99 保険料負担者本人が年金を受け取る場合の雑所得の計算

Q 毎年受け取る年金には雑所得として所得税や住民税が課税されるそうですが、どのように計算されるのですか。

A 雑所得の金額は、次のように計算されます。

---

❶ 雑所得の金額

雑所得の金額は、次のように計算します。

雑所得の金額	＝	基本年金額	＋	保険料払込期間中の積立配当金による増額年金分	＋	年金の支払開始日以後に支払われるその年分の剰余金	－	必要経費※

※必要経費については❷を参照してください。

❷ 必要経費

上記❶の必要経費は、次のように計算します。

$$必要経費＝\left(基本年金額＋\begin{matrix}保険料払込期間中の積立\\配当金による増額年金分\end{matrix}\right)\times\frac{既払込正味保険料総額}{年金の支払総額またはその見込額}\ （小数点3位以下切上げ）$$

❸ 年金の支払総額またはその見込額

上記❷の年金の支払総額またはその見込額は、年金の種類によりそれぞれ次のように計算します。

1. 確定年金

確定年金とは、年金受取人の生死に関係なく年金の支給予定期間中年金を支払うものをいいます。次のように計算します。

年金の支払総額＝年金年額×支給期間

2. 有期年金

有期年金とは、年金受取人が年金支給期間内に死亡したときは、その死亡後は年金を支払わないものをいいます。次のように計算します。

年金の支払総額の見込額＝年金年額×支給期間の年数と年金支払開始時における受取人の平均余命年数のいずれか短い年数

3. 特定有期年金（保証期間付有期年金）

保証期間付有期年金とは、年金受取人が支給期間中生存している場合はこの間年金が支払われ続けるが、支給期間の終了または保証期間後死亡したときは年金の支払が終了するもので、保証期間中に死亡したときは、保証期間の残存期間の年金は継続受取人に支払われるものをいいます。次のように計算します。

年金の支払総額の見込額＝年金年額×保証期間の年数と平均余命年数のいずれか長い年数と支払期間のいずれか短い年数

4. 終身年金

終身年金とは、年金受取人の生存中に限り年金が支給されるものをいいます。次のように計算します。

年金の支払総額の見込額＝年金年額×平均余命年数

5. 特定終身年金（保証期間付終身年金）

保証期間付終身年金とは、受取人の生存中年金が支給される他、受取人が保証期間内に死亡した場合には、その死亡後においても保証期間の終了する日まで支給されるものをいいます。

年金の支払総額の見込額	＝年金年額×	平均余命年数と保証期間年数とのいずれか長い年数

3-100 年金総額保証付後厚終身年金特約に基づく年金を受け取った場合の雑所得の計算

Q 年金総額保証付後厚終身年金特約に基づく年金は雑所得になると思いますが、必要経費は、どのように計算すればいいですか。この特約は、以下のようなもので、被保険者が生存している限り年金が支払われるほか、保証期間の最後の支払日前までに被保険者が死亡したときは、残余の保証期間は年金受取人に年金が支払われるというものです。年金の額は前期年金支払期間中より後期年金支払期間の方が高くなっています。なお、保険料は一時払いで、年金受取人は契約者です。

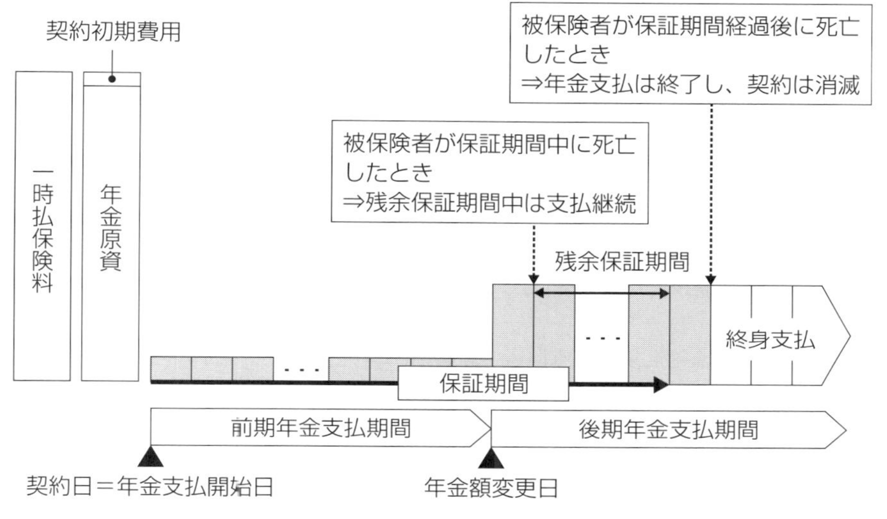

（国税庁ホームページより）

A 年金総額保証付後厚終身年金特約に基づく年金は雑所得となります。雑所得の金額は、次の算式で求めます。

雑所得の金額＝総収入金額－必要経費

---

❶ 必要経費

必要経費の金額は、次の算式で求めます。

必要経費の金額＝総収入金額×必要経費割合 必要経費割合＝保険料または掛金の総額÷年金支払総額見込額

❷ 年金支払総額見込額

必要経費を計算する場合の年金支払総額見込額は、次の区分に応じ、次の算式で計算します。

1. 支給開始日における余命年数が保証期間を超えない場合において、保証期間が前期年金支払期間を超えないとき

年金支払総額見込額＝前期年金支払期間に支給される年金年額×保証期間年数

2. 支払開始日における余命年数が保証期間を超えない場合において、保証期間が前期年金支払期間を超えるとき

年金支払総額見込額＝（前期年金支払期間に支給される年金年額×前期年金支払期間年数）＋（後期年金支払期間に支給される年金年額×保証期間年数と前期年金支払期間年数との差に相当する年数）

3. 支給開始日における余命年数が保証期間を超える場合において、余命年数が前期年金支払期間を超えないとき

年金支払総額見込額＝前期年金支払期間に支給される年金年額×支給開始日の余命年数

4. 支給開始日における余命年数が保証期間を超える場合において、余命年数が前期年金支払期間を超えるとき

年金支払総額見込額＝（前期年金支払期間に支給される年金年額×前期年金支払期間年数）＋（後期年金支払期間に支給される年金年額×支給開始日の余命年数と前期年金支払期間年数との差に相当する年数）

❸ 一時金で受け取る場合

年金を一時金で受け取る場合の必要経費の金額は、その年金支払開始日における必要経費割合により計算しますが、この場合の年金支払総額の見込額についても❷により計算することになります。

3-101　年金に代えて一時金を受け取る場合の取扱い

Q　私は長年、年金保険に係る保険料を支払ってきました。今年満期になるのですが、家を買う資金に使いたいと思っています。年金払いに代え、一時金で受け取る場合、課税関係はどのようになりますか。契約形態は次のとおりです。

【契約形態】

契約者	本人
保険料負担者	本人
被保険者	本人
年金受取人	本人

A　年金保険契約に係る年金を受け取る場合、保険料負担者と年金受取人が同一人であるときは、その年金受取人が受け取る年金は、原則として、各年の雑所得として課税されます。

しかし、将来の年金総額を一括して一時金で支給を受ける場合には次のように取り扱われます。

その年金の受給開始日以前に支払われる一時金	一時所得
同日後に支払われる一時金	雑所得

ただし、同日後に支払われる一時金であっても、将来の年金給付の総額に代えて支払われるものについては、一時所得とすることもできます。

なお、死亡事故を年金給付事由とする生命保険契約につき、死亡事故が発生した場合において、その生命保険契約に基づく年金の受給資格者がその年金の受給開始日以前に年金給付の総額に代えて一時金の支払を受けたときは、その一時金については所得税や住民税の対象とはならず相続税の対象になります。

3-102 保険料負担者以外の者が年金を受け取る場合の雑所得の計算（旧相続税法対象年金）

Q 2011年3月末までに相続等をした年金に係る雑所得の計算は、どのようにするのですか。

A 年金に係る雑所得の計算は、以下のように行います。

---

1 年金の区分

年金を種類に応じて、次のように区分したうえで雑所得の計算を行います。

① 確定年金

(イ)残存期間年数が10年以下の場合

(ロ)残存期間年数が10年超55年以下の場合

(ハ)残存期間年数が55年超の場合

② 終身年金

(イ)支払開始日余命年数が10年以下の場合

(ロ)支払開始日余命年数が10年超55年以下の場合

(ハ)支払開始日余命年数が55年超の場合

③ 有期年金

④ 特定終身年金（保証期間付終身年金）

⑤ 特定有期年金（保証期間付有期年金）

2 対象となる年金

対象となる年金は、2011年4月1日前に相続もしくは遺贈または贈与により取得した年金で、年金受給者以外の者が保険料または掛金を負担していたものです。

3-103 確定年金を相続した相続人の雑所得の金額（旧相続税法対象年金）

Q 確定年金を相続した相続人の雑所得の金額は、どのように計算するのですか。

A 年金に係る雑所得の金額は、相続税の対象となった部分は対象にならないとされています。そこで、雑所得の金額を計算する場合には、その相続税の対象となった部分の金額を控除する必要があります。しかし、2010年の税制改正で、年金の相続税評価（定期金に関する権利の評価）が改正になったことから、改正前と改正後で、雑所得になる金額を区分して計算しなければならないこととなっています。

本問では、税制改正前に相続税の対象となった確定年金を相続した場合の雑所得の金額の計算方法を説明します。

なお、実務的には520ページの計算書を使って計算します。

---

1 残存期間が5年(10年)以下の場合

$$\text{年金の支払総額}^{(\text{注}1)} \times \frac{30^{(\text{注}2)}}{100} \div \frac{\{\text{残存期間年数}^{(\text{注}3)}(A)\times(A-1)\}}{2}$$

$= 1$課税単位当たりの金額(注4)…(B)

$$(B) \times 経過年数^{(注5)} \times \frac{その年金に係る月数}{12} = 総収入金額^{(注6)} \cdots (イ)$$

$$(イ) \times \frac{保険料または掛金の総額}{年金の支払総額} (小数点3位以下切上げ)^{(注7)}$$

$$= 必要経費の額（円未満切上げ） \cdots (ロ)$$

➡雑所得の金額＝(イ)－(ロ)

（注１）支払開始日以後に受ける剰余金または割戻金は含みません（以下本問において同じ）。

（注２）残存期間が５年超10年以下の場合は100分の40の割合を適用します。

（注３）支払開始日における年金の残存期間年数（１年未満端数切上げ）

（注４）小数点以下は切捨て（以下本問において同じ）

（注５）支払開始日から支払を受ける日までの年数（１年未満端数切捨て）

（注６）総収入金額には、支払開始日以後に受ける剰余金または割戻金を含めます（以下本問において同様）。

（注７）非居住者が当初年金受取人である場合は、年金の支払開始日における割合によります（以下本問において同様）。

【設例】令和４（2022）年度の雑所得の金額

・年金の支払開始年：平成30（2018）年、残存期間10年の確定年金

・年金支払総額：10,000,000円

・保険料または掛金の総額：8,000,000円

・年金の受取り回数：年１回

・経過年数：４年

$$10,000,000円 \times \frac{40}{100} \div \frac{\{10年 \times (10-1)\}}{2}$$

$$= \underset{}{\overset{1課税単位当たりの金額}{88,888円}} \cdots (B)$$

$$(B) \times 4年 \times \frac{12}{12} = \overset{総収入金額}{355,552円} \cdots (イ)$$

$$(イ) \times \frac{8,000,000円}{10,000,000円} (小数点3位以下切上げ) = \overset{必要経費の額}{284,441円} \cdots (ロ)$$

　　　(イ)　　　　　　(ロ)　　　雑所得の金額
355,552円－284,441円＝71,111円

２　残存期間が10年超55年以下の場合

1．支払を受ける日が特定期間内（支払開始日から残存期間年数から調整年数を控除した年数を経過する日までの期間）の場合

> 年金の支払総額÷{残存期間年数(A)×((A)－調整年数)}
> ＝1単位当たりの金額…(B)
>
> $(B)\times$経過年数$\times\dfrac{\text{その年金に係る月数}}{12}$＝総収入金額…(イ)
>
> (イ)$\times\dfrac{\text{保険料または掛金の総額}}{\text{年金の支払総額}}$(小数点3位以下切上げ)
> ＝必要経費の額（円未満切上げ）…(ロ)
>
> ➡雑所得の金額＝(イ)－(ロ)

【設例】令和4（2022）年度の雑所得の金額

- 年金の支払開始年：平成30（2018）年、残存期間11年の確定年金
- 年金支払総額：11,000,000円
- 保険料または掛金の総額：8,800,000円
- 年金の受取り回数：年1回
- 調整年数：1年
- 経過年数：4年

　　　　　　　　　　　　　　　　　　　　1単位当たりの金額
11,000,000円÷{11年×(11－1)}＝　100,000円　…(B)

　　　　　　　　　総収入金額
$(B)\times4$年$\times\dfrac{12}{12}$＝400,000円…(イ)

$$(イ)\times\frac{8,800,000円}{11,000,000円}(小数点3位以下切上げ)=\overset{必要経費の額}{320,000円}\cdots(ロ)$$

$$\overset{(イ)}{400,000円}-\overset{(ロ)}{320,000円}=\overset{雑所得の金額}{80,000円}$$

2. 支払を受ける日が特定期間終了の日後の場合

年金の支払総額÷{残存期間年数(A)×((A)－調整年数)}

＝1単位当たりの金額…(B)

$$(B)\times\{残存期間年数-(調整年数+1)\}\times\frac{その年金に係る月数}{12}$$

＝総収入金額…(イ)

$$(イ)\times\frac{保険料または掛金の総額}{年金の支払総額}(小数点3位以下切上げ)$$

＝必要経費の額（円未満切上げ）…(ロ)

➡雑所得の金額＝(イ)－(ロ)

【調整年数】

残存期間年数	調整年数	残存期間年数	調整年数
10年超15年以下	1年	25年超35年以下	13年
15年超25年以下	5年	35年超55年以下	28年

【事例】令和4（2022）年度の雑所得の金額

・年金の支払開始年：平成20（2008）年、残存期間16年の確定年金

・年金支払総額：16,000,000円

・保険料または掛金の総額：12,800,000円

・年金の受取り回数：年1回

・調整年数：5年

$$16,000,000\text{円} \div \{16\text{年} \times (16-5)\} = \overset{\text{1単位当たりの金額}}{90,909\text{円}} \quad \cdots(B)$$

$$(B) \times \{16-(5+1)\} \times \frac{12}{12} = \overset{\text{総収入金額}}{909,090\text{円}} \cdots(イ)$$

$$(イ) \times \frac{12,800,000\text{円}}{16,000,000\text{円}}(\text{小数点3位以下切上げ}) = \overset{\text{必要経費の額}}{727,272\text{円}} \cdots(ロ)$$

$$\overset{(イ)}{909,090\text{円}} - \overset{(ロ)}{727,272\text{円}} = \overset{\text{雑所得の金額}}{181,818\text{円}}$$

3　残存期間が55年超の場合

1.　支払を受ける日が支払開始日から27年を経過する日までの場合

年金の支払総額÷{残存期間年数(A)×27}＝1特定単位当たりの金額…(B)

$$(B) \times \text{経過年数} \times \frac{\text{その年金に係る月数}}{12} = \text{総収入金額}\cdots(イ)$$

$$(イ) \times \frac{\text{保険料または掛金の総額}}{\text{年金の支払総額}}(\text{小数点3位以下切上げ})$$

＝必要経費の額(円未満切上げ)…(ロ)

➡雑所得の金額＝(イ)－(ロ)

【事例】令和4（2022）年度の雑所得の金額

・年金の支払開始年：平成19（2007）年、残存期間80年の確定年金

・年金支払総額：80,000,000円

・保険料または掛金の総額：64,000,000円

・年金の受取り回数：年1回

・経過年数：15年

$$\text{80,000,000円} \div (80 \times 27) = \overset{\text{1特定単位当たりの金額}}{\text{37,037円}} \quad \cdots(\text{B})$$

$$(\text{B}) \times (\text{15年}) \times \frac{12}{12} = \overset{\text{総収入金額}}{\text{555,555円}} \cdots (イ)$$

$$(イ) \times \frac{\text{64,000,000円}}{\text{80,000,000円}} (\text{小数点3位以下切上げ})$$

$$= \overset{\text{必要経費の額}}{\text{444,444円}} \cdots (ロ)$$

$$\overset{(イ)}{\text{555,555円}} - \overset{(ロ)}{\text{444,444円}} = \overset{\text{雑所得の金額}}{\text{111,111円}}$$

2. 支払を受ける日が支払開始日から27年を経過する日後の場合

年金の支払総額÷{残存期間年数(A)×27}＝1特定単位当たりの金額…(B)

$$(\text{B}) \times 26 \times \frac{\text{その年金に係る月数}}{12} = \text{総収入金額} \cdots (イ)$$

$$(イ) \times \frac{\text{保険料または掛金の総額}}{\text{年金の支払総額}} (\text{小数点3位以下切上げ})$$

＝必要経費の額(円未満切上げ)…(ロ)

➡雑所得の金額＝(イ)－(ロ)

【事例】令和4（2022）年度の雑所得の金額

・年金の支払開始年：平成3（1991）年、残存期間80年の確定年金

・年金支払総額：80,000,000円

・保険料または掛金の総額：64,000,000円

・年金の受取り回数：年1回

$$\text{80,000,000円} \div (80 \times 27) = \overset{\text{1特定単位当たりの金額}}{\text{37,037円}} \quad \cdots(\text{B})$$

$$(\text{B}) \times 26 \times \frac{12}{12} = \overset{\text{総収入金額}}{\text{962,962円}} \cdots (イ)$$

$$(イ)\times\frac{64,000,000円}{80,000,000円}(小数点3位以下切上げ)=\overset{必要経費の額}{770,369円}\cdots(ロ)$$

$$\overset{(イ)}{962,962円}-\overset{(ロ)}{770,369円}=\overset{雑所得の金額}{192,593円}$$

❹ 総収入金額が年金支払額を超える場合

上記により計算した総収入金額が、その支払を受ける年金の額以上である場合には、総収入金額は、一課税単位当たりの金額、一単位当たりの金額または一特定単位当たりの金額の整数倍の金額にその年金の額に係る月数を乗じて、これを12で除して計算した金額のうち、その年金の額に満たない最も多い金額となります。

3-104 終身年金を相続した相続人の雑所得の金額（旧相続税法対象年金）

Q 終身年金を相続した相続人の雑所得の金額は、どのように計算するのですか。

A 平成22（2010）年度の税制改正前に相続税の対象となった終身年金を相続した場合の雑所得の金額は以下のとおりです。なお、実務的には520ページの計算書を使って計算します。

---

1 支払開始日余命年数が5年(10年)以下の場合

1. 支払を受ける日が余命期間（支払開始日から支払開始日余命年数を経過する日まで）内の場合

年金の支払総額見込額(A)＝契約年額(注1)×支払開始日余命年数(注2)

$$(\text{A})\times\frac{30}{100}{}^{(注3)}\div\frac{\{支払開始日余命年数(\text{B})\times(\text{B}-1)\}}{2}$$

＝1課税単位当たりの金額(注4)…(C)

$$(\text{C})\times 経過年数^{(注5)}\times\frac{その年金に係る月数}{12}＝総収入金額^{(注6)}…(イ)$$

$$(イ)\times\frac{保険料または掛金の総額}{年金の支払総額見込額}(小数点3位以下切上げ)^{(注7)}$$

＝必要経費の額（円未満切上げ）…(ロ)

➡雑所得の金額＝(イ)－(ロ)

(注1)支払開始日以後の剰余金または割戻金は含みません（以下本問において同様)。

(注2)支払開始日余命年数とは、支払開始日の年齢に応じた以下（506ページの表）の年数をいいます。

(注3)残存期間が5年超10年以下の場合は100分の40の割合を適用します。

(注4)小数点以下は切捨て（以下本問において同様)

(注5)支払開始日から支払を受ける日までの年数（1年未満端数切捨て)

(注6)総収入金額には、支払開始日以後に受ける剰余金または割戻金を含めます（以下本問において同様)。

(注7)非居住者が当初年金受取人である場合は、年金の支払開始日における割合によります（以下本問において同じ)。

2. 支払を受ける日が余命期間の終了の日後の場合

年金の支払総額見込額(A)＝契約年額×支払開始日余命年数

$$(\text{A})\times\frac{30}{100}\div\frac{\{支払開始日余命年数(\text{B})\times(\text{B}-1)\}}{2}$$

＝1課税当たりの金額…(C)

(C)×（支払開始日余命年数－１年）＝総収入金額…(イ)

$$(イ)\times\frac{\text{保険料または掛金の総数}}{\text{年金の支払総額見込額}}\times（小数点３位以下切上げ）$$

＝必要経費の額（円未満切上げ）…(ロ)

➡雑所得の金額＝(イ)－(ロ)

●支払開始日余命年数

余命年数表（所得税法施行令第82条の３別表）

年金の支給開始日における年齢	余命年数		年金の支給開始日における年齢	余命年数		年金の支給開始日における年齢	余命年数	
	男	女		男	女		男	女
歳	年	年	歳	年	年	歳	年	年
0	74	80	33	43	48	66	14	18
1	74	79	34	42	47	67	14	17
2	73	78	35	41	46	68	13	16
3	72	77	36	40	45	69	12	15
4	71	77	37	39	44	70	12	14
5	70	76	38	38	43	71	11	14
6	69	75	39	37	42	72	10	13
7	68	74	40	36	41	73	10	12
8	67	73	41	35	40	74	9	11
9	66	72	42	34	39	75	8	11
10	65	71	43	33	38	76	8	10
11	64	70	44	32	37	77	7	9
12	63	69	45	32	36	78	7	9
13	62	68	46	31	36	79	6	8
14	61	67	47	30	35	80	6	8
15	60	66	48	29	34	81	6	7
16	59	65	49	28	33	82	5	7
17	58	64	50	27	32	83	5	6
18	57	63	51	26	31	84	4	6
19	56	62	52	25	30	85	4	5
20	55	61	53	25	29	86	4	5
21	54	60	54	24	28	87	4	4
22	53	59	55	23	27	88	3	4
23	52	58	56	22	26	89	3	4
24	51	57	57	21	25	90	3	3
25	50	56	58	20	25	91	3	3
26	50	55	59	20	24	92	2	3
27	49	54	60	19	23	93	2	3
28	48	53	61	18	22	94	2	2
29	47	52	62	17	21	95	2	2
30	46	51	63	17	20	96	2	2
31	45	50	64	16	19	97歳以上	1	1
32	44	49	65	15	18			

【事例】令和4（2022）年度の雑所得の金額

- 年金の支払開始年：平成30（2018）年の終身年金
- 契約年額：1,000,000円
- 年金支払総額見込額：10,000,000円
- 保険料または掛金の総額：8,000,000円
- 支払開始日の年齢：72歳
- 性別：男性
- 支払開始日余命年数：10年　$\therefore \frac{40}{100}$
- 年金の受取り回数：年1回
- 経過年数：4年

$$1{,}000{,}000\text{円} \times 10 \times \frac{40}{100} \div \frac{\{10 \times (10-1)\}}{2}$$

$$= \overset{\text{1課税単位当たりの金額}}{88{,}888\text{円}} \quad \cdots(\text{C})$$

$$(\text{C}) \times 4 \times \frac{12}{12} = \overset{\text{総収入金額}}{355{,}552\text{円}} \cdots (\text{イ})$$

$$(\text{イ}) \times \frac{8{,}000{,}000\text{円}}{10{,}000{,}000\text{円}}(\text{小数点3位以下切上げ}) = \overset{\text{必要経費の額}}{284{,}441\text{円}} \cdots (\text{ロ})$$

$$\overset{(\text{イ})}{355{,}552\text{円}} - \overset{(\text{ロ})}{284{,}441\text{円}} = \overset{\text{雑所得の金額}}{71{,}111\text{円}}$$

【事例】令和4（2022）年度の雑所得の金額

- 年金の支払開始年：平成23（2011）年の終身年金
- 契約年額：1,000,000円
- 年金支払総額見込額：10,000,000円
- 保険料または掛金の総額：8,000,000円
- 支払開始日の年齢：72歳
- 性別：男性

・支払開始日余命年数：10 年　$\therefore \frac{40}{100}$

・年金の受取り回数：年 1 回

・経過年数：11 年

$$1,000,000\text{円} \times 10 \times \frac{40}{100} \div \frac{\{10 \times (10-1)\}}{2}$$

1課税単位当たりの金額
＝　88,888 円　…(C)

総収入金額
$(C) \times (10-1) \times \frac{12}{12} = 799,992$ 円…(イ)

必要経費の額(ロ)は、すでに全額費用に算入済みのためゼロとなります。

(イ)　(ロ)　雑所得の金額
799,992 円 − 0 円 ＝ 799,992 円

❷ 支払開始日余命年数が 10 年超 55 年以下の場合

1．支払を受ける日が特定期間内（支払開始日から支払開始日余命年数から調整年数を控除した年数を経過する日までの期間）の場合

年金の支払総額見込額（A）＝契約年額×支払開始日余命年数

(A)÷{支払開始日余命年数(B)×(B－調整年数)}

＝1 単位当たりの金額…(C)

$(C) \times$ 経過年数 $\times \frac{\text{その年金に係る月数}}{12}$ ＝総収入金額…(イ)

(イ)$\times \frac{\text{保険料または掛金の総額}}{\text{年金の支払総額見込額}}$（小数点 3 位以下切上げ）

＝必要経費の額（円未満切上げ）…(ロ)

➡雑所得の金額＝(イ)－(ロ)

【事例】令和 4（2022）年度の雑所得の金額

・年金の支払開始年：平成 28（2016）年の終身年金
・契約年額：1,000,000 円
・年金支払総額：16,000,000 円
・保険料または掛金の総額：12,800,000 円
・支払開始日の年齢：64 歳
・性別：男性
・支払開始日余命年数：16 年
・年金の受取り回数：年 1 回
・調整年数：5 年
・経過年数：6 年

1,000,000 円×16÷{16×(16−5)}＝ 90,909 円（1 単位当たりの金額）…(C)

$(C) \times 6 \times \frac{12}{12}$＝545,454 円（総収入金額）…(イ)

$(イ) \times \frac{12,800,000円}{16,000,000円}$（小数点 3 位以下切上げ）＝436,363 円（必要経費の額）…(ロ)

545,454 円（イ）−436,363 円（ロ）＝109,091 円（雑所得の金額）

2. 支払を受ける日が特定期間終了の日後の場合

年金の支払総額見込額(A)＝契約年額×支払開始日余命年数

(A)÷{支払開始日余命年数(B)×(B−調整年数)}

＝1 単位当たりの金額…(C)

(C)×{支払開始日余命年数−(調整年数＋1)}×$\frac{その年金に係る月数}{12}$

＝総収入金額…(イ)

$$(イ)\times\frac{保険料または掛金の総額}{年金の支払総額見込額}$$(小数点3位以下切上げ)

＝必要経費の額（円未満切上げ）…(ロ)

➡雑所得の金額＝(イ)－(ロ)

【事例】令和4（2022）年度の雑所得の金額

・年金の支払開始年：平成18（2006）年の終身年金
・契約年額：1,000,000円
・年金支払総額：16,000,000円
・保険料または掛金の総額：12,800,000円
・支払開始日の年齢：64歳
・性別：男性
・支払開始日余命年数：16年
・年金の受取り回数：年1回
・調整年数：5年

100万円×16÷{16×（16－5)}＝90,909円（1単位当たりの金額）…（C）

$(C)\times\{16-(5+1)\}\times\frac{12}{12}$＝909,090円（総収入金額）…(イ)

必要経費の額(ロ)は、すでに全額費用に算入済みのためゼロとなります。

909,090円(イ)－0円(ロ)＝909,090円（雑所得の金額）

【調整年数】

支払開始日余命年数	調整年数	支払開始日余命年数	調整年数
11年から15年	1年	26年から35年	13年
16年から25年	5年	36年から55年	28年

３　残存期間が 55 年超の場合

1.　支払を受ける日が支払開始日から 27 年を経過する日までの場合

年金の支払総額見込額（A）＝契約年額×支払開始日余命年数

（A）÷（支払開始日余命年数×27）＝1 特定単位当たりの金額…（B）

$$(B)\times 経過年数\times\frac{その年金に係る月数}{12}＝総収入金額…(イ)$$

$$(イ)\times\frac{保険料または掛金の総額}{年金の支払総額見込額}（小数点３位以下切上げ）$$

＝必要経費の額（円未満切上げ）…(ロ)

➡雑所得の金額＝(イ)－(ロ)

【事例】令和４（2022）年度の雑所得の金額

・年金の支払開始年：平成 30（2018）年の終身年金

・契約年額：1,000,000 円

・年金支払総額：56,000,000 円

・保険料または掛金の総額：44,800,000 円

・支払開始日の年齢：25 歳

・性別：女性

・支払開始日余命年数：56 年

・年金の受取り回数：年１回

・経過年数：４年

1,000,000 円×56÷（56×27）＝ 37,037 円（1 特定単位当たりの金額）…（B）

$$(B)\times 4\times\frac{12}{12}＝148,148 円（総収入金額）…(イ)$$

$$(イ)\times\frac{44,800,000 円}{56,000,000 円}（小数点３位以下切上げ）＝118,518 円（必要経費の額）…(ロ)$$

(イ)　　(ロ)　　雑所得の金額
148,148円－118,518円＝29,630円

2. 支払を受ける日が支払開始日から27年を経過する日後の場合

年金の支払総額見込額(A)＝契約年額×支払開始日余命年数

(A)÷(支払開始日余命年数×27)＝1特定単位当たりの金額…(B)

(B)$\times 26 \times \frac{\text{その年金に係る月数}}{12}$＝総収入金額…(イ)

(イ)$\times \frac{\text{保険料または掛金の総額}}{\text{年金の支払総額見込額}}$(小数点3位以下切上げ)

＝必要経費の額（円未満切上げ）…(ロ)

➡雑所得の金額＝(イ)－(ロ)

【事例】令和4（2022）年度の雑所得の金額

・年金支払開始年：平成3（1991）年の終身年金
・契約年額：1,000,000円
・年金支払総額：56,000,000円
・保険料または掛金の総額：44,800,000円
・支払開始日の年齢：25歳
・性別：女性
・支払開始日余命年数：56年
・年金の受取り回数：年1回

1,000,000円×56÷(56×27)＝37,037円（1特定単位当たりの金額）…(B)

(B)$\times 26 \times \frac{12}{12}$＝962,962円（総収入金額）…(イ)

(イ)$\times \frac{44,800,000\text{円}}{56,000,000\text{円}}$(小数点3位以下切上げ)＝770,369円（必要経費の額）…(ロ)

(イ)　　　　　(ロ)　　　雑所得の金額
962,962円－770,369円＝192,593円

❹ 総収入金額が年金支払額を超える場合

3-103等と同様、上記により計算した総収入金額が、その支払を受ける年金の額以上である場合には、総収入金額は、一課税単位当たりの金額、一単位当たりの金額または一特定単位当たりの金額の整数倍の金額にその年金の額に係る月数を乗じてこれを12で除して計算した金額のうちその年金の額に満たない最も多い金額となります。

3-105 有期年金を相続した相続人の雑所得の金額（旧相続税法対象年金）

Q 有期年金を相続した相続人の雑所得の金額は、どのように計算するのですか。

A 平成22（2010）年の税制改正前に相続税の対象となった有期年金を相続した場合の雑所得の金額は、以下のとおりです。
なお、実務的には520ページの計算書を使って計算します。

---

❶ 総収入金額

有期年金に係る雑所得の総収入金額に算入する金額は、次の区分に応じて計算した金額となります。

1. 支払期間年数(注1)が支払開始日余命年数を超える有期年金

有期年金の契約年額に支払開始日余命年数を乗じて計算した金額を支払

総額見込額(注2)とする終身年金とみなして計算します（3-104 参照)。

(注1) 支払期間年数とは、支払期間に係る年数をいい、1年未満の端数を切り上げます。

(注2) 支払総額見込額＝有期年金の契約年額×$\frac{支払期間に係る月数}{12}$

2. 1. 以外の有期年金

支払期間年数を残存期間年数、支払総額見込額を支払総額とする確定年金とみなして計算します（3-103 参照)。

2 必要経費

総収入金額×$\frac{保険料または掛金の総額}{年金の支払総額見込額}$(小数点3位以下切上げ)

＝必要経費の額

3 雑所得の金額

雑所得の金額＝総収入金額－必要経費

3-106 特定終身年金（保証期間付終身年金）を相続した相続人の雑所得の金額（旧相続税法対象年金）

Q 特定終身年金を相続した相続人の雑所得の金額は、どのように計算するのですか。

A 平成 22（2010）年の税制改正前に相続税の対象となった特定終身年金を相続した場合の雑所得の金額は、以下のとおりです。

なお、実務的には520ページの計算書を使って計算します。

---

1 総収入金額

特定終身年金に係る雑所得の総収入金額に算入する金額は、次の**1.**の金額と**2.**の金額のいずれか多い金額のほうの区分に応じて計算した金額となります。

1. 余命期間経過時点における非課税所得累計額

特定終身年金の契約年額に支払開始日余命年数を乗じて計算した金額を支払総額見込額とする終身年金とみなして計算します（3-104参照）。

（注１）余命期間経過時点における非課税所得累計額とは、余命期間内の各年において、その特定終身年金についてその特定終身年金の契約年額に支払開始日余命年数を乗じて計算した金額を支払総額見込額とする終身年金とみなして計算した金額の総額をその支払総額見込額から控除した金額をいいます。

（注２）保証期間経過時点における非課税所得累計額とは、保証期間内の各年において、その特定終身年金について**2.**①の確定年金とみなして計算した金額の総額を**2.**②の支払総額見込額から控除した金額をいいます。

2. 保証期間経過時点における非課税所得累計額の場合

① 支払を受ける日が保証期間内である場合

特定終身年金の保証期間年数（注１）を残存期間年数、支払総額見込額（注２）を支払総額とする確定年金とみなして計算します（3-103参照）。

（注１）保証期間年数とは、保証期間に係る年数をいい、１年未満の端数を切り上げます。

（注２）支払総額見込額＝特定終身年金の契約年額×$\frac{\text{保証期間に係る月数}}{12}$

（注３）当初年金受取人の契約年額とその相続人等の契約年額が異なる場合の支払総額見込額は次のように計算します。

支払総額見込額＝当初年金受取人（甲）の契約年額×甲の余命年数＋その相続人等の契約年額×（保証期間年数－甲の余命年数）

② 支払を受ける日が保証期間終了の日後の場合

保証期間の最終の支払の日において支払を受けた特定終身年金の額のうち②により雑所得に係る総収入金額に算入するものとされる金額

2 必要経費

$$総収入金額 \times \frac{保険料または掛金の総額}{年金の支払総額見込額※}（小数点3位以下切上げ）$$

＝必要経費の額

※非居住者が当初年金受取人である場合は、年金の支払開始日における割合によります。

3 雑所得の金額

雑所得の金額＝総収入金額－必要経費

4 契約対象者が支払開始日以後保証期間内に死亡した場合

相続人等が、支払開始日以後保証期間内に取得した年金については、その相続人等が残存保証期間中に受ける年金は、確定年金として取り扱われます。

3-107 特定有期年金（保証期間付有期年金）を相続した相続人の雑所得の金額（旧相続税法対象年金）

Q 特定有期年金を相続した相続人の雑所得の金額は、どのように計算するのですか。

平成22（2010）年の税制改正前に相続税の対象となった特定有期年金を相続した場合の雑所得の金額は、以下のとおりです。
なお、実務的には520ページの計算書を使って計算します。

---

1 総収入金額

特定有期年金に係る雑所得の総収入金額に算入する金額は、まず次の**1.**と支払開始日余命年数の年数を比較して**1.**のほうが短ければ確定年金とみなして計算をし、支払開始日余命年数のほうが短い場合は、**2.**の金額と**3.**の金額を比較し、いずれか多い金額のほうの年金とみなして計算します。

1. 支払期間年数

支払期間年数(注1)を残存期間年数、支払総額見込額(注2)を支払総額とする確定年金とみなして計算します（3–103参照）。

(注1) 支払期間年数とは、特定有期年金の有期の期間（支払期間）に係る年数をいい、1年未満の端数を切り上げます。

(注2) 支払総額見込額＝特定有期年金の契約年額×支払期間に係る月数／12

(注3) 当初年金受取人の契約年額とその相続人等の契約年額が異なる場合の支払総額見込額は次のように計算します。
支払総額見込額＝当初年金受取人（甲）の契約年額×甲の余命年数＋その相続人等の契約年額×（保証期間年数－甲の余命年数）

2. 支払開始日余命年数、余命期間経過時点における非課税所得累計額

特定有期年金の契約年額に支払開始日余命年数を乗じて計算した金額を支払総額見込額とする終身年金とみなして計算します（3–104参照）。

(注1) 余命期間経過時点における非課税所得累計額とは、余命期間内の各年において、その特定有期年金についてその特定有期年金の契約年額に支払開始日余命年数を乗じて計算した金額を支払総額見込額とする終身年金とみなして計算した金額の総額をその支払総額見込額から控除した金額を

いいます。

(注２)保証期間経過時点における非課税所得累計額とは、保証期間内の各年において、その特定有期年金について**3.**①の確定年金とみなして計算した金額の総額を**3.**①の支払総額見込額から控除した金額をいいます。

3. 保証期間経過時点における非課税所得累計額の場合

① 支払を受ける日が保証期間内である場合

特定有期年金の保証期間年数(注１)を残存期間年数、支払総額見込額(注２)を支払総額とする確定年金とみなして計算します（3-103参照)。

(注１)保証期間年数とは、保証期間に係る年数をいい、１年未満の端数を切り上げます。

(注２)支払総額見込額＝特定有期年金の契約年額×$\frac{\text{保証期間に係る月数}}{12}$

② 支払を受ける日が保証期間終了の日後の場合

保証期間の最終の支払の日において支払を受けた特定有期年金の額のうち①により雑所得に係る総収入金額に算入するものとされる金額

❷ 必要経費

総収入金額×$\frac{\text{保険料または掛金の総額}}{\text{年金の支払総額見込額※}}$（小数点３位以下切上げ）

＝必要経費の額

※非居住者が当初年金受取人である場合は、年金の支払開始日における割合によります。

❸ 雑所得の金額

雑所得の金額＝総収入金額－必要経費

4 総収入金額が年金支払額を超える場合

3–103 等と同様、上記により計算した総収入金額が、その支払を受ける年金の額以上である場合には、総収入金額は、一課税単位当たりの金額、一単位当たりの金額または一特定単位当たりの金額の整数倍の金額にその年金の額に係る月数を乗じてこれを 12 で除して計算した金額のうちその年金の額に満たない最も多い金額となります。

相続等に係る生命保険契約等に基づく
年金の雑所得の金額の計算書（本表）

住　所		フリガナ 氏　名	

1　保険契約等に関する事項

年金の支払開始年	①	年	年金の残存期間等 （別表1により求めた年数）	②	年
年金の支払総額（見込額） （別表1により計算した金額）	③	円	年金の支払総額（見込額）に占める保険料又は掛金の総額の割合	④	%

2　所得金額の計算の基礎となる事項

年金の残存期間等に応じた割合 （右表により求めた割合）	⑤	%
(③×⑤)	⑥	円
年金の残存期間等に応じた単位数 （別表4により計算した単位数）	⑦	単位
1単位当たりの金額 (⑥÷⑦)	⑧	円

（表）年金の残存期間等に応じた割合

②の年数	⑤の割合
5年以下	30%
6年以上10年以下	40%
11年以上	100%

3　各年分の雑所得の金額の計算

申告又は更正の請求を行う年分	⑨	年分	年分	年分	年分	年分
(⑨−①＋1) (注1)	⑩					
単位数　(⑩−1) (注2)	⑪	単位	単位	単位	単位	単位
支払年金対応額(⑧×⑪)	⑫	円	円	円	円	円
年金が月払等の場合	⑬					
剰余金等の金額	⑭					
総収入金額 ((⑫又は⑬)＋⑭)	⑮					
必要経費の額 ((⑫又は⑬)×④)(注3)	⑯					
雑所得の金額 (⑮−⑯)	⑰					

（注）1　【⑨の年号が「平成」の場合】
①の年号が「昭和」のときは、「⑨＋64−①」を書きます。
【⑨の年号が「令和」の場合】
①の年号が「平成」のときは、「⑨＋31−①」を、「昭和」のときは、「⑨＋94−①」を書きます。
また、「⑨−①＋1」（又は、「⑨＋64−①」、「⑨＋31−①」若しくは「⑨＋94−①」）が、②の年数を超える場合は、②の年数を書きます。

2　「⑩−1」が、②の年数に応じた次の上限を超える場合は、その上限を書きます。

②の年数	上限	②の年数	上限	②の年数	上限
11年から15年	②−2	26年から35年	②−14	56年から80年	26
16年から25年	②−6	36年から55年	②−29	−	−

3　「⑨−①＋1」（又は、「⑨＋64−①」、「⑨＋31−①」若しくは「⑨＋94−①」）が、②の年数を超える場合は、「0」と書きます。また、⑬の金額の記載がある場合には、別紙の書き方を参照してください。

【別表１】　本表②及び本表③の年数等

		年　数
年金の残存期間	a	＿＿年
相続等の時(年金の支払開始日)の年齢に応じた別表２により求めた年数	b	(＿＿歳) ⇒＿＿年
保証残存期間	c	＿＿年

○　上のａからｃの記載の状況に応じ、下記の表に当てはめて本表②及び③に記載する年数等を求めます。

		本表②に記載する年数	本表③に記載する金額
ａのみ記載がある場合		ａの年数	年金の支払総額（見込額）
ｂのみ記載がある場合		ｂの年数	
ａとｂに記載がある場合		ａとｂのいずれか短い年数	
ｂとｃに記載がある場合		ｂとｃのいずれか長い年数 ※　ただし、ｂとｃの年数が別表３に掲げる組合せに該当するときは、ｂとｃのいずれか短い年数	年金の支払総額（見込額） ※　ただし書に該当するときは、以下の算式で計算した金額
ａ・ｂ・ｃのいずれにも記載がある場合	ｂがａより短いとき		
	ｂがａより長いとき	ａの年数	年金の支払総額（見込額）

〔算式〕

年金の支払総額（見込額）［　　］÷ ｂとｃのいずれか長い年数［　　］× ｂとｃのいずれか短い年数［　　］＝ 本表③に記載する金額［　　］（小数点以下切捨て）

【別表２】　ｂの年数

ｂの年齢	ｂの年齢に応じた年数 男	ｂの年齢に応じた年数 女	ｂの年齢	ｂの年齢に応じた年数 男	ｂの年齢に応じた年数 女	ｂの年齢	ｂの年齢に応じた年数 男	ｂの年齢に応じた年数 女
36	40	45	51	26	31	66	14	18
37	39	44	52	25	30	67	14	17
38	38	43	53	25	29	68	13	16
39	37	42	54	24	28	69	12	15
40	36	41	55	23	27	70	12	14
41	35	40	56	22	26	71	11	14
42	34	39	57	21	25	72	10	13
43	33	38	58	20	25	73	10	12
44	32	37	59	20	24	74	9	11
45	32	36	60	19	23	75	8	11
46	31	36	61	18	22	76	8	10
47	30	35	62	17	21	77	7	9
48	29	34	63	17	20	78	7	9
49	28	33	64	16	19	79	6	8
50	27	32	65	15	18	80	6	8

【別表３】　ｂとｃの組合せ

ｂとｃのいずれか一方がイの年数で他方がロの年数のとき（イの年数を本表②に記載します。）

イ	ロ
10年	11年
13年	16年
14年	16・17年
15年	16～18年
20年	26・36～38年
21年	26・27・36～39年
22年	26～28・36～41年
23年	26～30・36～42年
24年	26～31・36～44年
25年	26～32・36～45年
26年	36年
27年	36～38年
28年	36～40年
29年	36～41年
30年	36～42年

【別表４】本表⑦の単位数

○　本表②の年数が10年以下の場合

本表②の年数	単位数（本表⑦に記載）	本表②の年数	単位数（本表⑦に記載）
1年	0	6年	15
2年	1	7年	21
3年	3	8年	28
4年	6	9年	36
5年	10	10年	45

○　本表②の年数が11年以上の場合

②の年数［　　年］×（②の年数［　　年］－【調整年数】［　　年］）＝ 単位数［　　］

【調整年数】

本表②の年数	調整年数	本表②の年数	調整年数
11年から15年	1年	26年から35年	13年
16年から25年	5年	36年から55年	28年

【別表５】本表⑫の金額（申告又は更正の請求を行う年分ごとに計算します。）

各年の年金支払額		1単位当たりの金額（本表⑧の金額）		単位数（Ａ÷Ｂ）（注）		本表⑫に記載する金額（Ｂ×Ｃ）
Ａ		Ｂ		Ｃ		円

(注) 小数点以下切捨て。
小数点以下の端数が生じないときは、「Ａ÷Ｂ－１」を記載します。

書　き　方

1　この計算書は、相続等に係る生命保険契約等に基づく年金に係る雑所得のある方が、所得税法施行令第185条第1項又は第186条第1項に基づき、「旧相続税法対象年金」に係る雑所得の金額を計算し、確定申告書を提出する場合に使用します。

※　「旧相続税法対象年金」とは、その年金に係る権利につき平成22年度改正前の旧相続税法第24条の規定の適用があるものをいいます。

2　この計算書の本表及び別表は、次により記載してください。
また、相続等に係る生命保険契約等に基づく年金の支払を複数受けている方は、その年金ごとにこの計算書を作成してください。

【計算書（本表）】

(1)　「1　保険契約等に関する事項」欄

イ　「①」欄は、あなたが最初に年金の支払を受けた日の属する年を和暦で書きます。

ロ　「②」欄は、別表１により求めた年金の残存期間等を書きます。

ハ　「③」欄は、別表１により計算した年金の支払総額（見込額）を書きます。

ニ　「④」欄は、年金支払総額(注)に占める保険料又は掛金の総額の割合を書きます。
なお、小数点以下を切り上げます。

(注)　年金支払総額は、すでに被相続人等の方が支払を受けた年金の額も含まれます。したがって、被相続人の方が支払を受けていた年金をあなたが継続して支払を受ける場合には、③の金額と異なることとなります。

(2)　「2　所得金額の計算の基礎となる事項」欄

イ　「⑤」欄は、「(表)年金の残存期間等に応じた割合」により求めた割合を書きます。

ロ　「⑦」欄は、別表４により計算した単位数を書きます。

ハ　「⑧」欄は、小数点以下を切り捨てます。

(3)　「3　各年分の雑所得の金額の計算」欄

イ　「⑨」欄は、あなたが申告又は更正の請求を行う年分を和暦で書きます。

ロ　「⑫」欄は、⑧×⑪を書きます。
ただし、その金額が、各年に支払を受ける年金額以上となる場合は、別表５により計算した金額を書きます。

ハ　「⑬」欄は、年金の支払が月払等で行われている場合にのみ使用します。
具体的には、②の年数に応じ、次により計算した金額を書きます。

（ｉ）　②の年数が、10 年以下である場合

・　年金の受給が終了する年以外の年 ……「⑫－⑧×（１年間の支払回数－最初に年金の支払を受けた年の支払回数）／１年間の支払回数」
ただし、「⑨－①＋１」（又は「⑨＋64－①」、「⑨＋31－①」若しくは「⑨＋94－①」）が②の年数を超える年以後、年金の受給が終了する年の前年までは、「⑫の金額」を書きます。

・　年金の受給が終了した年 ……「⑫×（その年の支払回数／１年間の支払回数）」

（ⅱ）　②の年数が、11 年以上である場合

・　⑪の単位数が最初に本表(注２)の上限と同じになる年(「特定期間終了年」)までの年 ……「（ｉ）で計算した金額」

・　特定期間終了年後、年金の受給が終了する年の前年まで ……「⑫の金額」

・　年金の受給が終了した年 ……「⑫×（その年の支払回数／１年間の支払回数）」

ニ　「⑯」欄は、⑬に金額の記載がある場合には、次により計算した金額を書きます。

・　「⑨－①」（又は、「⑨＋64－①－1」、「⑨＋31－①－1」若しくは「⑨＋94－①－1」）が、②に満たない年 ……「⑬×④」

・　「⑨－①」（又は、「⑨＋64－①－1」、「⑨＋31－①－1」若しくは「⑨＋94－①－1」）が、②と同じで、かつ、その後も継続して年金の支払を受けることとなる年 ……「⑬×④×（１年間の支払回数－最初に年金の支払を受けた年の支払回数）／１年間の支払回数」

・　「⑨－①」（又は、「⑨＋64－①－1」、「⑨＋31－①－1」若しくは「⑨＋94－①－1」）が、②と同じで、かつ、年金の支払が終了した年 ……「⑬×④」

・　「⑨－①」（又は、「⑨＋64－①－1」、「⑨＋31－①－1」若しくは「⑨＋94－①－1」）が、②を超える年 ……「０」

ホ　「⑮」欄及び「⑯」欄は、「⑫」欄と「⑬」欄の両方に記載がある場合には、「⑬」欄の金額を基に計算を行います。
なお、「⑯」欄の金額に小数点以下の端数が生じたときは、これを切り上げます。

(注)　年金の支払開始日以後に分配を受ける剰余金又は割戻しを受ける割戻金(以下「剰余金等」といいます。)の額は、年金の額とは別に各種の計算をすることとされていますが、各年に支払を受ける金額について、年金の額と剰余金等の額を区分できないときは、年金の額に剰余金等の額を含めて各種の計算をして差し支えありません。
なお、この場合、「⑭」欄の記載は省略します。

【計算書（別表）】

(1)　「別表１　本表②及び本表③の年数等」

イ　年金の種類に応じ次を記載します。

確定年金又は確定型年金　…… 年金の残存期間
終身年金　…… 相続等の時の年齢に応じた年数(※)
特定終身年金　…… 相続等の時の年齢に応じた年数(※)、保証残存期間
有期年金　…… 年金の残存期間、相続等の時の年齢に応じた年数(※)
特定有期年金又は特定有期型年金 …… 年金の残存期間、相続等の時の年齢に応じた年数(※)、保証残存期間

※　相続等の時（年金の支払開始日）の年齢を別表２に当てはめて男女の別により求めた年数

ロ　下段の表中で、ｂとｃの年数を比較する場合において、別表３の組合せに当てはまるときは、表の下の算式により計算をした金額を計算書（本表）の③欄に書きます。
なお、別表３の年数が30年を超える場合の組合せについては、税務署におたずねください。

(2)　「別表５　本表⑫の金額」

「各年の年金支払額」には、各年において実際に支払を受けた年金額を書きます。

（以上、国税庁ホームページより）

3-108 保険料負担者以外の者が年金を受け取る場合の雑所得の金額（新相続税法対象年金）

Q 2011年4月以後に相続等をした年金に係る雑所得の金額は、どのように計算するのですか。

A 年金に係る雑所得の計算は、以下のように行います。

---

1 年金の区分

年金を種類に応じて、次のように区分したうえで雑所得の計算を行います。

① 確定年金

⑴相続税評価割合が50%超の場合

⑵相続税評価割合が50%以下の場合

② 終身年金

⑴相続税評価割合が50%超の場合

⑵相続税評価割合が50%以下の場合

③ 有期年金

④ 特定終身年金（保証期間付終身年金）

⑤ 特定有期年金（保証期間付有期年金）

2 対象となる年金

対象となる年金は、次の年金です。

① 2011年4月1日以後に相続もしくは遺贈または贈与により取得した年金で、年金受給者以外の者が保険料または掛金を負担していたもの

② 2010年4月1日から2011年3月31日までの間に締結した定期給付金契約に関する権利（年金払いで受け取る死亡保険金（個人年金保険や一時払終身保険を除きます）や確定給付企業年金等一定のものを除きます）で、2011年3月31日までの間に相続もしくは遺贈または贈与により取得したもの

③ 2010年4月1日前に締結した定期金給付契約のうち、2010年4月1日から2011年3月31日までの間に変更（軽微な変更を除きます）をした契約については、その変更をした日に新たに定期金給付契約が締結されたものとみなされ、この年金の対象に含まれます。

3-109 確定年金を相続した相続人の雑所得の金額（新相続税法対象年金）

Q 確定年金を相続した相続人の雑所得の金額は、どのように計算するのですか。

A 3-103同様、年金に係る雑所得の金額は、相続税の対象となった部分は対象にならないということをふまえて以下に説明します。なお、実務的には537ページの計算書を使って計算します。

---

1 相続税評価割合が50%超の場合

$$\text{年金の支払総額}^{(\text{注}1)}\times\text{課税割合}^{(\text{注}2)}\div\frac{\{\text{残存期間年数}^{(\text{注}3)}(\text{A})\times(\text{A}-1)\}}{2}$$

$=1$課税単位当たりの金額(注4)…(B)

$$(\text{B})\times\text{経過年数}^{(\text{注}5)}\times\frac{\text{その年金に係る月数}}{12}=\text{総収入金額}^{(\text{注}6)}\cdots(\text{イ})$$

$$(イ)\times\frac{保険料または掛金の総額}{年金の支払総額}$$(小数点3位以下切上げ)(注7)

＝必要経費の額(円未満切上げ)…(ロ)

➡雑所得の金額＝(イ)－(ロ)

(注1)支払開始日以後に受ける剰余金または割戻金は含みません（以下本問において同様)。

(注2)課税割合は相続税評価割合（相続税評価額／年金の支払総額または支払総額見込額）に応じて下表のように定められています。

(注3)支払開始日における年金の残存期間年数（1年未満端数切上げ)。

(注4)小数点以下は切捨て（以下本問において同じ)。

(注5)支払開始日から支払を受ける日までの年数（1年未満端数切捨て)。

(注6)総収入金額には、支払開始日以後に受ける剰余金または割戻金を含めます（以下本問において同様)。

(注7)非居住者が当初年金受取人である場合は、年金の支払開始日における割合によります（以下本問において同様)。

【課税割合】

相続税評価割合	課税割合	相続税評価割合	課税割合	相続税評価割合	課税割合
50%超55%以下	45%	75%超80%以下	20%	92%超95%以下	5%
55%超60%以下	40%	80%超83%以下	17%	95%超98%以下	2%
60%超65%以下	35%	83%超86%以下	14%	98%超	0
65%超70%以下	30%	86%超89%以下	11%	－	－
70%超75%以下	25%	89%超92%以下	8%	－	－

2 相続税評価割合が50%以下の場合

1. 支払を受ける日が特定期間（支払開始日から特定期間年数を経過する日まで）内の場合

年金の支払総額÷(特定期間年数×残存期間年数)＝

1単位当たりの金額(A)

特定期間年数(1年未満の端数切上げ)＝

残存期間年数×以下の特定期間年数の割合の区分に応じる割合－１年

【特定期間年数の割合】

相続税評価割合	割合	相続税評価割合	割合
10% 以下	20%	30% 超 40% 以下	80%
10% 超 20% 以下	40%	40% 超 50% 以下	100%
20% 超 30% 以下	60%	－	－

(A)×経過年数×$\frac{\text{その年金に係る月数}}{12}$＝総収入金額…(イ)

(イ)×$\frac{\text{保険料または掛金の総額}}{\text{年金の支払総額}}$(小数点３位以下切上げ)

＝必要経費の額(円未満切上げ)…(ロ)

➡雑所得の金額＝(イ)－(ロ)

2. 支払を受ける日が特定期間終了の日後の場合

年金の支払総額÷(特定期間年数×残存期間年数)

＝１単位当たりの金額…(A)

(A)×特定期間年数－１円＝総収入金額…(イ)

特定期間年数(１年未満の端数切上げ)＝残存期間年数×上記の特定期間年数の割合の区分に応じる割合－１年

(イ)×$\frac{\text{保険料または掛金の総額}}{\text{年金の支払総額}}$(小数点３位以下切上げ)

＝必要経費の額（円未満切上げ）…(ロ)

➡雑所得の金額＝(イ)－(ロ)

③ 総収入金額が年金支払額を超える場合

3-103同様、上記により計算した総収入金額が、その支払を受ける年金の額以上である場合には、総収入金額は、一課税単位当たりの金額、一単位当たりの金額または一特定単位当たりの金額の整数倍の金額にその年金の額に係る月数を乗じて、これを12で除して計算した金額のうち、その年金の額に満たない最も多い金額となります。

3-110 相続等に係る外貨建ての確定年金を受け取った場合の雑所得の金額

Q 夫から相続した外貨建ての確定年金を受け取った場合の雑所得の金額は、どのように計算するのですか。保険料の払込み及び年金の支払は米ドルになっています。

相続した外貨建ての確定年金を受け取った場合の雑所得の金額は、次のように計算します。

---

① 雑所得の金額

雑所得の金額を求める算式は、次のとおりですが、具体的な計算方法は、確定年金を相続した相続人の雑所得の金額（3-109）を参照してください。

雑所得の金額＝総収入金額－必要経費

② 総収入金額の換算レート

総収入金額に算入する金額は、その年の年末の為替レート又はその年の為替レートの平均値を使って計算します。この場合の為替レートは、電信売相場（TTS）と電信買相場（TTB）の仲値（TTM）によります。

3 必要経費

必要経費に算入する金額は、次の算式により計算します。

必要経費＝総収入金額×必要経費割合

必要経費割合は、次の算式で計算しますが、この場合の保険料の総額及び確定年金の支払総額は、円に換算せずドルで計算します。

必要経費割合＝保険料の総額÷確定年金の支払総額

3-111 終身年金を相続した相続人の雑所得の金額（新相続税法対象年金）

Q 終身年金を相続した相続人の雑所得の金額は、どのように計算するのですか。

A 平成 22（2010）年度の税制改正後に相続税の対象となった終身年金を相続した場合の雑所得の金額は、以下のとおりです。

なお、実務的には 537 ページの計算書を使って計算します。

---

❶ 相続税評価割合が50%超の場合

1. 支払を受ける日が余命期間（支払開始日から支払開始日余命年数を経過する日まで）内の場合

年金(注1)の支払総額見込額(注1)×

課税割合(注2)÷ $\frac{\{支払余命年数^{(注3)}(A)\times(A-1)\}}{2}$

＝1課税単位当たりの金額(注4)…（B）

(B)×経過年数(注5)× $\frac{その年金に係る月数}{12}$ ＝総収入金額(注6)…(イ)

(イ)× $\frac{保険料または掛金の総額}{年金の支払総額}$ (小数点3位以下切上げ)(注7)

＝必要経費の額（円未満切上げ）…(ロ)

➡雑所得の金額＝(イ)－(ロ)

(注1)支払開始日以後に受ける剰余金または割戻金は含みません（以下本問において同様)。

(注2)課税割合は相続税評価割合（相続税評価額／年金の支払総額または支払総額見込額）に応じて下表のように定められています。

(注3)支払開始日における年金の支払余命年数（1年未満端数切上げ)。

(注4)小数点以下は切捨て（以下本問において同様)。

(注5)支払開始日から支払を受ける日までの年数（1年未満端数切捨て)。

(注6)総収入金額には、支払開始日以後に受ける剰余金または割戻金を含めます（以下本問において同様)。

(注7)非居住者が当初年金受取人である場合は、年金の支払開始日における割合によります（以下本問において同様)。

【課税割合】

相続税評価割合	課税割合	相続税評価割合	課税割合	相続税評価割合	課税割合
50%超55%以下	45%	75%超80%以下	20%	92%超95%以下	5%
55%超60%以下	40%	80%超83%以下	17%	95%超98%以下	2%
60%超65%以下	35%	83%超86%以下	14%	98%超	0
65%超70%以下	30%	86%超89%以下	11%	—	—
70%超75%以下	25%	89%超92%以下	8%	—	—

2. 支払を受ける日が余命期間を超える場合

年金の支払総額見込額×課税割合÷$\dfrac{\{\text{支払余命年数}(A)\times(A-1)\}}{2}$

＝1課税単位当たりの金額(B)

(B)×(支払余命年数－1)×$\dfrac{\text{その年金に係る月数}}{12}$＝総収入金額…(イ)

(イ)×$\dfrac{\text{保険料または掛金の総額}}{\text{年金の支払総額}}$(小数点3位以下切上げ)

＝必要経費の額(円未満切上げ)…(ロ)

➡雑所得の金額＝(イ)－(ロ)

2 相続税評価割合が50％以下の場合

1. 支払を受ける日が特定期間（支払開始日から特定期間年数を経過する日まで）内の場合

年金の支払総額見込額×特定期間年数×支払開始日余命年数

＝1単位当たりの金額…(A)

特定期間年数(1年未満の端数切上げ)

＝支払開始日余命年数×次の区分に応じる割合－1年

【特定期間年数】

相続税評価割合	割合	相続税評価割合	割合
10％以下	20％	30％超40％以下	80％
10％超20％以下	40％	40％超50％以下	100％
20％超30％以下	60％	—	—

$$(A)\times 経過年数\times\frac{その年金に係る月数}{12}=総収入金額\cdots(イ)$$

$$(イ)\times\frac{保険料または掛金の総額}{年金の支払総額}(小数点３位以下切上げ)$$

＝必要経費の額（円未満切上げ）…(ロ)

➡雑所得の金額＝(イ)－(ロ)

2. 支払を受ける日が特定期間終了の日後の場合

年金の支払総額見込額×特定期間年数×支払開始日余命年数＝

１単位当たりの金額…（A）

（A）×特定期間年数－１円＝総収入金額…(イ)

特定期間年数（１年未満の端数切上げ）＝

支払開始日余命年数×次の区分に応じる割合－１年

$$(イ)\times\frac{保険料または掛金の総額}{年金の支払総額}(小数点３位以下切上げ)$$

＝必要経費の額（円未満切上げ）…(ロ)

➡雑所得の金額＝(イ)－(ロ)

③ 総収入金額が年金支払額を超える場合

3-103等と同様、上記により計算した総収入金額が、その支払を受ける年金の額以上である場合には、総収入金額は、一課税単位当たりの金額、一単位当たりの金額または一特定単位当たりの金額の整数倍の金額にその年金の額に係る月数を乗じてこれを12で除して計算した金額のうちその年金の額に満たない最も多い金額となります。

有期年金を相続した相続人の雑所得の金額（新相続税法対象年金）

Q 有期年金を相続した相続人の雑所得の金額は、どのように計算するのですか。

A 平成 22（2010）年の税制改正後に相続税の対象になった有期年金を相続した場合の雑所得の金額は、以下のとおりです。　なお、実務的には 537 ページの計算書を使って計算します。

1 総収入金額

有期年金に係る雑所得の総収入金額に算入する金額は、次の区分に応じて計算した金額となります。

1. 支払期間年数が支払開始日余命年数を超える有期年数

有期年金の契約年額に支払開始日余命年数を乗じて計算した金額を、支払総額見込額とする終身年金とみなして計算します（3–111 参照）。

（注１）支払期間年数とは、支払期間に係る年数をいい、１年未満の端数を切り上げます。

（注２）支払総額見込額＝有期年金の契約年額×支払期間に係る月数÷12

2. 1. 以外の有期年金

支払期間年数を残存期間年数、支払総額見込額を支払総額とする確定年金とみなして計算します（3–109 参照）。

❷ 必要経費

総収入金額×保険料または掛金の総額÷年金の支払総額見込額（小数点3位以下切上げ）＝必要経費

❸ 雑所得の金額

雑所得の金額＝総収入金額－必要経費

3-113 特定終身年金（保証期間付終身年金）を相続した相続人の雑所得の金額（新相続税法対象年金）

Q 特定終身年金を相続した相続人の雑所得の金額は、どのように計算するのですか。

A 平成22（2010）年の税制改正後に相続税の対象となった特定終身年金を相続した場合の雑所得の金額は、具体的には以下のとおりです。

なお、実務的には537ページの計算書を使って計算します。

---

❶ 総収入金額

特定終身年金に係る雑所得の総収入金額に算入する金額は、次の**1.**の年数と**2.**の年数のいずれか長い年数のほうの年金とみなして計算します。

1. 支払開始日余命年数

特定終身年金の契約年額に支払開始日余命年数を乗じて計算した金額を支払総額見込額とする終身年金とみなして計算します（3-111 参照）。

2. 保証期間年数

① 支払を受ける日が保証期間内である場合

特定終身年金の保証期間年数を残存期間年数、支払総額見込額を支払総額とする確定年金とみなして計算します（3-109 参照）。

② 支払を受ける日が保証期間終了の日後の場合

保証期間の最終の支払の日において支払を受けた特定終身年金の額のうち①により雑所得に係る総収入金額に算入するものとされる金額

2 必要経費、雑所得の金額、契約対象者が支払開始日以後保証期間内に死亡した場合

前述 3-106 と同様に行います。

3-114 特定有期年金（保証期間付有期年金）を相続した相続人の雑所得の金額（新相続税法対象年金）

Q 特定有期年金を相続した相続人の雑所得の金額は、どのように計算するのですか。

A 平成 22（2010）年の税制改正後に相続税の対象となった特定有期年金を相続した場合の雑所得の金額は、以下のとおりです。

なお、実務的には 537 ページの計算書を使って計算します。

---

1 総収入金額

特定有期年金に係る雑所得の総収入金額に算入する金額は、まず支払期間年数と支払開始日余命年数を比較して支払期間年数のほうが短ければ**1.**により確定年金とみなして計算をし、支払期間年数のほうが長い場合は、**2.**と**3.**のいずれか長いほうの年金とみなして計算します。

1. 支払期間年数≦支払開始日余命年数の場合

支払期間年数(注1)を残存期間年数、支払総額見込額(注2)を支払総額とする確定年金とみなして計算します（3–109参照）。

（注1）支払期間年数とは、特定有期年金の有期の期間（支払期間）に係る年数をいい、1年未満の端数を切り上げます。

（注2）支払総額見込額＝特定有期年金の契約年額×$\frac{\text{支払期間に係る月数}}{12}$

なお、当初年金受取人の契約年額とその相続人等の契約年額が異なる場合の支払総額見込額は次のように計算します。

支払総額見込額＝当初年金受取人（甲）の契約年額×甲の余命年数＋
その相続人等の契約年額×（保証期間年数－甲の余命年数）

2. 支払開始日余命年数

特定有期年金の契約年額に支払開始日余命年数を乗じて計算した金額を支払総額見込額とする終身年金とみなして計算します（3–111参照）。

3. 保証期間年数

① 支払を受ける日が保証期間内である場合

特定有期年金の保証期間年数(注1)を残存期間年数、支払総額見込額(注2)を支払総額とする確定年金とみなして計算します（3–109参照）。

（注1）保証期間年数とは、保証期間に係る年数をいい、1年未満の端数を切り上げます。

（注2）支払総額見込額＝特定有期年金の契約年額×$\frac{\text{保証期間に係る月数}}{12}$

② 支払を受ける日が保証期間終了の日後の場合

保証期間の最終の支払の日において支払を受けた特定有期年金の額のうち①により雑所得に係る総収入金額に算入するものとされる金額

❷ 必要経費

$$総収入金額 \times \frac{保険料または掛金の総額}{年金の支払総額見込額※}(小数点3位以下切上げ) = 必要経費の額$$

※非居住者が当初年金受取人である場合は、年金の支払開始日における割合によります。

❸ 雑所得の金額

雑所得の金額＝総収入金額－必要経費

❹ 総収入金額が年金支払額を超える場合

3-103等と同様、上記により計算した総収入金額が、その支払を受ける年金の額以上である場合には、総収入金額は、一課税単位当たりの金額、一単位当たりの金額または一特定単位当たりの金額の整数倍の金額にその年金の額に係る月数を乗じてこれを12で除して計算した金額のうち、その年金の額に満たない最も多い金額となります。

相続等に係る生命保険契約等に基づく年金の雑所得の金額の計算書

（所得税法施行令第185条第２項又は第186条第２項に基づき計算する場合）

住　所		フリガナ 氏　名	

1　保険契約等に関する事項

年金の支払開始年	①	＿＿＿年	年金の支払総額（見込額）に占める保険料又は掛金の総額の割合	④	%
年金の残存期間等（別表１により求めた年数）	②	＿＿＿年	当該年金に係る権利について相続税法第24条の規定により評価された額	⑤	
年金の支払総額（見込額）（別表１により計算した金額）	③		相続税評価割合（⑤ ÷ ③）	⑥	%

2　所得金額の計算の基礎となる事項

相続税評価割合に応じた割合（右表により求めた割合）	⑦	%
（③ × ⑦）	⑧	円
別表３により計算した単位数	⑨	単位
１単位当たりの金額（⑧ ÷ ⑨）	⑩	円

（表）相続税評価割合（⑥の割合）に応じた割合

相続税評価割合	⑦の割合	相続税評価割合	⑦の割合
50%以下	100%	80%超～83%	17%
50%超～55%	45%	83%超～86%	14%
55%超～60%	40%	86%超～89%	11%
60%超～65%	35%	89%超～92%	8%
65%超～70%	30%	92%超～95%	5%
70%超～75%	25%	95%超～98%	2%
75%超～80%	20%	98%超	0%

3　各年分の雑所得の金額の計算

区　分		⑥が50%超の場合	⑥が50%以下の場合
申告を行う年分	⑪		
（⑪ − ① ＋１）（注１）	⑫		
単位数　（⑫ −１）（注２）	⑬	単位	単位
支払年金対応額（⑩×⑬）	⑭	円	円
（注３）年金が月払等の場合	⑮		
剰余金等の金額	⑯		
総収入金額（（⑭又は⑮）＋ ⑯）	⑰		
必要経費の額（（⑭又は⑮）×④）（注４）	⑱		
雑所得の金額（⑰ − ⑱）	⑲		

（注）1
　⑪の年号が「令和」の場合は、「⑪＋31−①」を書きます。
　また、「⑪−①＋1」（又は「⑪＋31−①」）が②の年数を超える場合は、②の年数を書きます。

2
「⑫−1」が、別表３の「特定期間年数」を超える場合には、別表３の「特定期間年数」を書きます。

3
⑥が50%以下の場合で、「⑫−1」が、別表３の「特定期間年数」を超える場合には、⑩×⑬で計算した金額から１円を控除した金額を書きます。
⑭の金額が、各年に支払いを受ける年金額を超える場合は、別表４により計算した金額を書きます。

4
「⑪−①＋1」（又は「⑪＋31−①」）が、②の年数を超える場合は、「0」と書きます。
また、⑮の金額の記載がある場合には、別紙の書き方を参照してください。

【別表１】 本表②及び本表③の年数等

		年　数
年金の残存期間	a	＿＿年
相続等の時(年金の支払開始日)の年齢に応じた別表２により求めた年数	b	(＿＿歳) ⇒ ＿＿年
保証残存期間	c	＿＿年

○　上のａからｃの記載の状況に応じ、下記の表に当てはめて本表②及び③に記載する年数等を求めます。

		本表②に記載する年数	本表③に記載する金額
ａのみ記載がある場合（確定年金）		ａの年数	年金の支払総額（見込額）
ｂのみ記載がある場合（終身年金）		ｂの年数	
ａとｂに記載がある場合（有期年金）		ａとｂのいずれか短い年数	
ｂとｃに記載がある場合（特定終身年金）		ｂとｃのいずれか長い年数	年金の支払総額（見込額）
ａ・ｂ・ｃのいずれにも記載がある場合（特定有期年金）	ｂがａより短いとき		
	ｂがａより長いとき	ａの年数	年金の支払総額（見込額）

【別表２】 ｂの年数

ｂの年齢	ｂの年齢に応じた年数 男	女	ｂの年齢	ｂの年齢に応じた年数 男	女	ｂの年齢	ｂの年齢に応じた年数 男	女	ｂの年齢	ｂの年齢に応じた年数 男	女	ｂの年齢	ｂの年齢に応じた年数 男	女
21	54	60	36	40	45	51	26	31	66	14	18	81	6	7
22	53	59	37	39	44	52	25	30	67	14	17	82	5	7
23	52	58	38	38	43	53	25	29	68	13	16	83	5	6
24	51	57	39	37	42	54	24	28	69	12	15	84	4	6
25	50	56	40	36	41	55	23	27	70	12	14	85	4	5
26	50	55	41	35	40	56	22	26	71	11	14	86	4	5
27	49	54	42	34	39	57	21	25	72	10	13	87	4	4
28	48	53	43	33	38	58	20	25	73	10	12	88	3	4
29	47	52	44	32	37	59	20	24	74	9	11	89	3	4
30	46	51	45	32	36	60	19	23	75	8	11	90	3	3
31	45	50	46	31	36	61	18	22	76	8	10	91	3	3
32	44	49	47	30	35	62	17	21	77	7	9	92	2	3
33	43	48	48	29	34	63	17	20	78	7	9	93	2	3
34	42	47	49	28	33	64	16	19	79	6	8	94	2	2
35	41	46	50	27	32	65	15	18	80	6	8	95	2	2

【別表３】本表⑨の単位数

○　本表⑥が 50%超である場合

②の年数　②の年数　単位数

{［　年］×（［　年］−１）}÷２＝［　］

○　本表⑥が 50%以下である場合

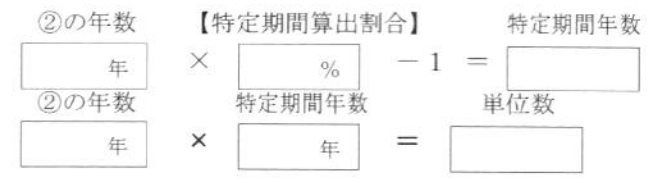

②の年数　【特定期間算出割合】　特定期間年数

［　年］×［　％］−１＝［　］

②の年数　特定期間年数　単位数

［　年］×［　年］＝［　］

【特定期間算出割合】

相続税評価割合（本表⑥）	特定期間算出割合
〜10%	20%
10%超〜20%	40%
20%超〜30%	60%
30%超〜40%	80%
40%超〜50%	100%

【別表４】本表⑭の金額

各年の年金支払額		１単位当たりの金額（本表⑩の金額）		単位数（Ａ÷Ｂ）（注）		本表⑭に記載する金額（Ｂ×Ｃ）
Ａ		Ｂ		Ｃ		円

(注) 小数点以下切捨て。
小数点以下の端数が生じないときは、「Ａ÷Ｂ－１」を記載します。

書　き　方

１　この計算書は、次の相続等に係る生命保険契約等に基づく年金（旧相続税法対象年金を除く。）に係る雑所得のある方が、所得税法施行令第185条第２項又は第186条第２項に基づき、平成23年分以後の雑所得の金額を計算し、確定申告書を提出する場合に使用します。

イ　相続等の時において年金の支払事由が発生しているもの

(ｲ)　平成23年４月１日以後の相続等により取得したもの

(ﾛ)　平成22年４月１日から平成23年３月31日までの間に締結された生命保険契約等で、平成23年３月31日までの間に相続等により取得したもの

ロ　相続等の時において年金の支払事由が発生していないもの

平成22年４月１日以後の相続等により取得したもの

※　「旧相続税法対象年金」とは、その年金に係る権利につき平成22年度改正前の旧相続税法第24条の規定の適用があるものをいいます。

２　この計算書の本表及び別表は、次により記載してください。

また、相続等に係る生命保険契約等に基づく年金の支払を複数受けている方は、その年金ごとにこの計算書を作成してください。

【計算書（本表）】

⑴　**「１　保険契約等に関する事項」欄**

イ　「①」欄は、あなたが最初に年金の支払を受けた日の属する年を和暦で書きます。

ロ　「②」欄は、別表１により求めた年金の残存期間等を書きます。

ハ　「③」欄は、別表１により計算した年金の支払総額（見込額）を書きます。

ニ　「④」欄は、年金支払総額(注)に占める保険料又は掛金の総額の割合を書きます。

なお、小数点以下を切り上げます。

(注)　年金支払総額は、すでに被相続人等の方が支払を受けた年金の額も含まれます。したがって、被相続人の方が支払を受けていた年金をあなたが継続して支払を受ける場合には、③の金額と異なることとなります。

ホ　「⑤」欄は、当該年金に係る権利について相続税法第24条の規定により評価された額を書きます。

ヘ　「⑥」欄は、③欄の年金支払総額(見込額)の金額に占める⑤欄の割合を書きます。

なお、小数点以下２位まで算出し、３位以下を切り上げます。

⑵　**「２　所得金額の計算の基礎となる事項」欄**

イ　「⑦」欄は、「(表)相続税評価割合（⑥の割合）に応じた割合」により求めた割合を書きます。

ロ　「⑨」欄は、別表３により計算した単位数を書きます。

ハ　「⑩」欄は、小数点以下を切り捨てます。

⑶　**「３　各年分の雑所得の金額の計算」欄**

イ　「⑪」欄は、あなたが申告を行う年分を和暦で書きます。

ロ　「⑮」欄は、年金の支払が月払等で行われている場合にのみ使用します。

具体的には、⑥の割合に応じ、次により計算した金額を書きます。

(ⅰ)　⑥の割合が、50%超である場合

・　年金の受給が終了する年以外の年　……「⑭－⑩×（１年間の支払回数－最初に年金の支払を受けた年の支払回数）／１年間の支払回数」

ただし、「⑪－①＋１」(又は「⑪＋31－①」)が②の年数を超える年以後、年金の受給が終了する年の前年までは、「⑭の金額」を書きます。

・　年金の受給が終了した年　……「⑭×（その年の支払回数／１年間の支払回数）」

(ⅱ)　⑥の割合が、50%以下である場合

・　⑬の単位数が最初に本表(注２)の上限と同じになる年(「特定期間終了年」)までの年　……「(ⅰ)で計算した金額」

・　特定期間終了年後、年金の受給が終了する年の前年まで　……「⑭の金額」

・　年金の受給が終了した年　……「⑭×（その年の支払回数／１年間の支払回数）」

ハ　「⑱」欄は、⑮に金額の記載がある場合には、次により計算した金額を書きます。

・　「⑪－①」(又は「⑪＋30－①」)が、②に満たない年　……「⑮×④」

・　「⑪－①」(又は「⑪＋30－①」)が、②と同じで、かつ、その後も継続して年金の支払を受けることとなる年　……「⑮×④×（1年間の支払回数－最初に年金の支払を受けた年の支払回数）／１年間の支払回数」

・　「⑪－①」(又は「⑪＋30－①」)が、②と同じで、かつ、年金の支払が終了した年　……「⑮×④」

・　「⑪－①」(又は「⑪＋30－①」)が、②を超える年　……「０」

ニ　「⑰」欄及び「⑱」欄に、「⑭」欄と「⑮」欄の両方に記載がある場合には、「⑮」欄の金額を基に計算を行います。

なお、「⑱」欄の金額に小数点以下の端数が生じたときは、これを切り上げます。

(注)　年金の支払開始日以後に分配を受ける剰余金又は割戻しを受ける割戻金(以下「剰余金等」といいます。)の額は、年金の額とは別に各種の計算をすることとされていますが、各年に支払を受ける金額について、年金の額と剰余金等の額を区分できないときは、年金の額に剰余金等の額を含めて各種の計算をして差し支えありません。

【計算書（別表）】

⑴　**「別表１　本表②及び本表③の年数等」**

年金の種類に応じ次を記載します。

確定年金又は確定型年金　…… 年金の残存期間
終身年金　…… 相続等の時の年齢に応じた年数(※)
特定終身年金　…… 相続等の時の年齢に応じた年数(※)、保証残存期間
有期年金　…… 年金の残存期間、相続等の時の年齢に応じた年数(※)
特定有期年金又は特定有期型年金　…… 年金の残存期間、相続等の時の年齢に応じた年数(※)、保証残存期間

※　相続等の時（年金の支払開始日）の年齢を別表２に当てはめて男女の別により求めた年数

⑵　**「別表４　本表⑭の金額」**

「各年の年金支払額」には、各年において実際に支払を受けた年金額を書きます。

（以上、国税庁ホームページより）

3-115 特定終身年金の保証期間中に契約対象者が死亡した場合の年金の種類

Q 特定終身年金の保証期間中に契約対象者が死亡した場合に、継続受取人が受け取ることとなる年金は、どの種類の年金になりますか。

A 特定終身年金について、契約対象者が年金の支払開始日以後保証期間内に死亡した場合、年金の継続受取人が残存期間中に受ける年金の種類は、特定終身年金にならず、確定年金になります。

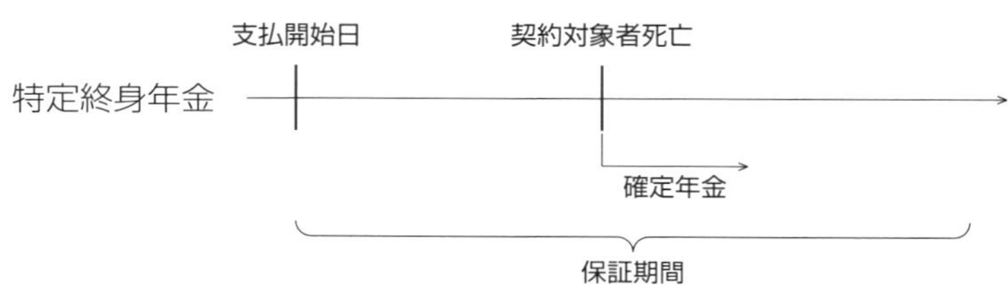

3-116 特定終身年金を繰上受給する場合の取扱い

Q 私が契約している特定終身年金は、支払保証期間が満了する前であれば、年金の繰上支給が受けられることとなっています。この繰上支給を受けた年金は、税務上どのように取り扱われますか。

A 保証期間における年金は､繰上請求をすることによって一時金を受け取ることができますが、一時金を受け取った後においても保証期間経過後に生存している場合には、再度年金を受け取ることができます。

したがって、その繰上請求による一時金は、将来の年金給付の総額に代えて支払われるものには該当しないことから、雑所得として取り扱われることとなっています。

なお、この場合の必要経費は、年金支払開始時の必要経費割合により計算することとなります。

$$必要経費割合 = \frac{払込保険料の総額}{年金支払総額の見込額}$$

年金支払総額の見込額＝年金年額×平均余命年数と保証期間年数とのいずれか長い年数

3-117　終身年金付終身保険に係る年金の必要経費の計算方法

Q　終身年金付終身保険（生涯保障保険）の年金の必要経費は、どのように計算するのですか。

A　終身年金付終身保険契約に基づいて受け取る年金は、雑所得の収入金額となりますが、この保険が年金の他に死亡保険金も支払われるものであることから、次の算式で計算した金額が必要経費に該当することとなります。

その年に支払を受ける年金の額×保険料等の総額÷（年金支払総（見込）額＋死亡保険金）

3-118 確定型一時金付終身年金を受け取った場合の雑所得の計算方法

Q 確定型一時金付終身年金を一時金で受け取った場合、雑所得として課税されるそうですが、どのように計算するのですか。

A 確定型一時金付終身年金を受け取った場合の雑所得の計算方法は、以下のようになっています。

---

1 一般的な年金の場合

一般的な年金で一時金を受け取った場合には、次の算式により計算した金額が雑所得となります。

$$\text{雑所得の金額} = \text{基本年金額} + \begin{array}{c}\text{保険料払込期間中}\\\text{の積立配当金に}\\\text{よる増額年金分}\end{array} + \begin{array}{c}\text{年金の支払開始日}\\\text{以後に支払われる}\\\text{その年分の剰余金}\end{array} - \begin{array}{c}\text{必要}\\\text{経費}\end{array}$$

$$\text{必要経費} = \begin{array}{c}\text{その年に支払を}\\\text{受ける年金の額}\end{array} \times \frac{\text{支払保険料の総額}}{\text{支払総額の見込額※} + \text{一時金の額}}$$

※その年において契約に基づいて支給される年金の額 × 支給開始時における余命年数

2 確定型一時金付終身年金の場合

しかし、確定型一時金付終身年金において支払われる死亡一時金は、年により順次逓減していくということもあり、次のいずれか少ない金額を必要経費として取り扱うことができるとされています。

① その年に支払を受ける年金の額 × $\dfrac{\text{支払保険料の総額}}{\text{年金受取開始時の年金原資の額}}$

② その年に支払を受ける年金の額 × $\dfrac{\text{支払保険料の総額}}{\text{支払総額の見込額}}$

3-119 年金開始前に受け取った解約返戻金の取扱い

Q 私は、次のような年金契約の生命保険に加入し、10年間保険料を支払ってきましたが、この度、保険期間の満了を待たずに解約することにしました。この場合の解約返戻金に対する課税はどうなりますか。

【契約形態】

契約者	本人
保険料負担者	本人
被保険者	本人
年金受取人	本人
支払保険料	240万円
解約返戻金	300万円

A 年金契約の生命保険を保険期間の満了日前に解約した場合には解約返戻金が支払われますが、保険料負担者と解約返戻金の受取人が同じときは、一時所得として所得税や住民税が課税されます。

一時所得とされる金額は、次のように計算されます。

$$\text{一時所得の金額}=\text{総収入金額}-\begin{matrix}\text{収入を得るため}\\\text{に支出した金額}\end{matrix}-\text{特別控除額（500,000円）}$$
$$=3,000,000\text{円}-2,400,000\text{円}-500,000\text{円}$$
$$=100,000\text{円}$$

したがって、この場合は、上記により計算した10万円が一時所得の金額になり、他の所得と合算するときは、その2分の1である5万円が課税の対象になります。

また、保険料負担者と解約返戻金の受取人が異なる場合には、その解約返戻金を受け取った人には、次の算式で計算される贈与税が課せられます。

解約返戻金等の額－贈与税の基礎控除額＝贈与税の課税価格

3-120 遺族年金の取扱い

Q この度、公的年金を受給していた夫が死亡し、私が代わりに遺族年金を受けることになりました。この年金に、所得税は課税されますか。

A 非課税とされる年金には、次に掲げるものがあります。

① 死亡した人の勤務に基づき、使用者であった者から死亡した人の遺族に支給される年金

② 死亡した人がその勤務に直接関連して加入した社会保険または共済に関する制度、退職年金制度に基づき、その死亡した人の遺族に支給される年金で、その死亡した人が生前に雑所得として扱われた公的年金等

したがって、この場合の公的年金は、②に該当し、所得税や住民税は課税されないことになります。

Column……………所得税における年金の種類と相続税・贈与税における年金の種類（定期金に関する権利）

年金における課税取扱いはややこしいものです。ここでは、種目別に年金の種類をまとめてみました。

【所得税における年金の種類】

確定年金	年金の支払開始日において支払総額が確定している年金
終身年金	年金の支払開始日において支払総額が確定していない年金のうち、終身の年金で契約対象者の生存中に限り支払われるもの
有期年金	年金の支払開始日において支払総額が確定していない年金のうち、有期の年金で契約対象者がその期間（支払期間）内に死亡した場合には、その死亡後の支払期間につき支払を行わないもの
特定終身年金	いわゆる保証期間付終身年金のことで、年金の支払開始日において支払総額が確定していない年金のうち、終身の年金で、契約対象者の生存中支払われる他、その契約対象者がその支払開始日以後一定期間（保証期間）内に死亡した場合にはその死亡後においてもその保証期間の終了の日までその支払が継続されるもの なお、特定終身年金について、契約対象者が年金の支払開始日以後保証期間内に死亡した場合、年金の継続受取人が残存保証期間中に受けるときのその年金の種類は、確定年金となる
特定有期年金	いわゆる保証期間付有期年金のことで、年金の支払開始日において支払総額が確定していない年金のうち、有期の年金で契約対象者が保証期間内に死亡した場合にはその死亡後においてもその保証期間の終了の日までその支払が継続されるもの

※年金が、いずれの年金に該当するかは、年金の支払を受ける者のその年金の支払開始日の現況において判定します。

【相続税・贈与税における年金の種類－定期金に関する権利－】

有期定期金	一定期間定期に金銭その他の物の給付を受ける権利
無期定期金	定期金の給付事由発生後の給付期間が無期限のもので、将来無期限に定期的に金銭その他の物の給付を受ける権利
終身定期金	その目的とされた者が死亡するまでの間、定期に金銭その他の物の給付を受ける権利
期間付終身定期金	その目的とされた者に対し、一定期間、かつ、その者の生存中、定期金を給付するもの
保証期間付定期金	その目的とされた者の生存中または一定期間にわたり定期金を給付し、かつ、一定期間内にその者が死亡したときは、その死亡後遺族その他の第三者に対し継続して定期金を給付するもの

第 7 節　変額年金保険

3-121 変額一時払個人年金保険とは

Q 変額一時払個人年金保険とは、どのような内容のものですか。

A 変額一時払個人年金保険とは、資金が特別勘定によって管理・運用され、年金額や保険金額、払戻金額が運用実績によって変動する保険で、保険料を一時払いするというものです。

変額一時払個人年金の年金受取り方式には、年金の額が変動する変動型年金方式と確定型年金方式があり、いずれかの方式を選択することができます。

---

1 変動型年金方式

変動型年金方式には、確定した年金支払期間に限り年金が受け取れる変動型確定年金と、被保険者の生存中は年金を受け取り、一定の期間中に被保険者が死亡した場合には残存期間に対応する死亡一時金が支払われる変動型保証期間付終身年金があります。

2 確定型年金方式

確定型年金方式には、三つの種類があります。

1. 定額型確定年金

確定した年金支払期間中に定額の年金が受け取れます。

2. 定額型保証期間付終身年金

被保険者の生存中は年金を受け取り、一定の保証期間中に被保険者が死亡した場合には残存期間に対応する死亡一時金が支払われます。

3. 定額型一時金付終身年金

被保険者の生存中は年金を受け取り、被保険者が死亡した場合に年金支払開始時の年金原資から受取年金累計額を差し引いた残額が死亡一時金として支払われます。

3-122 変動型個人年金を受け取った場合の雑所得の計算方法

Q 変動型個人年金を受け取った場合は、雑所得として課税されるそうですが、どのように計算するのですか。

A 自分が払い込んだ変動型年金方式の年金を、自分が受け取る場合の雑所得の計算は、次のようにします。

---

❶ 変動型確定年金の場合

変動型確定年金の雑所得金額は、以下のように求めます。

その年に支払を受ける年金の額 － 支払保険料の総額／年金支払期間

❷ 変動型保証期間付終身年金の場合

変動型保証期間付終身年金の雑所得金額は、以下のように求めます。

なお、保険料負担者と年金受給者が違う場合の雑所得の計算は、3-102または、3-108を参照してください。

その年に支払を受ける年金の額	−	支払保険料の総額 ÷ 年金の支払開始時の余命年数または年金支払の保証期間のうちいずれか長い年数

3-123 変額年金保険の一部を定額年金保険に変更した場合の解約金の取扱い

Q 私が契約している変額年金保険は、定額年金保険に移行できる特約がついており、契約の全部または一部を定額年金保険に変更することができ、定額年金保険に変更した場合にはその変更した部分を定期的に一部解約（定時定額一部解約）ができます。そしてまた、この定時定額一部解約は、任意に停止したり、再開したりすることもできます。この定時定額一部解約を行っている間に変額年金保険の一部を解約した場合及び定時定額一部解約を停止したうえで、変額年金保険または定額年金保険の一部解約した場合の解約金は、税務上どのように取り扱われますか。なお、変額年金保険を定額年金保険に変更した場合であっても、保険契約は一つであり、年金支払開始日、年金の種類及び保証期間または年金支払期間は変更になりません。

A 定時定額一部解約に係る解約金は、支払時期を定めて支払うものであっても、臨時一時的な所得ではないことから、雑所得として取り扱われます。そしてまた、定時定額一部解約を行っている間の変額年金保険の解約金及び定時定額一部解約を停止したうえで、変額年金保険または

定額年金保険の一部解約した場合の解約金についても、定時定額一部解約と同一の保険契約に基づくものであることから、定時定額一部解約に係る解約金と同じく雑所得として取り扱われることとなっています。

3-124　変額一時払個人年金保険を定期的に一部解約した場合の取扱い

Q　変額一時払個人年金保険は、定期的かつ一定額ずつ解約（引出し）ができますが、この定時定額引出しをした場合は、税務上どのように取り扱われますか。

A　雑所得となり、次の算式により計算した金額が雑所得の金額となります。

1　雑所得の金額

一部解約時払戻金額－必要経費

2　一部解約時払戻金額

一部解約請求金額－解約控除額（早期解約負担金）

❸ 必要経費

$$一部解約請求金額 \times \frac{一部解約時の既払保険料※}{一部解約時の積立残高}$$

※過去に必要経費とした金額は除きます。

3-125 変額年金保険を終身積立保険に移行した場合の取扱い

Q 私が契約している変額年金保険は、終身積立保険に移行できる特約がついています。この特約は、主として契約内容を変更するもので、解約処理がないため解約返戻金はありません。また、移行前の契約も消滅しないことになっています。この変額年金保険を特約に基づいて終身積立保険に移行した場合は、税務上どのように取り扱われますか。

A 保険契約の特約を締結して、変額年金保険から終身積立保険に移行した場合においても、解約返還金請求権や保険金請求権等の具体的な請求権が発生せず、保険期間や保険金額が変更となるにすぎないものについては、特に課税関係は生じません。

なお、この取扱いは、転換においても同様で、転換によって責任準備金等が引き継がれる等、実質的に契約内容の変更であると認められる場合には、転換であっても課税関係は生じないものとして取り扱われます。

第8節　生命保険の相続税評価

3-126　生命保険金の評価

Q　夫の死亡により、生命保険金とともに保険契約に基づく剰余金の支払を受けました。この剰余金は、税務上どのように取り扱われますか。

A　相続税法では、被相続人の死亡により相続人その他の者が生命保険契約の保険金または損害保険契約の保険金（偶然の事故に基因する死亡に伴い支払われるもの）を取得した場合においては、その保険金受取人について、その保険金（その保険金のうち被相続人が負担した保険料相当分）を相続または遺贈により取得したものとみなして相続税が課税されることとされています。

なお、この場合におけるみなし相続財産となる保険金には、保険契約に基づき分配を受ける剰余金、割戻しを受ける割戻金及び払戻しを受ける前納保険料の額で、その保険契約に基づき保険金とともに保険金受取人が取得するものも含まれることとされています。

したがって、生命保険金とともに保険契約に基づく剰余金の支払を受けた場合には、その剰余金の額を保険金に含めた金額を生命保険金の金額とすることができます。生命保険金の非課税の規定は、これら剰余金等の金額を含めた金額に対して適用があります。

3-127 契約者貸付金等が差し引かれた場合の評価

Q 私はこの度、父の死亡により生命保険金を受け取りましたが、父は生前保険会社から借入金があったので、その金額が差し引かれていました。保険の契約は次のとおりです。この場合の生命保険金はいくらになりますか。

【契約形態】

契約者	父
被保険者	父
保険料負担者	父
保険金受取人	本人
保険金	20,000,000円
契約者貸付金等	1,000,000円

A 保険契約に基づいて支払われる保険金から、契約者貸付金等の額が控除された場合の保険金に対する課税は、次のようになっています。

---

1 被相続人が契約者である場合

保険金受取人は、契約者貸付金等の額を控除した金額に相当する保険金を取得したものとし、契約者貸付金等の額に相当する保険金及びその契約者貸付金等の額に相当する債務はいずれもなかったものとして取り扱われます。

2 被相続人以外の者が契約者である場合

保険金受取人は、契約者貸付金等の額を控除した金額に相当する保険金を取得したものとし、保険契約者は、契約者貸付金等の額に相当する部分の保険金を取得したものとして取り扱われます。

したがって、この場合には上記❶に該当するので、相談者が父親から相続により取得したものとみなされる生命保険金は、2,000万円の保険金から父親が保険会社から借入れをしていた100万円（契約者貸付金）を控除した1,900万円となります。また、この場合の契約者貸付金100万円に相当する保険金及び債務はいずれもなかったものとして取り扱われます。

3-128 生命保険契約に関する権利の評価

Q 私は、次のような生命保険の契約者になっています。先日、保険料を負担していた夫が他界したのですが、この保険契約の被保険者は私なので生命保険金は受け取っていません。このような生命保険でも、相続税の対象になりますか。

【契約形態】

契約者	本人
保険料負担者	夫
被保険者	本人
保険金受取人	長　男

A 相続税法では、相続開始のときにおいて、まだ保険事故が発生していない生命保険契約（掛捨ての保険を除きます）で、その保険料の全部または一部を被相続人が負担し、かつ、被相続人以外の人がその保険の契約者であるものについては、その保険契約を解約したとした場合の解約返戻金相当額をその保険の契約者が、相続または遺贈により取得したものとみなして相続税を課すこととしています。

したがって、この場合のように生命保険金を受け取っていないものであっても、相続税の対象とされるので注意が必要です。

なお、この場合の生命保険契約に関する権利の評価額は、相続時における解約返戻金相当額（前納保険料や剰余金の分配額がある場合には、これらの金額を加算し、解約返戻金につき源泉徴収されるべき所得税額があるときはこれを減算します）によって評価します。

3-129 保険料を全期前納している場合の権利の評価

Q 保険料を全期前納している場合の生命保険契約に関する権利の評価は、どのようになりますか。

A 全期前納は一時払いと似ていますが、一時払いは払込時点でその全額が保険料に充当されるのに対し、全期前納は期日対応分は保険料に充当され、期日未経過分はいわば保険会社に対する預け金とされるという点で異なります。

保険料を全期前納している場合には、相続開始時までに保険料の払込期日が到来している部分と到来していない部分とで、評価方法が次のように異なります。

1 相続開始時までに保険料の払込期日が到来している部分

全期前納保険料のうち、相続開始時までに保険料の払込期日が到来している部分については、生命保険契約に関する権利（3-128参照）として、評価します。

 相続開始時までに保険料の払込期日の到来していない部分

相続開始時までに保険料の払込期日の到来していない部分に相当する金額は、本来の財産となり、契約を解除したとした場合に解約返戻金とともに支払われることとなる保険料の額に相当する金額によって評価します。

また、その未経過保険料相当額に保険会社が定める利息が付されている場合は、その利息の額を含めて評価します。

3-130 災害割増しがある場合の権利の評価

Q 被保険者が災害その他の事故により死亡した場合には、保険金の割増しをする旨の定めがある生命保険契約については、どのように評価するのですか。

【契約形態】

契約者	本人
保険料負担者	本人の夫
被保険者	本人
保険金受取人	子
保険金	50,000,000円（被保険者が災害事故により死亡した場合には、倍額の100,000,000円が支払われる）
Aの夫が負担した保険料	10,000,000円

A 相続開始のときにおいて、まだ保険事故が発生していない生命保険契約（掛捨ての保険を除きます）で、その保険料の全部または一部を被相続人が負担し、かつ、被相続人以外の人がその保険の契約者であるものについては、相続財産とみなされます。したがって、相続開始時における解約返戻金相当額で評価することとなっています。この取扱いは、割増

特約がある保険であっても同じで、相続開始時における解約返戻金相当額で評価することとなっています。

3-131 変額保険に関する権利の評価

Q 父の死亡により、契約者及び保険金受取人を父、被保険者を私とする変額保険を相続しました。この場合の評価額はどのようになりますか。

A 変額保険は、運用実績に応じて保険金額が変動するという点で一般の生命保険とは異なりますが、あくまでも生命保険契約の一種です。よって、課税時期において、まだ保険事故が発生していない変額保険に関する権利を相続した場合には、生命保険契約に関する権利として相続税が課されることになり、評価額は、相続開始のときにおける解約返戻金相当額となります。

3-132 傷害疾病定額保険契約

Q 被相続人の死亡により受け取った傷害疾病定額保険契約の保険金は、相続税法上の生命保険として取り扱われますか。

A 新たに制定された保険法では、従来の商法に規定されていた「生命保険契約」及び「損害保険契約」の他にいわゆる第３分野の保険に該当する「傷害疾病定額保険契約」や「傷害疾病損害保険契約」といった

従来の商法における生命保険契約または損害保険契約の概念にはなかった保険契約類型を示す用語が定義されました。

相続税法では、生命保険契約とは「保険業法第２条第３項に規定する生命保険会社と締結した保険契約（これに類する共済に係る契約を含む）その他相続税法施行令第１条の２第１項の各号に掲げる者と締結した契約」をいい、損害保険契約とは「同条第４項に規定する損害保険会社と締結した保険契約その他相続税法施行令第１条の２第２項の各号に掲げる者と締結した契約」をいうとされています。つまり、この傷害疾病定額保険契約が相続税法に規定する生命保険契約または損害保険契約に含まれます。

したがって、これらに規定されている者と締結した傷害疾病定額保険契約に係る保険金で被相続人の死亡により受け取る保険金については、相続税法に規定する生命保険に該当することとなります。

第 9 節　年金保険の相続税評価

3-133 相続税、贈与税における年金保険の種類

Q 相続税や贈与税において年金保険を評価する場合、年金保険の種類は、どのように区分されていますか。

A 次の五つに分けられています。

【相続税における年金の種類－定期金に関する権利－】

有期定期金	一定期間定期に金銭その他の物の給付を受ける権利
無期定期金	定期金の給付事由発生後の給付期間が無期限のもので、将来無期限に定期的に金銭その他の物給付を受ける権利
終身定期金	その目的とされた者が死亡するまでの間、定期に金銭その他の物の給付を受ける権利
期間付終身定期金	その目的とされた者に対し、一定期間、かつ、その者の生存中、定期金を給付するもの
保証期間付定期金	その目的とされた者の生存中または一定期間にわたり定期金を給付し、かつ、一定期間内にその者が死亡したときは、その死亡後遺族その他の第三者に対し継続して定期金を給付するもの

3-134 個人年金保険の相続税評価

Q 相続、遺贈または贈与（相続等）により取得したものとみなされる個人年金保険の評価は、どのようにするのですか。

A 年金を種類に応じて、それぞれ次のように評価します。

---

❶ 有期定期金

次のいずれか多い金額で評価します。

① 相続等の時における解約返戻金相当額

② 定期金に代えて一時金の給付を受けることができる場合にはその一時金の金額

③

（給付金を受けるべき金額の１年当たりの平均額）×（残存期間に応ずる予定利率による複利年金現価率）

（注１）予定利率による複利年金現価率表は561ページを参照してください。

（注２）解約返戻金相当額、一時金の金額、予定利率はその契約をしている保険会社等に確認します。また、給付を受けるべき金額の１年当たりの平均額は、次のように取り扱われます。

① 原則：１年間に給付を受けるべき定期金の金額

② 例外

(イ)確定定期金のうち、年金により給付を受ける契約（年１回一定額が給付されるものに限る）以外の契約の場合

権利取得時における残給付期間に給付を受けるべき金額の合計額 ÷ 給付期間の年数（１年未満端数切上げ）

(ロ)終身定期金のうち、１年間に受ける給付金額が毎年異なる契約の場合

権利取得後にその契約の目的とされる者が余命年数の間に給付を受けるべき金額の合計額 ÷ 平均余命（562ページ参照）

（注３）権利を取得した日が年金の給付日である場合は、その日の年金の額を解約返戻金の金額、年金に代えて一時金の給付を受けることができる場合の一時金の金額、予定利率による金額に含めます。なお、この場合の計算は、最初にその年金の金額を含めないで計算し、その後でこの年金の金額を加算して求めます。

❷ 終身定期金

次のいずれか多い金額で評価します。

① ❶の①と同じ

② ❶の②と同じ

③ （給付を受けるべき金額の１年当たりの平均額）×（終身定期金に係る定期金給付契約の目的とされた者の平均余命に応ずる予定利率による複利年金現価率）

（注）平均余命は厚生労働省が公表している男女別、年齢別の平均余命（１年未満の端数は切り捨てます）を用います。

❸ 期間付終身定期金

❶と❷のいずれか少ない金額

❹ 保証期間付定期金

❶と❷のいずれか多い金額

【参考】複利年金現価率表

（小数点以下３位未満四捨五入）

年＼予定利率(%)	0.5	1	1.5	2	2.5	3	3.5	4	4.5	5	5.5	6
1	0.995	0.990	0.985	0.980	0.976	0.971	0.966	0.962	0.957	0.952	0.948	0.943
2	1.985	1.970	1.956	1.942	1.927	1.913	1.900	1.886	1.873	1.859	1.846	1.833
3	2.970	2.941	2.912	2.884	2.856	2.829	2.802	2.775	2.749	2.723	2.698	2.673
4	3.950	3.902	3.854	3.808	3.762	3.717	3.673	3.630	3.588	3.546	3.505	3.465
5	4.926	4.853	4.783	4.713	4.646	4.580	4.515	4.452	4.390	4.329	4.270	4.212
6	5.806	5.795	5.697	5.601	5.508	5.417	5.329	5.242	5.158	5.076	4.996	4.917
7	6.862	6.728	6.598	6.472	6.349	6.230	6.115	6.002	5.893	5.786	5.683	5.582
8	7.823	7.652	7.486	7.825	7.170	7.020	6.874	6.733	6.596	6.463	6.335	6.210
9	8.779	8.566	8.861	8.162	7.971	7.786	7.608	7.435	7.269	7.108	6.952	6.802
10	9.730	9.471	9.222	8.983	8.752	8.530	8.317	8.111	7.913	7.722	7.538	7.360
11	10.677	10.368	10.071	9.787	9.514	9.253	9.002	8.760	8.529	8.306	8.093	7.887
12	11.619	11.255	10.908	10.575	10.258	9.954	9.663	9.385	9.119	8.863	8.619	8.384
13	12.556	12.134	11.732	11.348	10.983	10.635	10.303	9.986	9.683	9.394	9.117	8.853
14	13.489	13.004	12.543	12.106	11.691	11.296	10.921	10.563	10.223	9.899	9.590	9.295
15	14.417	13.865	13.343	12.849	12.381	11.938	11.517	11.118	10.740	10.380	10.038	9.712
16	15.340	14.718	14.131	13.578	13.055	12.561	12.094	11.652	11.234	10.838	10.462	10.106
17	16.259	15.562	14.908	14.292	13.712	13.166	12.651	12.166	11.707	11.274	10.865	10.477
18	17.173	16.398	15.673	14.992	14.353	13.754	13.190	12.650	12.160	11.690	11.246	10.828
19	18.082	17.226	16.426	15.678	14.979	14.324	13.710	13.134	12.593	12.085	11.608	11.158
20	18.987	18.046	17.160	16.351	15.580	14.877	14.212	13.590	13.008	12.462	11.950	11.470
21	19.888	18.857	17.900	17.011	16.185	15.415	14.698	14.029	13.405	12.821	12.275	11.764
22	20.784	19.660	18.621	17.658	16.765	15.937	15.167	14.451	13.784	13.163	12.583	12.042
23	21.676	20.456	19.331	18.292	17.332	16.444	15.620	14.857	14.148	13.489	12.875	12.303
24	22.563	21.243	20.030	18.914	17.885	16.936	16.058	15.247	14.495	13.799	13.152	12.550
25	23.446	22.023	20.720	19.523	18.424	17.413	16.482	15.622	14.828	14.094	13.414	12.783

（注１）複利年金現価率は、次の算式により求めます。

$$\frac{1-\frac{1}{(1+r)^n}}{r}$$

「r」：その定期金給付契約に係る予定利率

「n」：給付期間の年数

有期定期金については、その権利を取得したときにおける給付を受けるべき残期間に係る年数（１年未満の端数切上げ）となり、終身定期金については、その権利を取得した時におけるその目的とされた者に係る平均余命（562ページ参照）となります。

（注２）予定利率は、権利を取得したときにおけるその契約に係るものを使います。

（注３）予定利率は、端数処理をせず、その契約に係る予定利率をそのまま使います。

（国税庁ホームページより）

【第22回完全生命表】（抜粋）　（単位：歳、年）

年齢	平均余命	
	男	女
40	41.77	47.67
45	37.01	42.83
50	32.36	38.07
55	27.85	33.38
60	23.51	28.77

年齢	平均余命	
	男	女
65	19.41	24.24
70	15.59	19.85
75	12.03	15.64
80	8.83	11.71
85	6.22	8.30

（注１）平均余命の年齢は、定期金に関する権利を取得した時点の満年齢によります。
（注２）平均余命表は、権利を取得した年の１月１日現在において公表されているものを使います。

（厚生労働省ホームページより）

3-135 年金の方法により支払を受ける保険金の受給権の評価

Q 年金の方法により支払を受けることが定められた個人生命保険契約または個人年金保険契約で、相続開始または贈与のときにおいて、年金の種類、年金の支払期間が定まっていない場合、保険金の受給権は、どのように評価するのですか。

A その個人生命保険契約または個人年金保険契約が、年金の方法により保険金の支払を受けるものであり、かつ、保険金の支払事由の発生後に保険金の受取人が年金の種類、年金の受給期間等を指定することが契約により予定されているものであるときは、その保険金の受給権の価額は、受取人が相続開始または贈与後、受給開始前に指定を行ったことにより確定した年金の種類、受給期間等を基礎として評価することになります。具体的な評価については、3-134を参照してください。

3-136 一時金で受け取る契約の生命保険契約の保険金について分割で支給を受ける場合の取扱い

Q 一時金で支払を受ける生命保険契約に係る保険金を分割で受け取ることとしました。この場合の定期金に関する評価は、どのようになりますか。

A 年金の方法により支払われるまたは支給される生命保険契約もしくは損害保険契約に係る保険金の額は、定期金に関する権利（3−134参照）として評価した金額となりますが、一時金で支払または支給を受ける生命保険契約もしくは損害保険契約に係る保険金の額は、その一時金の額を分割の方法により利息を付して支払または支給を受ける場合であっても、その一時金の額によることとなっています。

3-137 有期定期金の受給権を相続した場合の取扱い

Q 私はこの度、夫の死亡により次のような年金を受け取る権利を相続しました。この場合、相続税の課税対象となる金額はいくらになりますか。

【契約形態】

契約者	夫
保険料負担者	夫
被保険者	夫
年金支給期間	10年（確定年金）
年金年額	3,000,000円
夫は年金受給後	3年満了時に死亡

相続時における解約返戻金相当額	19,750,000円
相続時における一時金の金額	20,000,000円
残存期間7年に応ずる予定利率（1.5%）による複利年金現価率	6,598

A この場合の相談者が相続した年金は、被保険者の生死にかかわらず、その年金の支給期間は年金を支払われる、有期定期金というものです。具体的な課税金額の計算は以下のようになります。

1 有期定期金の評価

この場合の年金は、有期定期金として評価され、次のうちいずれか多い金額で評価します。

① 相続の日においてその契約を解約したとした場合の解約返戻金相当額（解約返戻金とともに支払われる剰余金の分配等の金額を加算し、源泉徴収される所得税相当額を減算します）

② 年金に代えて一時金の給付を受けることができる契約については、相続の日において給付されるべき一時金の金額

③ 給付を受けるべき金額の1年当たりの平均額×残存期間に応ずる予定利率による複利年金現価率

2 相続税の対象額

設例では、次の金額が相続税の対象になります。

① 19,750,000円

② 20,000,000円

③ 3,000,000円×6.598＝19,794,000円　∴20,000,000円

3-138 有期定期金の受給権を相続した場合の取扱い（解約返戻金等がない場合）

Q 3-137の契約形態で解約返戻金や一時金がない年金の場合は、どのようになりますか。

A 確定年金で解約返戻金や一時金がないものについては、それぞれ、次の金額が相続税の課税対象となります。

---

1 解約返戻金がない場合

解約返戻金がない場合の相続税課税対象は、以下のとおりです。

① 相続の日において給付されるべき一時金の金額

② 給付を受けるべき金額の1年当たりの平均額 × 残存期間に応ずる予定利率による複利年金現価率

③ ①、②いずれか多い金額

2 一時金がない場合

一時金がない場合の相続税課税対象は、以下のとおりです。

① 相続の日においてその契約を解約したとした場合の解約返戻金相当額

② 給付を受けるべき金額の1年当たりの平均額 × 残存期間に応ずる予定利率による複利年金現価率

③ いずれか多い金額

3 解約返戻金及び一時金がない場合

解約返戻金も一時金もない場合は、次の算式によって求めた金額となります。

> 給付を受けるべき金額の１年当たりの平均額 × 残存期間に応ずる予定利率による複利年金現価率

3-139 贈与により有期定期金の受給権を取得した場合

Q 私はこの度、夫が掛金を負担していた定期金給付契約に基づく受給権を取得しました。この契約に基づく定期金は、10年間、毎年一定金額が支給されるというものです。この場合の取扱いは、どのようになりますか。

A 設例では、相談者は定期金給付契約に基づく受給権を、夫からその支給が始まったときに、贈与により取得したものとみなされます。取得した定期金給付契約に基づく受給権は、有期定期金となり、次の①から③のいずれか多い金額で評価します。

① 支給が始まったときにおける解約返戻金の金額

② 定期金に代えて一時金の給付を受けることができる場合には、その一時金の額

③

> 給付金を受けるべき金額の１年当たりの平均額 × 残存期間に応ずる予定利率による複利年金現価率

【設例】

毎年1,500,000円の給付を10年間受ける権利を取得した場合

① 解約返戻金の金額	14,300,000円
② 一時金の額	14,370,000円
③ 予定利率による金額	1,500,000円×9.222(注)＝13,833,000円

(注)予定利率1.5%の10年の複利年金現価率予定利率は保険会社に問い合わせます。

①から③のいずれか多い金額14,370,000円…評価額

3-140 終身定期金の受給権を相続した場合の取扱い

Q 私（60歳）は、妻の死亡により年金を受ける権利を相続しました。その内容は、私が生存している限り毎年200万円の年金の支給が受けられるというものです。なお、保険料は全額妻が負担していました。相続税の対象となる金額は、どのように計算するのですか。

【契約形態】

解約返戻金相当額	37,000,000円
相続時における一時金	37,500,000円
平均余命（23歳）に応ずる予定利率（1.5%）による複利年金現価率	19,331

A この場合の相談者が相続した年金は、終身定期金というものです。終身定期金の受給権は、次のうちいずれか多い金額で評価します。

① 相続の日においてその契約を解約したとした場合の解約返戻金相当額（解約返戻金とともに支払われる剰余金の分配等の金額を加算し、源泉徴収される所得税相当額を減算したもの）

② 年金に代えて一時金の給付を受けることができる契約については、相続の日において給付されるべき一時金の金額

③

給付を受けるべき金額の１年当たりの平均額	×	終身定期金に係る定期金給付契約の目的とされた者の平均余命に応ずる予定利率による複利年金現価率

したがって、この場合には、次の金額が相続税の対象になります。

① 37,000,000 円

② 37,500,000 円

③ 200 万円×19.331＝38,662,000 円

∴38,662,000 円

3-141 終身定期金の受給権を相続した場合の取扱い（解約返戻金等がない場合）

Q 前問の場合で解約返戻金や一時金がない年金の取扱いは、どのようになりますか（2011 年 4 月 1 日以後の取扱い）。

A 終身定期金で解約返戻金や一時金がないものについては、次の金額が相続税の課税対象になります。

---

1 解約返戻金がない場合

解約返戻金がない場合の相続税の課税対象となる金額は以下のとおりです。

① 相続の日において給付されるべき一時金の金額

②

給付を受けるべき金額の１年当たりの平均額	×	終身定期金に係る定期金給付契約の目的とされた者の平均余命に応ずる予定利率による複利年金現価率

③ ①、②いずれか高い金額

２ 一時金がない場合

一時金がない場合の相続税課税対象は、以下のとおりです。

① 相続の日においてその契約を解約したとした場合の解約返戻金相当額

②

給付を受けるべき金額の１年当たりの平均額	×	終身定期金に係る定期金給付契約の目的とされた者の平均余命に応ずる予定利率による複利年金現価率

③ ①、②いずれか高い金額

３ 解約返戻金及び一時金がない場合

解約返戻金も一時金もない場合は､次の算式によって求めた金額となります。

給付を受けるべき金額の１年当たりの平均額	×	終身定期金に係る定期金給付契約の目的とされた者の平均余命に応ずる予定利率による複利年金現価率

3-142 終身定期金の受給権を取得した者が相続税の申告期限までに死亡した場合

Q 終身定期金の受給権を取得した者が相続税の申告期限までに死亡した場合は、給付が終了しますが、この場合でも、終身定期金としての評価になるのですか。

A 終身定期金の受給権を取得した者が相続税の申告期限までに死亡し、その死亡によって、給付が終了した場合は、終身定期金としての評価によらず、その受給権を取得した者が、その受給権を取得後に給付を受

け、または受けるべき金額によって評価することとなっています。なお、この場合の給付を受け、または受けるべき金額には、その死亡した者の遺族その他の者がその者の死亡によって給付を受けたまたは受けるべき金額が含まれます。

3-143 贈与により終身定期金の受給権を取得した場合

Q 私はこの度、夫が掛金を負担していた定期金給付契約に基づく受給権を取得しました。この契約に基づく定期金は、夫の生存中、毎年一定金額が支給されるというものです。この場合の取扱いは、どのようになりますか。

A 定期金給付契約に基づく受給権を、夫からその支給が始まったときに、贈与により取得したものとみなされます。取得した定期金給付契約に基づく受給権は、終身定期金となり、次の①から③のいずれか多い金額で評価します。

① 支給が始まったときにおける解約返戻金の金額

② 定期金に代えて一時金の給付を受けることができる場合には、その一時金の額

③

給付金を受けるべき金額の1年当たりの平均額	×	終身定期金に係る定期金給付契約の目的とされた者の平均余命に応ずる予定利率による複利年金現価率

【設例】65歳の女性が終身年金として毎年1,500,000円の給付を受ける権利を取得した場合

① 解約返戻金の金額	28,850,000円
② 一時金の額	29,000,000円
③ 予定利率による金額	1,500,000円×20.030(注)＝30,045,000円

(注)予定利率1.5%、平均余命（2015年、562ページ参照）の複利年金現価率
予定利率は保険会社に問い合わせます。

①から③のいずれか多い金額30,045,000円…評価額

3-144 期間付終身定期金の受給権を相続した場合の取扱い

Q 私（60歳）は、妻の死亡により年金を受ける権利を相続しました。その内容は、15年間、私の生存中に限り毎年200万円の年金が受けられ、私が15年以内に死亡したときは、年金の給付が打切りになるというものです。なお、保険料は全額妻が負担していました。相続税の対象となる金額は、どのように計算するのですか。

A 相談者が相続した年金は、期間付終身定期金というもので、その価額は、有期定期金として評価した価額と、終身定期金として評価した価額とのいずれか低い価額によって評価（3–134参照）することとされています。

したがって、この場合には、次の金額が相続税の対象となります。

---

1. 有期定期金として評価した価額

① 解約返戻金相当額　37,000,000円

② 一時金の金額　37,500,000円

③ 残存期間15年に応ずる予定利率による複利年金現価率を乗じた金額

2,000,000円×13.343＝26,686,000円

①、②、③のいずれか多い金額　∴　37,500,000円

2. 終身定期金として評価した価額

平均余命23年に応ずる予定利率による複利年金現価率を乗じた金額

2,000,000円×19.331＝38,662,000円

3. 1.と2.のいずれか少ない金額

∴　37,500,000円

3-145 保証期間付定期金の受給権を相続した場合の取扱い

Q 私（60歳）は、妻の死亡により年金を受ける権利を相続しました。その内容は、私の生存中は毎年200万円の年金が受けられ、私が15年以内に死亡したときは、その期間中は私の相続人が引き続き年金を受けられるというものです。なお、保険料は全額妻が負担していました。相続税の対象となる金額は、どのように計算するのですか。

A 相談者が相続した年金は、保証期間付定期金というもので、その価額は、有期定期金として評価した価額（3-137参照）と、終身定期金として評価した価額（3-140参照）とのいずれか高い価額によって評価することとされています。

したがって、この場合には、次の金額が相続税の対象となります。

---

1. 有期定期金として評価した価額

① 解約返戻金相当額　37,000,000円
② 一時金の金額　37,500,000円
③ 残存期間15年に応ずる予定利率による複利年金現価率を乗じた金額
2,000,000円×13.343＝26,686,000円
①、②、③のいずれか多い金額　∴　37,500,000円

2. 終身定期金として評価した価額

平均余命23年に応ずる予定利率による複利年金現価率を乗じた金額
2,000,000円×19.331＝38,662,000円

3. 1.と2.のいずれか多い金額

∴38,662,000円

3-146 保証期間付年金保険契約の年金給付事由発生後、保証期間内に年金受取人が死亡した場合の取扱い

Q 保証期間付年金保険契約の年金給付事由が発生した後、保証期間内に年金受取人が死亡した場合は、どのような課税関係になりますか。

A 保証期間付年金保険契約または保証据置年金契約（年金受取人が年金支払開始年齢に達した日からその死亡に至るまで年金の支払をする他、一定の期間内に年金受取人が死亡したときは、その残存期間中年金継続受取人に継続して年金の支払をするものをいいます）の年金給付事由または保険事故が発生した後、保証期間内に年金受取人（保険金受取人を含みます）が死亡した場合には、次のように取り扱われます。

年金受取人 ＝掛金または保険料の負担者	継続受取人が掛金または保険料の負担者からその負担した掛金または保険料の金額のその相続開始のときまでに払い込まれた掛金または保険料の全額に対する割合に相当する部分を相続または遺贈によって取得したものとみなされる
年金受取人 ≠掛金または保険料の負担者	継続受取人が掛金または保険料の負担者からその負担した掛金または保険料の金額の相続開始のときまでに払い込まれた掛金または保険料の全額に対する割合に相当する部分を贈与によって取得したものとみなされる
掛金または保険料の負担者＝継続受取人	課税なし

【設例】

保証期間20年の年金契約において、年金給付事由が発生して12年経過後に年金受取人の夫が死亡、残存期間8年の年金を継続受取人の妻（または子）に支給される場合

年金額	年480,000円
保険料総額	5,400,000円
夫負担	3,600,000円
妻負担	1,800,000円

1. 継続受取人が取得した年金受給権（保証期間付定期金）の価額

有期定期金として評価した受給権の価額	2,300,000円
終身定期金として評価した受給権の価額	2,400,000円

いずれか多い金額　∴2,400,000円

2. 継続受取人が妻の場合

① 夫から相続または遺贈によって取得したとみなされる部分

2,400,000円×3,600,000円/5,400,000円＝1,600,000円

② 課税なしとなる部分（妻負担分）

2,400,000円×1,800,000円/5,400,000円＝800,000円

3. 継続受取人が子の場合

① 夫から相続または遺贈によって取得したとみなされる部分

2,400,000円×3,600,000円/5,400,000円＝1,600,000円

② 妻から贈与によって取得したとみなされる部分

2,400,000円×1,800,000円/5,400,000円＝800,000円

3-147 年金受給前に相続があった場合の取扱い

Q 私は、夫の死亡により年金保険を相続しました。年金の受給はまだ始まっていません。この場合の相続税の対象となる金額は、どのように計算するのですか。

A まだ年金の受給が始まっていない生命保険に関する権利の評価額は、その相続開始時におけるその契約の解約返戻金相当額（前納保険料や剰余金の分配額がある場合はこれを加算し、解約返戻金につき源泉徴収されるべき所得税額があるときはこれを減算します）によって評価します。

3-148 据置期間のある個人年金保険の相続税評価

Q 据置期間のある個人年金保険の相続税評価は、どのようになりますか。

A 据置期間のある個人年金保険の相続税評価は、次のようになります。

---

❶ 有期定期金

1. 初回年金支払日が権利取得日の翌日以後１年以内の場合

次のいずれか多い金額で評価します。

① 相続等のときにおける解約金返戻金相当額

② 定期金に代えて一時金の給付を受けることができる場合にはその一時金の金額

③

給付を受けるべき金額の１年当たりの平均額×残存期間に応ずる予定利率による複利年金現価率

【設例】

・令和４（2022）年６月１日に定期金給付契約に関する権利を取得

・2023年６月１日から年金の受取開始、以後毎年６月１日に７回年金を受取り

・年金の受取額１回　1,000,000円

・相続時の解約金返戻金相当額　6,750,000円

・相続時における一時金の金額　6,800,000円

・予定利率　1.5%

・７年の複利年金現価率　6.598

① 6,750,000円

② 6,800,000円

③ 1,000,000円×6.598＝6,598,000円

∴6,800,000円

2. 初回年金支払日が権利取得日の翌日以後１年超の場合

次のいずれか多い金額で評価します。

① 相続等のときにおける解約金返戻金相当額

② 定期金に代えて一時金の給付を受けることができる場合にはその一時金の金額

③

給付を受けるべき金額の1年当たりの平均額×実質給付期間の年数に応ずる予定利率による複利年金現価率×据置期間に応ずる予定利率による複利現価率

（注1）据置期間は、権利取得日から据置後の初回年金支払日の直前の権利取得日の応答日までの期間となります。例えば、権利取得日が2022年6月1日、据置後の初回年金支払日が2025年6月1日の場合であれば、2022年6月2日（初日はカウントに入れません）から2024年6月1日（2023年6月1日の直前の権利取得日の応答日）までの2年となります。

（注2）複利現価率は、小数点以下3位未満を四捨五入します。

【設例】

・令和4（2022）年6月1日に定期金給付契約に関する権利を取得

・据置期間（2020年6月2日から2022年6月1日まで）　2年

・2023年6月1日から年金の受取開始、以後毎年6月1日に5回年金を受取り

・実質給付期間の年数　5年

・年金の受取額1回　1,400,000円

・相続時の解約金返戻金相当額　6,750,000円

・相続時における一時金の金額　6,800,000円

・予定利率　1.5%

・5年の複利年金現価率　4.783

・2年の複利現価率0.971

① 6,750,000円

② 6,800,000円

③ 1,400,000円×4.783×0.971＝6,502,010円

∴6,800.000円

❷ 終身定期金

1. 初回年金支払日が権利取得日の翌日以後1年以内の場合

次のいずれか多い金額で評価します。

① 相続等のときにおける解約金返戻金相当額

② 定期金に代えて一時金の給付を受けることができる場合にはその一時金の金額

③

給付を受けるべき金額の1年当たりの平均額	×	終身定期金に係る定期金給付契約の目的とされた者の平均余命に応ずる予定利率による複利年金現価率

【設例】

・令和4(2022)年6月1日に定期金給付契約に関する権利を60歳の男性が取得

・2023年6月1日から年金の受取開始、以後毎年6月1日に年金を終身にわたり受取り

・年金の受取額1回	1,000,000円
・相続時の解約金返戻金相当額	18,500,000円
・相続時における一時金の金額	19,000,000円
・予定利率	1.5%
・平均余命23年の複利年金現価率	19.331

① 18,500,000円

② 19,000,000円

③ 1,000,000円×19.331＝19,331,000円

∴19,331,000円

2. 初回年金支払日が権利取得日の翌日以後1年超の場合

次のいずれか多い金額で評価します。

① 相続等のときにおける解約金返戻金相当額

② 定期金に代えて一時金の給付を受けることができる場合にはその一時金の金額

③

給付を受けるべき金額の１年当たりの平均額	×	実質給付期間の年数に応ずる予定利率による複利年金現価率	×	据置期間に応ずる予定利率による複利現価率

（注１）据置期間は、権利取得日から据置後の初回年金支払日の直前の権利取得日の応答日までの期間となります。例えば、権利取得日が2022年６月１日、据置後の初回年金支払日が2025年６月１日の場合であれば、2022年６月２日（初日はカウントに入れません）から2024年６月１日（2025年６月１日の直前の権利取得日の応答日）までの２年となります。

（注２）複利現価率は、小数点以下３位未満を四捨五入します。

【設例】

・令和４（2022）年６月１日に定期金給付契約に関する権利を60歳の男性が取得

・2025年６月１日から年金の受取開始、以後毎年６月１日に年金を終身にわたり受取り

・据置期間（2022年６月２日から2024年６月１日まで）　２年

・60歳の平均余命年数　23年

・実質給付期間の年数　21年（23年－２年）

・年金の受取額１回　1,000,000円

・相続時の解約金返戻金相当額　16,800,000円

・相続時における一時金の金額　17,000,000円

・予定利率　1.5％

・21年の複利年金現価率　17.900

・２年の複利現価率　0.971

① 16,800,000円

② 17,000,000円

③ 1,000,000円×17.900×0.971＝17,380,900円

∴17,380,900円

3-149 変額年金保険の受給権の取扱い

Q 年金受給権を相続した場合、その年金が変額年金の場合には、どのように評価するのでしょうか。

A 変額年金保険とは、その運用実績により受け取る年金の額が変動する保険です。変額年金保険の場合には、課税時期において、その変額年金保険を定額年金とみなして評価することとなります。

したがって、基本的には、3-134 と同様に評価するのですが、この場合には、「給付を受けるべき金額の1年当たりの平均額」は100% 定額年金とした場合における「1年当たりの平均額」によります。また、年金額の算出に当たって、予定利率を用いない変額年金保険については、次のいずれか多い金額で評価することになっています。

① 相続の日にその契約を解約したとする場合の、解約返戻金相当額

② 年金に代えて一時金の給付が可能な場合には、その一時金の金額

3-150 特別夫婦年金保険の取扱い

Q 簡易保険の特別夫婦年金保険の課税関係は、税務上どのように取り扱われますか。

A 特別夫婦年金保険の課税関係は、ケースによりそれぞれ次のように取り扱われます。

---

❶ 年金支払開始年齢に達する前に保険契約者（主たる被保険者、保険料負担者）が死亡した場合

この場合には、配偶者たる被保険者が保険契約者から生命保険契約に関する権利（3-128参照）を相続したものとして取り扱われるので、その権利は相続税の対象になります。

❷ 年金の支払が開始している場合

1. 年金支払開始年齢に達した後に保険契約者（主たる被保険者、保険料負担者）が死亡し、配偶者たる被保険者が年金を受け取る場合

この場合には、配偶者たる被保険者が保険契約者から定期金に関する権利を相続により取得したものとみなされて相続税の課税対象になります。この場合の定期金に関する権利の評価額は、有期定期金として算出した金額（3-137参照）または終身定期金として算出した金額（3-140参照）のいずれか高い金額になります。

なお、受け取る年金は、公的年金等として雑所得（公的年金等）となり所得税や住民税の対象になります。

2. 保険契約者（主たる被保険者、保険料負担者）が死亡した後に年金支払開始年齢に達し、配偶者たる被保険者が年金を受け取る場合

年金受給権については、相続税及び贈与税は課税されません（上記❶で保険契約者の死亡時に課税済み）が、配偶者たる被保険者が受け取る年金は、雑所得（公的年金等）となり相続税の対象になった部分以外の部分が所得税や住民税の対象になります。

3. 保険契約者（主たる被保険者、保険料負担者）が年金を受け取る場合（配偶者はすでに死亡）

保険契約者が受け取る年金は、雑所得（公的年金等）となり所得税や住民税の対象になります。

❸ 年金受給者が保証期間中に死亡した場合（年金受給者の相続人に継続年金が支払われる場合）

1. 上記❷の1.のケースで配偶者たる被保険者が死亡した場合

保険契約者（主たる被保険者、保険料負担者）が支払った保険料は、配偶者たる被保険者が支払ったものとみなされ、その相続人は配偶者たる被保険者から保証期間付定期金に関する権利を相続により取得したものとみなされて相続税の課税対象になります。なお、この場合の保証期間付定期金に関する権利の評価額は、有期定期金として算出した金額（3-137参照）により評価します。

2. 上記❷の2.のケースで配偶者たる被保険者が死亡した場合

1.と同様に取り扱われます。

3. 上記❷の3.のケースで保険契約者（主たる被保険者）が死亡した場合

その相続人は、保険契約者（主たる被保険者）から保証期間付定期金に関する権利を相続により取得したものとみなされて相続税の課税対象になります。なお、この場合の保証期間付定期金に関する権利の評価額は、有期定期金として算出した金額（3-137参照）により評価します。

3-151 定額型一時金付終身年金の年金受給権の評価

Q 契約者（保険料負担者）妻、被保険者夫、年金受取人妻とする定額型一時金付終身年金の年金受取開始後の受給権を夫が相続した場合その評価はどのようになりますか。

A 定額型一時金付終身年金は、年金受取人に対して被保険者が生存している限り年金が支払われ、被保険者が死亡した場合には、年金支払開始時の年金原資から受取年金累計額を差し引いた残額を死亡一時金として受け取れるという保険です。次の①と②のいずれか多い金額によって評価することとされています。

① 終身定期金として評価した金額（3–140参照）

② 有期定期金として評価した金額（3–137参照）

3-152 外貨建変額個人年金の評価

Q 外貨建変額個人年金の契約者である被保険者が死亡し、相続人が死亡保険金を年金払特約により年金で受け取る場合、その年金受給権はどのように評価するのですか。

A 外貨建変額個人年金は、契約時に外貨建で一時払保険料を支払い、その運用実績により受け取る年金の額が変動する保険です。

評価方法は、基本的に変額年金保険と同じ（3–149参照）ですが、金額の算定については相続時の為替レートで円換算した額によることとなります。

第 10 節　外貨建ての生命保険、個人年金保険

3-153 外貨建ての生命保険、個人年金保険の取扱い

Q 最近外貨建ての生命保険や個人年金保険というものが販売されていますが、これらはどういうものですか。また、税務上の取扱いはどのようになりますか。

A 外貨建ての生命保険または個人年金保険は、いわゆる金融ビッグバンによる資産運用の多様化、とりわけ外貨運用への関心が高まってきたことを背景に生まれた資産形成型の金融商品です。

保険料の支払、保険金の受取り、契約者貸付等がすべて外貨で行われるものの他に、円換算特約を付加して、円での取引を可能にしたものもあります。

税務上の取扱いは、外貨建ての生命保険または個人年金保険であっても円建ての生命保険または個人年金保険と何ら変わりはありません。相違点は、円を外貨に、また外貨を円に換算する場合の為替レートをどのレートを適用するかという点です。また、円換算特約を付さない限り、外貨から円に交換されないという商品については、対顧客電信売相場（TTS）と対顧客電信買相場（TTB）の仲値（TTM）によって円換算することとされています。

3-154 生命保険料控除の対象となる保険料

Q 私は外貨建ての生命保険に加入しました。この場合の保険料は、生命保険料控除の対象となりますか。また、対象となる場合、金額はどのように算定すればよいのですか。

A 生命保険料控除とは、居住者が各年において支払った、生命保険契約等または個人年金保険契約等に係る保険料または掛金のうち、一定の金額を総所得金額、退職所得金額または山林所得金額から控除してくれる制度です。対象となる保険契約等は、生命保険業免許を受けた国内生命保険会社または外国生命保険業免許を受けた外国生命保険会社で国内に支店等を有するものと締結した契約等（3–2参照）とされています。

したがって、これらの生命保険会社と締結した生命保険契約に係る保険料であれば生命保険料控除の対象になります。その保険料が外貨建てであっても適用があります。

なお、外貨建ての場合は、次の金額が生命保険料控除の対象となります。

---

1 外貨建ての場合

支払日の為替レートでの円換算額（TTM）

2 円換算特約により円で支払う場合

その支払った金額

3-155 満期保険金を受け取った場合または解約した場合（一時所得となる場合）の取扱い

Q 外貨建ての生命保険の満期保険金を受け取った場合、または、保険期間が５年を過ぎた保険を解約した場合、課税関係はどのようになりますか。

A 所得税では、生命保険の満期保険金や解約返戻金を受け取った場合において、保険料負担者と満期保険金（解約返戻金）の受取人が同じであるときは、満期保険金（解約返戻金）の受取人に対して一時所得としての所得税が課されることとなっています。

これは、円建ての生命保険でも外貨建ての生命保険でも取扱いは同じです。したがって、次の算式により計算した金額が一時所得となり、他の所得があるときは、その２分の１の金額が他の所得と合算され、課税対象となります。

$$\text{一時所得の金額}=\left(\overset{※1}{\begin{matrix}\text{その年中の}\\\text{総収入金額}\end{matrix}}-\overset{※2}{\begin{matrix}\text{収入を得るため}\\\text{に支出した金額}\end{matrix}}\right)-\begin{matrix}\text{特別控除額}\\\text{(50 万円)}\end{matrix}$$

※１ 円換算特約がついている場合にはその受け取った満期保険金額（解約返戻金額）、外貨で受け取った場合は受け取った日の為替レートの円換算額（TTM）になります。

※２ 円換算特約がついている場合にはその支払った保険料累計額、外貨で支払っている場合は支払った日の為替レートの円換算額（TTM）の累計額になります。

なお、保険期間が５年以下の保険契約について受け取った満期保険金及び保険期間が５年超の保険契約を５年以下で解約したものについては、上記の取扱いによらず、20.315％の税金が源泉徴収され、課税が完了することになっています（3−156参照）。

3-156 満期保険金を受け取った場合または解約した場合（源泉分離課税の場合）の取扱い

Q 外貨建ての生命保険を5年以内に解約した場合、課税関係はどのようになりますか。

A 税法上、保険料の負担者と満期保険金（解約返戻金）の受取人が同じである場合において、保険期間が5年以下の契約に係る満期保険金を受け取るとき、または、保険期間が5年超の契約を5年以下で解約した場合の解約返戻金を受け取るときには、次の算式で計算する税金が源泉徴収されて課税が完結することとなっています。

源泉徴収される税金＝（満期保険金額または解約返戻金額－支払った保険料の合計額）×20.315％（所得税15.315％ 住民税5％）

外貨建ての生命保険で円換算特約が付されているときは、その円換算した金額で計算します。しかし、外貨建ての場合は、まず、支払日における解約返戻金（外貨）をTTMで円換算し、その金額から円換算した支払保険料の合計額を差し引いて、その金額に20.315％の税率を乗じます。その円換算した源泉徴収額を外貨に換算（TTM）し直した額が源泉徴収されることになります。

【設例】 解約返戻金が10万ドルの場合（支払日のTTMは122円）

① 解約返戻金額	10万ドル×122円＝12,200,000円
② 支払った保険料の金額	9,760,000円
③ 保険差益金	①－②＝2,440,000円
④ 源泉徴収すべき金額	③×20.315％＝495,686円
⑤ 源泉徴収すべき金額のドル換算額	④÷122円＝4,063ドル

⑥ ドル建ての受取額　　　　　10万ドル－4,063ドル＝95,937ドル

なお、保険期間が5年経過した保険契約を解約した場合、及び保険期間が5年超の保険に係る満期保険金を受け取った場合は、上記のような取扱いではなく、一時所得として取り扱われます（3-155参照）。

3-157 満期保険金を受け取った場合または解約した場合（損失が生じた場合）の取扱い

Q 外貨建ての生命保険に係る満期保険金（解約返戻金）を受け取った場合に、為替相場の変動で損失が出たときは、他の所得と損益通算できますか。

A 税法上、損益通算できるのは、不動産所得の金額、事業所得の金額、山林所得の金額または譲渡所得の金額の計算上生じた損失に限るとされています。

したがって、外貨建ての生命保険の満期保険金または解約返戻金を受け取った場合に損失が生じていたとしても、その損失を他の所得から差し引くことはできません。

ただし、同一年に一時所得となる保険金を2件以上受け取った場合において、その他の保険について利益が出ているときはこれと通算することができます。これは、外貨建ての生命保険であっても円建ての生命保険であっても同じです。

3-158 死亡保険金を受け取った場合の取扱い

Q 私は、父の死亡により外貨建ての生命保険金を受け取りました。この保険金は相続税の対象になるそうですが、金額はいくらで計上すればよいのですか。

A 被相続人の死亡により相続人その他の者がその被相続人が保険料を負担していた生命保険契約に係る保険金を取得した場合には、その生命保険金は被相続人の相続財産とみなされて相続税がかかります。

この取扱いは、外貨建ての生命保険金を受け取った場合でも同じです。したがって、相続人が受け取った生命保険金は相続税の対象になるのですが、この場合には、次のように生命保険金を評価します。

外貨で受け取る場合	受け取った外貨を被相続人の死亡した日の為替レートで円換算した額（TTM）
円換算特約により円で受け取った場合	その受け取った金額

なお、外貨建ての生命保険金を外貨で受け取った場合でも、法定相続人1人当たり500万円の生命保険金の非課税の規定は適用されます（3-52参照）。

3-159 生命保険契約に関する権利の評価

Q この度、父が母を被保険者とする外貨建ての生命保険に加入しました。父が亡くなったときには、この生命保険はどうなりますか。

A 相続税法では、相続開始のときにおいて、まだ保険事故が発生していない生命保険契約（掛捨ての保険を除きます）で、その保険料の全部または一部を被相続人が負担し、かつ、被相続人以外の人がその保険の契約者であるもの（生命保険契約に関する権利）については、相続財産とみなして、相続税を課すこととしています。よって、この場合には、相続開始時における解約返戻金相当額で評価することとなっています。

この取扱いは、外貨建ての生命保険であっても同じなので、相続人が受け取った生命保険契約に関する権利は相続税の対象になります。ただし、この場合には、その権利を相続開始日の為替レートで円換算（TTM）して評価することになります。

3-160 年金を受け取った場合の取扱い

Q 外貨建ての個人年金保険に係る年金を受け取った場合の雑所得の計算は、どのようにすればよいのですか。

A 自分が払い込んだ外貨建ての個人年金保険の年金を、自分が受け取った場合の雑所得の金額は、次のように計算します（3–98 参照）。

---

❶ 雑所得の金額

雑所得の金額を求める算式は、以下のとおりです。

雑所得の金額 ＝ 収入金額（基本年金額 ＋ 保険料払込期間中の積立配当金による増額年金分 ＋ 年金の支払開始日以後に支払われるその年分の剰余金）－ 必要経費

❷ 必要経費

上記❶の必要経費は、次のように計算します。

$$必要経費 = \left(基本年金額 + \frac{保険料払込期間中の積立}{配当金による増額年金分}\right) \times \frac{既払込正味保険料総額}{年金の支払総額またはその見込額}\text{（小数点3位以下切上げ）}$$

個人年金保険が外貨建ての場合は、上記の算式は次のように計算します。

❸ 収入金額

1. 外貨建ての場合

受け取った日の為替レートの円換算額（TTM）

2. 円換算特約が付されている場合

受け取った金額

❹ 必要経費

上記算式中、$\frac{既払込正味保険料総額}{年金の支払総額またはその見込額}$は次のように計算します。

1. 外貨建ての場合

外貨のままで計算

2. 円換算特約が付されている場合

分母は、年金支払開始日の為替レートによる円換算額（TTM）とし、分子は、支払日の為替レートの円換算額（TTM）とします。

なお、保険料負担者と年金受給者が違う場合の計算は、3-102 または 3-108 を参照してください。

3-161 外貨建て一時払変額年金保険の年金を受け取った場合の取扱い

Q 先日、外貨建て一時払変額年金に加入しました。この保険は、年金支払開始日の前日の年金算出基準額に、年金支払開始日の被保険者の年齢に応じた所定の年金額算出率を乗じて年金額が定められる終身年金タイプの保険です。そして、年金支払期間中に被保険者が死亡した場合において、既払年金合計額が一時払保険料相当額に満たないときは、その差額を死亡一時金として支払われるものです。この保険の年金を受け取った場合は、どのように取り扱われますか。

外貨建て一時払変額年金の年金を受け取った場合の取扱いは、以下のようになります。

---

1 年金の取扱い

年金は雑所得となり、次の算式で計算した金額が所得税の対象となります。

> 雑所得＝
> （基本年金額＋配当金による増額年金分＋その年の剰余金）－必要経費

2 必要経費

必要経費は、次のいずれか少ない金額となります。

①

$$\text{年金支払開始時に支払を受ける年金の額}^{※1}\times\frac{\text{（支払保険料の総額）}}{\text{年金支払開始日の前日の基本保険金額（一時払保険料相当額）}}$$

②

$$\text{年金支払開始時に支払を受ける年金の額}^{※2}\times\frac{\text{（支払保険料の総額）}}{\text{年金支払開始時に支払を受ける年金の額}^{※1}\times\text{年金の支払開始時の被保険者の余命年数}^{※2}}$$

※1　対顧客直物電信売相場（TTS）と対顧客直物電信買相場（TTB）の仲値（TTM）により円換算した額となります。

※2　余命年数は、所令第82条の3別表に定める余命年数表（562ページ参照）によります。

(注)分数は、小数点以下2位まで計算し、3位以下を切り上げます。

第11節　個人事業主が契約した生命保険に係る課税関係

3-162　個人事業主が支払う保険料の取扱い

Q 個人事業主が、従業員や役員のために支払った生命保険料は、税務上どのように取り扱われますか。

A 個人事業主が、従業員や事業主を被保険者とする生命保険に加入してその保険料を負担するケースには、福利厚生保険と呼ばれるものと事業保険と呼ばれるものの２パターンあります。

---

❶ 福利厚生保険

契約者	個人事業主
保険料負担者	個人事業主
被保険者	従業員、個人事業主
保険金受取人	従業員、個人事業主またはその親族

❷ 事業保険

契約者	個人事業主
保険料負担者	個人事業主
被保険者	従業員、役員
保険金受取人	個人事業主

❶は従業員の福利厚生として、また、❷は従業員に万一のことがあっ

た場合の退職金や見舞金の原資として利用されています。

課税関係は、その契約形態や保険内容（定期保険なのか養老保険或いは定期付養老保険なのか等）によって違ってきます。詳しくは、次問以降を参照してください。

3-163 受取人を個人事業主とする定期保険

Q 私は、卸売業を営む青色申告者です。この度、従業員の万一に備えるため次のような保険に加入しました。税務上どのように取り扱われますか。

【契約形態】

契約者	本人（個人事業主）
保険料負担者	本人（個人事業主）
被保険者	従業員
保険金受取人	本人（個人事業主）
保険期間	令和４（2022）年６月から１年間
保険料	300,000円一時払
保険の種類	定期保険

A 個人事業主が、上記のような契約形態で定期保険に加入した場合の保険料は、その保険料に係る期間の経過に応じて必要経費に算入されます。一方、その保険に係る保険金や解約返戻金、配当や割戻金を事業主が受け取った場合には、その受け取るべき日の属する年分の事業所得の総収入金額に算入されます。

このように取り扱われるのは、その保険契約が、使用人の雇用に基因する将来の経費支出を担保するものであり、事業遂行上必要な行為とみられるからです。

したがって、この場合、相談者が支払った保険料は事業所得の必要経費となります。ただし、加入された令和４（2022）年度に一時払保険料の全額が必要経費になるのではなく、事業の年度に対応する期間の分だけが必要経費になります。2022 年分で必要経費になる金額は次の算式で求めた金額です。

$$2022\text{年分の必要経費}=300,000\text{円}\times\frac{6\text{か月}}{12\text{か月}}=150,000\text{円}$$

3-164 受取人を個人事業主とする養老保険

Q 私は、卸売業を営む青色申告者です。この度、従業員の死亡保障と貯蓄を兼ねて次のような保険に加入しました。税務上どのように取り扱われますか。

【契約形態】

契約者	本人（個人事業主）
保険料負担者	本人（個人事業主）
被保険者	従業員
保険金受取人	本人（個人事業主）
保険期間	令和４（2022）年６月から５年間
保険料	3,000,000 円一時払
保険の種類	養老保険
満期保険金	3,450,000 円

A 個人事業主が、上記のような契約形態で養老保険に加入した場合の保険料は、定期保険の保険料と違い、必要経費にはならず、契約期間の満了、契約の失効、解除、解約のときまで資産に計上します。

---

1. 契約時の処理

借	方	貸	方
保険積立金	3,000,000円	現金及び預金	3,000,000円

そして、契約期間中に死亡事故が発生または契約期間が満了した場合には、資産に計上されている保険料の額をその年分の必要経費に算入するとともに、保険金はその支払を受けるべき日の属する年分の総収入金額に算入します。

2. 死亡保険または満期保険を受け取ったときの処理

借	方	貸	方
現金及び預金	3,450,000円	保険積立金	3,000,000円
		保険差益	450,000円

一方、契約の解除、解約により解約返戻金を受けた場合も、資産計上されている保険料の額をその年分の必要経費に算入するとともに、解約返戻金をその支払を受けるべき日の属する年分の総収入金額に算入します。

例えば、解約返戻金が280万円であった場合は次のような処理になります。

3. 解約等で損が出ているときの処理

借	方	貸	方
現金及び預金	2,800,000円	保険積立金	3,000,000円
保険差損	200,000円		

なお、契約期間の満了前において、保険料に係る配当金、剰余金、割戻金等の支払を受けた場合は次のように処理します。

4. 配当等を受けたときの処理

借	方	貸	方
現金及び預金	×××	保険積立金	×××

3-165 養老保険の契約を転換した場合の取扱い

Q 個人事業者が従業員の退職目的で締結した養老保険を他の養老保険に転換（いわゆる下取り）した場合、税務上どのように取り扱われますか。

A 養老保険を転換（下取り）して別の養老保険に加入した場合は、その資産に計上している保険料（保険積立金）の額のうち、転換後の保険契約の責任準備金に充当される部分の金額（下取り価額）を超える部分の金額をその転換した日の属する年分の必要経費に算入することができます。

借　方		貸　方	
保険積立金	×××	保険積立金	×××
保険差損	×××		

3-166 従業員を被保険者とする定期付養老保険

Q 私は小売業を営む青色申告者です。この度、従業員を被保険者とする定期付養老保険に加入しようと思います。税務上どのように取り扱われますか。

A 定期付養老保険の保険料の税務上の取扱いは、定期保険の保険料と養老保険の保険料とが生命保険証券等において区分されているかどうかにより次のように分かれています。

---

1 保険料が明確に区分されている場合

保険料が定期保険部分と養老保険部分とに明確に区分されている場合は、定期保険に係る支払保険料の取扱い及び養老保険に係る支払保険料の取扱いによることとなります。

2 保険料が明確に区分されていない場合

保険料が定期保険部分と養老保険部分とに明確に区分されていない場合は、その全部について、養老保険に係る支払保険料の取扱いによることとなります。

以上をまとめると、次表のようになります。

【定期付養老保険の税務上の取扱い】

	保険金の受取人		保険料の取扱い	
	死亡保険金	満期保険金	定期保険部分	養老保険部分
保険料が区分されている場合	個人事業主	個人事業主	必要経費	資産計上
	従業員の遺族	従業員	必要経費	給　与
	従業員の遺族	個人事業主	必要経費	２分の１資産計上 ２分の１必要経費
保険料が区分されていない場合	個人事業主	個人事業主	資産計上	
	従業員の遺族	従業員	給　与	
	従業員の遺族	個人事業主	２分の１資産計上 ２分の１必要経費	

(※)定期保険部分の保険料は、その定期保険の内容によって取扱いが異なります。詳しくは第２章を参照してください。

3-167 受取人を従業員の相続人とする定期保険

Q 私は、小売業を営む青色申告者です。福利厚生の一環として、従業員を被保険者、従業員の相続人を保険金受取人とする定期保険に加入しています。この度、従業員の１人が交通事故で亡くなり、この保険契約に基づく保険金がその遺族に支払われましたが、この場合の課税はどのようになりますか。

A 個人事業者が、従業員を被保険者とし、保険金受取人を従業員の相続人とする定期保険（保険期間を１年とするいわゆる掛捨ての保険）契約の保険料を負担した場合には、その保険料は事業所得の全額必要経費に算入することができ、従業員については、給与所得としての課税は行わない（特定の従業員のみを被保険者としている場合には、特定の従業員に対する給与等になります）こととされています。

そして、この場合には、その従業員の死亡によりその相続人等が受け取る死亡保険金は、みなし相続財産になります。

したがって、この場合の従業員の遺族が受け取った生命保険金には所得税は課税されず、みなし相続財産として相続税の課税対象になります。

3-168 満期保険金及び死亡保険金の受取人を従業員またはその遺族とする養老保険

Q 私は、小売業を営む青色申告者です。この度、従業員の福利厚生として次のような保険に加入しました。税務上どのように取り扱われますか。

【契約形態】

契約者	本人（個人事業主）
保険料負担者	本人（個人事業主）
被保険者	従業員
満期保険金受取人	従業員
死亡保険金受取人	従業員の相続人
保険期間	令和４（2022）年６月から５年間
保険料	月払 10,000 円
保険の種類	養老保険
保険金	650,000 円

A 個人事業主が、上記のような契約形態で養老保険に加入した場合、その保険料は、従業員に対する給与として取り扱われます。

1. 保険料支払時の処理

借　方		貸　方	
給　料	10,000 円	現金及び預金	10,000 円

個人事業主はその１万円の保険料相当額に毎月の従業員の給与を加算した金額に対する源泉税を徴収することになります。

ただし、この保険料が 300 円以下のときは非課税とされているので源泉徴収する必要はありません。

また、契約満了時までに配当金、剰余金、割戻金の支払を受けたときは、その配当等の収入を支払を受けるべき日の属する年の総収入金額に算入します。

2. 配当等受取時の処理

借　方		貸　方	
現金及び預金	×××	配当金収入	×××

なお、保険金等の課税関係については、その従業員が保険料を負担したものとして取り扱われるので、満期保険金をその従業員が受け取ったとき

は、その従業員の一時所得となり所得税、住民税が課税され、死亡保険金をその従業員の相続人が受け取ったときは相続税の対象になります。

3-169 満期保険金受取人を事業主、死亡保険金の受取人を従業員の遺族とする養老保険（タックスハーフプラン）

Q 私は卸売業を営む青色申告者です。この度、次のような保険に全従業員を被保険者として加入しようと思っています。この場合、税務上どのように取り扱われますか。

【契約形態】

契約者	本人（個人事業主）
保険料負担者	本人（個人事業主）
被保険者	従業員
満期保険金受取人	本人（個人事業主）
死亡保険金受取人	従業員の相続人
保険の種類	養老保険

A 個人事業主が、満期保険金の受取人を個人事業主本人、死亡保険金の受取人を従業員の相続人とする保険に加入して保険料を支払った場合には、その保険料２分の１に相当する金額は資産に計上して、残りの２分の１に相当する金額は、その事業年度の必要経費とされます。

ただし、この取扱いが認められるのは、あくまでもその保険契約が事業に必要なものでなければならないので、次のような条件を満たしておかなければなりません。

① 原則として、家族従業員を除く全従業員を被保険者とする契約であること（家族従業員に対する支払保険料は家事費になります）

② 各従業員の退職年齢を考慮した保険期間になっていること

③ 事業主が受け取る満期保険金が将来、従業員の退職金等として福利厚生目的に使われる旨の取決めがされていること

④ この保険契約についての取引のすべてが正確に記帳されていること

3-170 タックスハーフプランの生存給付金及び満期保険金を個人事業主が受け取った場合の取扱い

Q 被保険者を従業員、生存給付金及び満期保険金の受取人を事業主、死亡保険金の受取人を従業員の遺族とする生存給付金付養老保険に加入しました。支払保険料の2分の1を必要経費（福利厚生費）に算入し、残りの2分の1を資産計上（積立保険料）していますが、この保険の生存給付金及び満期保険金を受け取った場合は、どのように取り扱われますか。

A 生存給付金、満期保険金及び解約返戻金は、業務に関して受けるものと認められることから、一時所得ではなく、事業所得（事業付随収入）となります。

生存給付金及び満期保険金は、事業主が支払った保険料のうち福利厚生費として必要経費に算入した部分に対応する死亡保険金その他特約として付加できる入院給付金などとは違い、積立保険料として資産計上している部分に対応する保険金です。

したがって、生存給付金を受領した場合には、積み立てた保険料のうち、生存給付金に対応する額（積立保険料の額を限度とする）を取り崩して事業所得の必要経費に算入することとなります。

なお、満期保険金を受領した場合には、積立保険料の残額を必要経費に算入することとなります。

3-171 個人事業主がタックスハーフプランに加入する場合の注意点

Q 個人事業主が被保険者を従業員、生存給付金及び満期保険金の受取人を事業主、死亡保険金の受取人を従業員の遺族とする養老保険（タックスハーフプラン）に加入する場合は、慎重に検討すべきと聞いていますが、どのような点に注意が必要ですか。

A 法人税法には福利厚生目的という理由で、保険料の２分の１相当額を損金に算入することを認めるとする規定がありますが、所得税にはこうした規定がないこと、並びに福利厚生費の性質を帯びているとしても支払保険料の全額が家事関連費であるとする判例があることなどから、加入に際しては慎重に検討しなければなりません。

この保険は、被保険者を従業員、生存給付金及び満期保険金の受取人を事業主、死亡保険金の受取人を従業員の遺族とする養老保険で、法人税では、支払保険料の２分の１を損金（福利厚生費）に算入し、残りの２分の１を資産計上（積立保険料）することとなっています。

しかし、所得税では、こうした取扱いの規定がないことから、法人税の取扱いに準じて、同様の取扱いをしているのが一般的だと思います。

実際、国税庁のホームページでは、所得税の質疑応答事例の「事業主が従業員に掛けている生存給付金付養老保険の生存給付金及び満期保険金を受領した場合」において、「支払保険料の1/2を必要経費（福利厚生費）に算入し、残りの1/2を資産計上（積立保険料）していますが、この保険の生存給付金及び満期保険金を受け取った場合の所得区分及び所得金額は、どのようになりますか」とする照会が掲載されていることから、その保険料の取扱いについては必要経費性を認めているように思えます。

しかしながら、判例においては「本件各養老保険契約は、控訴人らが多額の解約返戻金等のある保険契約を締結し、実質的に自己資金を留保しつつ、その保険料を必要経費に算入することを企図したものと認められるのであるから、本件各養老保険契約が被保険者を従業員とし、死亡保険金の受取人を従業員の家族としているために福利厚生費の性質を帯びていることを考慮しても、支払保険料全体が家事関連費に該当するというほかないし、危険保険料負担部分が本件各養老保険料の２分の１であると認めることができないばかりか、当該支払保険料の中で業務の遂行上必要な部分として明らかに区分することができるとは認められない」として必要経費性を認めない判決（広島高判平成28年４月20日）もあることから、加入に際しては慎重に検討する必要があると思われます。

3-172　個人事業主自身を被保険者とする保険

Q　個人事業主である私自身を被保険者として保険に加入した場合は、課税上どのように取り扱われますか。

A　個人事業主が、個人事業主自身を被保険者とする保険に加入して支払う保険料は、保険の種類が定期保険であろうと、養老保険であろうと、また、それがたとえ従業員と同条件であったとしても、事業所得の計算上、必要経費には算入されません。

3-173 設備資金の融資を受ける際に加入する生命保険の取扱い

Q 銀行を受取人とする生命保険契約を締結することを条件に、銀行から設備資金の融資を受けました。この場合の生命保険の保険料は、税務上どのように取り扱われますか。

A 個人事業主が、事業の用に供する固定資産を取得するための資金を銀行から借りるにあたり、次のような保険に加入した場合には、その保険料は、借入金利息と同様に事業の遂行上必要な費用と考えられることから、事業所得の必要経費に算入することが認められます。

【契約形態】

被保険者	個人事業主
保険金受取人	金融機関
保険期間	借入期間と同じ
保険金額	借入残高（期間に応じて逓減）

第12節　こども保険

3-174 こども保険のしくみ

Q こども保険のしくみは、どのようになっていますか。

A こども保険は、一般に子供の学資金、結婚資金または独立資金の準備を目的とするものです。親と子供が健在であったときには、被保険者（子供）が小学校、中学校、高校及び大学の入学適齢に達したときに所定の入学祝金が支払われ、被保険者が満期まで生存したときには満期保険金が支払われるというものです。

もしも途中で契約者（親）が死亡したり、高度障害状態になったときには、以後の掛金の払込みが免除されますが、契約は満期まで継続されることになっているので、子供の年齢に応じて入学祝金及び満期保険金が支払われます。一方、もし万一子供が契約期間の途中で死亡したときは、死亡給付金が契約者に支払われて契約は消滅します。

契約形態は次のとおりです。

契約者	被保険者を扶養する父母その他の親族
被保険者	子供
受取人	入学祝金 満期祝金 死亡給付金　}　契約者

3-175 こども保険の課税関係

Q こども保険の税金関係はどうなっていますか。

A こども保険に係る税金の取扱いは、次のようになっています。

---

1 保険料を支払ったとき

支払った保険料については、配当を差し引いた正味の保険料が生命保険料控除（3–1 参照）の対象になります。

2 祝金・保険金を受け取ったとき

契約者及び被保険者が生存している場合に受け取る入学祝金、満期祝金入学祝金や満期保険金を受け取った場合には、受取人の契約者は雑所得として所得税、住民税の対象になります。

3 被保険者である子供が死亡した場合の死亡給付金

被保険者である子供が死亡した場合には、こども保険の契約が終了するとともに死亡給付金を契約者が受け取ることになりますが、その受け取る死亡給付金は、相続税の課税対象にはならず、契約者の一時所得になります。

契約者が死亡した場合の死亡給付金

契約者が死亡した場合には、その死亡後に支払われる入学祝金や満期祝金を受け取る権利を子供が承継することになります。その権利については、相続時におけるそのこども保険の解約返戻金相当額で評価します。

3-176　保険金を受け取った場合の取扱い

Q　私の夫が交通事故で死亡しました。夫は生前以下のような保険に加入しており、長男が6歳のとき、入学祝金20万円をもらいました。この生命保険契約では、夫が死亡した場合には、以後の保険料は免除されるとともに、被保険者である長男が契約者としての権利義務を承継することになっています。夫の死亡により、どのような税金が誰にかかりますか。

【契約形態】

契約者	夫
被保険者	長男
保険金	2,000,000円
払込保険料	800,000円

入学祝金	
小学校入学時(6歳)	200,000円
中学校入学時(12歳)	300,000円
高　校入学時(15歳)	400,000円
大　学入学時(18歳)	500,000円
満　期　時　(22歳)	600,000円

A　この保険のように、被保険者が一定の年齢に達するごとに保険金が支払われる他、保険契約者（親）が死亡した場合にはその後の保険料を免除するとともに満期に達するまで入学祝金等を支払う保険を、こども保険といいます。

こども保険に係る保険契約者が死亡した場合には、その死亡後、子供が一定の年齢に達するごとに支払われる保険金に係る生命保険契約に関する権利のうち、契約者が負担した保険料に対応する部分の金額は、被保険者が相続または遺贈により取得したものとみなされ、相続税の課税対象に取り込まれることとされています。

相続税の対象となる金額は、相続時における解約返戻金相当額です。この場合では、被保険者である長男に相続税が課せられることとなります。

3-177 入学祝金を受け取った場合の取扱い

Q 私は、子供の出産を期に次のような契約内容のこども保険に加入しました。子供が小学生になったときと中学生になったときに受け取る入学祝金の課税関係はどうなりますか。

【契約形態】

契約者	本人
被保険者	子
入学満期祝金受取人	本人
年払保険料	120,000 円

入学祝金	
小学校入学時(6 歳)	200,000 円
中学校入学時(12 歳)	300,000 円
高　校入学時(15 歳)	400,000 円
大　学入学時(18 歳)	500,000 円
満　期　時　(22 歳)	600,000 円

A 生命保険契約に基づく一時金は、一時所得となり所得税や住民税が課税されますが、こども保険のように保険契約期間中に一時金の支払が数回にわたって行われるものについては、雑所得として取り扱われることとなっています。雑所得の金額は、次のように計算します。

---

1. 小学校入学祝金を受け取ったときの課税所得の計算

課税所得＝200,000 円（入学祝金）－（120,000 円× 6 回（支払保険料の総額）－ 0 円（収入を得るために支出した保険料の合計額））

＝0（△520, 000円）

∴課税はありません

2.　中学校入学祝金を受け取ったときの課税所得の計算

課税所得＝300, 000円－（120, 000円×12回－200, 000円）

＝0（△940, 000）

∴課税はありません

3-178　養育年金付こども保険を相続した場合の取扱い

Q　先日、私の夫が交通事故で他界しました。夫は生前に養育年金付こども保険に加入しており、子供（10歳）がその契約を引き継ぎました。相続税の対象となる金額はいくらになりますか。契約内容は次のとおりです。

【契約形態】

<table>
<tr><td>養育年金</td><td colspan="3">年額2, 000, 000円
親が死亡したときから給付が始まり、子供が22歳になるまで支給される。途中で子供が死亡した場合はその時点で打切り</td></tr>
<tr><td rowspan="6">基本保険金</td><td colspan="3">6, 000, 000円</td></tr>
<tr><td rowspan="5">内訳</td><td>6歳時</td><td>700, 000円(受給済)</td></tr>
<tr><td>12歳時</td><td>800, 000円</td></tr>
<tr><td>15歳時</td><td>1, 000, 000円</td></tr>
<tr><td>18歳時</td><td>1, 500, 000円</td></tr>
<tr><td>22歳時</td><td>2, 000, 000円</td></tr>
<tr><td>払込保険料総額</td><td colspan="3">2, 500, 000円</td></tr>
</table>

A　養育年金付こども保険とは、被保険者（子）が一定の年齢に達するごとに保険金が支払われる他、保険契約者（親）が死亡した場合にはその後の保険料を免除するとともに満期に達するまで年金が支払われる

ものをいいます。

この養育年金付こども保険で、契約者が死亡した場合は、次の二つの権利が相続税の対象となります。

① 保険事故（親の死亡）が発生している養育年金の受給権に係る課税

② 保険事故（子の死亡）が発生していない保険金に係る生命保険契約に関する権利の課税

---

1 養育年金の権利の評価額

養育年金の受給権は生命保険金として相続税の課税財産となります。

評価は、年金の内容に応じて異なりますが（3–134 参照）、事例の場合は期間付終身定期金となり、次のように評価します。

1. 有期定期金としての評価額（3–137 参照）

① 残存期間に受けるべき給付金額の総額

2,000,000 円×12 年＝24,000,000 円

② 評価割合

24,000,000 円×$\frac{50}{100}$＝12,000,000 円

③ 1 年間に受けるべき金額×15

2,000,000 円×15＝30,000,000 円

④ ②と③のいずれか低い価額

∴12,000,000 円

2. 終身定期金としての評価額（3–140 参照）

1 年間に受けるべき金額		権利取得時の年齢に応じた倍率	
2,000,000 円	×	11 倍	＝22,000,000 円

3.　1.か2.いずれか低い金額

∴　12,000,000円

❷ 残存保険金に係る生命保険契約に関する権利の価額

相続開始日において、そのこども保険を解約した場合の金額によって評価した金額が相続税の対象になります。

第13節　個人型確定拠出年金（iDeCo）

3-179　個人型確定拠出年金とは

Q 個人型確定拠出年金とは、どういうものですか。

A いわゆるiDeCoといわれるもので、国民年金基金連合会が実施主体となり、加入者が拠出した掛金を自身が運用し、その運用結果に基づいて給付額が決定される年金制度です。

個人型確定拠出年金の概要は、次のとおりです。

1 実施主体

国民年金基金連合会

2 加入対象者

20歳から60歳（令和4年5月からは65歳）未満の全ての者（企業型確定拠出年金の加入者については、その年金の規約で個人型確定拠出年金に加入できる旨が定められていることが必要）

3 掛金

加入者

4 拠出限度額

・自営業者等　68,000円／月
　※国民年金基金の加入者の限度額は、その掛金と合わせて68,000円
・厚生年金保険の被保険者
　(1)確定給付型の年金及び企業型確定拠出年金に加入していない者（公務員を除く）23,000円／月
　(2)企業型確定拠出年金のみに加入している者　20,000円／月
　(3)確定給付型の年金のみ、または確定給付型と企業型確定拠出年金の両方に加入している者　12,000円／月
　(4)公務員　12,000円／月
・専業主婦（夫）等　23,000円／月

5 給付

老齢給付金や障害給付金、死亡一時金、脱退一時金がある

3-180 個人型確定拠出年金の給付の種類

Q 個人型確定拠出年金は将来、どのような給付がもらえるのですか。

A 給付は、①老齢給付金、②障害給付金、③死亡一時金の3種類があり、それぞれ次のような要件が設けられています。なお、掛金の拠出期間が1か月以上3年以下の場合で、転職等で確定拠出年金制度に加入できなくなったときは、脱退一時金を受給できることがあります。

	給付の種類	給付の要件	給付の形態
①	老齢給付金	原則60歳から給付請求が可能(注)	年金または一時金
②	障害給付金	高度障害時	年金または一時金
③	死亡一時金	死亡時	一時金

(注)受給開始年齢は、通算加入者等期間によって異なります。
70歳になっても請求しない場合は、全額一時金として支給されます。

通算加入者等期間(注)	受給開始年齢
10年以上	満60歳
8年以上10年未満	満61歳
6年以上8年未満	満62歳
4年以上6年未満	満63歳
2年以上4年未満	満64歳
1か月以上2年未満	満65歳

(注)通算加入者等期間は、個人型年金及び企業型年金における加入者・運用指図者の期間の合算した期間です。

3-181 個人型確定拠出年金の掛金の取扱い

Q 個人型確定拠出年金の掛金は、税務上どのように取り扱われますか。

A 個人が拠出する確定拠出年金の掛金は、その支払った年分の所得控除（小規模企業共済等掛金控除）の対象になります。

3-182 企業型確定拠出年金に加入している場合の個人型確定拠出年金の取扱い

Q 法人が企業型確定拠出年金を導入している場合、個人型確定拠出年金に加入することはできませんか。

A 法人の企業型確定拠出年金の規約に個人型確定拠出年金に加入できる旨が規定されており、事業主が拠出する掛金の上限が35,000円／月（確定給付型の年金を実施している法人の場合は15,500円／月）になっている場合は、その法人の従業員は、個人型確定拠出年金に加入することができます。

なお、令和４年10月からは、規約に定めがなくても、法人の掛金が拠出限度額未満であれば、個人型確定拠出年金に加入できるようになる予定です。この場合の掛金の限度額は、20,000円／月になります。

また、公務員や専業主婦（夫）などの企業年金に加入している者（企業型年金加入者については規約に定めた場合に限る）も企業型確定拠出年金と個人型確定拠出年金の両方に加入することができます。

3-183 個人型確定拠出年金のメリット

Q 個人型確定拠出年金には、どのようなメリットがありますか。

A 個人型確定拠出年金には、次のような税制面での優遇措置があります。

---

❶ 毎月の掛金

掛金は、全額所得控除となるので、所得税や住民税が減税になります。

掛金が多いほど、また所得が高いほど節税効果は大きくなります。なお、給与所得者の人は、年末調整で所得控除の手続が終わります。

❷ 運用時

運用で得られた利子や配当、譲渡益は通常であれば課税されますが、個人型確定拠出年金の運用で得たこれらの収益については全額非課税とされています。

❸ 給付金受取時

給付金は年金か一時金で受け取ることができますが、給付金によって次のようなメリットがあります。

給付金の形態	税制上のメリット
老齢給付金（年金）	雑所得となり、公的年金控除の対象となる
老齢給付金（一時金）	退職所得となり、退職所得控除が差し引かれる
障害給付金	非課税となる
死亡一時金	相続税の対象となるが、退職手当金等となり、法定相続人１人当たり500万円まで非課税となる
脱退一時金	一時所得となり、特別控除（年額最高50万円）が差し引かれる

3-184 個人型確定拠出年金のデメリット

Q 個人型確定拠出年金には、どのようなデメリットがありますか。

A 個人型確定拠出年金には、次のようなデメリットがあります。

①	原則として、60歳までは途中解約することができない
②	運用によってはマイナスになることもありうる
③	口座開設手数料や口座管理手数料、事務手数料等の手数料がかかる
④	年金は公的年金と合算するので、増税になり、社会保険料に影響を及ぼす場合もある
⑤	老齢給付金を一時金でもらう場合、勤務先からの退職金ともらう年度を同じにすると、これらを合算して退職所得を計算するので、増税になることがある

3-185 個人型確定拠出年金の節税シミュレーション

Q 個人型確定拠出年金は、掛金が所得控除になって節税になるそうですが、どれぐらい節税になるのですか。

A 個人型確定拠出年金は、掛金の全額が所得控除になるので、掛金が多いほど、また、所得金額が高い人ほど節税額は大きくなります。

例として、企業年金制度がない会社の会社員が、限度額一杯の月額2.3万円（年額27.6万円）の掛金を支払った場合の節税額を確認してみましょう。復興特別所得税は考慮せず、また、住民税は10％とします。

所得税率は次のとおりですので、課税所得に応じて節税額は以下のようになります。

【所得税率】

課税所得金額	税率	控除額
195 万円以下	5%	0 円
195 万円超 330 万円以下	10%	97, 500 円
330 万円超 695 万円以下	20%	427, 500 円
695 万円超 900 万円以下	23%	636, 000 円
900 万円超 1, 800 万円以下	33%	1, 536, 000 円
1, 800 万円超 4, 000 万円以下	40%	2, 796, 000 円
4, 000 万円超	45%	4, 796, 000 円

【節税額】

課税所得金額	所得税減税額	住民税減税額	合計
195 万円	13, 800 円	27, 600 円	41, 400 円
300 万円	27, 600 円	27, 600 円	55, 200 円
500 万円	55, 200 円	27, 600 円	82, 800 円
800 万円	63, 480 円	7, 600 円	91, 080 円
1, 000 万円	91, 080 円	27, 000 円	118, 680 円
2, 000 万円	110, 400 円	27, 000 円	138, 000 円
3, 000 万円	110, 400 円	27, 000 円	138, 000 円
5, 000 万円	124, 200 円	27, 000 円	151, 800 円

例えば、課税所得が 500 万円の人は所得税率が 20%、住民税率が 10% ですから、所得税の減税額が 55, 200 円、住民税の減税額が 27, 600 円となり、年間で 82, 800 円の節税になるということです。

30 歳で加入した場合には、30 年間で 248. 4 万円もの節税になります。

3-186 老齢給付金を受け取った場合の取扱い

Q 確定拠出年金制度に基づく老齢給付金の支給を受け取った場合、税務上どのように取り扱われますか。

A 老齢給付金を年金として受け取る場合、一時金として受け取る場合に応じて、それぞれ次のように取り扱われます。

---

1 年金として受け取る場合

確定拠出年金制度に基づく老齢給付金を年金として受け取る場合のその老齢年金は、公的年金等に該当し、雑所得として所得税や住民税の対象になります。

2 一時金として受け取る場合

確定拠出年金制度に基づく老齢給付金を一時金として受け取る場合、その老齢給付金は、退職所得として所得税や住民税の対象になります。

3-187 障害給付金を受け取った場合の取扱い

Q 確定拠出年金制度では、年金加入者等が一定の障害状態になった場合には、障害給付金の給付が受けられるそうですが、この障害給付金は、税務上どのように取り扱われますか。

A 障害給付金には年金として受け取る方法と、一時金で受け取る方法がありますが、いずれの場合にもその受け取った障害給付金には課税されません。

3-188 死亡一時金を受け取った場合の取扱い

Q 年金加入者等が死亡した場合に、その遺族に支払われる死亡一時金の課税関係はどうなりますか。

A 確定拠出年金制度に基づき遺族が受け取る死亡一時金は、所得税や住民税の対象にはならず、相続税法上のみなし相続財産（退職手当金等）として相続税の課税対象となります。

この場合、退職手当金等には相続税上の非課税限度額（500万円に法定相続人の数を乗じた金額）があるので、その受け取った死亡一時金のうちその限度額を超える部分の金額だけが相続税の課税価格に算入されることとなります。

3-189 脱退一時金を受け取った場合の取扱い

Q 個人型年金加入者で一定の要件を満たす者は、脱退一時金の請求ができるとのことですが、この脱退一時金は、税務上どのように取り扱われますか。

A 確定拠出年金制度の脱退に基づき受け取る一時金は、一時所得として所得税や住民税の対象になります。

3-190 個人型確定拠出年金と個人年金保険、国民年金基金、NISAの違い

Q 個人型確定拠出年金と個人年金保険、国民年金基金、NISAとでは、税制上どのような違いがありますか。

A 個人型確定拠出年金と個人年金保険、国民年金基金、NISAでの税制上の優遇措置の違いは、次のとおりです。

	個人型確定拠出年金	個人年金保険	国民年金基金	NISA
掛金	掛金全額が所得控除（掛金には上限がある）	個人年金保険料控除（4万円が限度）の適用がある	掛金全額が所得控除。掛金には上限がある	優遇措置なし
運用時	非課税	非課税	非課税	非課税（最長5年）
受取時	受取り方により違いあり（3-186参照）	課税	課税（公的年金控除あり）	非課税

第 14 節　個人の生命保険活用方法

3-191 保険料贈与プラン

Q 私は、相続財産が多額であるため保険に加入しても、その保険金にも相続税が課せられてしまい、あまり効果がありません。どうしたらよいのですか。

A 相続人が契約者及び保険金受取人となり、本人が被保険者となる保険契約に加入すると、相続人が受け取る保険金は、相続税の対象とならず、一時所得として課税されます。よって、相続財産が多い場合や相続人に納税資金を準備させたいときは、一般的に税負担が軽くなるというメリットがあります。

保険料を本人から相続人へ贈与すると、一層効果が出ますが、この場合には、本人の年齢が高齢になると保険料も高額になり、贈与税額も多額になってしまうので、できるだけ本人が若いときに実行することが大切です。

また、毎年の保険料の贈与は、贈与契約書を作成し、贈与税の申告をする必要があります。

---

1 保険の種類

終身保険または養老保険

2 契約形態

契約者	子供等の相続人
被保険者	父または母
保険金受取人	契約者

3-192 生前贈与と生命保険のハイブリッド活用プラン

Q 生命保険を使って生前贈与をするとよいと聞きました。具体的には、どのようにすればよいのですか。

A 最近、生前贈与を積極的に活用して、相続税の節税をしようとする人が増えています。

これは、贈与税の非課税枠 110 万円を活用するというものです。年間 110 万円を 10 年間贈与すれば 1,100 万円もの財産を無税で渡すことができますし、しかも、被相続人の相続税も減らすことができるということで、多くの人が実践されているようです。

しかし、贈与でもらったお金をただ銀行に預けておくのではなく、次のような生命保険に加入すると、もっとメリットが出てくる場合があります。

契約者・死亡保険金受取人	相続人
被保険者	被相続人

こうすると、相続人が受け取る死亡保険金は、相続税の対象にならず、保険金受取人の所得税の対象になります。この死亡保険金は一時所得となって、受取人の所得にもよりますが、一般的には、相続税の税率より低くなるケースが多く、節税にもなります。そして、相続人の納税資金としても使えるということでダブルのメリットを享受することができます。

3-193 生命保険金の非課税規定を利用したプラン

Q 生命保険金について、相続税の非課税の恩典とはどのようなものですか。

A 以下の設例を基に、説明します。

【設例】

被保険者	80 歳男性
相続人	子供 3 人
相続財産	10 億円

---

1. 生命保険に加入しない場合

① 相続税　　3 億 5,000 万円
② 差引財産　6 億 5,000 万円

2. 生命保険 1,500 万円に加入した場合（一時払保険料 1,200 万円）

① 相続税　　3 億 4,400 万円
② 生命保険金　　1,500 万円
③ 差引財産　6 億 5,900 万円

3. 差引（1. と 2. の差引財産の差）

6 億 5,900 万円 − 6 億 5,000 万円＝900 万円

このように、相続税の非課税限度額（5,000,000 円×法定相続人の数）を有効に活用すると、手残り額がかなり増えるというメリットがあります。

4. 保険の種類

終身保険

5. 契約形態

契約者	父または母
被保険者	契約者と同じ
保険金受取人	子供等の相続人

3-194 逓増定期保険を活用した相続税対策プラン

Q 生命保険を使った相続税の直前対策はありませんか。

A 生命保険を使った相続税の直前対策としては、生命保険金の非課税枠を活用する対策（3-193参照）が一般的ですが、その他にも、逓増定期保険を活用する方法があります。

親が、次のような契約形態の生命保険の保険料を負担します。

保険料負担者	親
保険契約者	子
被保険者	子
死亡保険金受取人	親

この場合、親が亡くなっても、被保険者は子供ですので、死亡保険金は当然支払われず、子供はその保険の権利（生命保険契約に関する権利（みなし相続財産）といいます）を相続することになります。

このときの保険の権利の評価額は、相続時の解約返戻金相当額で評価されます。そこで、保険料が高額で解約返戻金の金額が加入後しばらく低いけれど、何年かすると解約返戻金が跳ね上がるという保険を使います。

この保険のことを逓増定期保険といいます（2-49 参照）。保険料は一定ですが、保険金が保険期間の経過に伴って逓増していき、保険期間の前半に将来の増加保障部分の保険料分が含まれていることから、保険期間の前半で解約した場合の解約返戻金は低く、後半になると高くなるという性格を持っています。

一般的にこの保険は、法人税で使われるケースが多いのですが、実は、相続税の節税対策としても使えるのです。

この保険であれば、相続直前に親が加入して、親が生きている間は親が保険料を支払い、親の相続開始後は子が保険料を払って、解約返戻率が高くなったら解約するということで、相続時の評価額を下げ、将来的に評価額よりかなり高い返戻金を受け取ることができます。

ただし、この対策をする場合には、解約返戻金に税金がかかるので注意してください。

保険加入後５年以内に解約した場合は 20.315％ の源泉分離課税、５年を超えてから解約した場合は一時所得として所得税等の課税対象となります。

3-195 死亡退職金に生命保険を利用するプラン

Q 私の会社は、私を被保険者、受取人を会社とする生命保険に加入しています。私は役員ですが、私が死亡したときは、会社が受け取った生命保険金の中から退職金が支給されることになっています。この場合、私や会社に何かメリットはあるのですか。

A 生前退職金は、退職所得として所得税や住民税が課税されますが、死亡退職金でその死亡後３年以内に支給の確定したものは、所得税

は課税されず、相続税の課税対象となります。

死亡退職金には、生命保険金と同様、法定相続人 1 人当たり 500 万円の相続税の非課税枠が設けられています。

また、死亡退職金の他に、弔慰金を支給するという場合には、死亡理由に応じ、次に掲げる金額までは所得税も相続税も課税されないとされています。ただし、これを超える金額は退職手当等として取り扱われます。

---

1 被相続人の死亡が業務上の死亡であるとき

法人から受ける弔慰金等のうち、その被相続人の死亡当時における賞与以外の普通給与の３年分に相当する金額は課税されません。

2 被相続人の死亡が業務上の死亡でないとき

法人から受ける弔慰金等のうち、その被相続人の死亡当時における賞与以外の普通給与の半年分に相当する金額は課税されません。

なお、法人が支給する退職給与については、その退職給与の額が、その役員の在職期間、その退職の事情、その法人と同種の事業を営む法人で事業規模が類似するものの役員の退職給与の支給の状況等に照らし、その退職した役員に対する退職給与として相当であると認められる限り、損金の額に算入することができます。

3-196 生命保険を活用した遺産分割プラン（その 1）

Q 私の相続財産は、大半が私の経営する会社の株式です。この会社は、長男が継ぐことになっているので、会社の株式は長男にすべて相続させようと思っています。しかし、そうすると次男の相続分がほとんどなくなり、後でもめないかと心配しています。何かよい方法はないですか。

A 相続財産の大部分が自社株であったり、不動産という場合には、遺産の分割を巡って争われるケースが少なくありません。

こういった場合、その調整に生命保険金を用いるという方法が考えられます。この方法を利用する際の契約形態は、次のようになります。

---

1 保険の種類

終身保険

2 契約形態

契約者	父
被保険者	父
保険金受取人	次　男

こうした生命保険に加入しておけば、株式を引き継がない次男には保険金が入り、株式を引き継ぐ長男との分割をスムーズに進める一助となることでしょう。

ただし、この場合には、家族でよく話し合ってコンセンサスをとっておくことが大切です。

なぜならこの場合の生命保険金は相続財産ではなく、次男の固有の財産となってしまいますので、コンセンサスをとっておかないと、次男から遺留分を侵害している等といわれる可能性もなくはないからです。

3-197 生命保険を活用した遺産分割プラン（その2）

Q 生命保険を活用すると、遺産分割がスムーズにいくことがあると聞きました。具体的には、どのように活用するのですか。

A 分けにくい財産を死亡保険金を用いて分割するという方法があります。

相続税の計算においては、被相続人の死亡により、相続人その他の者が生命保険契約の生命保険金を取得した場合においては、その保険金受取人について、その保険金のうち被相続人が負担した保険料の金額のその契約に係る保険料で、被相続人の死亡時までに払い込まれたものの全額に対する割合に相当する部分は、保険金受取人が、相続または遺贈により取得したものとみなされることになっています。

つまり、生命保険の死亡保険金は相続財産に含まれず、みなし相続財産として相続税の対象となるのですが、死亡保険金は保険金受取人の固有の財産となるので、遺産分割の対象にはならないということです。

ところで、次のように相続財産が自宅と預金がわずかという場合は、遺産分割が上手く進まないことがあります。

【相続関係】

被相続人	母
相続人	兄と弟

※ここでは、母と兄は自宅で同居していたとします。

【相続財産】

自宅	6,000万円
預貯金	2,000万円

母と兄が生前に同居しており、兄が引続き自宅に居住するので兄が自宅を相続したいという場合、兄が自宅を相続すると財産の75%を取得することとなり、弟からクレームが出ることがあります。

こうした場合に、次のような保険に入っておくと遺産分割がスムーズにいくことがあります。

契約者、被保険者	母
死亡保険金受取人	兄
死亡保険金	4,000万円

この場合は、母が亡くなると、兄が死亡保険金を受け取ることになりますが、この保険金を弟に渡しますと、それぞれが6,000万円ずつ財産をもらうこととなって、円満に分割がまとまります。こうした手法を、代償分割といいます。相続で取得した財産が多いときに、自分の財産を他の相続人に渡して分割を行うという手法です。

分けにくい財産がある場合には、このように生命保険を使って代償分割をするという方法が有効です。

なお、代償分割の際、相続した財産より代償分割で渡した財産のほうが多いときは贈与税の問題が発生しますので注意してください。

例えば、相続人が相続財産を取得せず、死亡保険金だけを取得して、そのお金の一部を他の相続人に渡すという場合です。この場合には、保険金を取得した相続人からそのお金をもらった人に贈与があったものとして贈与税が課税されるので注意が必要です。

死亡保険金は相続財産ではなく、みなし相続財産だということを忘れないようにしてください。

3-198 小規模企業共済制度を活用したプラン

Q 小規模企業共済に加入すると税制上のメリットがあるそうですが、どのようなものなのですか。

A 小規模企業共済制度とは、小規模企業の個人事業主や法人の役員が、事業を廃止した場合や役員を退職した場合等に備えて払い込むもので、いわば事業主の退職金制度です。

---

1 加入できる人

① 常時使用する従業員の数が20人以下の建設業、製造業、運輸業、サービス業（宿泊業、娯楽業に限る）、不動産業、農業等の個人事業主または法人の役員（卸売業、小売業、宿泊業、娯楽業を除くサービス業は5人以下）

② 事業に従事する組合員の数が20人以下の企業組合の役員

③ 常時使用する従業員の数が20人以下の協業組合、農事組合法人の役員

④ 常時使用する従業員の数が5人以下の弁護士法人、税理士法人等の士業法人の社員

⑤ ①に該当する個人事業者が営む事業の経営に携わる共同経営者（個人事業主1人につき2人まで）

2 制度の特徴

① 掛金は、全額所得控除（小規模企業共済等掛金控除）の対象になります。

② 共済金は、一時払または分割払のいずれかの受取方法を選択するこ

とができます。

❸ 税務の取扱い

① 退職等に基づき支払われる一時払共済金は退職所得になります。

② 死亡退職により支払われる一時払共済金は、死亡退職金として相続税の課税対象になるので、法定相続人1人当たり500万円の非課税規定の適用が受けられます。

③ 分割して共済金を受け取るときは、公的年金等の雑所得になります。

④ 中途解約した場合は、一時所得になります。

3-199 ポリシー分割を使った相続対策プラン

Q 生命保険に入るときは、証券を分けておくとよいと聞きましたが、どういうことですか。

A 1枚の保険証券を数枚に分けることを、ポリシー分割といいます。

通常、生命保険に加入するときは受取人を指定しますが、この場合に、ポリシー分割を使うと複数の受取人を指定することができるようになります。指定は、受取人ごとに比率で指定します。こうしておくと、保険会社から各相続人に直接、保険金が分けて支払われるようになります。

相続でもめそうなときは、このように、証券をあらかじめ分割して分配方法を指定しておくとよいでしょう。

3-200 リビングニーズを活用した相続対策プラン

Q リビングニーズ特約をつけておくと相続対策になると聞きましたが、どういうことですか。

A リビングニーズ特約とは、医師から余命6か月の宣告を受けた時に、契約している死亡保険金の一部を生前に受け取れるというものです。受け取れる金額の上限は3,000万円で、必要な金額だけを請求することができます。一度請求すると、それ以後、その生命保険契約ではリビングニーズ特約が使えなくなります。

リビングニーズは、生命保険会社1社につき1回請求することができますが取扱いの詳細は、保険会社各社で違いがあるのでよく確認してください。

受け取った保険金は非課税なので、一般的には上限まで請求されることが多いようですが、生存中にこのお金が使い切れず、残ってしまった場合は、そのお金は相続財産として相続税の対象となってしまいます。

また、ポリシー分割（3-199参照）を使って、例えば3,000万円の保険に入るとします。ここで1,000万円の保険に3口入り、1口ずつ必要に応じてリビングニーズを請求すると、リビングニーズ特約で使い残したお金が相続財産になってしまうというデメリットを解消することができ、税負担が減るので、検討してみてください。

なお、このリビングニーズ特約は無料で、一般に後付でもつけることができますし、つけても必要がなければ使わなければよく、デメリットはありません。つけていないのであれば、つけておくとよいでしょう。

また、例えば5,000万円の生命保険に加入して3,000万円をリビングニーズで請求したというときは、その後、差額の2,000万円に対する保険料を支払うこととなり、死亡時の死亡保険金は「500 万円×相続人の数」が非課税となります。

損害保険

編

第4章　法人をめぐる損害保険

第1節　傷害保険

4-1　保険料の取扱い

Q　傷害保険の保険料は、税務上どのように取り扱われますか。

A　傷害保険の保険料は、以下のように取り扱われます。

---

❶ 保険金受取人が法人の場合

法人が、自己を契約者及び保険金受取人とし、役員または従業員を被保険者とする傷害保険に加入して、その保険料を支払った場合には、その支払った保険料は期間の経過に応じて損金の額に算入されます。

借　　　方		貸　　　方	
保　険　料 （損金算入）	×××	現金及び預金	×××

❷ 保険金受取人が役員または従業員もしくはこれらの遺族である場合

法人が、自己を契約者とし、役員または従業員を被保険者及び傷害保険金の受取人、その遺族を死亡保険金の受取人とする傷害保険に加入して、その保険料を支払った場合には、その支払った保険料は福利厚生費としてその保険期間の経過に応じて損金の額に算入されます。

ただし、役員または特定の従業員だけを被保険者としているときは、その保険料の額はその役員または特定の従業員に対する給与（給与の取扱いについては、第6章参照）となります。

1. 全員加入の場合

借	方	貸	方
福利厚生費	×××	現金及び預金	×××

2. 特定の者のみが加入の場合

借	方	貸	方
給与	×××	現金及び預金	×××

❸ 役員、従業員契約の保険料を法人が負担した場合

役員または従業員が契約者及び被保険者となり、役員または従業員の遺族を保険金の受取人とする契約にかかる保険料を法人が負担したときは、その負担した保険料の額は、その全額が役員または従業員に対する給与（給与の取扱いについては、第6章参照）として取り扱われます。

役員、従業員の全員を対象としている場合でも同様に扱われます。

借	方	貸	方
給与	×××	現金及び預金	×××

4-2　短期の損害保険契約に係る保険料を分割払いした場合の取扱い

Q　保険期間が1年の損害保険契約の保険料を10回に分割払いする場合における保険料は、税務上どのように取り扱われますか。

A　保険料は、継続適用を要件として、次のいずれかの方法により処理をすることが認められます。

【設例】

1回の保険料の額	500,000円（保険料の総額5,000,000円）
契約日から期末までの日数	5日

1　日割計上する方法

借方		貸方	
保険料※	68,493円	現金及び預金	500,000円
前払費用	431,507円		

※5,000,000円×5÷365＝68,493円

2　月払計上する方法

借方		貸方	
保険料	500,000円	現金及び預金	500,000円

なお、この場合において、保険料の全額を契約日の属する事業年度の損金に計上することは次の理由から認められません。

① 損害保険契約は、契約を締結しただけで債務が確定するというものではなく、保険期間の経過に従って確定するものであること

② その事業年度に支出していない費用のうちまだ役務の提供を受けて

いない部分の金額には、短期前払費用（その事業年度に支出した費用のうちまだ役務の提供を受けていない部分の費用）の適用がなく、損金の額に算入することが認められないこと

4-3 特約店の従業員を被保険者とする保険料の取扱い

Q 当社は、特約店の従業員を被保険者とする傷害保険に加入して保険料を支払っています。この保険料は、税務上どのように取り扱われますか。

A 法人が自己を契約者とし、特約店の従業員を被保険者及び保険金受取人とする傷害保険に加入して、その保険料を支払った場合には、その保険料に相当する額は販売奨励金等に該当することになります。したがって、保険期間の経過に応じて損金の額に算入されます。

借	方	貸	方
保　険　料 （損金算入）	×××	現金及び預金	×××

ただし、特約店の役員だけまたは特定の従業員だけを被保険者としているような場合には、法人が負担する保険料に相当する額は交際費等に該当することとなり、交際費等の損金算入限度額を超える部分については、損金の額に算入されません。

借	方	貸	方
交　際　費	×××	現金及び預金	×××

4-4 積立傷害保険の保険料の取扱い

Q 積立傷害保険の保険料は、税務上どのように取り扱われますか。

A 積立傷害保険の保険料は、以下のように取り扱われます。

---

1 保険金受取人が法人の場合

法人が、自己を契約者・保険金受取人とし、役員または従業員を被保険者とする積立傷害保険に加入してその保険料を支払った場合には、その支払った保険料の額は次のようになります。

1. 損害保険料部分

損害保険料部分の保険料は、保険期間の経過に応じて損金の額に算入することができます。

借　方		貸　方	
保険料 （損金算入）	×××	現金及び預金	×××

2. 積立保険料部分

積立保険料部分の保険料は、積立保険料として資産の部に計上します。

借　方		貸　方	
積立保険料 （資産計上）	×××	現金及び預金	×××

❷ 保険金受取人が役員または従業員もしくはこれらの遺族の場合

法人が自己を契約者とし、役員または従業員を被保険者及び傷害保険金の受取人、その遺族を死亡保険金の受取人とする積立傷害保険に加入して保険料を支払った場合には、その支払った保険料の額は次のように扱われます。

1. 損害保険料部分

損害保険料部分の保険料は、保険期間の経過に応じて損金の額に算入することができます。

ただし、役員または特定の従業員だけを被保険者としているときは、その保険料の額は被保険者に対する給与となり、被保険者については所得税及び住民税が課税されます。

① 全員加入の場合

借方		貸方	
福利厚生費 （損金算入）	×××	現金及び預金	×××

② 特定の者のみ加入の場合

借方		貸方	
給与	×××	現金及び預金	×××

2. 積立保険料部分

1. と同様の処理をします。

❸ 役員、従業員契約の保険料を法人が負担した場合

役員または従業員が契約者及び被保険者となり、役員または従業員の遺族を保険金の受取人とする契約に係る保険料を法人が負担したときは、そ

の負担した保険料の額はその全額が役員または従業員に対する給与（給与の取扱いについては、第６章参照）として扱われます。

この取扱いは、役員、従業員の全員を対象としている場合でも同じです。

借	方	貸	方
給　　与	×××	現金及び預金	×××

4-5　積立傷害保険の保険料を一時払いした場合の取扱い

Q 積立傷害保険の保険料を一時払いで支払った場合は、税務上どのように取り扱われますか。

A 積立傷害保険の保険料を一時払いした場合は、以下のように取り扱われます。

❶ 保険金受取人が法人の場合

積立保険料部分の金額は資産計上し、損害保険料部分の金額は保険期間のうち、その保険料を支出した日の属する事業年度の保険期間に対応する保険料を損金の額に算入します。残額については前払費用として資産計上し、翌事業年度以降、その事業年度の保険期間に対応する保険料を前払費用から取り崩して損金の額に算入します。

1．保険料支払時

借	方	貸	方
積立保険料 前払保険料 保　険　料	××× ××× ×××	現金及び預金	×××

2. 翌事業年度以降

借	方	貸	方
保険料	×××	前払保険料	×××

2 保険金受取人が役員または従業員の遺族の場合

1. 役員、従業員が普遍的に加入している場合

① 保険料支払時

借	方	貸	方
積立保険料	×××	現金及び預金	×××
前払保険料	×××		
福利厚生費	×××		

② 翌事業年度以降

借	方	貸	方
福利厚生費	×××	前払保険料	×××

2. 特定の従業員だけの加入の場合

積立保険料部分の金額を資産計上するとともに、損害保険料部分の金額を全額給与とします。この場合には、損害保険料部分の金額は保険期間に応じて按分することはせず、全額を給与（給与の取扱いについては、第6章参照）とします。

借	方	貸	方
積立保険料	×××	現金及び預金	×××
給与	×××		

4-6 保険金を受け取った場合の取扱い

Q 保険金を受け取った場合は、税務上どのように取り扱われますか。

A 保険金を受け取った場合は、以下のように取り扱われます。

1 死亡保険金

1. 保険金受取人が法人の場合

法人が受け取る死亡保険金は、その保険金の通知を受けた日の属する事業年度の益金の額に算入します。また、法人の資産に計上されている積立保険料は、損害保険契約が失効したときに、その積立保険料に相当する金額を取り崩して損金の額に算入します。

① 保険金の通知を受けた日

借	方	貸	方
現金及び預金	×××	受取保険金 (益金算入)	××× ×××

② 失効したとき

借	方	貸	方
雑損失	×××	積立保険料	×××

2. 保険金受取人が役員、従業員の遺族である場合

法人が負担した保険料のうち、積立保険料部分を控除した補償保険料部

分は、役員または従業員が負担したものとみなされるので、役員または従業員の遺族が受け取る死亡保険金はみなし相続財産となり、相続税の課税対象となります。

この場合には、法定相続人１人当たり500万円が生命保険金の非課税として相続税の課税対象から除外されます。

なお、資産に計上されている積立保険料は、被相続人の死亡により保険契約が失効したときに損金の額に算入します。

2 満期保険金、解約返戻金

保険金の満期時または解約時に受け取る満期保険金または、解約返戻金及び契約者配当金から積立保険料累計額を差し引いた金額を雑収入として、益金の額に計上します。

借方		貸方	
現金及び預金	×××	積立保険料	×××
雑収入	×××		

【傷害保険契約に係る法人課税関係一覧表】

契約者	被保険者	保険金受取人		保険料		保険金	
		傷害のとき	死亡のとき	契約者の課税関係	被保険者の課税関係	傷害のとき	死亡のとき
法人	役員、従業員	法人	法人	損金算入	非課税	益金に算入	益金に算入
法人	役員、従業員	役員、従業員	役員、従業員の相続人	損金算入 （役員または特定の従業員のみを対象とする場合は給与）	非課税 （役員または特定の従業員のみを対象とする場合は給与として課税対象）	非課税 被保険者の配偶者や生計を一にする親族等が受け取った場合も非課税	相続税の課税対象
法人	役員、従業員及びその家族	役員、従業員及びその家族	役員、従業員及びその家族の相続人	同上	同上	同上	役員、従業員の死亡により相続人が受け取る場合は相続税の対象 家族の死亡により役員、従業員が受け取る場合は一時所得として所得税の対象 家族の死亡により他の家族が受け取る場合は贈与税の対象

(注)給与の取扱いについては，第6章を参照してください。

【積立傷害保険契約に係る法人課税関係一覧表】

契約者	被保険者	保険金受取人		保険料		保険金		
		傷害のとき	死亡のとき	契約者の課税関係	被保険者の課税関係	傷害のとき	死亡のとき	満期のとき
法人	役員、従業員	法人	法人	掛捨保険料部分は損金算入 積立保険料部分は資産計上	非課税	益金算入	益金算入 積立保険料は損金算入	益金算入 積立保険料は損金算入
法人	役員、従業員	役員、従業員	役員、従業員の相続人	掛捨保険料部分は損金算入 （役員または特定の従業員のみを対象とする場合は給与） 積立保険料部分は資産計上	非課税 （役員または特定の従業員のみを対象とする場合は給与所得として課税対象）	非課税 被保険者の配偶者や生計を一にする親族等が受け取った場合も非課税	相続税の課税対象 法人は積立保険料を損金算入	同上
法人	役員、従業員及びその家族	役員、従業員及びその家族	役員、従業員及びその家族の相続人	同上	同上	同上	役員、従業員の死亡により相続人が受け取る場合は相続税の対象 家族の死亡により役員、従業員が受け取る場合は一時所得として所得税の対象 家族の死亡により他の家族が受け取る場合は贈与税の対象 法人は積立保険料を損金算入	同上

(注)給与の取扱いについては、第6章を参照してください。

4-7　認可特定保険業者が行う傷害保険の取扱い

Q 認可特定保険業者となった特例民法法人が、従来行っていた傷害保険を取り扱う場合、会員が支払う会費及び保険金はどのように取り扱われますか。

A 傷害保険に係る会費と保険金は、以下のように取り扱われます。

契約者	法人
被保険者	役員 従業員
会費の取扱い	全額損金算入
支払事由	傷害
	死亡
保険金受取人	法人
保険金の取扱い	益金算入

第 2 節　火災保険

4-8　積立火災保険の保険料の取扱い

Q 積立火災保険の保険料は、税務上どのように取り扱われますか。

A 積立火災保険の保険料は、以下のように取り扱われます。

1 自己所得の建物等にかけた保険料

法人が、自分の所有する建物等を対象として積立火災保険に加入して、その保険料を支払った場合には、その支払った保険料の額は、次のようになります。

1．補償保険料部分

補償保険料部分は、保険期間の経過に応じて損金の額に算入することができます。

借　方		貸　方	
保　険　料 （損金算入）	×××	現金及び預金	×××

2．積立保険料部分

積立保険料部分の保険料は、積立保険料として資産の部に計上します。

借　方		貸　方	
積立保険料 （資産計上）	×××	現金及び預金	×××

❷ 賃借の建物等にかけた保険料で契約者が賃借している法人であるもの

法人が賃借している建物等を対象として積立火災保険に加入して、その保険料を支払った場合には、❶の場合と同様に取り扱われます。

❸ 賃借の建物等にかけた保険料で契約者がその建物の所有者であるもの

賃借している建物の所有者が保険契約者及び被保険者であり、保険料負担者がその建物を賃借している法人である積立火災保険契約は、法人について損害保険金の請求権及び満期返戻金、解約返戻金、契約者配当金の請求権のいずれもないことから、法人が支払う保険料はその全額が賃借料として損金の額に算入されます。

借　方		貸　方	
賃借料 （損金算入）	×××	現金及び預金	×××

❹ 役員または従業員の建物等にかけた保険料

1. 法人が契約者となっている場合

法人が契約者となり、役員または従業員の建物等を対象として積立火災保険に加入して、その保険料を支払ったときは次のように取り扱われます。

① 補償保険料部分

補償保険料部分は、役員または従業員に対する給与（給与の取扱いについては、第6章参照）となり、所得税の対象になります。

借　方		貸　方	
給　与	×××	現金及び預金	×××

② 積立保険料部分

積立保険料部分の保険料は、積立保険料として資産の部に計上します。

2. 役員または従業員が契約者である場合

保険契約者を役員または従業員とする積立保険契約について、その保険料をその法人が負担したときは、損害保険金の請求権及び満期返戻金等の請求権はその建物等の所有者である役員または従業員にあります。よって、法人の支払った保険料の全額は役員または従業員に対する給与（給与の取扱いについては、第6章参照）となります。

4-9 長期の火災保険の保険料の取扱い

Q 当社は、この度保険期間を5年間とする長期の損害保険を工場にかけました。この場合の支払保険料は税務上どのように取り扱われますか。

A 損害保険契約のうち、①保険期間が3年以上で、かつ、②その保険期間満了後に満期返戻金を支払う旨の損害保険契約について保険料を支払った場合には、その支払った保険料の額のうち、積立保険料に相当する部分の金額は、保険期間の満了または保険契約の解除もしくは失効のときまでは資産に計上し、その他の部分の金額は期間の経過に応じて損金の額に算入します。

また、積立保険料に相当する部分とそれ以外の部分の金額の区分は、保険料払込案内書、保険証券添付書類等によります。

なお、この場合、積立保険料に相当する部分以外の部分の金額で、払込期日以後1年以内の期間分の支払保険料については、短期前払費用に該当することから、その支出時の損金の額に算入することが認められます。

<table>
<tr><th rowspan="2">担保物件</th><th rowspan="2">契約者</th><th rowspan="2">被保険者</th><th colspan="2">支払保険料</th></tr>
<tr><th>損害保険料部分</th><th>積立保険料部分</th></tr>
<tr><td>法人所有の建物等</td><td colspan="2">法　人</td><td rowspan="2">期間の経過に応じて損金算入</td><td rowspan="2">資産計上</td></tr>
<tr><td rowspan="2">賃借の建物等</td><td>法　人</td><td>賃貸人</td></tr>
<tr><td colspan="2">賃貸人</td><td colspan="2">賃借料として損金算入</td></tr>
<tr><td>役員または従業員の所有する建物等</td><td>法　人</td><td>役員、従業員</td><td>損金算入（ただし特定の従業員のみを被保険者としている場合は、これらの者に対する給与）</td><td>資産計上</td></tr>
<tr><td>――――</td><td colspan="2">役員、従業員</td><td colspan="2">役員、従業員に対する給与</td></tr>
</table>

4-10　満期返戻金を受け取った場合の取扱い

Q　保険期間が10年の積立火災保険が満期になり、満期返戻金を受け取りました。この場合の処理は、税務上どのように取り扱われますか。

A　法人が満期返戻金を受け取った場合には、その受け取った満期返戻金（契約者配当金があるときはこれを加算します）を益金に算入し、すでに支払った保険料のうち資産に計上している積立保険料部分の金額を損金の額に算入し、差額を雑収入として計上します。

【設例】

満期返戻金	1,000,000円
契約者配当金	100,000円
積立保険料	850,000円

借　　　　　方	貸　　　　　方
現金及び預金 1,100,000円	積立保険料 850,000円 雑　収　入 250,000円

4-11 保険金を受け取った場合の取扱い

Q 当社は、長期積立火災保険に加入していましたが、当事業年度に工場の一部が火事になり、その保険金を受け取りました。この場合、税務上どのように取り扱われますか。

A 法人が、長期積立火災保険のような積立保険料を伴う保険に加入した場合、その積立保険料に相当する部分の金額は、保険期間の満了または保険契約の解除もしくは失効のときまで資産計上することになっています。

資産計上した積立保険料は、保険事故が発生して保険金を受け取ったとしても、すぐに取り崩して損金の額に算入することができず、一定額以上の保険金の受取りが生じて、保険契約が失効したときに初めて損金の額に算入することができます。

保険契約が失効となるような保険金の支払とは、一般的には保険金額の全額が支払われるような事故が発生した場合とされています。

したがって、この場合は、工場の一部が火災になり保険金を受け取ったということなので、積立保険料は取り崩すことはできず、受け取った保険金が益金の額に算入されます。

なお、保険事故によって受け取った保険金で代替資産を取得したという場合には、税務上、圧縮記帳というものが認められており、課税の繰延べが受けられます。

4-12 保険差益等の圧縮記帳

Q 帳簿価額 1,200 万円の当社の建物が全焼し、保険金 2,000 万円を受け取りました。この保険金に自己資金 1,000 万円を加えて 3,000 万円で代替資産を取得しました。滅失等により支出した経費の額は 50 万円、資産に計上されている積立保険料は 80 万円です。

圧縮記帳の適用を受けられるそうですが、この場合、税務上どのように取り扱われますか。

A 法人が、固定資産の滅失や損壊により保険金等の支払を受けて、その保険金等で滅失した資産と同一種類の固定資産を取得した場合には、その取得した固定資産は次の算式により計算した圧縮限度額の範囲内でその帳簿価額を圧縮することが認められています。これは、保険金に対して課税すると、代替資産等の取得に要する資金が目減りすることになり、災害から立ち直ることが困難になるためです。

---

1 圧縮限度額

圧縮限度額は、以下の算式で求めます。

$$\text{代替資産の圧縮限度額} = \text{保険差益金の額} \times \frac{\text{代替資産の取得等にあてた保険金等の額}}{\text{保険金等の額} - \text{滅失等による支出経費の額}}$$

2 保険差益金の額

保険差益分の額は、以下の算式で求めます。

$$\text{保険差益金の額}=\left(\begin{matrix}\text{保険金}\\\text{等の額}\end{matrix}-\begin{matrix}\text{滅失等による}\\\text{支出経費の額}\end{matrix}\right)-\begin{matrix}\text{被害資産の被害}\\\text{部分の帳簿価額}\end{matrix}$$

なお、保険金を受け取った事業年度に代替資産を取得することができず、その事業年度の翌事業年度開始の日から２年を経過した日の前日までに代替資産等の取得する場合には、次の算式で計算した金額以下の金額を特別勘定として処理をすれば、その金額は、その事業年度の所得の金額の計算上、損金の額に算入することができます。

$$\begin{matrix}\text{特別勘定への}\\\text{繰入限度額}\end{matrix}=\text{保険差益金の額}\times\frac{\text{代替資産の取得にあてようとする保険金等の額}}{\text{保険金等の額}-\text{滅失等による支出経費の額}}$$

① 資産計上している積立保険料を取り崩します。

借	方	貸	方
雑　損　失	800,000円	積立保険料	800,000円

② 保険金の受取りを計上します。

借	方	貸	方
現金及び預金	20,000,000円	建　　物	12,000,000円
		保険差益	8,000,000円
雑　損　失	500,000円	現金及び預金	500,000円

③ 代替資産の取得を計上します。

借	方	貸	方
建　　物	30,000,000円	現金及び預金	30,000,000円

④ 圧縮記帳を計上します。

借	方	貸	方
建物圧縮損	7,500,000円	建　　物	7,500,000円

$$\text{圧縮限度額}=(8,000,000\text{円}-500,000\text{円})\times\frac{(8,000,000\text{円}-500,000\text{円})}{(8,000,000\text{円}-500,000\text{円})}$$

$$=7,500,000\text{円}$$

4-13 圧縮記帳の対象となる保険金等の範囲

Q 圧縮記帳の対象となる保険金とは、どんな保険金ですか。

A 圧縮記帳の対象となる保険金等は、固定資産の滅失等によって支払を受けるもので、その滅失等があった日から3年以内に支払の確定した保険金、共済金、損害賠償金をいいます。

共済金は、税務上法令等に基づいて設立された法人が行うもので、かつ、共済制度が認められているものに限り適用があります。具体的には次のとおりです。

圧縮記帳の対象となる保険金のうち、共済金について、適用されるものは以下のとおりです。

① 農業協同組合法第10条第1項第10号に掲げる事業を行う農業協同組合及び農業協同組合連合会

② 農業共済組合及び農業共済組合連合会

③ 水産業協同組合法第11条第1項第11号に掲げる事業を行う漁業協同組合及び同法第93条第1項第6号の2に掲げる事業を行う水産加工業協同組合並びに共済水産業協同組合連合会

④ 事業協同組合及び事業協同小組合（一定の特定共済組合に限る）並びに協同組合連合会（一定の特定共済組合連合会に限る）

⑤ 生活衛生関係営業の運営の適正化及び振興に関する法律第8条第1項第10号に掲げる事業を行う生活衛生同業組合及び同法第54条第8号または第9号に掲げる事業を行う生活衛生同業組合連合会

⑥ 漁業共済組合及び漁業共済組合連合会

⑦ 森林組合法第101条第1項第13号に掲げる事業を行う森林組合連合会

なお、法人が支払を受ける保険金等で圧縮記帳の適用があるのは、固定資産の滅失等に基因して受けるものに限られています。したがって、固定資産の滅失等に関連して支払を受けるものであっても、次のようなものについては、適用がありません。

・棚卸資産の滅失等により受ける保険金等
・固定資産の滅失等に伴う休廃業等により減少し、または生ずることとなる収益または費用の補てんにあてるものとして支払を受ける保険金等

4-14 用途の違う建物を取得した場合の圧縮記帳

Q 当社は、この度火災により本社の建物が全焼しました。支払を受けた保険金でテナントビルを建築して圧縮記帳の適用を受けようと思います。このテナントビルは代替資産として認められますか。

A 保険金等で取得した固定資産等の圧縮額の損金算入の規定では、代替資産について「その滅失した固定資産に代替する同一種類の固定資産」と規定しており、滅失資産と用途や構造が異なっていても同一種類の固定資産であれば、圧縮記帳の適用が受けられることになっています。

同一種類の固定資産であるかどうかは、減価償却資産の耐用年数等に関する省令別表第一に掲げる減価償却資産にあっては、同別表第一に掲げる種類の区分が同じであるかどうかにより判断します。また、同別表第二に掲げる減価償却資産にあっては、同別表第二に掲げる設備の種類の区分が同じであるかまたは類似するものであるかどうかにより判断します。

したがって、滅失資産が建物であれば、どんな構造や規模であっても代替資産として認められ、新品であっても中古であっても認められます。

この場合、建物が滅失し、テナントビルになるので、用途は変わりますが同一種類の固定資産として代替資産にすることが認められます。

4-15 建築中の建物を代替資産とする圧縮記帳

Q 当社では、新本社の建築中に現本社が火災で焼失しました。焼失した現本社について受け取った保険金を新本社の建築費用にあてようと思いますが、圧縮記帳の適用は受けられますか。

A 保険金等で取得した固定資産の圧縮記帳の規定は、固定資産の滅失または損壊により保険金等の額が確定した後または保険金の見積計上をした後に代替資産を取得した場合に適用されることになっています。

つまり、滅失等があったとき以前に取得した資産や滅失等のあったときにおいて現に自己が建設、製作、製造または改造中であった資産は代替資産には該当しないこととされています。

この場合は、建築中の建物を代替資産にという趣旨なので、圧縮記帳の適用は受けられないことになります。

なお、原則として、代替資産は保険金等の額が確定した後に取得したものに限られますが、保険事故発生後に取得するものであれば、法人が滅失損の額を仮勘定としている限り、保険金等の額が確定するまでの間に取得した固定資産についても、代替資産として認められます。

4-16 圧縮限度額の計算上２以上の資産に係る滅失経費の取扱い

Q 当社の工場が火災により全焼しました。工場内の機械もすべて使用できません。建物と機械の両方に圧縮記帳の適用を受けようと思います。焼跡の整理や取壊し費用はどのように処理したらよいでしょうか。

A 法人が、その有する固定資産の滅失または損壊により保険金の支払を受け、その保険金で滅失した固定資産と同一種類の固定資産を取得したときは、次の算式で計算される圧縮限度額の範囲内で圧縮記帳が認められます。

圧縮限度額＝

$$\left(\text{保険金等の金額} - \text{滅失等により支出した経費の額} - \text{滅失資産の帳簿価額}\right) \times \frac{\text{代替資産の取得にあてた保険金等の額}}{\text{保険金等の金額} - \text{滅失等により支出した経費の額}}$$

圧縮限度額は資産の各種類ごとに計算します。例えば、この場合のように、工場用建物と機械設備が滅失等をした際に２以上の固定資産が滅失等をした場合において、これらの資産の滅失等により支出した共通の経費があるときは、その共通の経費の額については、保険金等の比や、その他合理的な基準によりこれらの資産に按分することになります。

この場合、滅失等により支出した経費の額には、その滅失等があった固定資産の取壊し費、焼跡の整理費、消防費等のようにその固定資産の滅失等に直接関連して支出される経費が含まれます。しかし、類焼者に対する賠償金、ケガ人への見舞金、被災者への弔慰金等のようにその固定資産の滅失等に直接関連しない経費はこれに含まれず、損金の額に算入されます。

4-17 保険金の計上時期

Q 損害保険契約で保険事故が発生して保険金を受け取った場合、税務上どのように取り扱われますか。

A 保険金の計上時期は原則として、保険金を受け取ることが確実となり、その金額を合理的に見積もることが可能になった時点で計上します。しかし、固定資産の滅失等に対する保険金は調査に時間がかかり、保険金の受取りが保険事故の発生から相当遅れることもあります。

そこで、圧縮記帳をする場合の滅失損等の計上時期については、次のように取り扱うのが合理的と考えられます。

---

1 会計期間中に保険金が確定した場合

滅失等による損失の額及び保険金の額を、その事業年度に計上します。

2 会計期間中に保険金が確定していない場合

1. 保険差損が見込まれる場合

保険金等の額を見積計上するとともに差損の額に相当する金額を滅失等のあった事業年度に計上します。

2. 保険差益が見込まれる場合

保険金等の額が確定するまでは滅失等による損失の額を未決算勘定として資産に計上しておいて、保険金等の額が確定した時点で損金の額に算入します。

●火災保険契約に係る法人課税関係一覧表

① 自己所有物件に付保した場合

<table>
<tr><th rowspan="2">契約者
(保険料負担者)</th><th rowspan="2">被保険者</th><th colspan="2">保　険　料</th><th rowspan="2">保　険　金</th></tr>
<tr><th>被保険者の
課税関係</th><th>契約者の
課税関係</th></tr>
<tr><td>法人
(法人)</td><td>法人</td><td>損金算入</td><td>—</td><td>・益金算入
・損害部分の簿価は損金算入保険差益は圧縮記帳の対象</td></tr>
</table>

② 賃借物件に付保した場合

<table>
<tr><th rowspan="2">契約者
(保険料負担者)</th><th rowspan="2">被保険者</th><th colspan="2">保　険　料</th><th rowspan="2">保　険　金</th></tr>
<tr><th>被保険者の
課税関係</th><th>契約者の
課税関係</th></tr>
<tr><td>法人
(法人)</td><td>物件の所有者</td><td>損金算入</td><td>非課税</td><td>(イ)受取人が法人の場合
・益金算入
・損害部分の簿価は損金算入
保険差益は圧縮記帳の対象
(ロ)受取人が個人の場合
・非課税
・損害額＞保険金額のときは雑損控除の対象
(ハ)受取人が個人事業主の場合
・非課税
・廃棄損＞保険金額のときは差額分は必要経費に算入</td></tr>
</table>

③ 役員、従業員の物件に付保した場合

<table>
<tr><th>契約者
(保険料負担者)</th><th>被保険者</th><th>保　険　料</th><th>保　険　金</th></tr>
<tr><td>法人
(法人)</td><td>役員、従業員</td><td>給与所得として課税対象
(すべての役員、従業員が加入する場合は非課税)</td><td rowspan="2">・非課税
・損害額＞保険金額のときは雑損控除の対象</td></tr>
<tr><td>役員、従業員
(法人)</td><td>役員、従業員</td><td>給与所得として課税対象</td></tr>
</table>

(注)給与の取扱いについては、第6章を参照してください。

●積立火災保険契約に係る法人課税関係一覧表

① 自己所有物件に付保した場合

<table>
<tr><th rowspan="2">契約者
（保険料負担者）</th><th rowspan="2">被保険者</th><th colspan="2">保　険　料</th><th rowspan="2">保　険　金</th><th rowspan="2">満期返戻金等</th></tr>
<tr><th>契約者の
課税関係</th><th>被保険者の
課税関係</th></tr>
<tr><td>法人
（法人）</td><td>法人</td><td>・掛捨保険料部分は損金算入
・積立保険料部分は資産計上</td><td>—</td><td>・益金算入
・損害部分は簿価は損金算入
保険差益は圧縮記帳の対象</td><td>・益金算入
・資産計上している積立保険料は損金算入</td></tr>
</table>

② 賃借物件に付保した場合

<table>
<tr><th rowspan="2">契約者
（保険料負担者）</th><th rowspan="2">被保険者</th><th colspan="2">保　険　料</th><th rowspan="2">保　険　金</th><th rowspan="2">満期返戻金等</th></tr>
<tr><th>契約者の
課税関係</th><th>被保険者の
課税関係</th></tr>
<tr><td>法人
（法人）</td><td>物件の
所有者</td><td>・掛捨保険料部分は損金算入
・積立保険料部分は資産計上</td><td>非課税</td><td>(イ)受取人が法人の場合
・益金算入
・損害部分の簿価は損金算入
保険差益は圧縮記帳の対象
(ロ)受取人が個人の場合
・非課税
・損害額＞保険金額のときは雑損控除の対象
(ハ)受取人が個人事業主の場合
・非課税
・廃棄損＞保険金額のときは差額分は必要経費に算入</td><td>・益金算入
・資産計上している積立保険料は損金算入</td></tr>
</table>

③ 役員、従業員の物件に付保した場合

<table>
<tr><th rowspan="2">契約者
（保険料負担者）</th><th rowspan="2">被保険者</th><th colspan="2">保　険　料</th><th rowspan="2">保　険　金</th><th rowspan="2">満期返戻金等</th></tr>
<tr><th>契約者の
課税関係</th><th>被保険者の
課税関係</th></tr>
<tr><td rowspan="3">法人
（法人）</td><td>役員</td><td>掛捨保険料部分は、役員給与</td><td rowspan="3">掛捨保険料部分は給与所得として課税対象
（すべての役員、従業員が加入する場合は非課税）</td><td rowspan="6">・非課税
・損害額＞保険金額のときは雑損控除の対象</td><td rowspan="3">・益金算入
・資産計上している積立保険料は損金算入</td></tr>
<tr><td>特殊関係使用人</td><td>・掛捨保険料部分は給与
・積立保険料部分は資産計上</td></tr>
<tr><td>従業員</td><td>・掛捨保険料部分は給与
（すべての役員、従業員が加入する場合は福利厚生費）
・積立保険料部分は資産計上</td></tr>
<tr><td rowspan="3">役員、従業員
（法人）</td><td>役員</td><td>役員給与</td><td rowspan="3">保険料の全額が給与所得として課税対象</td><td rowspan="3">一時所得として課税対象</td></tr>
<tr><td>特殊関係使用人</td><td>給与</td></tr>
<tr><td>従業員</td><td>損金算入
（給与）</td></tr>
</table>

（注）給与の取扱いについては、第6章を参照してください。

第３節　自動車保険

4-18　従業員の自動車に付保した自動車保険の取扱い

Q　当社では、従業員の自動車を業務用に使用しようと思います。自動車保険の保険料を会社で負担するつもりですが、税務上どのように取り扱われますか。

A　従業員の自動車に付保した自動車保険は、以下のように取り扱われます。

1　従業員所有の自動車に付保する場合

1.　従業員の通勤用自動車として使用する場合

法人が、従業員の通勤用に使用する個人の自動車に自動車保険を付保した場合の保険料は、給与（給与の取扱いについては、第６章参照）として扱われます。

2.　法人の業務用自動車として使用する場合

法人が、従業員の自動車をもっぱらその法人の業務用に使用するという場合において、法人が契約者となって従業員の自動車に自動車保険を付保するときの保険料は、その法人の損金の額に算入することができます。

ただし、従業員の自動車を法人の専用車として使用しないようなときは、会社が負担する保険料は、その従業員に対する給与（給与の取扱いについては、第６章参照）として扱われることになります。

❷ 会社所有の自動車に付保する場合

法人が自己所有の自動車に損害保険を付保した場合は、その損害保険の保険料が業務に関連したものであれば、その法人の損金に算入することができます。したがって、法人が業務用自動車に付保する自動車保険の保険料は、期間の経過に応じて損金の額に算入されます。

●自動車保険契約に係る法人課税関係一覧表

契約者（保険料負担者）	自動車の所有者	保険料		保険金	
		契約者の課税関係	自動車所有者の課税関係	賠償保険金	車両保険金
法人（法人）	法人	損金算入	—	非課税	・益金算入 ・修繕費に損金算入 ・保険差益は圧縮記帳の対象
法人（法人）	役員 従業員	・業務用は損金算入 ・業務用以外は給与	・非課税 ・業務用以外は給与として所得税の対象	同上	同上

（注）給与の取扱いについては、第６章を参照してください。

第4節　自賠責保険

4-19　自賠責保険料を3年分一括払いした場合の取扱い

Q 当社は、新車の購入に伴い自賠責保険料を支払いました。保険料は3年分一括払いで支払いましたが、どのように処理したらよいでしょうか。

A 自賠責保険に強制加入であり、すべての自動車は自賠責保険をつけていなければ運行することができません。その意味において、自賠責保険の保険料は租税公課としての性格を有しているとも考えられます。

また、その保険料を支払っていない場合には車検が受けられない点からすると、その保険料は一種の車検費用の一部ともいえます。

したがって、自賠責保険の保険料は一般の損害保険料と性格を異にしており、保険期間も最長3年であり、かつ、保険料も少額なので、期間の経過に応じて損金の額に算入しなければならないほどのものとも考えられません。継続適用を前提にその支出したときの損金として計上している場合には、その処理が認められるでしょう。

第 5 節　PL 保険

4-20　保険料の取扱い

Q　PL 保険の保険料は、税務上どのように取り扱われますか。

A　PL 保険とは、生産物賠償責任保険のことで、製品の欠陥による損害を補償するものです。PL 保険の保険料は、その法人の売上高等や業種等を基にして算定されます。

保険期間中の売上高は、その保険期間が経過しないと確定しないため、保険契約時には前事業年度の売上高等を基に算出した「暫定保険料」を支払い、保険期間の終了した時点で確定した売上高等を基に「確定保険料」を算出し暫定保険料と確定保険料の精算をすることになっています。

ただし、中小企業 PL 保険は、前年の売上高を基に確定保険料を算定するしくみになっているため、精算は行われません。

1　保険料の処理

PL 保険の保険料については、通達等の明文規定はありませんが労働保険の「概算保険料」の取扱いに準じて処理をしても問題ないと思われます。

つまり、暫定保険料の支出事業年度において、その暫定保険料に相当する額を全額損金の額に算入し、翌事業年度において算出した確定保険料が暫定保険料を上回った場合には、その差額を翌事業年度の損金の額に算入し、逆に下回った場合には益金の額に算入することとなります。

1. 暫定保険料を支払ったとき

借　方		貸　方	
保険料 （損金算入）	×××	現金及び預金	×××

2. 確定保険料と精算するとき

① 確定保険料が暫定保険料を上回ったとき

借　方		貸　方	
保険料	×××	現金及び預金	×××

② 確定保険料が暫定保険料を下回ったとき

借　方		貸　方	
現金及び預金	×××	雑収入	×××

2 短期前払費用の取扱い

PL保険は、保険期間が１年の掛捨ての保険なので、その保険料は短期の前払費用の取扱いが認められます。

したがって、継続適用を前提に、法人が支払った保険料の額でその支払った日から１年以内に保険期間が満了するようなものについては、その支払ったときにその全額を損金の額に算入することができます。

4-21 保険金と損害賠償金の取扱い

Q 保険金と損害賠償金の計上時期は、どのようになっていますか。

A PL保険の保険金は、保険会社からいったん受取人である法人に支払われ、その後、被害者に保険金が支払われるようになっています。

損害賠償金は、原則として、金額が確定した事業年度の損金の額に算入することとされています。しかし、その事業年度終了の日までにその賠償すべき額が確定していないときであっても、同日までにその額として相手方に申し出た金額（相手方に対する申出に代えて第三者に寄託した額を含みます）に相当する金額をその事業年度の未払金に計上したときは、これが認められます。

ただし、この場合の金額には、保険金等により補てんされることが明らかな部分は除くこととされています。

なお、PL保険の場合は、免責金額が低いため、損害賠償金のほぼ全額について、保険金収入との対応計算が必要になります。

したがって、保険金の支払が確定する前に損害賠償金を被害者に支払ったような場合には、その支払った賠償金は仮払金として計上しておいて、保険金の支払が確定したときにその仮払金を取り崩して損金の額に算入するとともに、保険金を益金の額に算入することになります。

第6節　役員賠償責任保険（D&O保険）

4-22　保険料の取扱い（令和3（2021）年2月28日以前契約分）

Q 会社役員賠償責任保険の保険料は、税務上どのように取り扱われますか。

A 会社役員賠償責任保険の保険料は、税務上、次のように取り扱われます。

1　基本契約（普通保険約款部分）の保険料

基本契約は、取引先等の第三者からの賠償請求及び株主からの賠償請求で役員に責任がないものについて担保するものです。

基本契約に係る保険料を法人が負担した場合の保険料については、役員個人に対する給与として取り扱わなくてよいこととなっています。したがって、法人が負担した保険料は経費として損金の額に算入します。

借　　　方		貸　　　方	
保　険　料 （損金算入）	×××	現金及び預金	×××

2　株主代表訴訟担保特約の保険料（特約保険料）

特約契約は株主からの賠償請求で役員に責任があるものについて担保するものです。

この特約保険料については、契約者が商法上の問題を配慮し役員個人負担または役員報酬から天引きとすることになると考えられますが、これを法人負担とした場合には、役員に対して経済的利益の供与があったものとして給与として所得税が課せられることになります。

借　　方		貸　　方	
給　　与	×××	現金及び預金	×××

4-23 株主代表訴訟敗訴時担保部分を免責する旨の条項がない会社役員賠償責任保険の保険料の取扱い（令和3（2021）年2月28日以前契約分）

Q 株主代表訴訟敗訴時担保部分を免責する旨の条項がない会社役員賠償責任保険の保険料は、どのように取り扱われますか。

A 会社が、利益相反の問題を解消するため、①取締役会の承認、②社外取締役が過半数の構成員である任意の委員会の同意または社外取締役全員の同意の取得を行った場合には、会社が株主代表訴訟敗訴時担保部分に係る保険料を会社法上適法に負担することができるとされています。したがって、こうした手続きを行っている会社が、普通保険約款等において株主代表訴訟敗訴時担保部分を免責する旨の条項がない会社役員賠償責任保険に加入したときは、その保険料は、役員個人に対する給与とはならないこととされています。

ただし、それ以外の場合に、会社役員賠償責任保険の保険料を会社が負担したときは、役員個人に対する給与として取り扱われることになります。

4-24　特約保険料の取扱い（令和 3（2021）年 2 月 28 日以前契約分）

Q　特約保険料を役員間で配分するのですが、どういう方法で配分したらよいでしょうか。

A　特約保険料を役員間で配分する場合の取扱いについては、以下のようになっています。

---

❶ 特約保険料の役員間の配分

取締役の報酬の総額及び監査役の報酬の総額は、定款または株主総会の決議により定めることになっていますが、通常、その配分は取締役会及び監査役会の協議に委ねられています。

したがって、特約保険料の役員間の配分もまた取締役会及び監査役会の協議において合理的な配分方法が定められるでしょう。実務上は、次のいずれかの方法等、合理的な基準により配分した場合には、課税上認められることとされています。

1. 役員の人数で配分する方法

役員は法人に対して連帯して責任を負うものとされていることを考慮し、役員全員で均等に配分する方法（無報酬或いはごくわずかな役員報酬しか得ていない取締役にまで均等に配分することが適当でないと認められる場合には、その者への分配割合を縮小もしくは配分しない方法を含みます）は課税上、認められます。

2. 役員報酬に比例して配分する方法

役員と法人との関係は有償の委任及び準委任と解されており、報酬に差がある以上危険負担も同程度の差があると考えられることから、報酬額に比例して保険料を配分する方法は課税上、認められます。

3. 会社法上の区分別に分担する方法

会社法に定められた代表取締役、取締役、監査役ごとにそれぞれの役割に応じた額を定める方法は課税上、認められます。

2 保険料の会社間の配分方法

子会社を含めた契約を契約者が希望する場合は、保険料は一括して算定されることになりますが、契約に当たっては、保険会社からそれぞれの子会社ごとの保険料を内容として示されます。したがって、契約者は、これに従って各社ごとに配分額を決定することになります。

4-25 令和元年会社法改正後の保険料の取扱い

Q 会社法の改正を受けて、会社役員賠償責任保険の保険料の取扱いが改正されたそうですが、どのようになったのですか。

A 改正会社法が令和元（2019）年12月4日に成立し、役員等賠償責任保険を含む一部が令和3（2021）年3月1日から施行されました。

---

❶ 会社法の改正

会社法にはこれまで、役員等賠償責任保険についての特段の規定がなかったことから、役員が株主代表訴訟に敗訴した場合の賠償責任費用を担保する保険契約に係る保険料を会社が負担することは、報酬規制や利益相反取引規制の問題になるなどの指摘がありました。

こうした指摘を踏まえて、令和元年に会社法が改正され、役員等賠償責任保険契約に関する規定が設けられ、契約を締結するための手続等が明確化されました。

❷ 役員等賠償責任保険契約

役員等賠償責任保険契約とは、株式会社が、保険者との間で締結する保険契約のうち役員等がその職務の執行に関し責任を負うことまたは当該責任の追及に係る請求を受けることによって生ずることのある損害を保険者が塡補することを約するものであって、役員等を被保険者とするものをいい、役員等賠償責任保険契約の内容を決定するには、株主総会（取締役会設置会社にあっては取締役会）の決議によらなければなりません。会社役員賠償責任保険（D&O 保険）はこの役員等賠償責任保険契約に該当します。

❸ 保険料の取扱い

会社が、改正会社法の規定に基づく役員等賠償責任保険契約の保険料を負担した場合は、その負担は会社法上適法な負担と考えられることから、役員個人に対する経済的利益の供与はなく、役員個人に対する給与とはならないとされました。

❹ 既存契約の取扱い

令和３年３月１日以後に既存契約を更新するときは、改正会社法が適用されますので、上記の取扱いとなります。

第７節　労働災害総合保険

4-26 保険料の取扱い

Q 労働災害総合保険の保険料は、税務上どのように取り扱われますか。

A 労働災害総合保険は、労災事故によって従業員がケガをしたり、死亡した場合及び法人が民事上の損害賠償責任を被った場合に保険金が支払われるというものです。保険料は、以下のように取り扱われます。

---

❶ 払い込んだときの処理

保険料は、保険期間中の平均被用者数または賃金総額を基に概算で計算した暫定補償保険料を支払います。

暫定補償保険料は、保険期間の経過に応じて損金の額に算入します。

ただし、税法では、１年以内の前払費用は継続を要件としてその支払った日の属する事業年度の損金としているときはそれが認められることになっているので、年払い、半年払い、月払いの保険料はその支払ったときの損金として処理することもできます。

❷ 保険期間満了時の処理

保険期間の満了時には、その保険期間の保険料が確定するので、その確定した保険料と暫定保険料の精算をします。

1. 確定保険料＞暫定保険料の場合

暫定保険料より確定保険料が多い場合には、差額の保険料を支払います。また、その差額の保険料は、その支払った日の属する事業年度の損金に計上します。

2. 確定保険料＜暫定保険料の場合

暫定保険料のほうが確定保険料より多い場合は、その差額が還付されます。この場合には、その還付される額を受け取ることが確定した日の事業年度の益金の額に算入します。

第 8 節　所得補償保険

4-27　損害保険会社の所得補償保険とは

Q 損害保険会社の所得補償保険とは、どういうものですか。

A 所得補償保険とは、病気や事故で働けなくなった場合に給料や役員報酬の代わりに保険金が毎月受け取れるというもので、就業不能な状態が続けば、契約時に決めた受取期間の範囲内でずっと保険金を受け取ることができます。

受取開始まで免責期間という待機期間はありますが、生命保険会社の収入保障保険（1-3 参照）のような条件はありません。

この所得補償保険に加入する場合には、保険金額を月額いくらに設定するのかに注意が必要です。

各保険会社とも、概ね保険金額の設定方法は以下の算式のとおりで、平均月間所得額が保険金額になりますが、保険金請求時の月間所得がこの平均月間所得額よりも少ないと保険金が減らされる場合がありますので、注意してください。なお、保険金請求時には源泉徴収票や確定申告書類のコピーの提出も求められます。

また、最近結構多くなっているうつ病等の精神疾患での就業不能は免責になるケースが多いので、この点にも注意が必要です（精神疾患も就業不能とするという保険会社も一部あります）。

【保険金額の設定方法】

$$\text{平均月間所得額} = \frac{\text{年間総収入}^{※2} - \text{働けなくなったことにより支出を免れる金額}^{※3} - \text{働けなくなった場合も得られる収入}^{※4}}{12\text{（か月）}}$$

※1 被保険者が事業所得者の場合、被保険者本人が働けなくなったことにより減少する売上高・経費に応じて決定します。

※2 給与所得、事業所得または原稿料等の雑所得に係る税引き前の収入

※3 事業所得の場合はその事業に要する経費のうち、接待交際費・旅費交通費等

※4 利子所得、配当所得、不動産所得等をいいます。就労の有無にかかわらず得られる役員報酬等がある場合、これを含みます。

4-28 保険料の取扱い

Q 所得補償保険の保険料は、税務上どのように取り扱われますか。

A 所得補償保険の保険料は、以下のように取り扱われます。

1 役員、従業員の全員を被保険者としている場合

法人が、所得補償保険に加入して、その役員または従業員に普遍的に付保している場合には、その支払った保険料は、保険期間の経過に応じて損金の額に算入されます。

借方		貸方	
福利厚生費	×××	現金及び預金	×××

2 特定の役員または従業員を被保険者としている場合

1. 月払い、年払いの場合

法人が、その特定の役員または従業員のみを被保険者として所得補償保険に加入した場合、その支払った保険料は、その特定の役員または従業員に対する給与（給与の取扱いについては、第6章参照）とされます。

借方		貸方	
給与	×××	現金及び預金	×××

2. 一時払いの場合

保険料を一時払いで支払った場合には、その全額がその特定の役員または従業員に対する給与（給与の取扱いについては、第6章参照）となります。

3 積立所得補償保険の積立保険料部分の取扱い

積立所得補償保険の場合には、積立保険料部分は資産に計上します。

なお、保険事故の発生により受け取った保険金は、「身体の傷害に基因して支払を受けるもの」（所得税法施行令第30条第1号）として非課税になります。

4-29 休業補償に代えて支払われる賃金の取扱い

Q 当社では、従業員が業務上の負傷または疾病によって休業した場合は、有給休暇を与え、通常の給与を支払うこととしています。この場合の給与は休業補償として非課税になりますか。

A 所得税法では、「労働基準法第８章（災害補償）の規定により受ける療養の給付若しくは費用、休業補償、傷害補償、打切補償又は分割補償（傷害補償に係る部分に限る）については所得税を課税しない」と規定していますが、ここでいう休業補償とは、労働基準法第76条第１項に規定するものをいいます。すなわち、「労働者が療養補償を受けるため、労働することができないために賃金を受けない場合においては、使用者は、労働者の療養中、平均賃金の100分の60の休業補償を行わねばならない」というものです。

この場合は、業務上の負傷または疾病により労働することができない期間は有給休暇であり、通常の給与が支払われるということなので、上記の休業補償には該当せず、非課税にはなりません。

4-30 住宅瑕疵担保責任保険の保険料等の取扱い

Q 当社はこの度、住宅瑕疵担保責任保険に加入することとしました。この場合に支払う検査手数料と保険料は、どのような取扱いになりますか。

A 住宅瑕疵担保責任保険とは、新築住宅の発注者及び買主を保護するため、建設業者等に加入が義務づけられているもので、保険期間が10年間、建設業者等が新築住宅を引き渡した日から保険期間が開始するというものです。

検査手数料と保険料は、次のような取扱いになります。

---

1 検査手数料

検査手数料は、検査を完了した日の属する事業年度において損金の額に算入することができます。

また、消費税の取扱いは、検査を完了した日の属する課税期間の課税仕入れとなります。

2 保険料

保険料は、10年間分を一括して支払うものですから、原則、保険期間の経過に応じて損金の額に算入することになりますが、継続適用を前提に、その全額（10年分）を保険期間の開始日を含む事業年度において損金の額に算入することができることとなっています。

また、消費税の取扱いは、保険料ですから非課税取引となります。

第 9 節　ゴルファー保険

4-31　ゴルファー保険の保険料を会社が負担した場合の取扱い

Q　当社では、取引先をゴルフ接待することが多いため、特定の者だけをゴルファー保険に加入させ会社が保険料を負担しています。この場合、税務上どのように取り扱われますか。

A　法人が、自己を契約者とし、役員または従業員を被保険者としてゴルファー保険に加入してその保険料を負担したときは、その保険料は税務上次のように扱われます。

1　役員または特定の従業員のみを被保険者とする場合

法人が負担する保険料は、その役員または特定の従業員に対する給与(給与の取扱いについては、第6章参照）になります。

2　全員にまたは普遍的に加入している場合

役員または従業員の全員が加入しているような場合には、損害保険料として損金の額に算入することができます。

3　役員または従業員が契約者である保険の保険料を法人が負担した場合

役員または従業員が契約者であるゴルファー保険の保険料を法人が負担

した場合には、その保険料は、その役員または従業員に対する給与（給与の取扱いについては、第 6 章参照）になります。

第 10 節　損害賠償金

4-32　損害賠償金の収益計上時期と損害の損失計上時期

Q　当社は、先日居眠り運転のトラックに飛び込まれ、店舗を壊されました。交渉の結果、損害賠償金を受け取ることになりましたが、まだ金銭の授受はありません。この場合、損害賠償金と損害の計上はいつにしたらよいのでしょうか。

A　法人が他の者の不法行為や債務不履行等によって損害を受けた場合には、その者に対して損害賠償を請求します。この損害賠償請求をする権利は、損害を受けたときと同時に発生するので、税務では、損害を受けたときにその損害による損失を計上すると同時に、損害賠償金を益金として計上することを原則としています。

しかし、損害賠償については金額の確定が難しく、また、金額が確定しても相手方に支払能力がない等で実際に支払われないという可能性もあるので、税務上では、このような点をふまえ、損害賠償金の額を実際に受け取った日の属する事業年度において収益計上することも認めています。

したがって、損失の額については、保険金または共済金により補てんされる部分の金額を除き、その損害の発生した日の属する事業年度の損金に算入することができます。その損害の発生したときの損金として計上し、損害賠償金についてはそれを実際収受したときに収益として計上することも認められます。

4-33 従業員の損害賠償金を会社が支出した場合の取扱い

Q 当社の従業員が業務中に交通事故を起こし、相手方に損害を与えてしまいました。この損害に対する賠償金を当社で負担することとしましたが、税務上どのように処理したらよいでしょうか。

A 法人の役員または従業員がした行為等によって、他人に与えた損害につき法人がその損害賠償金を支出した場合、税務上は次のように取り扱われます。

---

1 その損害賠償金の対象となった行為等が法人の業務の遂行に関連するものであり、かつ、故意または重過失に基づかないものである場合

その支出した損害賠償金の額は給与以外の損金の額に算入します。

2 その損害賠償金の対象となった行為等が、法人の業務の遂行に関連するものであるが、故意または重過失に基づくものである場合

その支出した賠償金に相当する金額は、役員または従業員に対する債権となります。

3 その損害賠償金の対象となった行為等が、法人の業務の遂行に関連しないものである場合

その支出した損害賠償金に相当する金額は役員または従業員に対する債権となります。

なお、法人が従業員に対し、この債権を請求しない場合には、その債権に相当する金額は、役員または従業員に経済的利益を与えたこととなり、給与（給与の取扱いについては、第6章参照）として所得税が課せられます。

したがって、この場合、従業員の交通事故は業務中であることから、業務の遂行に関連するものと認められ、故意または重過失に基づくかどうかにより上記❶または❷のいずれかとして取り扱われます。

4-34 損害賠償金の一部を内払いする場合の取扱い

Q 当社はこの度、従業員が業務中に起こした交通事故の損害賠償金を支払うことになりました。賠償金の額は確定していませんが、一部だけ内払いで払おうと思います。この場合、税務上どのように取り扱われますか。なお、従業員が起こした交通事故は、故意でもなく重大な過失も認められません。

A 法人の役員または従業員が交通事故等によって他人に損害を与えたことにより、法人がその損害賠償金を支出した場合には、その交通事故等が法人の業務の遂行に関連するものであり、かつ、故意または重過失に基づかないものであるときは、その支出した損害賠償金の額は給与以外の損金の額に算入することとされています。

また、損害賠償金の損金算入時期は、原則として、その損害賠償金の額が確定したときとされています。しかし、自動車による人身事故の場合は、通常、損害賠償金の額が確定するまでには長期間を要すること、内払いした損害賠償金の返還を受けることは、まずないこと等から自動車による人身事故に伴い支出する損害賠償金（その役員等に対する債権とされるものを除きます）については、示談の成立等により損害賠償金の額が確定する前においても、その支出の日の属する事業年度の損金の額に算入することが認められています。

ただし、事故に係る保険金を受け取ることとなっている場合には、保険金見積額のうち、損金の額に算入した内払いの額に達するまでの金額を益金の額に算入しなければなりません。

4-35 損害賠償金に係る債権の取扱い

Q 当社の従業員が、休日に会社の自動車を使用中交通事故を起こし、その損害賠償金を会社が立替払いしましたが、従業員にはその損害賠償金を支払う能力もないので、会社はその立替金を従業員に求償しないこととしました。この場合、税務上どのように取り扱われますか。

A 税務上、損害賠償金の対象となった交通事故等が、法人の業務の遂行に関連するものであり、故意または重過失に基づくものである場合または法人の業務の遂行に関連しないものである場合には、その支出した損害賠償金に相当する金額はその役員または従業員に対する債権とされます。

そして、法人がその債権につきその役員または従業員の支払能力等からみて求償できない事情にあるため、その全部または一部の金額を貸倒れとして損金経理をした場合には、これが認められ、その貸倒れ等とした金額のうちその役員または従業員の支払能力等からみて回収が確実であると認められる金額については、その役員または従業員に対する給与（給与の取扱いについては、第６章参照）とされます。

したがって、この場合は、法人の業務の遂行に関連しないので、損害賠償金を立替払いしたときには従業員に対する貸付金として取り扱われることになります。

借　方		貸　方	
貸　付　金	×××	現金及び預金	×××

そして、従業員にその貸付金を返済する能力がない場合には、貸倒損失

として処理することになります。

借　　方		貸　　方	
貸倒損失	×××	貸付金	×××

4-36 罰科金等の取扱い

Q 当社の従業員が、この度業務中に交通事故を起こし、その罰金を当社が負担しました。この罰金は、税務上どのように取り扱われますか。

A 法人が、その役員または従業員に対して課された罰金もしくは科料、過料または交通反則金を負担した場合は、税務上次のように取り扱われます。

1 業務の遂行に関連してされた行為等に対して課された罰金

法人の損金の額に算入されません。

2 その他の罰金

役員または従業員に対する給与（給与の取扱いについては、第6章参照）になります。

したがって、この場合は、業務の遂行に関連して支出した罰金なので、その全額が損金の額に算入されません。

第11節　損害保険と消費税

4-37　保険料の取扱い

Q 損害保険の保険料は、消費税の対象になりますか。

A 消費税法では、次の金融取引等は非課税取引とされています。

① 利子を対価とする貸付金その他一定の資産の貸付け
② 信用の保証としての役務の提供
③ 合同運用信託または公社債投資信託に係る信託報酬を対価とする役務の提供
④ 保険料を対価とする役務の提供
⑤ その他これらに類するもの

したがって、保険契約に係る保険料、共済に係る掛金は消費税の課税対象にはなりません。

4-38　保険金の取扱い

Q 損害保険契約に基づく保険金は、消費税の対象になりますか。

A 消費税は、事業として対価を得て行われる資産の譲渡、資産の貸付け及び役務の提供を課税の対象としています。

したがって、保険契約や共済契約に基づき、保険事故の発生に伴い受け取る保険金または共済金は、資産の譲渡等に係る対価には該当せず、消費税の課税対象にはなりません。

4-39 火災保険金で代替資産を購入した場合の取扱い

Q 先日、倉庫が火災に遭い、全焼しましたが、火災保険に加入していたため保険金を受け取りました。この保険金で倉庫を新たに取得する場合、消費税はどのように取り扱われますか。

A 保険金を原資に新たに建物等を取得した場合の取引は、消費税の課税仕入れに該当しますので、その課税仕入れについては、税額控除の規定が適用できます。

なお、火災に伴い商品を焼失した場合のように、結果的に資産の譲渡等を行うことができなくなった場合であっても、その資産の課税仕入れについては、仕入税額控除の適用が受けられることとされていますので、焼失した商品については、その商品の課税仕入れを行った日の属する課税期間において控除することが認められます。

4-40 損害賠償金の取扱い

Q 損害賠償金は、消費税法上どのように取り扱われますか。

A 心身または資産につき加えられた損害の発生に伴い受け取る損害賠償金は、資産の譲渡等に該当しませんが、例えば、次に掲げる損害賠償金のように、その実質が資産の譲渡等の対価に該当すると認められるものは、資産の譲渡等の対価に該当し、課税の対象となります。

① 損害を受けた棚卸資産等を加害者に引き渡す場合で、その棚卸資産がそのまま、または軽微な修理を加えることにより使用可能となる場合に収受する譲渡代金相当額

② 著作権、特許権等の無体財産に侵害を受けたために収受する権利の使用料に相当する損害賠償金

③ 不動産等の明渡しの遅滞により収受する賃貸料に相当する損害賠償金

第5章　個人をめぐる損害保険

第1節　地震保険料控除

5-1　地震保険料控除とは

Q　地震保険料控除とは、どのような内容のものですか。

A　地震保険料控除とは、損害保険料控除に代わって創設された制度で、居住者が次の保険契約の保険料等を支払った場合に、その支払った保険料等の合計額をその年分の総所得金額等から控除するというものです。

---

❶ 地震保険料控除の対象となる保険契約

地震保険料控除における控除の要件と、控除される金額は、次の金額です。

① 居住用家屋・生活用動産を保険等の目的とし、かつ、

② 地震等を直接または間接の原因とする

③ 火災等による損害により生じた損失の額をてん補する保険契約

所得税	
1年間に支払った地震保険料の金額	地震保険料控除額
50,000円まで	支払保険料の全額
50,000円超	一律50,000円
住民税	
1年間に支払った地震保険料の金額	地震保険料控除額
50,000円まで	支払保険料×1/2
50,000円超	一律25,000円

2 損害保険料契約等に係る経過措置

2006年12月31日までに締結された損害保険料控除の対象となる次のすべての要件を満たす長期損害保険契約等に係る保険料を支払った場合には、次の金額を総所得金額から控除することが認められています（この節では、以下長期損害保険料控除といいます）。

① その損害保険契約等が、保険期間または共済期間の満了後に満期返戻金を支払う旨の特約があること

② その損害保険契約等の保険期間または共済期間が10年以上のものであること

③ 2007年1月1日以後にその損害保険契約等の変更をしていないものであること

④ その損害保険契約等の保険期間または共済期間の始期（定めのないものは効力を生ずる日）が、2007年1月1日以後でないこと

(注)その損害保険契約等が、地震保険料控除の対象となる損害保険契約等にも該当するときは、いずれか一の契約のみに該当するものとして控除額を計算します。

所 得 税	
1年間に支払った損害保険料の金額	損害保険料控除額
10,000円まで	支払保険料の全額
10,000円超20,000円まで	(支払保険料×1/2)+5,000円
20,000円超	一律15,000円
住 民 税	
1年間に支払った損害保険料の金額	損害保険料控除額
5,000円まで	支払保険料の全額
5,000円超15,000円まで	(支払保険料×1/2)+2,500円
15,000円超	一律10,000円

❸ ❶と❷の契約がある場合

❶の地震保険契約と❷の損害保険契約がある場合の所得控除の限度額は、所得税の所得控除が5万円、住民税の所得控除が1万5,000円となっています。

5-2 地震保険が附帯されている損害保険契約等の経過措置

Q これまでに契約した地震保険が附帯されている長期損害保険契約等の取扱いは、どのようになりますか。

A これまでに契約した地震保険が附帯されている長期損害保険契約等は、2007年以後、以前の長期損害保険契約に基づく地震保険料控除(5-1❷参照、長期損害保険料控除といいます)と新しい規定の地震保険料控除(5-1❶参照)とのいずれか有利な方を適用することができます。

【設例】2006年12月31日までに締結した長期損害保険契約等で地震保険が附帯されている損害保険の場合（所得税の所得控除）

<table>
<tr><td>長期損害保険料</td><td colspan="2">年15,000円</td></tr>
<tr><td>地震保険料</td><td colspan="2">年10,000円</td></tr>
<tr><td rowspan="2">地震保険料控除</td><td rowspan="2">①と②のいずれか有利な方</td><td>①長期損害保険料控除
15,000円×1/2+5,000円=12,500円</td></tr>
<tr><td>②地震保険料控除
10,000円</td></tr>
</table>

5-3 地震保険料と旧長期損害保険料の支払がある場合の地震保険料控除

Q 地震保険料及び旧長期損害保険料の両方を支払っている場合の地震控除額は、どのように計算するのですか。

A 2007年分以後の各年において、2006年12月31日までに締結した長期損害保険契約等に係る損害保険料（旧長期損害保険料）を支払った場合には、その旧長期損害保険料について従前の損害保険料控除と同様の計算による金額（最高1万5,000円）を地震保険料控除の額として、その年分の総所得金額等から控除することができる経過措置が設けられています（他の損害保険契約等に係る地震保険料による控除額と合わせて最高5万円）。

また、地震保険料及び旧長期損害保険料の両方を支払っている場合には、選択により、地震保険料または旧長期損害保険料のいずれか有利なほうの控除を受けることができます。

【設例】

地震保険料の支払額	10,000円
旧長期損害保険料の支払額	20,000円

【地震保険料に係る控除額】

年間の支払保険料等の合計額	控除額
50,000円以下	支払保険料等の全額
50,000円超	一律50,000円

【旧長期損害保険料に係る控除額】

年間の支払保険料等の合計額	控除額
10,000円以下	支払保険料等の全額
10,000円超20,000円以下	支払保険料等の金額×1/2+5,000円
20,000円超	一律15,000円

【地震保険料控除額の計算】

① 地震保険料による控除額	10,000円
② 旧長期損害保険料による控除額	15,000円(=20,000円×1/2+5,000円)

したがって、この場合には、旧長期損害保険料による控除額1万5,000円を地震保険料控除額とすることが認められます。

5-4 経過措置の適用が受けられる損害保険契約を変更する場合

Q 契約変更していない一定の長期損害保険契約は、経過措置の適用が受けられるそうですが、どのような契約変更も認められないのでしょうか。

A 長期損害保険契約等の変更については、次のように取り扱われることとなっています。

① 長期損害保険契約等に係る損害保険料（積立保険料、特約保険料を含

む）の額に変更が生じないものは、変更には該当しない（損害保険料の額に変更が生ずるものはすべて変更に該当する）。

② 地震保険を中途附帯する等地震保険料の額に変更が生ずる場合であっても、地震保険が附帯される長期損害保険契約等に係る損害保険料の額に変更がない限り、変更には該当しない。

③ 損害保険料の額に変更が生ずるものについては、その効力発生日（変更の効力が発生する日）に変更が行われたものとして取り扱う。なお、損害保険料の額の変更が効力発生日の属する保険年度の翌保険年度（始期応当日）からとなるものであっても、その効力発生日に変更が行われたものとして取り扱う。

④ 年の中途で損害保険料の額に変更があった場合には、効力発生の日の属する年以降に支払われた損害保険料については経過措置の適用はない。

5-5　地震保険料控除と長期損害保険料控除が併用できるケース

Q 地震保険料控除と長期損害保険料控除が併用できるケースがあるそうですが、どのような組合せが対象になるのですか。

A 地震保険料控除と長期損害保険料控除が併用できるケースには、次の組合せがあります。

①	積立火災保険（地震保険附帯なし）の火災保険料＋ 積立火災保険（地震保険附帯あり）の地震保険料部分
②	積立火災保険（地震保険附帯なし）の火災保険料＋ 短期火災保険（地震保険附帯あり）の地震保険料部分
③	積立傷害保険の傷害保険料＋ 積立火災保険（地震保険附帯あり）の地震保険料部分

④	積立傷害保険の傷害保険料＋ 短期火災保険（地震保険附帯あり）の地震保険料部分
⑤	積立火災保険（地震保険附帯あり）の地震保険料部分＋ 他の積立火災保険（地震保険附帯あり）の地震保険料部分
⑥	積立火災保険（地震保険附帯あり）の地震保険料部分＋ 短期火災保険（地震保険附帯あり）の地震保険料部分
⑦	積立火災保険（地震保険附帯あり）の火災保険料部分＋ 他の積立火災保険（地震保険附帯あり）の地震保険料部分
⑧	積立火災保険（地震保険附帯なし）の火災保険料部分＋ 短期火災保険（地震保険附帯あり）の地震保険料部分

(注１)積立火災（積立傷害）保険とは、保険期間が10年以上の満期返戻金付の長期損害保険契約等をいいます。積立傷害保険に地震保険は附帯されません。

(注２)短期火災保険とは、保険期間が10年未満、あるいは満期返戻金がない損害保険契約等をいいます。

(注３)「積立火災保険（地震保険附帯あり）の火災保険料部分」とは、「積立火災保険（地震保険附帯あり）」について、長期損害保険料控除（5-1 ❷ 参照）を選択して適用した場合をいいます。

(注４)「積立火災保険（地震保険附帯あり）の地震保険料部分」とは、「積立火災保険（地震保険附帯あり）」について、地震保険料控除（5-1 ❶ 参照）を選択して適用した場合をいいます。

(注５)「積立火災保険の火災保険料」及び「積立傷害保険の傷害保険料」には、積立保険料が含まれます。

5-6 地震保険料控除の対象となる保険契約

Q どのような保険契約が、地震保険料控除の対象となるのですか。

A 地震保険料控除の対象となるのは、次のような保険契約です。

① 損害保険会社または外国損害保険会社等と締結した損害保険契約のうち一定の偶然の事故によって生ずることのある損害をてん補するもの

② 農業協同組合または農業協同組合連合会と締結した建物共済または火災共済に係る契約

③ 農業共済組合または農業共済組合連合会の締結した火災共済その他建物を共済の目的とする共済に係る契約

④ 漁業協同組合もしくは水産加工業協同組合または共済水産業協同組

合連合会と締結した建物もしくは動産の共済期間中の耐存を共済事故とする共済または火災共済に係る契約

⑤ 火災共済協同組合と締結した火災共済に係る契約

⑥ 消費生活協同組合連合会と締結した火災共済または自然災害共済に係る契約

⑦ 法律の規定に基づく共済に関する事業を行う法人と締結した火災共済または自然災害共済に係る契約でその事業及び契約の内容が②から⑥までに準ずるものとして財務大臣の指定するもの

5-7 地震保険料控除の対象とならない保険料

Q 地震保険料控除の対象とならない保険料には、どのようなものがありますか。

A 地震保険料控除の対象とならない保険料には、次のようなものがあります。

① 地震等損害により臨時に生ずる費用、家屋等の取壊しまたは除去に係る費用その他これらに類する費用に対して支払われる保険金または共済金に係る保険料または掛金

② 損害保険契約等（次の(イ)の金額が居住用建物については 5,000 万円、生活用動産については 1,000 万円以上であるものを除きます）において(イ)に掲げる額の(ロ)に掲げる額に対する割合が 20% 未満とされている場合におけるその損害保険契約等に係る地震等損害部分の保険料または掛金

(イ) 地震等損害により家屋等について生じた損失の額をてん補する保険金または共済金の額

(ロ) 火災による損害により家屋等について生じた損失の額をてん補する保険金または共済金の額

5-8 一時払保険料のうち控除対象となる保険料

Q 地震保険料の全額を一時払いした場合は、その全額が地震保険料控除の対象になりますか。

A 一時払いで保険料を払い込んだ場合は、次の算式で計算した金額が地震保険料控除の対象となります。

$$\text{一時払保険料} \times \frac{\text{その年中に到来する払込期日の回数}}{\text{払込期日の総回数}}$$

（一時払保険料：前納により割引された場合はその割引後の金額）

【設例】

保険期間 10 年、一時払保険料 160,000 円の場合

① 控除対象となる保険料

$$160,000\text{円} \times \frac{1\text{年}}{10\text{年}} = 16,000\text{円}$$

② 所得税の地震保険料控除額

16,000 円

③ 住民税の地震保険料控除額

16,000円×$\frac{1}{2}$＝8,000円

5-9 自動振替貸付けによる保険料、未払保険料の取扱い

Q 自動振替貸付けにより払い込まれた保険料及び未払の保険料は、地震保険料控除の対象になりますか。

A 地震保険料控除における自動振替貸付けによる保険料、未払保険料は、以下のように取り扱われます。

---

1 自動振替貸付けにより払い込まれた保険料

契約者が、その年中にいわゆる振替貸付けにより地震保険料を払い込んだ場合、その払い込んだ保険料は、その年に実際支払った保険料として地震保険料控除の対象となります。

一方、契約者がこの貸付金を保険会社へ返済した場合には、その返済金額は支払った保険料に該当せず、地震保険料控除の対象にはなりません。

2 未払の保険料

地震保険料控除は、その年中において損害保険契約に基づく保険料または掛金を現実に支払った場合に控除することができます。

したがって、その払込期日が到来したものであっても、現実に支払っていないものについては、地震保険料控除の適用はありません。

5-10 賦払いで購入した資産に係る保険料の取扱い

Q 賦払いで購入した家屋を保険の目的とした地震保険料は、地震保険料控除の対象になりますか。

A 地震保険料控除の対象となる地震保険契約等は、本人または本人と生計を一にする配偶者その他の親族が所有している家屋で、常時その居住の用に供しているものまたはこれらの者の有する家屋等を保険もしくは共済の目的とし、かつ、地震等損害によりこれらの資産について生じた損失の額をてん補する保険金または共済金が支払われるものとなっています。

ところで、賦払いの契約により資産を購入した場合で、その契約において代金完済後に所有権を移転する旨の特約が付されているものについて保険をかけた場合には、代金を完済し、所有権を移転するまで地震保険料控除の対象にならないのではないかとの誤解もあるようです。しかし、所得税法ではそのような場合でも、常時その居住の用または日常の生活の用に供しているものについて、その者が有する資産として支払った保険料の額は、地震保険料控除の対象になるとしています。

5-11 店舗併用住宅について支払った保険料の取扱い

Q 私の家は、いわゆる店舗付住宅ですが、一括して損害保険に加入して地震保険料を支払っています。この場合、地震保険料控除の対象となる金額はどのように計算したらよいですか。

A 一つの損害保険契約等に基づく保険等の目的とされた資産のうちに居住用資産とそれ以外の資産が含まれている場合には、その契約に基づいて支払った地震保険料のうち居住用資産に係るものだけが控除の対象になります。

この場合において、保険等の目的とされた資産ごとの地震保険料が保険証券等に明確に区分されていないときは、次の算式により計算した金額を居住用資産に係る地震保険料の金額とします。

---

❶ 居住用と事業等の用とに併用する資産が保険等の目的とされた資産に含まれていない場合

$$\text{その契約に基づいて支払った地震保険料の金額} \times \frac{\text{居住用資産に係る保険金額または共済金額}}{\text{その契約に基づく保険金額または共済金額の総額}}$$

❷ 居住用と事業等の用とに併用する資産が保険等の目的とされた資産に含まれている場合

$$\text{居住用資産につき❶により計算した金額} + \left\{\text{その契約に基づいて支払った地震保険料の金額} \times \frac{\text{居住用と事業等の用とに併用する資産に係る保険金額または共済金額}}{\text{その契約に基づく保険金額または共済金額の総額}} \times \text{その資産を居住の用に供している割合}\right\}$$

(注)店舗併用住宅のように居住の用に供している部分が一定しているものについては、次の割合を居住の用に供している割合としても認められます。

$$\frac{\text{居住の用に供している部分の床面積}}{\text{その家屋の総床面積}}$$

ただし、店舗併用住宅のように居住の用と事業等の用とに併用している場合であっても、その家屋の全体のおおむね90％以上を居住の用に供しているときは、その家屋について支払った地震保険料の全体が居住用資産に係る地震保険料の金額として認められます。

第 2 節　医療費控除と保険金

5-12　医療費控除とは

Q　医療費控除とは、どのような内容のものですか。

A　個人が、各年において、自己または自己と生計を一にする配偶者その他の親族に係る医療費を支払った場合には、一定の金額の所得控除を受けることができます。これを医療費控除といいます。

医療費控除は、所得金額から一定の金額を差し引くもので、控除を受けた金額に応じた所得税が軽減されます。

医療費控除の対象となる金額は、次の式で計算した金額（最高で200万円）とされています。

（実際に支払った医療費の合計額－①の金額）－②の金額

① 保険金等で補てんされる金額
　例として、生命保険契約等で支給される入院費給付金、健康保険（社会保険）等で支給される療養費・家族療養費・出産育児一時金等があります。
② 10万円
　ただし、その年の所得金額の合計額が200万円未満の人はその５％の金額となります。

5-13 医療費控除を受ける場合に控除しなくてもよい保険金等

Q 保険契約等に基づく保険金は、医療費控除の計算をするに当たってすべて医療費から控除しなければなりませんか。

A 保険契約等に基づく保険金は、すべて医療費から控除しなければならないということはありません。医療費から控除しなくてもよい保険金等には、次のようなものがあります。

医療費控除を受ける際に控除しなくてもよい保険金等は以下のとおりです。

① 死亡したこと、重度障害の状態となったこと、療養のため労務に服することができなくなったことに基因して支払を受ける保険金、損害賠償金等

(イ)損害保険契約に基づく保険金

・普通傷害保険に基づく保険金

・交通事故傷害保険に基づく保険金

・旅行傷害保険に基づく保険金

(ロ)所得補償保険に基づく保険金

(ハ)生命保険契約に基づく保険金

・災害割増特約に基づく保険金

・傷害特約に基づく保険金

② 社会保険または共済に関する法律の規定により支給を受ける給付金のうち、健康保険法の規定により支給を受ける傷病手当金または出産手当金その他これらに類するもの

③ 使用者その他の者から支払を受ける見舞金等（法令の規定に基づかない任意の互助組織から医療費の補てんを目的として支払を受ける給付金を

除きます）

5-14 年をまたがって支出した医療費に係る保険金等を受け取った場合の取扱い

Q 私は年末から年始まで病気で入院をし、年末に 30 万円、年始に 20 万円支払いました。その後、2 月に入院給付金を受け取りましたが、医療費控除の額はどのように計算したらよいですか。

A 同じ病気で医療費を 2 年にまたがって支払ったような場合でも、医療費控除の対象となる金額はそれぞれの年に支払った金額が対象となります。しかし、医療費を補てんする保険金等は、同じ病気の場合には一括して支給されることがあるので、年をまたぐこともあります。年をまたいだ場合には、受け取った保険金等を前年分と当年分のそれぞれに按分して医療費控除の計算をしなければなりません。

按分する方法は、支払った医療費の額に応じて按分するのが合理的でしょう。この場合であれば、年末に支払った 30 万円と年始に支払った 20 万円の額に応じて按分した金額を基に医療費控除の計算をすることになります。

5-15 医療費を上回る保険金等を受けた場合の医療費控除の取扱い

Q 私は、傷害保険契約に基づいて医療保険金の給付を受けましたが、実際に支払った医療費の額より多額でした。この場合の医療費控除の額はどのように計算したらよいですか。

A 医療費控除額を計算する場合には、支払った医療費の額から保険金、損害賠償金その他これらに類するものにより補てんされた部分の金額を控除しなければなりません。その際、補てんされる部分の金額が支払った医療費の額を超える場合には、その医療費の額を限度として控除し、他の病気に係る医療費から控除する必要はありません。

なお、この場合の保険金は、身体の傷害に基因して支払を受けるものであるため、医療費を超えて支払を受けた部分の金額は非課税とされます。

5-16 医療費を補てんする保険金等の見込控除の方法

Q 私は12月に入院をし、医療費を支払いましたが、医療費の補てんにあてられる保険金の額が確定申告日現在確定していません。この場合、医療費控除の額はどのように計算したらよいですか。

A 医療費を補てんする保険金等の額が医療費を支払った年分の確定申告書を提出するときまでに確定していない場合には、その受け取る予定の保険金等を見積もり、その見積額を支払った医療費から控除することになります。そして、後日、確定した保険金等の額が見積額と異なることとなったときは、さかのぼって医療費控除額を訂正することとなります。

したがって、この場合、確定申告時に保険金等が確定していないので、保険金等を見積もって医療費控除の計算をすることになります。

5-17　医療費の支払者と保険金等の受領者が異なる場合の医療費控除の取扱い

Q　妻の出産費用を私が支払いましたが、妻がもらった出産給付金は医療費控除を受ける場合、どのような取扱いになりますか。

A　医療費の補てんを目的として支払を受けた給付金は、医療費控除の計算上、医療費から控除することになっており、医療費を補てんする保険金等は、その保険金等の支払を受ける者が医療費を支払った者でない場合であっても、医療費の補てんを目的として支払を受ける保険金である限り、医療費を補てんする保険金等に該当することになっています。

したがって、お尋ねの場合は、その支払った医療費から奥さんがもらわれた給付金を差し引かなければなりません。

第 3 節　返戻金と税金

5-18　満期返戻金・解約返戻金を受け取った場合の取扱い

Q　損害保険契約に基づく満期返戻金や解約返戻金を受け取った場合、税務上どのように取り扱われますか。

A　損害保険契約に基づく満期返戻金または解約返戻金を受け取った場合には、一時所得として所得税及び住民税の対象になります。

課税の対象となる一時所得の金額は、次の算式で計算されます。

$$一時所得の金額 = \left(\begin{matrix}その年中の\\総収入金額\end{matrix} - \begin{matrix}収入を得るため\\に支出した金額\end{matrix}\right) - \left(\begin{matrix}特別控除額\\50万円\end{matrix}\right)$$

① その年中の総収入金額には、満期返戻金または解約返戻金の他に、それらとともにまたはそれらの支払を受けた後に支払われる剰余金または割戻金も含まれます。

② 収入を得るために支出した金額とは、その契約について支払った保険料または掛金の総額から、満期返戻金または解約返戻金の支払を受ける前に剰余金の分配もしくは割戻しを受けます。また、これらの剰余金や割戻金を保険料または掛金に充当したものがあるときは、これらの金額を差し引いた金額をいいます。

なお、他に一時所得となる金額があるときは、その金額を合算し、その合計額から特別控除額の50万円を差し引きます。

また、一時所得の金額を他の所得と合算して税額を計算する場合には、上記で計算した一時所得の金額の２分の１を総所得金額に算入します。

5-19 年金払積立傷害保険の解約返戻金を受け取った場合の取扱い

Q 私は年金払積立傷害保険に加入していましたが、この度契約を解約しました。この場合に受け取る解約返戻金は、税務上どのように取り扱われますか。

A 年金払積立傷害保険の解約返戻金を受け取った場合は、以下のように取り扱われます。

---

1 原則

原則として、保険期間の途中で年金払積立傷害保険を解約した場合に受け取る解約返戻金は、一時所得として所得税及び住民税の対象になります。

したがって、解約返戻金から払込保険料の総額を差し引き、他に一時所得がない場合には、この金額から特別控除額の50万円を控除した残額の２分の１相当額が他の所得と合算されて総合課税されることになります。

2 例外

年金払積立傷害保険で次に掲げる契約をその開始時期から５年以内に解約した場合には、その解約返戻金は一時所得にはならず、金融類似商品として、その解約返戻金と支払保険料の総額との差益に対して20.315％（国税15.315％、地方税５％）の源泉分離課税が行われます。

① 確定年金契約のうち年金支払開始前に解約されたもの

② 全期前納したもの

③ 保険期間等の初日から1年以内に保険料または掛金の総額の2分の1以上を支払ったもの

④ 保険期間等の初日から2年以内に保険料または掛金の総額の4分の3以上を支払ったもの

⑤ 次に掲げる金額の合計額が、年金原資の金額（契約の締結時に定められた年金額を支払うため原資として積み立てられている金額）の5倍未満であり、かつ、それ以外の死亡保険金が年金原資と同額以下であるもの

(イ)各被保険者の災害死亡等により支払われる死亡保険金

(ロ)各被保険者の疾病または傷害に基因する入院及び通院給付金の日額にその支払限度日数を乗じて計算した金額

第4節　損害保険金と税金

5-20　火災保険金を受け取った場合の取扱い

Q 私はこの度、自宅が火事で焼失し火災保険金を受け取りました。この保険金は、税務上どのように取り扱われますか。

A 損害保険会社または外国損害保険会社等と締結した保険契約に基づく保険金で資産の損害に基因して支払を受けるもの並びに不法行為その他突発的な事故により資産に加えられた損害につき支払を受ける損害賠償金を受け取った場合は、税務上、非課税とされています。

したがって、この場合、受け取った保険金には税金は課税されません。

なお、受け取った火災保険金が、その火災等によって受けた損失を超えることになっても所得税は課税されません。

5-21　傷害保険金を受け取った場合の取扱い

Q 被保険者が、保険事故により後遺障害保険金、医療保険金または入院給付金を受け取った場合は、税務上どのように取り扱われますか。

A 損害保険会社または外国損害保険会社等と締結した保険契約に基づく保険金で、身体の傷害に基因して支払を受けるもの並びに心身に加えられた損害につき支払を受ける慰謝料その他の損害賠償金（その損害に基因して勤務または業務に従事することができなかったことによる給与または収益の補償として受けるものを含みます）を被保険者自身、被保険者の配偶者もしくは直系血族または生計を一にする親族が受け取った場合には、全額非課税とされます。したがって、この場合、被保険者が受け取った後遺障害保険金、医療保険金または入院給付金には税金はかかりません。

なお、死亡保険金は「身体の傷害に基因して支払を受けるもの」には該当しないので非課税にはならず、みなし相続財産として相続税の対象になります。

5-22 ゴルフ保険の保険金を受け取った場合の取扱い

Q 私は、先日念願のホール・イン・ワンを達成しました。ゴルフ保険に加入していたのでその保険金を受け取りましたが、この保険金は所得税の対象になりますか。

A ホール・イン・ワンを達成したことにより受け取る保険金は、所得税法上、一時所得に該当します。

一時所得の金額は、次の算式で計算されますが、課税対象となるのはその２分の１の金額です。

$$一時所得の金額＝総収入金額－\begin{pmatrix}収入を得るため\\に支出した金額\end{pmatrix}－\begin{pmatrix}特別控除額\\50万円\end{pmatrix}$$

$$課税される金額＝一時所得の金額\times\frac{1}{2}$$

この場合の総収入金額から控除される「収入を得るために支出した金額」とは、ゴルフ保険の掛金の合計額になります。なお、記念品代等は控除することはできないので注意してください。

5-23 死亡保険金を受け取った場合の取扱い

Q 死亡保険金を受け取った場合、税務上どのように取り扱われますか。

A 死亡があった場合の課税関係は、次のようになっています。

契約者	被保険者	保険金受取人	課税関係
個　人	個　人	個人の相続人	相続人が受け取った保険金はみなし相続財産として相続税の対象になる
個　人	家　族	個　人	保険金は一時所得として所得税及び住民税の対象になる
個　人	個　人	第三者	保険金は遺贈により取得したものとみなされ相続税の対象になる
個　人	第三者	第三者の相続人	個人から第三者の相続人に贈与があったものとみなされ、贈与税の対象になる

なお、死亡保険金の税務上の取扱いは、第３章第４節で詳しく説明しているので、そちらを参照してください。

5-24 無保険者傷害保険契約に基づく死亡保険金を受け取った場合の取扱い

Q 先日、私の夫が交通事故で死亡しました。先方の自動車に対人賠償保険がついていなかったため、無保険車傷害保険の保険金を受け取りました。税務上どのように取り扱われますか。

A 無保険車傷害保険契約は、被保険自動車に搭乗中の者が他の自動車との事故で死亡または後遺障害を被り、それによって生じた損害について法律上の損害賠償を請求できる場合であって、加害自動車に対人賠償保険等がついていない場合等、十分な損害賠償金を受けられないときに保険金が支払われるものです。

相続税法ではこの無保険者傷害保険契約によって支払われる保険金は損害賠償金としての性格を有しているため、相続または遺贈により取得したものとみなす保険金に含めないこととされています。

したがって、この場合の保険金は、相続税の課税対象になりませんし、また、所得税も非課税とされています。

5-25 損害賠償責任に基づく死亡保険金を受け取った場合の取扱い

Q 自賠責の保険金を受け取った場合、税務上どのように取り扱われますか。

A 損害保険契約の死亡事故が発生した場合において、その契約の保険料の全部または一部が保険金受取人以外の者によって負担されたものがあるときは、保険事故が発生したときにおいて、保険金受取人が取得した保険金のうち、保険金受取人以外の者が負担した保険料に対応する部分の保険金は贈与により取得したものとみなすこととされています。

原則として自賠責の保険金はみなし贈与とされますが、一部の保険金は取扱いが異なります。次に掲げる損害保険契約の保険金は、みなし贈与の対象から除外することになっており、贈与税、相続税の課税対象から除外されています。

① 自動車損害賠償責任保険契約（自賠責）に基づく保険金
② 自動車損害賠償責任共済契約に基づく共済金
③ 原子力損害賠償責任保険契約に基づく保険金
④ その他損害賠償責任に関する保険または共済に係る契約に基づく保険金または共済金

また、次の保険または共済の契約に基づき支払われる死亡保険金のうち、契約者の損害賠償責任に基づき損害賠償金にあてられることが明らかである部分については、上記④の損害賠償責任に関する保険または共済に係る契約に基づく保険金に該当するものとして取り扱っても差し支えないものとされています。

① 自動車保険搭乗者傷害危険担保特約
② 分割払自動車保険搭乗者傷害危険担保特約
③ 月掛自動車保険搭乗者傷害危険担保特約
④ 自動車運転者損害賠償責任保険搭乗者傷害担保特約
⑤ 航空保険搭乗者傷害危険担保特約
⑥ 観覧入場者傷害保険
⑦ 自動車共済搭乗者傷害危険担保特約

なお、上記保険または共済の死亡保険金のうち、損害賠償金にあてられる部分以外の部分については、保険料の負担者が被相続人であるときは、相続または遺贈により取得した保険金とみなされ、相続税の課税対象になります。また、保険料の負担者が被相続人及び保険金受取人以外の者であるときは、贈与により取得したものとみなされて贈与税の課税対象になります。

5-26 訴訟により支払が確定した死亡保険金の収入すべき時期

Q 妻が、海外旅行中に誤ってホテルのバルコニーから転落して死亡しました。現地の警察の捜査では自殺と認定されたため、保険会社からは保険金が支払われませんでした。そこで、妻の死亡原因は事故であるとする保険金の支払を求める訴訟を提起したところ、判決が確定し、保険金が支払われることとなりました。この保険の収入すべき時期はいつになりますか。保険の契約者は私、被保険者は私と妻、死亡保険金受取人は被保険者の相続人となっています。

A この場合、受け取った生命保険金は、一時所得となります。

一時所得の総収入金額の収入すべき時期は、原則として、その支払を受けた日によりますが、その支払を受けるべき金額がその日前に支払者から通知されているものについては、その通知を受けた日により、生命保険契約等に基づく一時金または損害保険契約等に基づく満期返戻金等のようなものについては、その支払を受けるべき事実が生じた日によることとされています。

この場合の支払を受けるべき事実が生じた日とは、通常であれば保険事故が発生した日となりますが、保険金の免責事由が争われているような場合には、保険事故が発生していても必ずしも保険金収入の実現可能性が客観的に認識しうる状態にはないことから、保険金の支払の判決等があったときをもって、保険金の収入時期として取り扱うことが認められています。

5-27 積立傷害保険の保険金を受け取った場合の取扱い

Q 個人が積立傷害保険の保険金を受け取った場合、税務上どのように取り扱われますか。

A 個人が積立傷害保険の保険金を受け取った場合の課税関係は、次のとおりです。

契約者	被保険者	保険金受取人			保険金等に対する課税		
		傷害のとき	満期のとき	死亡のとき	傷害のとき	満期のとき	死亡のとき
個　人	個　人	個　人	個　人	個人の相続人	・非課税 ・被保険者の配偶者や生計を一にする親族等が受け取った場合も非課税	・一時所得として課税の対象になる ・保険期間が5年以内、一時払い、補償倍率5倍未満のものは20.315%の源泉分離課税となる	相続税の対象になる
個　人	家　族	家　族	個　人	家族の相続人	同　上	同　上	・個人が取得した保険金は一時所得として課税の対象になる ・他の家族が取得した保険金は贈与税の対象になる
個　人	第三者	第三考	個　人	個　人	同　上	同　上	一時所得として課税の対象になる

5-28 契約者貸付金がある場合の損害保険金の取扱い

Q 私はこの度、父が交通事故で死亡したことにより、父が保険料を負担していた損害保険契約に基づいて保険金を受け取りました。父は生前損害保険会社から借入金があったので、その金額が差し引かれていました。この場合、税務上どのように取り扱われますか。

A 契約者貸付金制度とは、保険契約者が保険契約の解約返戻金の90％の範囲内で金銭の貸付けを受けることができる制度です。保険事故が発生した場合には、保険金からその契約者貸付金の元利金が差し引かれることになっています。契約者貸付金が保険金から差し引かれた場合は、次のように取り扱うこととされています。

---

❶ 被保険者が契約者である場合

保険金受取人は、契約者貸付金等の額を控除した金額に相当する保険金を取得したものとして、契約者貸付金等の額に相当する保険金及びその契約者貸付金等の額に相当する債務はいずれもなかったものとして取り扱われます。

❷ 被保険者以外の者が契約者である場合

保険金受取人は、契約者貸付金等の額を控除した金額に相当する保険金を取得したものとされ、保険契約者が、契約者貸付金等の額に相当する保険金を取得したものとして取り扱われます。

したがって、この場合は❶に該当するので、契約者が相続により取得したとみなされる保険金は、契約者貸付金を差し引き、実際に受け取った金額となり、その金額から生命保険金の非課税金額を差し引いた残額が相続税の課税対象になります。

5-29　高度障害保険金等を相続人が受け取った場合の取扱い

Q 夫は、自分を契約者及び被保険者、死亡保険金受取人を私とする傷害保険に加入していました。その夫が交通事故で高度障害の状態になり保険金を請求していましたが、保険金を受け取る前に死亡し、私が高度障害保険金を受け取りました。この保険金は、税務上どのように取り扱われますか。

A 相続税法上の生命保険金は、被保険者の死亡（死亡の直接の原因となった傷害を含みます）を保険事故として支払われるいわゆる死亡保険金（死亡共済金を含みます）に限られます。被保険者の傷害、疾病その他これらに類するもので死亡を伴わないものを保険事故として支払われる保険金（共済金を含みます）または給付金は、その被保険者の死亡後に支払われたものであってもこれには含まれず、本来の相続財産になります。

ご相談は、夫の傷害を保険事故として支払われる保険金が、夫の死亡した後に相続人に支払われたものなので、生命保険金には該当せず、本来の相続財産として相続税の対象になります。

したがって、この場合には生命保険金ではないため、生命保険金の非課税の適用はありません。

5-30 親族が受け取る入院給付金の取扱い

Q 交通事故で入院した妻の入院費用を私が支払いましたが、妻は保険会社から入院給付金を受け取りました。この給付金は、医療費控除の計算をする場合、私が支払った医療費から差し引かなければなりませんか。

A 健康保険法の規定により支給を受ける療養費、出産育児一時金、家族療養費、配偶者出産育児一時金または高額療養費、損害保険契約または生命保険契約に基づく傷害費用保険金、医療保険金または入院費給付金、医療費の補てんを目的とする損害賠償金、その他法令の規定に基づかない任意の互助組織から医療費の補てんを目的として支払を受ける給付金は、医療費控除の計算をする際に支払った医療費から控除すべき医療費を補てんする保険金等に含まれます。

また、医療費を補てんする保険金等は、その保険金等の支払を受ける人が医療費を支払った人と異なる場合であっても、医療費の補てんを目的として支払を受ける給付金である限り、医療費を補てんする保険金等に該当します。

したがって、この場合の妻が支払を受ける給付金は、相談者が支払った医療費の金額から差し引くことになります。

5-31 債務返済支援保険の保険金の取扱い

Q ケガで入院したところ、住宅ローンを組んだ際に加入した債務返済支援保険から保険金が入ってきました。この保険金の取扱いは、どのようになりますか。

A 債務返済支援保険は、団体長期障害所得補償保険の特約として、金融機関が住宅ローン債務者のローン返済支援を目的に締結するもので、金融機関が保険契約者、住宅ローン債務者が被保険者及び保険金受取人となり、住宅ローン債務者が 30 日を超えて病気・ケガで入院（医師の指示による自宅療養を含みます）した場合に、一回の入院で最長 25 か月にわたってローン返済金相当額の保険金が支払われるというものです。

ケガによる就業障害を保険事故とする保険金ですので、一般の所得補償保険と同様に「身体の傷害に基因して支払を受けるもの」に該当し、所得税は非課税とされます。

第5節　損害賠償金

5-32　交通事故により受け取った損害賠償金の取扱い

Q　私は、先日交通事故に遭い入院しました。相手方から治療費と休業期間の給料相当額を受け取り、損害保険会社から医療保険金を受け取りました。この場合の課税関係はどうなりますか。

A　所得税法上、次に掲げる保険金、損害賠償金、慰謝料または見舞金は非課税とされています。

① 損害保険契約に基づく保険金及び生命保険契約に基づく給付金で身体の傷害に基因して支払を受ける慰謝料その他の損害賠償金（その損害に基因して勤務または業務に従事することができなかったことによる給与または収益の補償として受けるものを含みます）

② 損害保険契約に基づく保険金及び共済契約に基づく共済金で資産の損害に基因して支払を受けるもの並びに不法行為その他突発的な事故により資産に加えられた損失につき支払を受ける損害賠償金

③ 心身または資産に加えられた損害につき支払を受ける相当の見舞金

したがって、この場合は①に該当するため、相談者が受け取った金額については、非課税として扱われます。

5-33 損害賠償金を取得した場合の課税関係

Q 損害賠償金を受け取った場合に、課税されるものと課税されないものとがあるそうですが、どのようになっているのですか。

A 損害賠償金を受け取った場合の課税関係をまとめると、次のようになります。

取　得　原　因	具　体　例	課税関係
必要経費に算入される金額を補てんするために受け取るもの	店舗の賃借料等通常の維持管理費用を補てんする目的のもの	課　税
身体の傷害や心身に加えられた損害につき受け取るもの	慰謝料、示談金	非課税
	給与や収益の補償	〃
	見舞金	〃
債務不履行により受け取るもの	違約金、遅延利息	課　税
棚卸資産が損失を被ったことにより受け取るもの	棚卸資産の火災保険	〃
店舗や車両等の固定資産が損失を被ったことにより受け取るもの	休業補償金	〃
	突発的な事故により受け取る火災保険等（必要経費に算入されるものを補てんするものを除く）	非課税
	収用等で補償を約したもの	課　税
	見舞金	非課税

第 6 節　災害損失と税金

5-34　住宅や家具に損失が生じたときの取扱い

Q　次の住宅が焼失した場合、税務上どのように取り扱われますか。

住宅及び家具の未償却残高	20,000,000 円
時価	30,000,000 円
保険金	25,000,000 円

A　住宅や家具等生活に通常必要な資産に生じた損失の額は、雑損控除の対象となります。

雑損控除の対象となる損失額は、その損失が生じたときの直前におけるその資産の時価から保険金で補てんされた部分の金額を控除した金額となり、次のように計算されます。

30,000,000 円－25,000,000 円＝5,000,000 円
→雑損控除の対象額

なお、住宅または家財について、それぞれの価額の 2 分の 1 以上の損失を受けた場合において、その者の合計所得金額が 1,000 万円以下であるものについては以下のように所得税を減額または免除されます。

合計所得金額	所得税額の減額または免除額
500 万円以下	所得税の額の全部
750 万円以下	所得税の額の 2 分の 1
750 万円超 1,000 万円以下	所得税の額の 4 分の 1

5-35 雑損控除と災害減免法による減免措置

Q 災害を受けた場合には、税額の軽減措置があるのですか。

A 災害を受けた人が受けられる税制の軽減措置には、雑損控除と災害減免法による減免があります。

両者を比較すると、次のようになります（それぞれの詳しい内容は次の質問以降を参照してください）。

	所得税法の雑損控除	災害減免法による所得税の減免
損失の発生原因	災害、盗難、横領による損失	災害による損失
対象となる資産	生活に通常必要な資産 （棚卸資産や事業用の固定資産 生活に通常必要でない資産は除く）	住宅または家財
被害の程度による適用の制限	なし	被害程度が 10 分の 5 以上減失または損失
所得金額の制限	なし	合計所得金額が 1,000 万円以下
控除額または減免額	次の①と②のいずれか多いほうの金額 ①差引損失額－所得金額の10 分の 1 ②差引損失額のうち災害関連支出の金額－5 万円	その年の所得金額／減免額 500万円以下／全額免除 500万円超750万円以下／2 分の 1 の軽減 750万円超1,000 万円以下／4 分の 1 の軽減
控除不足額の繰越し	翌年以降 3 年間繰越控除	なし

5-36 雑損控除とは

Q 雑損控除とは、どういうものですか。

A 雑損控除とは、火災、風水災その他の災害や盗難または横領によって、本人または本人と生計を一にする配偶者その他の親族の有する住宅、家財または現金等の資産に損害が生じた場合に次の算式で計算した金額を、災害のあった年の総所得金額から控除できるというものです。

雑損控除の控除額＝損失の金額－次のいずれか低い金額
① 損失の金額－(災害関連支出の金額－50,000円)
② 総所得金額等×10%

損失の金額＝((イ)資産に係る損失の金額＋(ロ)災害関連支出の金額)－(ハ)保険金等で補てんされる金額

(イ) (被災直前の時価)－(被災直後の時価)－(廃材の価額)＋(盗難または横領による損失に係る資産の原状回復の支出等)

(ロ) 被災資産の取壊しまたは除去のため等の支出

＋ 被災資産を使用するために災害がやんだ日の翌日から１年を経過した日の前日までに支出した以下に掲げるもの等

土砂その他の障害物を除去するための支出	原状回復のための支出	損壊等防止のための支出

＋ 災害の拡大または発生を防止するため緊急に必要な措置を講ずるための支出

損失を補てんする保険金等とは、次のようなものをいいます。

・損害保険契約または火災保険契約に基づき、被災者が支払を受ける保険金

・損害保険契約または火災保険契約に基づき、被災者が支払を受ける見舞金

・資産の損害の補てんを目的とする任意の互助組織から支払を受ける災害見舞金

なお、確定申告書を提出するときまでに保険金等の額が確定していないときは、受け取ることになる保険金等を見積もり、その見積額に基づいて損失額を計算することになります。その後、見積額と保険金等の額が異なるときは、損失額を訂正することになります。

5-37 災害減免法とは

Q 災害減免法とは、どういうものですか。

A 災害減免法とは、正式には災害被害者に対する租税の減免、徴収猶予等に関する法律といい、次のような内容のものです。

---

1 災害減免法の対象者と減免額

対象となるのは震災、風水害、落雷、火災その他これらに類する災害により住宅または家財について損害を受けた人です。その損害額が住宅または家財の価額の2分の1以上で、その年中の各種の所得金額の合計額が1,000万円以下の人は、所得の区分に応じそれぞれ次の金額が減免または免除されます。

その年分の所得金額	減　免　額
500万円以下	全額免除
500万円超750万円以下	2分の1の軽減
750万円超	4分の1の軽減

(注)住宅または家財とは、それぞれ次のものをいいます。

① 住宅

住宅とは、自己または自己と生計を一にする配偶者その他の親族が常時起居する家屋をいい、必ずしも生活の本拠であることは要しません。したがって、例えば2以上の家屋に自己または自己と生計を一にする親族が常時起居しているときは、そのいずれもが住宅となります。また、常時起居している家屋に付属する倉庫、物置等の付属建物は、住宅に含まれます。

ただし、現に起居している家屋であっても、常時起居しない別荘のようなものは住宅に該当しません。

② 家財

家財とは、自己または生計を一にする配偶者その他の親族の日常生活に通常必要な家具、什器、衣服、書籍その他の家庭用動産をいいます。

ただし、書画、骨とう、娯楽品等で生活に通常必要な程度を超えるものは、家財に含まれません。

2 減免を受けるための手続

災害減免法による所得税の減免を受けようとする人は、確定申告書に①その旨、②被害の状況、③損害金額を記載して、これを納税地の所轄税務署長に確定申告書の提出期限までに提出しなければなりません。

5-38 雑損控除と災害減免法の有利・不利

Q 雑損控除の適用を受けるのと災害減免法による所得税の減免を受けるのとでは、どちらが有利ですか。

A 雑損控除が有利か災害減免法が有利かは、所得金額や損害額によって異なります。有利、不利をまとめると、次表のようになります。

条　件		災害減免法の救済	雑損控除による救済	有利、不利の判定
損害額の程度	所得金額			
合計所得金額以下	500万円以下	所得税の全額免除	（損害額－合計所得金額×10%）と（損害額のうち災害関連支出の金額－５万円）とのいずれか多い金額	災害減免法有利
	500万円〜750万円	所得税の２分の１相当額の免除	同　上	損害額が所得金額に近いほど雑損控除が有利 損害額が少ないときは災害減免法が有利
	750万円〜1,000万円	所得税の４分の１相当額の免除	同　上	同　上
	1,000万円超	な　し	同　上	雑損控除有利
合計所得金額超	——	——	——	同　上

雑損控除の適用を受けるか、災害減免法による所得税の減免措置を受けるかは、納税者が任意に選択できることになっていますが、重複して適用を受けることはできません。

なお、雑損控除の適用を受ける場合には、その年において控除しきれない雑損失の金額を翌年以後３年間に繰り越して控除できるのに対し、災害減免法の適用を受ける場合には、損害金額を翌年に繰り越して控除することは認められないので、一般的には、雑損失の金額が総所得金額の合計額を超える程度に被害が大きい場合には雑損控除の適用を受けるほうが有利になります。

第 7 節　損害保険と相続税評価

5-39　積立型損害保険の相続税評価

Q 私は、父の相続により積立傷害保険契約に関する権利を相続することになりましたが、この積立傷害保険契約に関する権利は、相続税の対象となりますか。

A 積立傷害保険のような積立型の損害保険契約に関する権利は、契約者の本来の相続財産になります。

したがって、被相続人が契約者である積立型の損害保険契約に関する権利は相続税の対象となります。

なお、このような積立型の損害保険契約に関する権利の評価は、相続開始時におけるその契約の解約返戻金相当額で評価することになります。

5-40　建物更生共済契約に関する権利の評価

Q 父は、私の所有する建物の共済を目的とする建物更生共済に加入して、その掛金を負担しています。父が死亡した場合、課税関係はどのようになりますか。

A 建物更生共済契約に関する権利は、契約者の本来の相続財産となります。したがって、契約者（掛金負担者）について相続が発生した場

合には、その建物更生共済に関する権利の価額を、相続税の対象に含めなければなりません。

なお、この場合の評価額は、相続開始時における解約返戻金相当額となります。

ちなみに、この場合のように建物所有者と契約者（掛金負担者）が異なる場合において、建物所有者に相続が発生したときは、相続税の課税関係は何も生じません。

第 8 節　人身傷害補償保険

5-41　人身傷害補償保険とは

Q　人身傷害補償保険とは、どのような保険ですか。

A　人身傷害補償保険は、自動車保険の一種です。既存の自動車保険が事故の相手方過失に応じる損害額を補償するのにとどまっていたのに対し、人身傷害補償保険は、事故の相手方または保険に係る車両の運転者の過失割合にかかわらず、死亡した被保険者に生じた人的損害に係る実損害額を補償する保険契約をいいます。

5-42　保険金を受け取った場合の取扱い

Q　人身傷害補償保険の保険金を受け取った場合、税務上どのように取り扱われますか。

A　人身傷害補償保険の保険金を受け取った場合は、以下のように取り扱われます。

❶ 傷害保険金の取扱い

被保険者が身体に傷害を被ったことに基因して受け取る保険金は、所得税法上非課税とされているので、所得税及び住民税の対象にはなりません。

❷ 死亡保険金の取扱い

保険金のうち、事故の相手方過失割合に応ずる金額、被保険自動車に同乗の他人が死亡した場合の自過失割合に応ずる金額（死亡した同乗の他人に過失がある場合の好意同乗者減額割合分を除きます）及びいわゆる親族間事故における自動車損害賠償保障法（自賠法）第16条に規定する被害者直接請求権に応ずる金額は、損害賠償金としての性格が認められることから、保険金の受取りについては非課税とされています。

しかし、それ以外の部分の金額については、保険料負担者と保険金受取人との関係により次のように取り扱われることとされています。

① 死亡した被保険者が保険料の負担者である場合
　保険金は相続税の対象となります。

② 死亡した被保険者が保険料の負担者及び保険金受取人以外の者が保険料の負担者である場合
　保険料負担者から保険金受取人に対して贈与があったものとして贈与税が課せられます。

③ 保険料の負担者と保険金の受取人が同じである場合
　保険金受取について所得税（一時所得）が課せられます。

これらの課税関係をまとめると、次ページの表のようになります。

●人身傷害補償保険に係る課税関係

※夫の相続人は妻、子A、Bとする。

契約者	被保険者	被保険自動車の所有者	保険金受取人	保険金			
				相手方過失割合相当額（非課税）	自賠法相当額（非課税）	同乗の他人に対する自過失割合相当額（非課税）	その他（課税分）
夫	夫	夫	妻 5,000万円	$6{,}000\text{万円}\times\frac{5{,}000\text{万円}}{1\text{億円}}$ =3,000万円	—	—	（相続税） 5,000万円− 3,000万円 =2,000万円
			子A 2,500万円	$6{,}000\text{万円}\times\frac{2{,}500\text{万円}}{1\text{億円}}$ =1,500万円	—	—	（相続税） 2,500万円− 1,500万円 =1,000万円
			子B 2,500万円	同　上	—	—	（相続税） 同　上
夫	妻	夫	夫 5,000万円	6,000万円× 5,000万円÷ {5,000万円＋ (2,500万円−(A))×2} ≒3,530万円	—	—	（所得税） 5,000万円− 3,530万円 =1,470万円
			子A 2,500万円	6,000万円× (2,500万円−(A))÷ {5,000万円＋ (2,500万円−(A))×2} ≒1,235万円	$1{,}500\text{万円(注2)}\times\frac{2{,}500\text{万円}}{(2{,}500\text{万円}+2{,}500\text{万円})}$ =750万円(A)	—	（贈与税） 2,500万円− 1,235万円− 750万円 =515万円
			子B 2,500万円	同　上	同　上	—	（贈与税）同上
夫	妻	夫	夫 9,000万円	6,000万円× (9,000万円− 300万円−200万円)÷ (9,000万円− 300万円−200万円) =6,000万円	—	—	（子Aからの贈与税）300万円 （子Bからの贈与税）200万円 （所得税（一時所得））9,000万円−6,000万円−300万円−200万円−10万円（注3）−50万円（注4）=2,440万円
			子A 600万円	—	$1{,}500\text{万円(注2)}\times\frac{600\text{万円}}{(600\text{万円}+400\text{万円})}$ =900万円>600万円 ∴600万円 900万円−600万円 =300万円（夫への贈与）	—	—
			子B 400万円	—	$3{,}000\text{万円}\times\frac{1}{2}\times\frac{400\text{万円}}{(600\text{万円}+400\text{万円})}$ =600万円>400万円 ∴400万円 600万円−400万円 =200万円（夫への贈与）	—	—
夫	同乗の第三者	夫	被保険者の相続人	—	—	原則全額1億円非課税	（好意同乗者減額される部分の金額相当額は贈与税課税となる）

（注１）被保険者死亡の損害額を１億円、相手方過失割合を60％とします。

（注２）子A、Bが有する自賠法上の被害者直接請求権の額

（注３）払込保険料の累計額

（注４）一時所得の特別控除額

5-43 後遺障害保険金を定期金により受け取っていた者が死亡した場合の取扱い

Q 後遺障害保険金を定期金により受け取っていた者が死亡した場合、相続人に支払われる一時金は、税務上どのように取り扱われますか。

A 人身傷害補償保険の後遺障害保険金は、原則として後遺障害確定時に一時金として被保険者に支払われますが、一定の場合に被保険者が選択したときには、逸失利益に対する損害補てん部分について、就労可能年限までの定期金による支払を受けることができるものもあります。

この定期金の支払を受けていた被保険者が、定期金支払終了前に死亡した場合には、その相続人に対し未払分が一括して支払われます。しかし、この一時金については、①定期金により後遺障害保険金を受け取っていた者の死亡は保険事故ではないこと、②一時金は保険契約によって受取人が指定されているものではなく、死亡した後遺障害者のすべての相続権者から委任を受けた者がその請求を行うことができることから、その相続人が被相続人の保険金請求権に係る未払金に関する権利を相続により取得したものとして相続税の課税対象とされることとなっています。

なお、この場合の相続税の評価額は、その一時金の金額となります。

5-44 死亡保険金のうち保険会社が被害者の相続人に代位して政府保障事業に請求する金額の取扱い

Q 死亡保険金のなかに自賠責保険金相当額が含まれている場合は、どのように取り扱われますか。

A 人身傷害補償保険では、死亡保険金のうち保険会社が被害者の相続人に代位して加害者に請求することとなる部分の金額については、損害賠償金の性格を有することから、相続税は非課税とされています。

しかし、当て逃げ事故等の場合のように加害者が明らかでないため損害賠償金を請求することができない場合には、被害者は政府保障事業に請求して自賠責保険金相当額の補てん金が受けられることとされており、人身傷害補償保険では、保険会社がその補てん金相当額を保険金に含めて支払う場合があります。

この場合の補てん金相当額は、相手方過失割合に応じて事故の相手方に対して直接損害賠償請求をして取得する損害賠償金と同様の性格を有するものと認められることから、この補てん金相当額については、相続税の対象とはされていません。

第9節　年金払積立傷害保険

5-45 保険料負担者、被保険者及び給付金受取人が同一の場合の取扱い

Q 保険契約者（保険料負担者）、被保険者及び給付金受取人が同一である場合の年金払積立傷害保険は、税務上どのように取り扱われますか。

A 保険料負担者、被保険者及び給付金受取人が同一の場合の取扱いについては、以下のようになっています。

---

1 死亡保険金（返戻金）の課税関係

保険事故の発生により被保険者の相続人が受け取る保険金は、みなし相続財産となり、相続税の課税対象となります。この場合の保険金には、生命保険金の非課税の規定が適用されます（3-52参照）。

一方、保険事故以外の原因により被保険者の相続人が受け取る返戻金は、みなし相続財産ではなく、本来の相続財産として相続税の対象となります。この場合には、生命保険金の非課税の適用はありません。

2 解約返戻金の課税関係

契約の解約に伴い契約者（保険料負担者）が受け取る解約返戻金は、その者に対する一時所得となり、所得税及び住民税の課税対象となります。

❸ 給付金の課税関係

給付金受取人が契約に基づき受け取る給付金は雑所得となり、所得税及び住民税の対象となります。

雑所得の金額は、次のように計算します。

① 雑所得の金額

$$雑所得の金額 = \begin{matrix}その年の\\基本給付金\end{matrix} + \begin{matrix}増額\\給付金\end{matrix} + \begin{matrix}加算\\給付金\end{matrix} - 必要経費$$

② 必要経費

上記①の必要経費は次の算式で計算します。

$$必要経費 = \begin{matrix}払込保険\\料総額\end{matrix} \times \frac{\begin{matrix}その年の\\基本給付金\end{matrix} + 増額給付金}{基本給付金 + \begin{matrix}増加給付金の\\総受取見込額\end{matrix}} \quad （小数点３位以下切上げ）$$

③ 総受取見込額（基本給付金＋増額給付金）は、年金の種類によって次のように計算します。

(イ)確定年金

確定年金とは、年金受取人の生死に関係なく年金の支給予定期間中年金を支払うものをいいます。

$$基本給付金 + \begin{matrix}増額給付金の\\総受取見込額\end{matrix} = （基本給付金 + 増額給付金）\times 給付金支払期間$$

(ロ)有期年金

有期年金とは、年金受取人が年金支給期間内に死亡したときは、その死亡後は年金を支払わないものをいいます。

基本給付金＋増額給付金の総受取見込額＝(基本給付金＋増額給付金)×給付金支払期間と給付金支払開始時における受取人の平均余命年数のいずれか短い年数

(ハ)保証期間付有期年金

保証期間付有期年金とは、年金受取人が支給期間中生存している場合はこの間年金が支払われ続けるが、支払期間の終了または保証期間後死亡したときは年金の支払が終了するもので、保証期間中に死亡したときは、保証期間の残存期間の年金は継続受取人に支払われるものをいいます。

基本給付金＋増額給付金の総受取見込額＝(基本給付金＋増額給付金)×保証期間の年数と平均余命年数のいずれか長い年数と給付金支払期間とのいずれか短い年数

(ニ)終身年金

終身年金とは、年金受取人の生存中に限り年金が支払われるものをいいます。

基本給付金＋増額給付金の総受取見込額＝(基本給付金＋増額給付金)×平均余命年数

(ホ)保証期間付終身年金

保証期間付終身年金とは、受取人の生存中年金が支給される他、受取人が保証期間内に死亡した場合には、その死亡後においても保証期間の終了する日まで支給されるものをいいます。

基本給付金＋増額給付金の総受取見込額＝(基本給付金＋増額給付金)×平均余命年数と保証期間年数とのいずれか長い年数

❹ 相続により受け取る年金の課税関係

相続人が、この保険に係る年金を受給した場合には、その年金は雑所得として所得税の課税対象となります。対象となる金額は、相続税の対象になった年金の種類とその相続時の年金の評価が平成22（2010）年度の税制改正前のものか、それとも改正後のものかによって違うこととされています。具体的な計算方法は、第3章第6節を参照してください。

5-46 保険料負担者及び給付金受取人以外の者が被保険者である場合の取扱い

Q 契約者（保険料負担者）A、給付金受取人A、被保険者がBである場合の年金払積立傷害保険は、税務上どのように取り扱われますか。

A 保険料負担者及び給付金受取人以外の者が被保険者である場合は、以下のように取り扱われます。

❶ 被保険者が死亡した場合の課税関係

被保険者の死亡によりAが受け取る保険金（返戻金）は、Aの一時所得となり、所得税及び住民税の課税対象となります。しかし、死亡保険金の受取人がA以外の相続人の場合は、その保険金（返戻金）相当額はAからその相続人へ贈与があったものとして贈与税が課税されます。

2 契約者が死亡した場合の課税関係

1. 給付金支給開始日前の場合

給付金支給開始日前に契約者（保険料負担者）が死亡した場合は、その年金払積立傷害保険契約に関する権利を承継する相続人について相続税が課税されます。この場合の年金払積立傷害保険契約に関する権利の評価額は、次のように評価します。

① 解約返戻金を支払う旨の定めがあるものは、その解約返戻金相当額

② 解約返戻金を支払う旨の定めがないもの

(イ)保険料（掛金）が一時払いの場合

経過期間につき保険料（掛金）の払込金額に対し予定利率の複利による計算をして得た元利合計額×0.9

(ロ)保険料（掛金）が一時払い以外の場合

(経過期間に払い込まれた保険料(掛金)の金額の１年当たりの平均額)×(経過期間に応ずる予定利率による複利年金終価格)×0.9

2. 給付金支給開始日以降の場合

給付金受給権を相続する場合には、その給付金受給権を相続する相続人について相続税が課税されます。この場合の給付金受給権の評価は、3-134と同様に評価します。

3 解約返戻金の課税関係

契約の解約に伴い契約者（保険料負担者）が受け取る解約返戻金は、そ

の者に対する一時所得となり、所得税及び住民税の課税対象となります。

❹ 給付金の課税関係

給付金受取人が契約に基づき受け取る給付金は雑所得となり、所得税及び住民税の課税対象となります。

雑所得の金額の計算については、前問を参照してください。

5-47 被保険者及び給付金受取人以外の者が保険料負担者である場合の取扱い

Q 契約者（保険料負担者）A、被保険者がB、給付金受取人がBである場合の年金払積立傷害保険は、税務上どのように取り扱われますか。

A 被保険者及び給付金受取人以外の者が保険料負担者である場合は、以下のように取り扱われます。

---

❶ 給付金支給開始日前の課税関係

1. 契約者が死亡した場合の課税関係

給付金支給開始日前に契約者（保険料負担者）が死亡した場合は、その年金払積立傷害保険契約に関する権利を承継する相続人について相続税が課税されます。

この場合の年金払積立傷害保険契約に関する権利の評価額は、次により評価します。

① 解約返戻金を支払う旨の定めがあるものは、その解約返戻金相当額

② 解約返戻金を支払う旨の定めがないもの

⑴ 保険料（掛金）が一時払いの場合

経過期間につき保険料（掛金）の払込金額に対し予定利率の複利による計算をして得た元利合計額×0.9

⑵ 保険料（掛金）が一時払い以外の場合

（経過期間に払い込まれた保険料（掛金）の金額の１年当たりの平均額）×（経過期間に応ずる予定利率による複利年金終価格）×0.9

なお、契約者以外の者が保険料を負担していた場合において、給付金支給開始日前に保険料負担者が死亡したときは、契約者が保険料の負担者から定期金に関する権利（評価額は上記と同じ）を相続または遺贈により取得したものとみなして相続税が課税されます。

2. 被保険者が死亡した場合の課税関係

被保険者の死亡によりＡが保険金（給付金）を受け取る場合には、その保険金（給付金）相当額は、Ａの一時所得となり、所得税及び住民税の課税対象となります。

ただし、Ａ以外の被保険者の相続人が保険金（給付金）を受け取る場合には、Ａからその保険金（給付金）を受け取った被保険者の相続人へ贈与があったものとして贈与税が課税されます。

3. 契約を解約した場合の返戻金の課税関係

契約者が受け取る解約返戻金は、一時所得として所得税及び住民税の対象になります。なお、年金払積立傷害保険契約を契約してから５年以内に解約したもので、保険料を一時払で支払っているもの及び次の方法で支払っているもので、かつ、保障倍率が５倍未満のものについては、その解約返戻金は一時所得とならず、解約返戻金と払込保険料総額の差額に対して

20.315%（国税 15.315%、地方税５％）が源泉徴収され、課税が完結します。

① 保険期間の初日から１年以内に保険料の総額の２分の１以上を支払うもの

② 保険期間の初日から２年以内に保険料の総額の４分の３以上を支払うもの

❷ 給付金支給開始日以降の課税関係

1. 給付金受給権を取得する給付金受取人の課税関係

給付金支給開始日に給付金受給権を取得する給付金受取人は、契約者（保険料負担者）から給付金受給権の贈与を受けたものとして、贈与税が課税されます。この場合の給付金受給権の評価は、年金保険の種類に応じ前問❶ 2. と同じように評価します。

2. 給付金受取人が契約を解約し、返戻金を受け取る場合の課税関係

給付金受取人が契約を解約し、返戻金を受け取る場合には、その返戻金相当額は、その受取人の一時所得として所得税及び住民税の課税対象となります。

3. 給付金の課税関係

給付金受取人が契約に基づき受け取る給付金は、雑所得となり相続税または贈与税の対象になった部分以外の部分は、所得税及び住民税の課税対象となります。

対象となる金額は、相続税の対象になった年金の種類とその相続時の年金の評価が平成 22（2010）年度の税制改正前のものか、それとも改正後のものかによって違うこととされています。具体的な計算方法は、第３章第６節を参照してください。

第10節　個人事業主が契約した損害保険に係る課税関係

5-48　積立傷害保険の保険料を支払った場合の取扱い

Q　個人事業主が、積立傷害保険の保険料を支払った場合、税務上どのように取り扱われますか。

A　個人事業主が、積立傷害保険の保険料を支払った場合は、以下のように取り扱われます。

1　保険金受取人が個人事業主の場合

個人事業主が、自己を契約者とし従業員を被保険者とする積立傷害保険に加入してその保険料を支払った場合には、その支払った保険料の額は次のように取り扱われます。

1. 損害保険料部分

損害保険料部分の保険料は、期間の経過に応じて「支払保険料」として必要経費に算入することができます。

2. 積立保険料部分

積立保険料部分の保険料は積立保険料として資産に計上します。

2 保険金の受取人が従業員の遺族である場合

個人事業主が自己を契約者とし、従業員を被保険者及び傷害保険金の受取人、従業員の遺族を死亡保険金の受取人とする積立傷害保険に加入してその保険料を支払った場合には、その支払った保険料は次のように取り扱われます。

1. 損害保険料部分

損害保険料部分の保険料は、期間の経過に応じて「福利厚生費」として必要経費に算入することができます。

ただし、特定の従業員だけを被保険者としているときは、その保険料の額は被保険者に対する給与となり、被保険者について所得税及び住民税が課税されます。

2. 積立保険料部分

積立保険料部分の保険料は積立保険料として資産に計上します。表にまとめると、次のようになります。

契約者	被保険者	保険金受取人			保険料に対する課税関係	
		傷害のとき	満期のとき	死亡のとき	契約者に対する課税	被保険者に対する課税
個　人 事業主	個　人 事業主	個　人 事業主	個　人 事業主	個人事業主の相続人	個人事業の必要経費にはならない	
個　人 事業主	従業員	従業員	個　人 事業主	個　人 事業主	・積立保険料部分は資産に計上する ・補償保険料部分は必要経費になる ・青色事業専従者の場合は他の従業員と同様の条件で契約しているときに限り必要経費に算入できる	・非課税 ・ただし、特定の従業員だけを被保険者としている場合は給与として補償保険料部分が所得税の対象になる
個　人 事業主	従業員	従業員	個　人 事業主	従業員の相続人	同　上	同　上

従業員（保険料負担者は個人事業主）	従業員	従業員	従業員	従業員の相続人	個人事業の必要経費になる	給与として所得税の課税対象になる

5-49　自己を被保険者とする保険料の取扱い

Q　私は個人で事業を営んでいますが、ケガや病気に備えて自分を被保険者とする所得補償保険に加入しました。この場合の保険料は必要経費になりますか。

A　所得補償保険は、被保険者が傷害または疾病によって就業不能となった場合に、その就業不能期間に応じて計算した保険金を被保険者に支払うもので、個人事業主だけでなくサラリーマンでも加入ができるというものです。

この場合、相談者が支払う保険料は、業務の遂行とは直接関連なく、所得を生ずべき業務について生じた費用でもないので、必要経費には算入できません。

5-50　認可特定保険業者が行う傷害保険の取扱い

Q　認可特定保険業者となった特例民法法人が、従来行っていた傷害保険を取り扱う場合、会員が支払う会費及び保険金はどのような取扱いになりますか。

A 傷害保険に係る会費と保険金の取扱いは、次のようになります。

契約者	被保険者	会費の取扱い	支払事由	保険金受取人	保険金の取扱い
個人事業主	従業員	全額必要経費	傷害	個人事業主	事業所得
			死亡	個人事業主	事業所得

5-51 傷害保険の保険料を支払った場合の取扱い

Q 個人事業主が傷害保険の保険料を支払った場合、税務上どのように取り扱われますか。

A 個人事業主が、傷害保険の保険料を支払った場合の課税関係は、次のとおりです。

契約者	被保険者	保険金受取人		保険料に対する課税関係	
		傷害のとき	死亡のとき	契約者に対する課税	被保険者に対する課税
個人事業主	個人事業主	個人事業主	個人事業主の相続人	保険料は必要経費にはならない	
個人事業主	従業員	従業員	個人事業主	当該年度に係る保険料は必要経費になる	・非課税 ・ただし特定の従業員だけを被保険者としている場合は給与として課税の対象になる
個人事業主	従業員	従業員	従業員の相続人	同上	同上
従業員（保険料負担者は個人事業主）	従業員	従業員	従業員の相続人	全額給与等として必要経費になる	給与として課税の対象になる

5-52 積立火災保険の保険料を支払った場合の取扱い

Q 個人事業主が積立火災保険の保険料を支払った場合、税務上どのように取り扱われますか。

A 個人事業主が積立火災保険の保険料を支払った場合の課税関係は、次のとおりです。

契約者	被保険者	保険の目的物件	保険料に対する課税関係	
			契約者に対する課税	被保険者に対する課税
個　人 事業主	個　人 事業主	自己所有の業務用建物	積立保険料部分は資産計上となり、補償保険料部分は期間の経過に応じて必要経費になる。資産計上した積立保険料部分は、契約が満期、失効、解除時に必要経費になる。店舗併用住宅の場合は、支払保険料を使用面積の割合等、合理的基準により業務用部分と生活用部分に区分し、業務用部分は上記のように扱われる	
個　人 事業主	建物の 所有者	賃借業務用建物	同　上	補償保険料部分を収入金額に算入するとともに同額を必要経費に算入する
個　人 事業主	建物の 使用者	建物の使用者の建物	同　上	・非課税 ・特定の従業員だけを被保険者とする場合は、補償保険料部分は給与として課税の対象になる

5-53 借入金で保険料を支払った場合の取扱い

Q 私は不動産所得者ですが、自分の所有するアパートを対象として積立火災保険に加入しました。保険料は全期前納払とし銀行からの借入金で支払いました。この場合の利息は不動産所得の必要経費になりますか。

A 業務を営む者が所有する業務用資産を対象として保険期間が３年以上で、かつ、保険期間満了後に満期返戻金の支払われる損害保険に加入して、その保険料を支払った場合には、その保険料の金額のうち積立保険料相当額は、保険期間の満了または保険契約の解約もしくは失効のときまで資産として取り扱います。その他の掛捨保険料相当額は、期間の経過に応じてその業務に係る必要経費に算入されることとなっています。

そして、資産に計上した積立保険料相当額は、保険事故の発生により保険金の支払を受け、その保険契約が失効しても必要経費には算入されないこととなっています。

このようなことから、積立保険料部分は一時所得の満期返戻金に係る支出と解され、業務上の費用または支出には該当しないものとして扱われることとなっています。したがって、この場合、相談者が支払われる支払利息のうち、掛捨保険料に相当する金額に対応する支払利息は必要経費となりますが、積立保険料部分に相当する金額に対応する支払利息は不動産所得の必要経費にはならないこととなります。

5-54 火災保険の保険料を支払った場合の取扱い

Q 個人事業主が火災保険の保険料を支払ったとき及び保険金を受け取ったときの課税関係は、どのようになりますか。

A 個人事業主が火災保険の保険料を支払ったとき及び保険金を受け取ったときの課税関係は、次のとおりです。

契約者	被保険者	保険の目的物件	保険料に対する課税		保険金に対する課税
			契約者の課税	被保険者の課税	
個　人事業主	個　人事業主	自己所有の業務用建物	必要経費になる。店舗併用住宅は支払保険料を使用面積の割合等合理的な基準により業務用資産と生活用資産に区分して業務用部分だけが必要経費に算入できる		・非課税 ・棚卸資産の滅失等により取得した保険金は全額収益に計上する
個　人事業主	建物の所有者	賃借業務用建物	・その年度に係る保険料は必要経費になる ・年払、半年払、月払は支払の都度必要経費になる	非課税	①建物所有者が法人の場合： 保険金を益金に算入するとともに罹災部分の帳簿価額を損金に算入する。圧縮記帳もできる (4–12 参照) ②建物所有者が個人の場合： 非課税
個　人事業主	従業員	従業員の建物	同　上	・非課税 ・特定の従業員だけを被保険者としている場合は、給与として課税の対象になる	非課税

5-55　満期返戻金を受け取った場合の取扱い

Q　個人事業主が積立傷害保険の満期返戻金を受け取った場合、税務上どのように取り扱われますか。

A　個人事業主が、自己を契約者、従業員を被保険者とする積立傷害保険の満期に伴い、満期返戻金及び契約者配当金を受け取った場合には、その満期返戻金と契約者配当金の合計額から資産として積み立ててきた積立保険料の累計額を差し引いた金額が雑収入として、一時所得の対象になります。

課税の対象となる一時所得の金額は、次の算式で計算され、他に一時所得となる金額があるときは、その金額を合算し、その合計額から特別控除額の50万円を差し引きます。

一時所得の金額＝（満期返戻金＋配当金）－積立保険料累計額－特別控除額（50万円）

また、一時所得の金額を他の所得と合算して税額を計算する場合には、上記で計算した一時所得の金額の2分の1を総所得金額に算入します。

5-56 積立火災保険の保険金・満期返戻金を受け取った場合の取扱い

Q 個人事業主が保険料を負担している積立火災保険について、保険事故が起きた場合の保険金及び満期返戻金の税務上の取扱いはどのようになっていますか。

A 個人事業主が、保険料を負担している積立火災保険の保険金及び満期返戻金の税務上の取扱いは次のとおりです。

契約者	被保険者	保険の目的物件	保険金に対する課税	満期返戻金に対する課税
個　人 事業主	個　人 事業主	自己所有の業務用建物	・非課税 ・ただし、棚卸資産の滅失により受け取った保険金は収益に計上する	・一時所得として所得税、住民税の対象になる ・保険期間が5年以内、一時払、補償倍率5倍未満の積立保険は20.315%の源泉分離課税で課税が完了
個　人 事業主	建　物 所有者	賃借業務用建物	①賃貸人が法人の場合： 保険金を益金に算入するとともに建物の罹災部分の帳簿価額を損金に算入する 圧縮記帳もできる（4-12参照） ②賃貸人が個人の場合： 非課税	同　上
個　人 事業主	従業員	従業員の建物	非課税	同　上

5-57 積立傷害保険の保険金を受け取った場合の取扱い

Q 個人事業主が保険料を負担した積立傷害保険の保険金は、税務上どのように取り扱われますか。

A 個人事業主が、積立傷害保険の保険金を受け取った場合の課税関係は次のとおりです。

契約金	被保険者	保険金受取人			保険金等に対する課税		
		傷害のとき	満期のとき	死亡のとき	傷害のとき	満期のとき	死亡のとき
個　人事業主	個　人事業主	個　人事業主	個　人事業主	個人事業主の相続人	・非課税 ・被保険者の配偶者や生計を一にする親族等が受け取った場合も非課税	・一時所得として課税の対象になる ・保険期間が5年以内、一時払、補償倍率5倍未満の保険については20.315%の源泉分離課税となる	相続税の対象になる
個　人事業主	従業員	従業員	個　人事業主	個　人事業主	同　上	同　上	事業所得として課税の対象になる
個　人事業主	従業員	従業員	個　人事業主	従業員の相続人	同　上	同　上	相続税の対象になる
従業員（保険料負担者は個人事業主）	従業員	従業員	従業員	従業員の相続人	同　上	同　上	同　上

5-58 従業員を被保険者とする所得補償保険の保険料の取扱い

Q 個人事業主が、従業員を被保険者とする所得補償保険に加入して保険料を支払った場合の支払保険料は、税務上どのように取り扱われますか。

A 個人事業主が自己を契約者とし、従業員を被保険者とする所得補償保険に加入して、その保険料を支払ったときは、その保険料は福利厚生費として期間の経過に応じて必要経費に算入することができます。

ただし、特定の従業員だけを対象として保険料を支払うこととしている場合は、その支払った保険料の額（その契約期間の満了に際し満期返戻金、満期共済金等の給付がある場合には、支払った保険料の額から積立保険料に相当する部分の金額を控除した金額）はその従業員に対する給与として課税され、源泉徴収の対象となります。

なお、青色事業専従者を被保険者とする場合には、他の従業員と同様の条件で加入させた場合に限り必要経費に算入することができます。

5-59 専従者を被保険者とする損害保険の保険料の取扱い

Q 個人事業主を保険契約者及び保険金受取人、事業専従者を被保険者とする傷害保険に加入した場合、保険料はどのように取り扱われますか。

A 個人事業主が、自分を保険契約者及び保険金受取人、従業員を被保険者として傷害保険に加入した場合には、その保険金を死亡した従業員の退職金として、またはケガをした従業員に対する見舞金等の資金として利用することができるため、事業遂行上必要なものとして保険料相当額を必要経費に算入することが認められています。

しかしながら、事業専従者や個人事業主を被保険者とする場合には、これらの者に対して支払われる退職金や見舞金等の金品は、他の従業員と同様の条件で支払われるものであったとしても、もともと必要経費とならない家事上の経費とされていますので、その資金の確保を目的とする保険料相当額も家事上の経費に該当することになります。

したがって、事業専従者または個人事業主を被保険者とする傷害保険に係る保険料相当額は、事業所得の必要経費に算入することはできません。

5-60 所得補償保険の保険金を受け取った場合の取扱い

Q 所得補償保険の保険金を受け取った場合には、その保険金に対して課税されますか。

A 所得補償保険は、被保険者が傷害や傷病によって仕事に就くことができなくなったときに、その仕事に就くことができない期間に応じて計算した保険金を被保険者に支払うというものです。

この場合の保険金は、保険事故のために収入が得られなくなったかどうかにかかわらず被保険者がケガや疾病により就業できなくなったときに支払われるものですから、「身体の傷害に基因して支払を受けるもの」に該当して、所得税は非課税となります。

5-61 類焼で焼失した資産に対して支払う賠償金の取扱い

Q 私は自動車修理業を営んでいますが、先日隣家からの類焼で工場が全焼しました。預かっていた自動車の持主に支払う賠償金は税務上どのように取り扱われますか。

A 所得税法上、次に掲げる場合に支出する損害賠償金、見舞金、弔慰金は、それが火事関連のもの、故意或いは重大な過失によって他人を侵害したものでない限り、被災事業用資産の損失として認められ、必要経費に算入することができます。

① 災害により事業用の建物や構築物等が倒壊し、その倒壊により第三者に損害を与えた場合

② 災害により事業に関連して保管している第三者の物品について損害が生じた場合

この場合、上記②に該当するので、支出した損害賠償金は必要経費として処理することができます。

5-62 店舗等の事業用固定資産に損失が生じた場合の取扱い

Q 私の所有する店舗が焼失しました。以下の場合、税務上どのように取り扱われますか。

店舗の未償却残高	7,000,000円
時　価	10,000,000円
受取保険金額	5,000,000円
損失発生直後の事業用固定資産の価額	3,000,000円
損失により発生した資材の価額	300,000円

A 店舗の焼失により生じた損失額は、所得税法上、事業所得の金額の必要経費に算入されます。

必要経費に算入される損失の金額は、その店舗の未償却残高から損失発生直後に生じた事業用固定資産の価額及び損失により発生した資産の価額（廃材の処分可能価額）を差し引いて求めます。

7,000,000円－3,000,000円－300,000円＝3,700,000円
→損失の額

ただし、保険金等で補てんされる部分の金額があるときは、これを差し引いて計算することとなっています。

3,700,000円－5,000,000円＝△1,300,000円
→必要経費はゼロ

この場合のように、保険金が損失額を上回ると、必要経費はゼロとなります。なお、上回った保険金130万円は非課税です。

5-63 営業補償金として受け取った損害賠償金の取扱い

Q 私は、タクシーの運転手をしていますが、先日追突されました。私は無事でしたが、車が傷つき、修理をしています。この間の営業補償金として、相手から30万円を受け取りましたが、税務上どのように取り扱われますか。

A 所得税法上、次のような場合に取得する損害賠償金は、所得の金額を計算するときに、収入金額として計上しなければなりません。

① 不動産所得、事業所得、山林所得または雑所得に係る棚卸資産、山林、工業所有権その他の技術に関する権利、特別の技術による生産方式もしくはこれらに準ずるものまたは著作権につき損失を受けたことにより取得する保険金、損害賠償金、見舞金、その他これらに類するもの

② その業務の全部または一部の休止、転換または廃止その他の事由によりその業務の収益の補償として取得する補償金その他これに類するもの

したがって、この場合、車の修理のため営業ができず、その間の収入を補うものとして受け取ったものなので、上記②に該当することになり、事業所得の収入金額として30万円を計上することになります。

5-64 従業員の行為に基因して支払う損害賠償金等の取扱い

Q 従業員が業務中に起こした交通事故に対し、損害賠償金を支払いました。この場合、税務上どのように取り扱われますか。

A 従業員の行為に基因して支払う損害賠償金等は、以下のように取り扱われます。

---

1 損害賠償金の取扱い

所得税法では、個人事業主が従業員（家族従業員を含みます）の行為に基因する損害賠償金（これに類するもの及びこれらに関連する弁護士報酬を含みます）を支払った場合には、次のように取り扱うこととされています。

① その従業員の行為に関し、業務を営む者に故意または重大な過失がある場合には、その従業員に故意または重大な過失がないときであっても、その業務の所得の金額の計算上必要経費に算入しません。

② その従業員の行為に関し業務を営む者に故意または重大な過失がない場合には、その従業員に故意または重大な過失があったかどうかを問わず、次のように扱われます。

(イ)業務の遂行に関連する行為に基因するものは、その従業員の従事する業務の所得の金額の計算上必要経費に算入します。

(ロ)業務の遂行に関連しない行為に基因するものは、家族従業員以外の従業員の行為に関し負担したもので、雇用主としての立場上やむを得ず負担したものについては、その従業員の従事する業務の所得の金額の計算上必要経費に算入し、家族従業員の行為に関し負担したもの及びその他のものは必要経費に算入しません。

したがって、この場合、相談者に故意または重大な過失があるとは考えられないので、②に該当し、従業員の業務上の事故に基因して損害賠償金が支払われたということですから、(イ)によりその支払った損害賠償金は必要経費に算入することができます。

2 重大な過失の判断

重大な過失があったかどうかは、その者の職業、地位、加害当時の周囲の状況、侵害した権利の内容及び取締法規の有無等の具体的な事情を考慮して、その者が払うべきであった注意義務の程度を判定し、不注意の程度が著しいかどうかにより判定されますが、次に掲げるような場合には、特別の事情がない限りそれぞれの行為者に重大な過失があったものとされています。

① 自動車等の運転者が無免許運転、高速度運転、酔払い運転、信号無視その他道路交通法に定める運転者義務に著しく違反することまたは雇用者が超過積載の指示、整備不良車両の運転の指示その他事業主の義務に著しく違反することにより他人の権利を侵害した場合

② 劇薬または爆発物等を他の薬品または物品と誤認して販売したことにより他人の権利を侵害した場合

3 必要経費の可否

必要経費の可否を一覧表にまとめると、次のとおりです。

区分				必要経費になるもの
事業主自身の行為に起因するもの	家事上のもの または 業務上で事業主に故意または重大な過失があるもの			×
	その他			○
従業員の行為に起因するもの	事業主に故意または重大な過失あり			×
	事業主に故意または重大な過失なし	業務上		○
		非業務上	従業員	○
			家族	×

5-65　損害賠償金を負担してもらった従業員側の課税関係

Q　従業員が飲酒運転で起こした交通事故の損害賠償金を事業主である私が支払いました。この場合の従業員に対する課税関係はどうなりますか。

A　所得税法上、個人事業主が従業員の行為に基因する損害賠償金（慰謝料、示談金等他人に与えた損害を補てんするために支出するすべてのもの及びこれらに関連する弁護士の報酬等の費用を含みます）を負担した場合には、従業員の課税関係は次のようになります。

① その損害賠償金等の基因となった行為が個人事業主の業務の遂行に関連するものであり、かつ、行為者の故意または重過失に基づかないものである場合には、その従業員について課税はされません。

② その損害賠償金等の基因となった行為が①以外のものである場合には、その負担する金額は、その従業員に対する給与となります。

　ただし、その負担した金額のうちに、その行為者の支払能力等からみてその者に負担させることができないためやむを得ず個人事業主が負担したと認められる部分の金額については、①の場合に準じて取り扱われます。

この設問の場合は、業務の遂行以外の行為なので②に該当することになり、原則として給与となり所得税が課せられます。しかし、賠償金が多額であり、使用人が負担することができないため個人事業主が負担した場合には、その負担できないと認められる部分については課税されません。

個人事業主側の課税については、5–64 を参照してください。

第6章 役員給与の取扱い

6-1 役員とは

Q 役員給与の規定が適用される役員とは、どのような人をいうのですか。

A 役員給与の規定が適用される役員とは、以下の者をいいます。

---

1 役員とは

役員とは、法人の取締役、執行役、会計参与、監査役、理事、監事及び清算人並びにこれらの者以外の者で法人の経営に従事している者のうち、次の者をいいます。

① 法人の従業員以外の者でその法人の経営に従事している者
　相談役や顧問等がこれに該当します。

② 同族会社の従業員のうち、次のすべてを満たしている者で、その法人の経営に従事している者

(イ) 所有割合が最も大きい株主グループから順次順位を付した場合に、上位3位以内の株主グループに属しており、上位からの所有割合が50% 超になる株主グループに属していること

(ロ) その者の属する株主グループの所有割合が10% 超であること

(ハ) その者（その配偶者及びこれらの者の所有割合が50％超である会社を含む）の所有割合が５％超であること

❷ 使用人兼務役員とは

使用人兼務役員も役員として取り扱われますが、使用人兼務役員とは、役員のうち部長、課長その他法人の使用人としての職制上の地位を有し、かつ、常時使用人としての職務に従事する者をいいます。ただし、次の者は使用人兼務役員にはなれないとされています。

① 代表取締役、代表執行役、代表理事、清算人

② 副社長、専務、常務その他これらに準ずる職制上の地位を有する役員

③ 合名会社、合資会社及び合同会社の業務を執行する社員

④ 取締役（委員会設置会社の取締役）、会計参与及び監査役並びに監事

⑤ 同族会社の役員のうち上記❶②の(イ)から(ハ)までのすべての要件を満たす者

これらをまとめると、次のようになっています。

<table>
<tr><td rowspan="6">取締役・執行役・会計参与・監査役・理事・監事・清算人</td><td>①</td><td colspan="3">・代表取締役、代表執行役、代表理事、清算人
・副社長、専務、常務その他これらに準ずる職制上の地位を有する役員
・合名会社、合資会社及び合同会社の業務を執行する社員
・取締役（委員会設置会社の取締役）、会計参与及び監査役並びに監事</td><td rowspan="3">使用人兼務役員とされない役員</td><td rowspan="6">法人税上の役員</td></tr>
<tr><td rowspan="5">①以外の役員</td><td colspan="3">次の②以外の者</td></tr>
<tr><td rowspan="3">②部長、課長、支店長、工場長、営業所長、支配人、主任等の使用人としての職制上の地位を有し、かつ、常勤である者</td><td rowspan="2">③同族会社の役員</td><td>④一定の基準を満たす者※</td></tr>
<tr><td>④以外の者</td><td rowspan="3">使用人兼務役員</td></tr>
<tr><td colspan="2">③以外の者</td></tr>
<tr><td colspan="3">②以外の者</td></tr>
<tr><td rowspan="2">会長・相談役・顧問等で法人の従業員以外の者</td><td colspan="4">次の⑤以外の者</td><td colspan="2">役員でも従業員でもない者</td></tr>
<tr><td colspan="4">⑤法人の経営に従事している者</td><td rowspan="2">みなし役員</td><td rowspan="2">法人税法上の役員</td></tr>
<tr><td rowspan="3">同族会社の従業員</td><td colspan="2" rowspan="2">⑥法人の経営に従事している者</td><td colspan="2">⑦一定の基準を満たす者</td></tr>
<tr><td colspan="2">⑦以外の者</td><td colspan="2" rowspan="2">法人税法上の使用人（従業員）</td></tr>
<tr><td colspan="4">⑥以外の者</td></tr>
</table>

※一定の基準を満たす者とは、❶の②の要件を満たす者をいいます。

6-2 役員給与の取扱い

Q 役員給与は、税務上どのように取り扱われますか。

A 役員給与は、以下のように取り扱われます。

1 役員給与の取扱い

役員給与（役員報酬、役員賞与、役員退職金）は、原則として損金不算入（役員退職金を除きます）ですが、次の給与については損金算入となっています。

①	支給時期が１月以下の一定の期間ごとである給与で、各支給時期における支給額または手取額が同額である給与（定期同額給与）（6-3 参照）
②	所定の時期に確定額を支給するという定めに基いて支給する給与（株主総会等の日から１月を経過する日とその会計期間開始の日から４月を経過する日とのいずれか早い日までに支給内容を所轄税務署長に届出された給与に限る）（事前確定届出給与）（6-4 参照）
③	業務執行役員に対する業績連動給与で、次の要件を満たすもの（6-5 参照） (イ) 給与の算定方法が、利益の状況を示す指標等（有価証券報告書に記載されたものに限る）を基礎とした客観的なものであること (ロ) 算定方法について報酬委員会における決定等適正な手続が執られていること (ハ) 損金経理をしていること (ニ) その他一定の要件を満たすもの

2 過大役員給与の取扱い

不相当に高額と認められる役員給与については、その不相当に高額と認められる部分の金額は、損金の額に算入されません。不相当に高額と認められる部分の金額とは、次の金額のうちいずれか多い金額をいいます。

①	給与の額（退職給与は除く）が、その役員の職務の内容、その法人の収益、従業員に対する給与の支給状況、同業種同規模会社の役員給与の支給状況等からみて適正と認められる金額を超える金額
②	定款の規定または株主総会等の決議により定められた給与の額を超えて支給する場合のその超える部分の金額

3 不正経理役員報酬

会社が事実を隠ぺいし、または仮装して経理することにより支給した役員給与は、損金の額に算入することはできません。

これをまとめると、次のようになります。

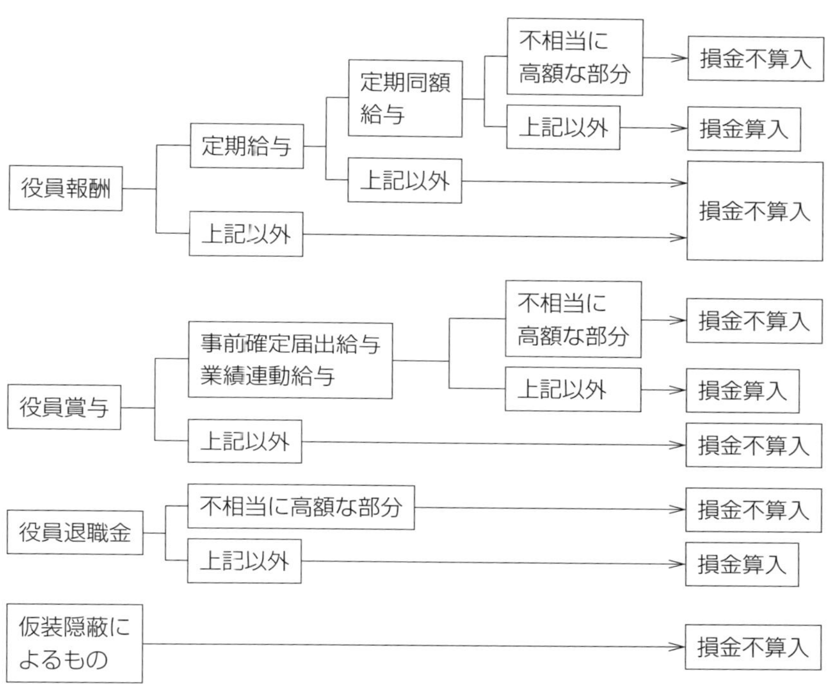

（注）使用人兼務役員に対する使用人給与部分は除きます。

6-3　定期同額給与とは

Q　定期同額給与とは、どのような給与をいうのですか。

A　定期同額給与とは、次の給与をいい、法人税では損金の額に算入されることとなっています。

①	支給時期が１月以下の一定の期間ごとで、かつ、その事業年度の各支給時期における支給額が同額である給与 【支払額イメージ】 1 2 3 4 5 6 7 8 9 10 11 12 ・支給額が全期間を通じて各月とも同額であること ・支給額の改定は、第１月に行う
②	その支給時期が１月以下の一定の期間ごとであるもの（定期給与）の額につき、その事業年度の会計期間開始の日から３月を経過する日までに改定された給与で、改定前と改定後の各支給時期の給与の額が期間を通じて同額である給与 【支払額イメージ】 1 2 3 4 5 6 7 8 9 10 11 12 ・改定前の各月と改定後の各月の支給額が同額であること ・期首から３月以内に支給額の改定を行うこと ・増額改定、減額改定を問わない
③	やむを得ない臨時改定事由により改定された定期給与
④	業績悪化事由により改定された定期給与
⑤	経済的利益の額がおおむね一定の定期給与 （例） ・役員等を被保険者及び保険金受取人とする生命保険契約の保険料相当額で経常的に負担するもの ・役員に対する家賃等で通常取得すべき賃貸料とに差額がある場合の差額相当額 ・役員に対する金銭の貸付利息で通常取得すべき利息の額とに差額がある場合の差額相当額 ・毎月定額で支給される渡切交際費等

※定期同額給与には、所得税や社会保険料の源泉徴収等の後の金額が同額である給与も含まれます。

6-4 事前確定届出給与とは

Q 事前確定届出給与とは、どのような給与をいうのですか。

A 事前確定届出給与とは、以下の給与をいいます。

❶ 事前確定届出給与とは

事前確定届出給与とは、❷に挙げる一定の要件を満たす給与をいい、法人税では損金の額に算入されることとなっています。

❷ 一定の要件

① 所定の時期に確定額を支給する旨の定めに基いて支給する給与であること

② 事前に納税地の所轄税務署長にその内容を届出していること

(注１)リストリクテッド・ストック、一定の新株予約権による給与は事前確定の届出が不要です。

(注２)現物資産等の支給金額が確定しない給与は、この対象になりません。

(注３)所定の時期に確定した数の株式・新株予約権を交付する給与は、この対象になります。

❸ 届出の期限

届出の期限は、次の日のうちいずれか早い日までとされており、届出をしなかった場合には、原則として、その給与は損金の額に算入されません。

① 役員給与の定めに関する決議をした株主総会等の日（職務執行を開始する日のほうが早い場合はその開始する日）から１月を経過する日

② その会計期間開始の日から４月を経過する日

6-5 業績連動給与とは

Q 損金算入できる業績連動給与とは、どのような給与をいうのですか。

A 業績連動給与とは、非同族会社の業務執行役員に対する給与のうち、次の一定の要件を満たす給与をいい、法人税では損金の額に算入されることとなっています。

---

1 一定の要件

損金に算入できる業績連動給与の要件は、以下のとおりです。

① 同族会社（完全支配関係がある同族会社を含みます）に該当しない法人であること

② 業務執行役員に対する業績連動給与であること

③ すべての業務執行役員に対して適用されること

④ 算定方法が、利益の状況を示す指標（有価証券報告書等に記載されているものに限ります）を基礎とした客観的なもの（ROE（自己資本利益率)、ROA（総資産利益率）等)）で、次の要件を満たすものであること

　(イ)確定額を限度（経常利益の何%とするものは不可）としており、かつ、他の業務執行役員に対して支給する業績連動給与に係る算定方法と同様のものであること

　(ロ)報酬委員会や株主総会の決議、報酬諮問委員会に対する諮問その他の手続を経た取締役会の決議、監査役会設置会社における取締役会の決議による決定、その他これらに準ずる手続を経ていること

　(ハ) (ロ)の決定・手続が会計期間開始の日から３月を経過する日までに行われていること

　(ニ)その内容が、有価証券報告書に記載されていること

　(ホ)その他一定の方法により開示（支給されるすべての業務執行役員に対する給与等の算定方法が開示）されていること

⑤ 給与が、利益に関する指標の数値が確定した（定時株主総会により計算書類が承認されたとき）後１月以内に支払われ、または支払われる

見込みであること
⑥ 給与を損金経理していること

❷ 業務執行役員

業務執行役員とは、次の役員をいいます。
① 取締役会設置会社における代表取締役及び代表取締役以外の取締役であって、取締役会の決議によって取締役会設置会社の業務を執行する取締役として選定されたもの
② 委員会設置会社における執行役
③ ①及び②の役員に準ずる役員

6-6 給与となる経済的利益

Q 生命保険の保険料は、かけ方によって給与になるそうですが、その他に同じような取扱いがされるものはありますか。

A 給与となる経済的利益には、以下のようなものがあります。

---

❶ 給与となる経済的利益

次の経済的利益は、給与として取り扱われます。
① 役員等に対して物品その他の資産を贈与した場合におけるその資産の価額に相当する金額
② 役員等に対して所有資産を低い価額で譲渡した場合におけるその資産の価額と譲渡価額との差額に相当する金額

③ 役員等から高い価額で資産を買い入れた場合におけるその資産の価額と買入価額との差額に相当する金額

④ 役員等に対して有する債権を放棄しまたは免除した場合（貸倒れに該当する場合を除きます）におけるその放棄しまたは免除した債権の額に相当する金額

⑤ 役員等から債務を無償で引き受けた場合におけるその引き受けた債務の額

⑥ 役員等に対してその居住の用に供する土地または家屋を無償または低い価額で提供した場合における通常取得すべき賃貸料の額と実際徴収した賃貸料の額との差額に相当する金額

⑦ 役員等に対して金銭を無償または通常の利率よりも低い利率で貸し付けた場合における通常取得すべき利率により計算した利息の額と実際徴収した利息の額との差額に相当する金額

⑧ 役員等に対して無償または低い対価で⑥及び⑦に掲げるもの以外の用役の提供をした場合における、通常その用役の対価として収入すべき金額と実際に収入した対価の額との差額に相当する金額

⑨ 役員等に対して機密費、接待費、交際費、旅費等の名義で支給したもののうち､その法人の業務のために使用したことが明らかでないもの

⑩ 役員等のために個人的費用を負担した場合における、その費用の額に相当する金額

⑪ 役員等が社交団体等の会員となるためまたは会員となっているために要する当該社交団体の入会金、経常会費その他当該社交団体の運営のために要する費用で、当該役員等の負担すべきものを法人が負担した場合における、その負担した費用の額に相当する金額

⑫ 法人が役員等を被保険者及び保険金受取人とする生命保険契約を締結してその保険料の額の全部または一部を負担した場合における、その負担した保険料の額に相当する金額

❷ 定期同額給与に該当する経済的利益

❶の経済的利益のうちその利益の額が毎月おおむね一定である次のようなものは、定期同額給与に該当することとされています。

① ❶の①、②または⑧に掲げる金額でその額が毎月おおむね一定しているもの

② ❶の⑥または⑦に掲げる金額(その額が毎月著しく変動するものを除きます)

③ ❶の⑨に掲げる金額で毎月定額により支給される渡切交際費（法人の業務の用に供するために支出する金銭のうち、使途や使用金額が精算されないもの）に係るもの

④ ❶の⑩に掲げる金額で毎月負担する住宅の光熱費、家事使用人給料等（その額が毎月著しく変動するものを除きます）

⑤ ❶の⑪及び⑫に掲げる金額で経常的に負担するもの

6-7 給与となる保険料を年払いした場合

Q 給与となる保険料を年払いにした場合の保険料相当額は、定期同額給与になりますか。

A 役員が供与を受ける経済的利益が毎月おおむね一定であるときは、定期同額給与として取り扱われます。

---

❶ 保険料の取扱い

法人が、役員等を被保険者及び保険金受取人とする生命保険契約を締結して、その保険料を負担した場合、その保険料相当額は、その役員等に対

する給与として取り扱われます。そして、その保険料が毎月おおむね一定であれば、その給与は定期同額給与に該当し、損金の額に算入することができることになっています。

2 年払いの保険料の取扱い

保険料を年払いにより支払っている場合には、その支出が毎月行われていないことから、定期同額給与に該当しないようにも考えられます。しかし、その供与される利益の額が毎月おおむね一定かどうかは、法人が負担した費用の支出時期によるのではなく、その役員が現に受ける経済的利益が毎月おおむね一定であるかどうかにより判定することとなっています。年払いの場合であっても、当該役員が供与を受ける経済的利益が毎月おおむね一定であるときは、定期同額給与として取り扱われることとなっています。

6-8 給与となる保険に期首から4か月以後に加入して保険料を年払いした場合

Q 給与となる保険料を年払いした場合の保険料は、定期同額給与に該当するということですが、保険契約が期首から3か月以内でない場合は、その増額となる保険料相当額は定期同額給与にならず損金不算入になるのですか。

A 損金不算入にはなりません。

法人税では、役員給与のうち定期同額給与に該当するものは損金になるとしており、定期同額給与の要件を、①支給額が全期間を通じて各月とも

同額であること、②給与の額を改定する場合は期首から３か月以内に改定し、改定前と改定後の各月の支給額が同額であることとしています（詳しくは6-3を参照）。

したがって、給与となる保険料が定期同額給与に該当するのは明らかなものの、期首から３か月以内でないものはその増額部分の金額は定期同額給与とならず役員賞与になり、損金不算入になるのではないかということが気がかりなのだと思いますが、期首から３か月以内の要件は金銭での支給となっており、保険料などの経済的利益はその対象になっていないので、期首から４か月以後に支払った年払いの保険料でも役員賞与として損金不算入となることはありません。

6-9　給与となる保険に期末に加入して保険料を年払いした場合

Q　給与となる保険料を年払いした場合の保険料は、定期同額給与に該当するということですが、期末に決算対策で加入した場合は、保険料の全額が損金に算入できるのですか。

A　全額を損金に算入することはできません。

給与となる保険料を年払いした場合の保険料相当額は、定期同額給与になります。したがって、その保険料相当額は役員給与として損金に算入することができます（詳しくは6-7を参照）。

ところで、法人が支払う保険料が損金となる保険の保険料を年払いした場合は、短期前払費用の適用が受けられ、年払いした保険料の全額を、その支払った事業年度の損金に算入することができます（詳しくは2-245参照）。

そのことから、お尋ねの場合の保険料もその支払った全額が、その事業年度の損金に算入できるのではと思われたのかもしれませんが、この場合の保険料は、給与に該当するものですから、短期前払費用の対象とはならず、その全額を支払った事業年度の損金に算入することはできません。

保険料のうち、当期に対応する部分の金額のみが損金に算入することができます。

6-10 使用人兼務役員に対する給与の取扱い

Q 息子は役員（営業部長）ですが、従業員と同じ仕事をしています。このような息子に対する給与は、どのように取り扱われますか。

A 使用人兼務役員に対する給与は、以下のように取り扱われます。

---

1 使用人兼務役員とは

役員のうち、部長、課長その他法人の従業員としての職制上の地位を有し、かつ、常時従業員としての職務に従事する役員を使用人兼務役員といいます。これらの者に対する給与（給与とは、報酬、賞与、退職金を合わせたものをいいます）は、次のように取り扱われることとなっています。

2 使用人兼務役員に対する給与の取扱い

使用人兼務役員に対する給与は、役員としての職務に対する給与と従業員としての職務に対する給与に分けて取り扱われます。役員としての職務に対する給与は、原則として損金不算入となりますが、①定期同額給与、

②事前届出した臨時的給与、③一定の要件を満たす業績連動給与については、職務に対する対価として不相当に高額な部分の金額を除き、損金の額に算入されます。

また、従業員としての職務に対する給与については、役員のように損金算入要件はありませんが、役員給与と同様に給与のうち不相当に高額な部分の金額は損金の額に算入することができません。

なお、この場合の不相当に高額な部分の金額とは、次の金額の合計額をいい、従業員としての職務に対する賞与については、他の従業員に対する賞与と同じ時期に支給しなければ損金に算入できないこととなっています。

① 役員に対する給与（退職給与以外の給与）の額が、その役員の職務の内容、その法人の収益及び従業員に対する給与の支給の状況、その法人と同業種類似規模の法人の役員に対する給与の支給状況等に照らし、その役員の職務に対する対価として相当であると認められる部分の金額を超える部分の金額（その役員が2人以上いる場合は、これらの役員に係るその超える部分の金額の合計額）

② 定款の規定または株主総会等の決議により定められた役員給与の限度額（使用人兼務役員に対する給与の限度額が従業員としての職務に対するものを含めないで定められているときは、その従業員部分の給与を除きます）を超えて支給する場合のその超える部分の金額

③ その事業年度に退職した役員に対して支給した退職給与の額が、その役員の法人の業務に従事した期間、退職の事情、その法人と同業種類似規模の法人に対する役員に対する退職給与として相当と認められる金額を超える部分の金額

④ 使用人兼務役員の従業員としての職務に対する賞与で、他の従業員に対する賞与の支給時期と異なる時期に支給したものの金額

❸ 小規模法人の特例

法人の事業内容が単純で、従業員も少ないという法人にあっては、職制上の地位を定めていないという場合もあるでしょう。そのような場合であっても、その役員が他の従業員と同様の職務に従事しているときは、使用人兼務役員として上記と同じ取扱いをすることができます。

ただし、法人の株式を一定数以上保有しているため使用人兼務役員になれない役員は除かれます。

6-11 名目役員に対する給与の取扱い

Q 自分の妻を取締役にしようと思います。専業主婦の妻に給与を支給する場合は、どのように取り扱われますか。

A 専業主婦の妻等名目役員に給与を支給する場合は、以下のように取り扱われます。

---

❶ 損金算入できる役員給与

役員給与は、法人税では原則として損金不算入、①定期同額給与、②事前届出した臨時的給与、③一定の要件を満たす業績連動給与で、その給与の額が適正であると認められるものについては、損金の額に算入できるとしています。

そして、給与の額が適正であるかどうかは、次の実質基準または形式基準によって判定し、その基準を上回る場合には、その上回る部分の金額(いずれの基準にも上回る部分の金額がある場合には、いずれか多い金額）について損金の額に算入しないとしています。

実質基準	その役員の職務の内容、法人の収益、従業員に対する給料の支給状況、同業種同規模法人の役員給与の支給状況等からみて適正かどうかを判定する基準
形式基準	定款の規定または株主総会等の決議により定められた給与の額を超えていないかどうかで判定する基準

2 役員とは

役員とは、法人の取締役、執行役、会計参与、監査役、理事、監事、清算人等、法人の経営に従事している者をいうとされています。したがって、法人が支給する金品が役員給与として認められるためには、支給を受ける者が、まず「法人の経営に従事」していなければなりません。

「法人の経営に従事」しているかどうかは、特に法令等で判断基準が示されていませんが、次のようなことから実質的に判断することになります。

① 法人の業務執行の意思決定に参画しているかどうか

② 経営上の重要事項について決定権を有しているかどうか

③ それらについて責任を持って職務を遂行しているかどうか

3 名目役員に対する給与の取扱い

したがって、この場合の妻に対する給与が役員給与に該当するためには、妻が法人の経営に従事していなければならず、従事していないということであれば、妻に支給する給与は役員給与としては認められないこととなり、単に経営者（相談者）の給与所得の分散を図るものであると認定されれば、経営者（相談者）に対する給与として取り扱われることとなります。

また、非常勤役員として経営に従事しているということであれば、その職務の内容、職務の従事度合、役員としての経験年数、法人の業種・規模・所在地、法人の収益の状況、従業員に対する給料の支給状況、同種同規模法人の役員給与の支給状況等を総合的に勘案してその給与の額が適正かどうか判断されます。適正と認められる金額については、損金の額に算入されますが、過大と認められれば、その部分の金額は損金の額に算入されません。

6-12 特殊関係使用人に対する給与の取扱い

Q 私の息子は役員ではありませんが、役員並みの給与を支給しようと思っています。この場合、税務上どのように取り扱われますか。

A 特殊関係使用人に対する給与は、以下のように取り扱われます。

---

1 過大な使用人給与の取扱い

法人税では、役員に対する給与については、損金算入に制限を設けていますが、従業員に対する給与については、原則として、損金算入を認めています。

しかし、従業員に対する給与をすべて損金算入にしてしまうと、本来役員に対して支給するべきであった給与を従業員である役員の親族に過大な給与を支給する等して、所得の分散を図ったり、法人税が節税されたりすることもあります。そのため、法人税では、役員と特殊関係にある従業員（特殊関係使用人）に対して支給する給与については、その給与の額のうち不相当に高額と認められる部分の金額については、損金の額に算入しないという取扱いを設けています。

2 特殊関係使用人とは

特殊関係使用人とは、次に該当する者をいいます。

① 役員の親族
② 役員と事実上婚姻関係と同様の関係にある者
③ ①及び②以外の者で役員から生計の支援を受けている者
④ ②及び③の者と生計を一にするこれらの者の親族

3 不相当に高額かどうかの判断基準

1. 給与、賞与

不相当に高額かどうかは、その従業員に対して支給した給与の額が、その従業員の職務の内容、その法人の収益、及び他の従業員に対する給与の支給の状況、その法人と同種同規模会社の従業員に対する給与の支給状況等に照らして相当かどうかで判断されます。

2. 退職給与

また、退職給与については、その従業員のその法人の業務に従事した期間、その退職の事情、その法人と同種同規模会社の従業員に対する退職給与の支給状況等に照らして相当かどうかの判断がなされます。

4 給与の範囲

給与には、金銭で支給されるものの他、債務免除による利益その他の経済的利益（6-6参照）も含まれます。

6-13 保険料が給与となる場合の取扱い

Q 保険料が給与となる場合、税務上どのように取り扱われますか。

A 保険料が給与となる場合の取扱いは、次のようになっています。

支給対象者	取　扱　い
役員の場合	定期同額給与となり、原則として損金算入。ただし、他の給与と合算して過大と認められる部分は損金不算入（年払いも同じ。一時払いは事前確定届出給与に該当しない限り全額損金不算入）
使用人兼務役員の場合	役員と同じ
名目役員の場合	実態判断
特殊関係使用人の場合	他の給与と合算して過大と認められる部分は損金不算入
一般の従業員	原則として損金算入

なお、保険料が給与となる場合には、源泉徴収が必要になるので、忘れずに徴収しなければなりません。

■著者紹介

三輪 厚二（みわ こうじ）

昭和32年1月生まれ。昭和54年関西大学経済学部卒業。
平成5年税理士登録。平成5年三輪厚二税理士事務所開設。
現在、㈱FPシミュレーション、㈲顧問料不要の三輪会計事務所の代表取締役を兼ねる。
著書として、『個人財産のリストラと相続対策』（出版文化社刊）、『会社と社長の気になる税金Q&A』、『生前遺産分割のすすめ』、『続・生前遺産分割のすすめ』、『生前遺産分割で財産を守れ』、『新相続税・贈与税の実務対策』『同族会社と役員の税金Q&A』、『会社・役員をめぐる税金』、『会社取引をめぐる税務Q&A』、『改正／生命保険の税務Q&A』、『地主の法人化をめぐる税務と法手続』、『税理士・FPのための不動産活用の税務』、『税理士のための不動産取引をめぐる消費税実務』、『税制改正と資産税の実務Q&A』、『改正交際費課税・徹底活用ガイド』（以上、清文社刊）他がある。
なお、本書『生命保険・損害保険の活用と税務』の初版は、日本リスクマネジメント学会から「優秀著作賞」を受賞した。

事務所：〒541-0051　大阪市中央区備後町2－4－6　森田ビル1階
TEL：06-6209-8393
FAX：06-6209-8145
URL：http://www.zeirishi-miwa.co.jp

第11版

Q&A　生命保険・損害保険の活用と税務

2022年6月30日　発行

著　者　三輪 厚二 ©

発行者　小泉 定裕

発行所　株式会社 清文社
東京都文京区小石川1丁目3-25（小石川大国ビル）
〒112-0002　電話03(4332)1375　FAX03(4332)1376
大阪市北区天神橋2丁目北2－6（大和南森町ビル）
〒530-0041　電話06(6135)4050　FAX06(6135)4059
URL https://www.skattsei.co.jp/

印刷：㈱太洋社

■本書の内容に関するお問い合わせは編集部までFAX（03-4332-1378）またはedit-e@skattsei.co.jpでお願いします。

■本書の追録情報等は、当社ホームページ（https://www.skattsei.co.jp/）をご覧ください。

ISBN978-4-433-71212-9